Peterowi, Joy, Alison,
Clare i Simonowi

Od autora

W czasie, kiedy pisałem tę książkę, historia, którą opowiadałem, była historią możliwej przyszłości. Dziś, kiedy książka ukazuje się w języku polskim, wiemy już, że ta przyszłość ułożyła się inaczej. Niemniej to, co opowiedziałem, mogło się zdarzyć.

J.A.

Córka marnotrawna

Jeffrey
ARCHER

Dotychczas ukazały się:

Jeffrey ARCHER

—

Córka marnotrawna

Przełożyli
Danuta Sękalska i Wiesław Mleczko

Prószyński i S-ka

Tytuł oryginału
THE PRODIGAL DAUGHTER

Copyright © Jeffrey Archer 1982
Published by arrangement with HarperCollins Publishers Ltd.
Rozdziały I – XXII przełożyła Danuta Sękalska
Rozdziały XXIII – XXXVIII – Wiesław Mleczko

Projekt okładki i stron tytułowych
Mirosław Adamczyk

Redakcja
Ewa Rojewska-Olejarczuk

Redakcja techniczna
Małgorzata Kozub

Korekta
Ewa Małecka

Łamanie
Ewa Wójcik

ISBN 83-7337-711-5

Wydawca
Prószyński i S-ka SA
02-651 Warszawa, ul. Garażowa 7

Druk i oprawa
Drukarnia Naukowo-Techniczna Spółka Akcyjna
03-828 Warszawa, ul. Mińska 65

Prolog

– Prezydentem Stanów Zjednoczonych – odparła.

– Mógłbym znaleźć kilka przyjemniejszych sposobów przeputania majątku – rzekł jej ojciec, zdejmując półokrągłe szkła, które tkwiły mu na czubku nosa, i spozierając na córkę sponad gazety.

– Nie strój sobie żartów, tatusiu. Prezydent Roosevelt dowiódł nam, że nie ma szczytniejszego powołania nad służbę publiczną.

– Jedyne, czego dowiódł Roosevelt... – zaczął ojciec, lecz urwał i na nowo zagłębił się w gazecie, uznał bowiem, że córka potraktuje tę uwagę jako niepoważną.

– Dobrze wiem, że bez twojej pomocy nie mogłabym się na coś takiego porywać – ciągnęła córka, jakby czytała w myślach ojca. – Nie dość, że nie jestem mężczyzną, to jeszcze Polką z pochodzenia.

Gazeta zasłaniająca ojca raptownie opadła.

– Nigdy nie wyrażaj się uszczypliwie o Polakach – powiedział. – Historia dowiodła, że jesteśmy ludźmi honoru i nigdy nie cofamy raz danego słowa. Mój ojciec był baronem...

– Tak, wiem, że dziadek był baronem, ale nie ma go już na tym świecie i nie może mi pomóc zostać prezydentem.

7

– Wielka szkoda, że nie żyje – westchnął ojciec – bo niewątpliwie byłby wspaniałym przywódcą naszego narodu.

– A jego wnuczka by nie mogła?

– Nie widzę przeszkód – powiedział, spoglądając w stalowoszare oczy jedynaczki.

– No więc, tatusiu, czy mi pomożesz? Bez twojego finansowego wsparcia nie mogę liczyć na sukces.

Ojciec zwlekał z odpowiedzią. Wpierw osadził z powrotem okulary na koniuszku nosa, potem niespiesznie złożył gazetę i dopiero wówczas się odezwał:

– Zawrzemy układ, kochanie. W końcu, do tego się sprowadza polityka. Jeśli rezultaty prawyborów w New Hampshire okażą się zadowalające, w pełni cię poprę. Jeśli nie, wybijesz sobie ten pomysł z głowy.

– Co rozumiesz przez zadowalające? – padło natychmiast pytanie.

Mężczyzna znów zwlekał chwilę z odpowiedzią, ważąc słowa.

– Jeśli zwyciężysz w prawyborach albo zdobędziesz ponad trzydzieści procent głosów, będę murem stał przy tobie, choćbym nawet miał sprzedać ostatnią koszulę.

Dziewczynka nareszcie odetchnęła z ulgą.

– Dziękuję, tatusiu. O więcej nie mogłabym prosić.

– O nie, na pewno nie – rzekł. – Czy teraz mogę z powrotem zająć się zagadkową kwestią, dlaczego Niedźwiadki przegrały siódmy mecz turnieju z Tygrysami?

– Po prostu byli słabsi, o czym świadczy wynik dziewięć do trzech.

– Moja panno, może ci się zdaje, że wiesz to

i owo o polityce, ale zapewniam cię, że o baseballu nie masz zielonego pojęcia – powiedział mężczyzna. W tej chwili jego żona weszła do pokoju. Obrócił ku niej swoją krępą postać. – Nasza córka
chce się ubiegać o urząd prezydenta Stanów Zjednoczonych. Co ty na to?

Dziewczynka spojrzała na nią pytająco, ciekawa jej reakcji.

– Zaraz ci powiem, co ja na to – oznajmiła matka. – Otóż myślę, że dawno już powinna leżeć w łóżku i że to z twojej winy przesiaduje tu do późna.

– Chyba masz rację – rzekł mąż. – Zmiataj do
łóżka, maleńka.

Dziewczynka podeszła do ojca, pocałowała go
w policzek i szepnęła:

– Dziękuję, tatusiu.

Oczy mężczyzny powędrowały za jedenastolet-
nią córeczką wychodzącą z pokoju i zarejestrowa-
ły, jak mocno zaciska piąstkę. Robiła to zawsze,
kiedy była zła albo przy czymś się uparła. Tym razem podejrzewał ją o jedno i drugie, ale wiedział
też, że nie ma sensu tłumaczyć żonie, iż ich jedynaczka jest niezwykłym dzieckiem. Już dawno za-
niechał prób angażowania żony w swoje własne
ambicje i cieszył się przynajmniej z tego, że nie
potrafiłaby zniweczyć marzeń ich dziecka.

Zagłębił się na powrót w chicagowskiej „Tribune" i jednak musiał przyznać, że córka nie myliła
się co do Niedźwiadków.

Przez dwadzieścia dwa lata Florentyna Rosnovski nigdy nie wróciła do tej rozmowy, gdy zaś to
uczyniła, nie wątpiła, że ojciec dotrzyma umowy.
W końcu Polacy to ludzie honoru, którzy nigdy nie
łamią danego słowa.

Przeszłość

1934-1968

I

To nie były łatwe narodziny, ale przecież Ablowi i Zofii Rosnovskim nic nie przychodziło łatwo i każde z nich na swój sposób nauczyło się ze stoicyzmem przyjmować swój los. Abel pragnął syna, dziedzica, który w przyszłości obejmie Grupę Hoteli Baron. Do czasu, kiedy chłopak dorośnie, Abel z pewnością będzie równie sławny jak taki Ritz czy Statler, a sieć jego hoteli stanie się największa na świecie. Abel przemierzał tam i z powrotem korytarz nieokreślonego koloru w szpitalu św. Łukasza, nasłuchując, kiedy się rozlegnie pierwszy krzyk dziecka, i z każdą godziną oczekiwania utykał coraz mocniej, choć zwykle jego kalectwo było niemal niewidoczne. Czasem obracał na ręku srebrną bransoletę i spoglądał na kunsztownie wyryte na niej nazwisko. Zawrócił i znowu ruszył przed siebie, gdy dostrzegł idącego w jego stronę doktora Dodka.

– Gratuluję panu! – zawołał doktor.

– Dziękuję – odparł Abel pełen radosnego oczekiwania.

– Ma pan śliczną córeczkę – powiedział stając przed nim doktor.

– Cieszę się – rzekł znacznie już ciszej Abel, starając się ukryć rozczarowanie. Poszedł za położnikiem do małej salki na końcu korytarza. Przez szybę zobaczył cały rząd pomarszczonych twarzyczek. Doktor pokazał ojcu jego pierworodną. Inaczej niż u pozostałych niemowląt, jej maleńka rączka zwinięta była w mocno zaciśniętą piąstkę. Abel kiedyś czytał, że dzieci nie robią tego przed ukończeniem trzeciego tygodnia życia. Uśmiechnął się z dumą.

Matka z córeczką przebywały w szpitalu św. Łukasza jeszcze przez sześć dni i Abel odwiedzał je każdego przedpołudnia, kiedy w hotelu rozniesiono już wszystkim gościom śniadania, i każdego popołudnia, kiedy wszyscy już byli po lunchu. Koło metalowego łóżka Zofii stały kwiaty i piętrzyły się stosy telegramów oraz wchodzących właśnie w modę kart okolicznościowych – pokrzepiające świadectwo, że inni również radują się z narodzin dziecka. Siódmego dnia matka z córeczką, której jeszcze nie nadano imienia – Abel przygotował sobie sześć męskich imion do wyboru – wróciła do domu.

W dwa tygodnie po przyjściu na świat dziewczynki ochrzczono ją imieniem Florentyna, po siostrze Abla. Niemowlę umieszczono w świeżo odnowionym pokoju dziecinnym na ostatnim piętrze i odtąd Abel spędzał tam całe godziny po prostu patrząc na swoją córeczkę, przyglądając się, jak śpi i jak się budzi, świadomy, że musi jeszcze więcej pracować, aby zapewnić dziecku bezpieczną przyszłość. Gorąco pragnął, żeby jego córka miała lepszy życiowy start niż on sam. Nie dla niej brud i nędza jego własnego dzieciństwa ani upokorzenia, jakie przeżył, lądując na Wschodnim Wybrzeżu Ameryki jako imigrant bez grosza przy duszy, nie licząc paru bezwartościowych rubli wszytych w rękaw jedynej marynarki.

Zapewni Florentynie staranne wykształcenie, jakiego on nie otrzymał, choć, prawdę mówiąc, nie miał specjalnie na co narzekać. Rządy nad Ameryką sprawował Franklin Delano Roosevelt i wyglądało na to, że mała grupa hoteli Abla przetrwa kryzys. Ameryka okazała łaskawość temu imigrantowi.

Ilekroć przesiadywał w pokoju dziecinnym sam na sam z córeczką, wracał myślami do swojej przeszłości i snuł marzenia o przyszłości dziecka.

Po przybyciu do Stanów Zjednoczonych znalazł pracę w małej masarni w nowojorskiej Lower East Side; tkwił tam dwa długie lata, zanim trafiło mu się zajęcie w hotelu Plaza, gdzie zwolniło się miejsce młodszego kelnera. Sammy, stary maître d'hôtel, od początku nim pomiatał, traktując go jak najniższą formę bytu. Po czterech latach nawet handlarza niewolników wprawiłaby w podziw taka harówka i niesłychana mnogość nadgodzin, jakie przepracowała owa nicość, żeby się dochrapać godności zastępcy głównego kelnera w Sali Dębowej. Podczas tych lat Abel pięć razy w tygodniu ślęczał po południu nad książkami na Uniwersytecie Columbia, a gdy tylko skończył sprzątać po kolacji, czytał do późna w noc.

Jego rywale zachodzili w głowę, kiedy sypia.

Abel nie bardzo wiedział, jak świeżo uzyskany dyplom uniwersytecki może mu pomóc w karierze, skoro nadal kelnerował w Sali Dębowej hotelu Plaza. Odpowiedzi na to pytanie udzielił pewien dobrze odżywiony Teksańczyk nazwiskiem Davis Leroy, który przez cały tydzień pilnie obserwował, jak

Abel obsługuje gości, po czym powierzył mu stanowisko zastępcy dyrektora i pieczę nad restauracjami w najlepszym ze swoich jedenastu hoteli – Richmond Continental w Chicago.

Abel ocknął się z zadumy, gdyż Florentyna, która się obróciła, zaczęła uderzać rączką w pręty łóżeczka. Wyciągnął palec, który dziecko schwyciło niczym tonący linę ratunkową i zaczęło gryźć bezzębnymi usteczkami.

Po przybyciu do Chicago Abel stwierdził, że hotel Richmond Continental chyli się ku upadkowi. Prędko odkrył przyczynę. Dyrektor Desmond Pacey fałszował rachunki i wszystko wskazywało, że robił to od trzydziestu lat. Nowy zastępca dyrektora przez sześć miesięcy gromadził konieczne dowody, a następnie przedstawił je swemu chlebodawcy. Gdy Davis Leroy dowiedział się, co się wyprawiało za jego plecami, z miejsca usunął Paceya, mianując na jego miejsce nowego protegowanego. Dla Abla był to bodziec do jeszcze bardziej wytężonej pracy, przy czym nabrał takiej pewności, iż wyprowadzi grupę hoteli na czyste wody, że kiedy podstarzała siostra Leroya wystawiła na sprzedaż dwadzieścia pięć procent udziałów grupy, Abel wydał na nie wszystko, co miał. Zaangażowanie młodego dyrektora w sprawy firmy tak ujęło Davisa Leroya, że powierzył mu kierowanie całą grupą.

Od tej pory zostali wspólnikami i zawodowa więź przerodziła się w przyjaźń. Abel najlepiej umiał ocenić, jak trudno musiało przyjść Teksańczykowi uznanie Polaka za równego sobie. Pierwszy raz, odkąd się znalazł w Ameryce, Abel czuł się bezpiecznie – póki nie odkrył, że Teksańczycy to nacja równie wysoko ceniąca honor jak Polacy.

Wciąż jeszcze nie mógł pogodzić się z tym, co się stało. Gdyby tylko Davis mu się zwierzył, gdyby mu powiedział, jak rozpaczliwa jest sytuacja finansowa grupy – w końcu kto w czasie Wielkiego Kryzysu nie miał kłopotów? – może by razem coś na to poradzili. Davis Leroy, który miał wówczas sześćdziesiąt dwa lata, został powiadomiony przez bank, że wartość hoteli nie stanowi już dostatecznego pokrycia dla jego zadłużenia i że pensje w następnym miesiącu bank wypłaci dopiero wówczas, gdy otrzyma dodatkowe zabezpieczenie. Po przeczytaniu owego ultimatum Davis Leroy zjadł kolację sam na sam ze swoją córką, po czym z dwiema butelkami whisky udał się do Apartamentu Prezydenckiego na jedenastym piętrze. Następnie otworzył okno i wyskoczył. Abel nigdy nie zapomni, jak stał na rogu Michigan Avenue o czwartej nad ranem, wezwany, by zidentyfikować ciało, które mógł rozpoznać tylko dzięki marynarce, jaką przyjaciel miał na sobie poprzedniego wieczoru. Oficer prowadzący dochodzenie napomknął, że to już siódme samobójstwo w Chicago tego dnia. Ale to nie przyniosło ulgi Ablowi. Policjant nie mógł przecież wiedzieć, ile dla Abla zrobił Davis Leroy i jak bardzo Abel chciał mu się w przyszłości odwdzięczyć za jego przyjaźń. W pospiesznie sporządzonym testamencie Davis zapisał pozostałe siedemdziesiąt pięć procent udziałów Grupy Richmond młodemu dyrektorowi, a w liście do Abla zaznaczył, że wprawdzie udziały te są bezwartościowe, jednakże, gdy Abel będzie właścicielem grupy, negocjacje z bankiem mogą się okazać łatwiejsze.

Florentyna otworzyła oczy i zaczęła rozpaczliwie płakać. Abel troskliwie ją podniósł, ale zaraz tego pożałował, czując na ręku lepką wilgoć. Szybko zmienił pieluszkę; nim wziął nową, starannie osuszył dziecko, a potem pilnie zważał, żeby wielkie agrafki nigdzie nie dotykały ciałka. Każda niania pochwaliłaby taką zręczność. Florentyna zamknęła oczy i zasnęła ojcu na ręku.

– Niewdzięczny brzdąc – mruknął tkliwie i pocałował dziecko w policzek.

Po pogrzebie Davisa Leroya Abel odwiedził bostoński bank Kane'a i Cabota, prowadzący sprawy finansowe Grupy Richmond, i próbował uprosić jednego z dyrektorów, żeby nie wystawiano tych jedenastu hoteli na sprzedaż. Usiłował go przekonać, że jeśli tylko bank udzieli mu poparcia finansowego i da trochę czasu, on doprowadzi hotele do stanu wypłacalności. Gładki, opanowany mężczyzna siedzący za kosztownym dyrektorskim biurkiem okazał się nieczuły na wszelkie argumenty. „Muszę się kierować wyłącznie interesem banku" – wymawiał się. Abel nigdy nie miał zapomnieć upokorzenia, jakie przeżył; chociaż zmusił się do czołobitności wobec człowieka, który był jego rówieśnikiem, i tak wyszedł z pustymi rękami. Ten bubek musiał mieć duszę automatu kasowego, jeśli nie rozumiał, ilu ludzi dotknie jego decyzja. Abel poprzysiągł sobie, już setny raz, że pewnego dnia porachuje się z tym pyszałkowatym lalusiem Williamem Kane'em.

Wracał tego wieczoru do Chicago, przekonany, że nic gorszego nie może go już w życiu spotkać. Tymczasem na miejscu zastał dymiące zgliszcza hotelu Continental oraz policję, podejrzewającą go o podpalenie. Rzeczywiście było to podpalenie, akt zemsty Desmonda Paceya. Po aresztowaniu szybko przyznał się do winy, gdyż jedynym je-

go pragnieniem był upadek Abla. Pacey odniósł-
by triumf, gdyby nie to, że Ablowi pospieszyło
z odsieczą towarzystwo ubezpieczeniowe. W samą
porę, Abel bowiem zaczął już się zastanawiać, czy
nie lepiej by mu się wiodło w rosyjskim obozie,
z którego zbiegł przed przyjazdem do Ameryki.
Potem jednak karta się odwróciła, gdy anonimo-
wy protektor, zdaniem Abla David Maxton, właściciel hotelu Stevens, kupił Grupę Richmond
i zaproponował Ablowi zachowanie stanowiska
dyrektora, a także dał mu szansę udowodnienia,
iż hotele pod jego ręką staną się dochodowe.

Teraz Abel zaczął wspominać, jak po raz drugi
spotkał Zosię, nadzwyczaj pewną siebie dziewczynę, którą poznał na statku płynącym do Ameryki.
Jakimż wtedy czuł się przy niej żółtodziobem, jakiż był nieśmiały i jak role się odwróciły, kiedy ze-
tknął się z nią ponownie i odkrył, że jest kelnerką
u Stevensa.

Od tej pory minęły dwa lata i wprawdzie Grupa Hoteli Baron, jak ją niedawno nazwał, nie przyniosła zysku w 1933 roku, straty wyniosły tylko
dwadzieścia trzy tysiące dolarów, głównie dzięki
uroczystym obchodom stulecia Chicago, z której
to okazji ponad milion turystów odwiedziło miasto
i obejrzało Wystawę Światową.

Kiedy Paceya uznano winnym podpalenia, Abel
musiał jeszcze tylko poczekać na wypłatę odszkodowania, aby przystąpić do budowy nowego hotelu w Chicago. Wolny czas wykorzystał na objazd
pozostałych dziesięciu hoteli, zwalniając personel
objawiający podobne skłonności co Pacey, i dobie-
rając nowych pracowników spośród bezrobotnych,
których całe rzesze zalewały Amerykę.

Zofia krzywym okiem patrzyła na ciągłe rozjazdy Abla, podróżującego z Charleston do Mobile, z Houston do Memphis, żeby doglądać hoteli na południu. Abel jednak zdawał sobie sprawę, że mimo przywiązania do córeczki nie może przesiadywać w domu, jeśli ma dotrzymać umowy, jaką zawarł ze swoim anonimowym protektorem. Dano mu dziesięć lat na spłacenie pożyczki bankowej; jeśli mu się uda, wówczas, zgodnie z jednym z paragrafów umowy, będzie mógł nabyć pozostałe sześćdziesiąt procent udziałów za dalsze trzy miliony dolarów. Zofia co wieczór dziękowała Bogu za to, co już mieli, i prosiła Abla, żeby się tak nie zabijał, ale nic go nie mogło powstrzymać przed dążeniem do realizacji jego celu.

– Kolacja gotowa! – krzyknęła Zofia na cały głos.

Abel udał, że nie słyszy, i nadal wpatrywał się w śpiącą córeczkę.

– Nie słyszałeś? Kolacja na stole.

– Co? Nie, kochanie. Przepraszam, już idę. – Abel niechętnie wstał, aby dołączyć do żony. Czerwona puchowa kołderka Florentyny leżała na podłodze. Abel podniósł ją i starannie ułożył na kocyku, który okrywał córeczkę. Pragnął, aby nigdy nie zaznała chłodu. Uśmiechnęła się przez sen. Może pierwszy raz coś jej się śni? – pomyślał i zgasił światło.

II

Dzień chrztu Florentyny wszystkim gościom miał głęboko zapaść w pamięć – z wyjątkiem głównej bohaterki, która przespała cały obrzęd. Z katedry Imienia Bożego nad North Wabash wszyscy udali się do hotelu Stevens. Abel wynajął tam salę i zaprosił ponad setkę gości na uroczyste przyjęcie. W kumy poproszono najbliższego przyjaciela i rodaka Abla George'a Novaka, który zajmował nad Ablem górną koję na statku płynącym z Europy, oraz Janinę, jedną z kuzynek Zosi.

Goście zajadali się, aż im się uszy trzęsły, tradycyjnymi dziesięcioma potrawami z pierogami i bigosem włącznie, Abel zasiadał u szczytu stołu i przyjmował w imieniu córki prezenty: srebrną grzechotkę, obligacje państwowe, egzemplarz „Przygód Huckleberry Finna". I, najwspanialszy ze wszystkich, piękny, stylowy pierścionek ze szmaragdem od anonimowego protektora Abla. Miał cichą nadzieję, że ofiarowanie owego klejnotu dało temu człowiekowi tyle radości, ile później jego przyjęcie sprawi Florentynie. Sam Abel sprezentował córce z okazji chrztu ogromnego, brązowego misia[1] z czerwonymi ślepkami.

[1] Teddy bear – nazwa misia pluszowego pochodząca od prezydenta Theodore'a Roosevelta, który oszczędził na polowaniu niedźwiadka. Mały pluszowy miś był maskotką w kampanii prezydenckiej w 1904 r. (przyp. tłum.).

– Całkiem podobny do Franklina Delano Roosevelta – oznajmił George, podnosząc w górę niedźwiadka i pokazując go wszystkim. – Jego też ochrzcimy F.D.R.

Abel wzniósł kieliszek. – Pańskie zdrowie, panie prezydencie – powiedział. I tak miś otrzymał imię, które przylgnęło do niego na dobre.

Przyjęcie zakończyło się około trzeciej nad ranem i Abel musiał zarekwirować hotelowy wózek do przewożenia bielizny, żeby przetransportować wszystkie prezenty do domu. Pchając wózek, podążył North Michigan Avenue, a George machał mu na pożegnanie.

Rozpamiętując każdą chwilę nadzwyczaj udanego wieczoru, szczęśliwy ojciec zaczął sobie pogwizdywać. Dopiero kiedy F.D.R. trzeci raz spadł z wózka, zdał sobie sprawę, jak kręty był jego szlak. Podniósł niedźwiadka, wepchnął go między inne prezenty i postanowił iść prosto, gdy ktoś dotknął jego ramienia. Abel aż podskoczył, gotów do upadłego bronić dobytku Florentyny. Nad sobą ujrzał twarz młodego policjanta.

– Może mi pan wytłumaczy, co pan tu robi na Michigan Avenue o trzeciej nad ranem z wózkiem z hotelu Stevens?

– Chętnie, panie posterunkowy – odparł Abel.

– Co pan ma w tych pudełkach?

– Dokładnie nie pamiętam. Wiem tylko, że wiozę Franklina Delano Roosevelta.

Policjant z miejsca aresztował Abla pod zarzutem kradzieży. Podczas gdy mała istotka, tak hojnie obdarowana, słodko spała pod swoją puchową kołderką w dziecinnym pokoju na najwyższym piętrze domu przy Rigg Street, jej ojciec spędzał bezsenną noc na sfatygowanym materacu z końskiego włosia w celi lokalnego aresztu. George z samego rana przybył do sądu, aby potwierdzić zeznanie Abla.

Na drugi dzień Abel nabył czterodrzwiowego wiśniowego buicka od Petera Sosnkowskiego, który prowadził handel używanymi samochodami w polskiej dzielnicy.

Abel niechętnie teraz ruszał się z Chicago, nie chcąc się rozstawać ze swoją ukochaną Florentyną choćby na kilka dni, bał się bowiem, że umknie mu jej pierwszy krok, pierwsze słowo, cokolwiek, co uczyni pierwszy raz. Pilnował jej wychowania od samych urodzin, nie pozwalając, żeby rozmawiano w domu po polsku; twardo postanowił, że córka będzie mówić po angielsku bez najlżejszego choćby polskiego akcentu, żeby nie odróżniać się od rówieśników.

Z utęsknieniem czekał na pierwsze słowo córeczki, licząc, że będzie to „tata", Zofia zaś bała się, że Florentyna odezwie się po polsku i wtedy się wyda, że kiedy zostają same, przemawia do niej w tym języku.

– Moja córka jest Amerykanką – tłumaczył Abel Zofii – i musi mówić po angielsku. Za dużo jest Polaków, którzy używają tylko ojczystego języka, a potem ich dzieci przez całe życie tkwią w północno-zachodnich zaułkach Chicago, napiętnowane epitetem „głupi Polak" i wyśmiewane przez każdego, na kogo się natkną.

– Ale nie przez tych naszych rodaków, którzy czują się jeszcze lojalni wobec polskiej monarchii – broniła się Zofia.

– Jakiej polskiej monarchii? W którym ty stuleciu żyjesz, Zosiu?

– W dwudziestym – odparła, podnosząc głos.

– Razem z bohaterami komiksów, prawda?

– Dziwne poglądy, jak na kogoś, kto marzy, że pojedzie kiedyś do Warszawy jako pierwszy Polak-ambasador.

– Mówiłem ci, żebyś nigdy o tym nie wspominała. Nigdy.

Zofia, która z angielskim była nadal na bakier, nic nie odpowiedziała, ale później żaliła się kuzynostwu, a kiedy Abla nie było w domu, dalej mówiła po polsku. Nie trafiał do niej argument, którym tak często posługiwał się Abel, że obroty General Motors przewyższają budżet Polski.

Pod koniec 1935 roku Abel nabrał przekonania, że Ameryka wyszła na prostą i że Wielki Kryzys to sprawa przeszłości, uznał więc, że nadszedł czas budowy nowego hotelu na miejscu dawnego Richmond Continental. Wybrał architekta i zaczął spędzać więcej czasu w Wietrznym Mieście, mniej zaś w podróży, postanowił bowiem, że jego hotel będzie najpiękniejszy na Środkowym Wschodzie.

Hotel Baron w Chicago został ukończony w maju 1936 roku, a otwarcia dokonał burmistrz miasta, demokrata Edward J. Kelly. Dwaj senatorzy z Illinois nadskakiwali Ablowi, świadomi jego rosnącego znaczenia.

– Ten hotel kosztował pana chyba z milion dolarów – zauważył J. Hamilton Lewis, starszy z senatorów.

– Dużo się pan nie pomylił – odparł Abel, z zachwytem spoglądając na wyłożone grubymi dywanami salony, wysokie, stiukowe sufity, wnętrza w pastelowych odcieniach zieleni. Akcent wieńczący dzieło stanowiła ciemnozielona, wypukła litera „B", zdobiąca wszystko od ręczników w łazienkach po flagę, trzepocącą na szczycie czterdziestojednopiętrowego budynku.

– Ten hotel już nosi piętno sukcesu – powiedział J. Hamilton Lewis, zwracając się do dwu tysięcy zgromadzonych gości – albowiem, drodzy przyjaciele, mówiąc o „Baronie z Chicago", ludzie zawsze będą mieli na myśli człowieka, a nie hotel.

Abel promieniał, słysząc narastający szmer uznania, i uśmiechnął się do siebie. Jego własny doradca do spraw reklamy podyktował to zdanie autorowi mowy senatora jeszcze na początku tygodnia.

Abel zaczynał czuć się swobodnie w towarzystwie grubych ryb ze świata biznesu i polityki. Natomiast Zofia nie umiała się przystosować do nowej sytuacji i nieśmiało trzymała się na uboczu, pijąc trochę za dużo szampana; wreszcie wymknęła się jeszcze przed kolacją pod nieprzekonującym pretekstem, że chce sprawdzić, czy Florentyna śpi spokojnie. Abel odprowadził zaróżowioną małżonkę do obrotowych drzwi, kipiąc z irytacji. Zofia ani nie rozumiała rozmachu Abla, ani nie dbała o sukces na jego miarę i wolała ignorować ten nowy świat, który go teraz otaczał. Aż za dobrze wiedziała, jak wielką przykrość mu tym sprawia, i kiedy pomagał jej wsiąść do taksówki, rzuciła:

– Nie spiesz się do domu.

– Nie ma obawy – mruknął, wracając do obrotowych drzwi, i tak mocno je pchnął, że po jego wyjściu okręciły się jeszcze trzykrotnie.

W hotelowym foyer czekał na niego radny miejski Henry Osborne.

– To z pewnością jest szczytowy moment twego życia – zauważył.

– Szczytowy moment? Dopiero co przekroczyłem trzydziestkę – odrzekł Abel.

W chwili, gdy obejmował wysokiego, przystojnego polityka, któremu nie najlepiej patrzyło z oczu, błysnęło światło flesza. Abel uśmiechnął się do fotografa, ucieszony, że traktują go jak osobistość, i na tyle głośno, żeby usłyszeli go ciekawscy, powiedział:

– Zamierzam budować hotele Baron na całym świecie. Chcę być dla Ameryki tym, kim był dla Europy César Ritz. Trzymaj się mnie, Henry, a nie pożałujesz. – Radny miejski wraz z Ablem powędrował do sali restauracyjnej i kiedy nikt już ich nie mógł usłyszeć, Abel dodał: – Jeżeli masz czas, Henry, zjedz ze mną jutro lunch. Chcę o czymś z tobą pogadać.

– Z przyjemnością, Ablu. Taki szaraczek jak radny miejski zawsze będzie do usług chicagowskiego Barona.

Obaj wybuchnęli gromkim śmiechem, choć żaden z nich nie sądził, aby ta uwaga była specjalnie dowcipna.

Abel znów, nie pierwszy już raz, wrócił do domu dopiero nad ranem. Zamiast do sypialni, poszedł do innego pokoju. Nie chciał budzić Zofii, a w każdym razie tak jej powiedział następnego dnia przy śniadaniu.

Kiedy Abel przyszedł do kuchni na śniadanie, Florentyna siedziała na dziecinnym krzesełku, z zapałem rozmazując kaszkę na buzi i próbując gryźć wszystko, czego mogła dosięgnąć, nawet jeśli nie nadawało się to do jedzenia. Pocałował ją w czoło, gdyż jedynie tam nie zdołała się upaćkać, i zasiadł przed talerzem pełnym wafli z syropem klonowym. Kiedy skończył jeść, wstał i oznajmił Zofii, że ma się spotkać na lunchu z Henrym Osborne'em.

– Nie lubię tego człowieka – rzuciła z niechęcią Zofia.

– Ja sam za nim nie przepadam – powiedział Abel. – Ale nie zapominaj, że ma dobrą pozycję w Ratuszu i może nam oddać wiele przysług.

– I wyrządzić wiele złego.

– Niech cię o to głowa nie boli. Już ja sobie poradzę z radnym Osborne'em – powiedział Abel, dotknąwszy lekko policzka żony i odwracając się do wyjścia.

– Predyzent – odezwał się głos. Rodzice zwrócili się ku Florentynie, która pokazywała rączką na podłogę, gdzie leżał ośmiomiesięczny Franklin D. Roosevelt, kudłatą twarzyczką do dołu.

Abel roześmiał się, podniósł ukochanego misia i usadowił go obok Florentyny na dziecinnym wysokim krzesełku.

– Pre-zy-dent – powiedział wolno i dobitnie.

– Predyzent – upierała się Florentyna.

Abel znowu się roześmiał i poklepał Franklina D. Roosevelta po łebku. I tak F.D.R. był sprawcą nie tylko polityki Nowego Ładu, ale i pierwszej politycznej wypowiedzi Florentyny.

Abel wyszedł przed dom, gdzie czekał już szofer stojący obok nowego cadillaca. Im nowszy był model samochodu, na jaki mógł sobie Abel pozwolić, tym trudniej było mu go prowadzić. Gdy kupił cadillaca, George poradził mu, żeby sprawił sobie i szofera. Tego ranka, gdy zbliżali się do Złotego Brzegu, Abel kazał szoferowi zwolnić. Spoglądał w górę na błyszczący szkłem hotel Baron i wydawało mu się niepojęte, że oto jest na świecie takie jedno, jedyne miejsce, gdzie można tak wiele osiągnąć w tak krótkim czasie. To, czego dokonałoby z mozołem i ku wielkiemu zadowoleniu dziesięć pokoleń Chińczyków, on urzeczywistnił w niespełna piętnaście lat.

Wyskoczył z samochodu, nim szofer zdążył go okrążyć i otworzyć drzwiczki, żwawo powędrował do hotelu i pojechał prywatną superszybką windą na czterdzieste pierwsze piętro, gdzie spędził przedpołudnie, wnikając w każdą ze spraw: a to jedna winda osobowa nie działała należycie, a to dwaj kelnerzy rzucili się na siebie w kuchni z nożami i George zwolnił ich z pracy jeszcze przed jego przybyciem do hotelu, to znów lista szkód po uroczystości otwarcia hotelu była podejrzanie długa – trzeba będzie skontrolować, czy to, co zgłoszono jako zniszczone, nie zostało przypadkiem rozkradzione przez kelnerów. Abel nie zostawiał nic na łasce losu w żadnym ze swych hoteli; kontrolował wszystko, począwszy od tego, kto się zatrzymał w Apartamencie Prezydenckim, a kończąc na cenie ośmiu tysięcy świeżych bułeczek, których co tydzień potrzebował dział gastronomiczny hotelu. Całe przedpołudnie poświęcił na rozstrzyganie wątpliwości, rozwiązywanie problemów i podejmowanie decyzji, i oderwał się od pracy dopiero wówczas, kiedy sekretarka wprowadziła do jego gabinetu radnego Osborne'a.

– Dzień dobry, baronie – powiedział Henry poufałym tonem, używając rodowego tytułu Rosnovskich.

W czasach, kiedy Abel był młodszym kelnerem w hotelu Plaza w Nowym Jorku, otwarcie szydzono z niego, urągliwie tytułując go baronem. W hotelu Richmond Continental, kiedy pełnił funkcję zastępcy dyrektora, dowcipkowano sobie na ten temat poza jego plecami. Ostatnio każdy wymawiał to słówko z szacunkiem.

– Dzień dobry – odparł Abel, zerkając na zegar na biurku. Było pięć po pierwszej. – Chodźmy na lunch.

Zaprowadził Henry'ego do sąsiadującej z gabinetem prywatnej jadalni. Postronnemu obserwatorowi trudno by było uznać Henry'ego za bratnią duszę Abla. Wykształcony w Choate i na Harvardzie, jak ciągle o tym przypominał Ablowi, służył później jako młody porucznik piechoty morskiej podczas wojny światowej. Wysoki, z bujną czupryną gdzieniegdzie przyprószoną siwizną, wyglądał młodziej, niżby to wynikało z jego opowieści.

Pierwszy raz spotkali się z powodu pożaru starego hotelu Richmond Continental. Henry pracował wówczas w towarzystwie ubezpieczeniowym Great Western Casualty, gdzie, jak pamięcią sięgnąć, ubezpieczone były Hotele Richmond. Abla nieco zbiło z tropu, gdy Henry napomknął, że drobna sumka gotówką przyspieszyłaby załatwienie wniosku o odszkodowanie. Abel nie miał w tych czasach „drobnej sumki", zresztą wniosek i tak został pozytywnie rozpatrzony, gdyż Henry również wierzył w świetlaną przyszłość Abla.

W ten sposób Abel przekonał się, że są ludzie, których można kupić.

W czasie, kiedy Henry'ego Osborne'a wybrano do rady miejskiej Chicago, Abel mógł już sobie pozwolić na „drobne sumki" i zgoda na budowę nowego hotelu załatwiona została w Ratuszu błyskawicznie. Gdy Henry później oznajmił, że będzie się ubiegał o miejsce w Izbie Reprezentantów z dziewiątego okręgu wyborczego Illinois, Abel jako jeden z pierwszych wysłał mu czek na sporą sumę na jego kampanię wyborczą. Co prawda Abel nie miał specjalnego zaufania do swego nowego sprzymierzeńca, uważał jednak, że obłaskawiony polityk może okazać się przydatny dla Grupy Barona. Bacznie strzegł, aby po żadnej z drobnych wpłat gotówkowych – nigdy, nawet w myślach, nie nazywał ich łapówkami – nie został żaden ślad w papierach; uważał, że zdoła wycofać się z tego układu, kiedy tylko będzie mu się podobało.

Jadalnia utrzymana była w takich samych pastelowych odcieniach zieleni jak cały hotel, ale nigdzie nie widziało się wielkiej, wypukłej litery B. Meble, wyłącznie dębowe, pochodziły z dziewiętnastego wieku. Na ścianach wisiały portrety olejne z tegoż okresu, prawie wszystkie sprowadzone z zagranicy. Po zamknięciu drzwi mogło się wydawać, że człowiek znalazł się w innym świecie, z dala od gorączkowej krzątaniny nowoczesnego hotelu.

Abel zasiadł u szczytu rzeźbionego stołu, przy którym wygodnie zmieściłoby się osiem osób. Tego dnia nakryto tylko dla dwu.

– Atmosfera tego pokoju ma coś ze starej Anglii – rzekł Henry, rozglądając się wokół.

– Albo Polski – zauważył Abel. Tymczasem kelner w liberii podał wędzonego łososia i nalał po kieliszku wina bouchard chablis.

Henry spojrzał na stojący przed nim talerz.

– Teraz rozumiem, dlaczego tak tyjesz, baronie – powiedział.

Abel żachnął się i szybko zmienił temat.

– Idziesz jutro na mecz Niedźwiadków? – zagadnął.

– Właściwie po co? Mają jeszcze gorsze wyniki rozgrywek na własnym boisku niż republikanie. Zresztą moja nieobecność i tak nie powstrzyma „Tribune" przed uznaniem meczu za wyrównaną walkę, nawet w jawnej sprzeczności z punktacją, i przed obwieszczeniem, że w innych okolicznościach Niedźwiadki odniosłyby miażdżące zwycięstwo.

Abel roześmiał się.

– Jedno jest pewne – ciągnął Henry. – Nigdy nie zobaczymy wieczornego meczu na stadionie Wrigley Field. Ta koszmarna nowa moda gry w światłach reflektorów nie przyjmie się w Chicago.

– Zeszłego roku to samo mówiłeś o piwie w puszkach.

Teraz Henry się żachnął.

– Ablu, chyba nie po to zaprosiłeś mnie na lunch, żeby wysłuchiwać moich opinii o baseballu czy piwie w puszkach, więc lepiej powiedz, co takiego wymyśliłeś i jak mógłbym ci pomóc.

– To proste. Chciałbym się ciebie poradzić co do Williama Kane'a.

Henry jakby się zadławił. Muszę powiedzieć parę słów szefowi kuchni – pomyślał Abel. W wędzonym łososiu nie powinno być żadnych ości.

– Kiedyś, Henry, opowiedziałeś mi z malowniczymi szczegółami, co się zdarzyło, gdy spotkały się wasze drogi, i jak Kane ograbił cię na koniec z pieniędzy. Cóż, mnie Kane wyrządził o wiele większą krzywdę. Podczas Wielkiego Kryzysu przycisnął do muru Davisa Leroya, mojego wspólnika i najbliższego przyjaciela, i bezpośrednio przyczynił się do jego samobójstwa. Na dodatek odmówił mi kredytu, kiedy chciałem przejąć zarząd hoteli i uzdrowić sytuację finansową grupy.

– Kto ci w końcu pomógł?

– Jakiś udziałowiec Continental Trust. Dyrektor banku nigdy mi tego nie powiedział wyraźnie, ale zawsze podejrzewałem, że to David Maxton.

– Właściciel hotelu Stevens?

– Tak, ten sam.

– Na jakiej podstawie tak sądzisz?

– Kiedy u Stevensa odbywało się moje wesele, a później chrzciny Florentyny, rachunki pokrył mój protektor.

– To jeszcze o niczym nie świadczy.

– Owszem, ale jestem przekonany, że to Maxton, bo kiedyś oferował mi stanowisko dyrektora swojego hotelu. Powiedziałem mu, że bardziej by mnie urządzało, gdybym znalazł kogoś, kto udzieli poparcia finansowego mojej grupie, i w ciągu tygodnia jego bank w Chicago zaproponował mi pieniądze od osoby, której zależało na zachowaniu incognito, gdyż transakcja ta mogłaby kolidować z jej działalnością zawodową.

– To już brzmi trochę bardziej przekonująco. Ale powiedz mi, co za figla chcesz spłatać Kane'owi? – zagadnął Henry, bawiąc się kieliszkiem i czekając na dalsze słowa Abla.

– Chodzi mi o coś takiego, co nie zajmie ci za dużo czasu, a okaże się dla ciebie korzystne finansowo i jednocześnie satysfakcjonujące, gdyż darzysz Kane'a takimi samymi względami jak ja.

– Zamieniam się w słuch – rzekł Henry, nie podnosząc oczu sponad kieliszka.

- Chcę położyć rękę na sporej części udziałów bostońskiego banku Kane'a.

- Nie przyjdzie ci to łatwo – stwierdził Henry.

- Większość udziałów stanowi majątek rodziny i nie można ich sprzedać bez jego zgody.

- Wydaje się, że jesteś doskonale poinformowany – zauważył Abel.

- Wróble o tym ćwierkają na dachu – oznajmił Henry.

Abel wcale mu nie wierzył.

- Zatem na początek trzeba się dowiedzieć nazwisk wszystkich udziałowców banku Kane'a i Cabota i wysondować, czy któryś z nich nie pozbyłby się swojego portfela akcji za cenę znacznie przewyższającą ich wartość nominalną.

Abel zauważył, jak oczy Henry'ego rozbłyskują, zapewne na myśl o tym, ile zarobiłby na tej transakcji, gdyby ubił interes z jedną i drugą stroną.

- Gdyby kiedyś się połapał, dałby się nam we znaki – powiedział Henry.

- Ale się nie połapie – uspokoił go Abel. – A gdyby nawet, to i tak wyprzedzimy go co najmniej o dwa ruchy. Myślisz, że mógłbyś się tego podjąć?

- Spróbuję. Co proponujesz?

Abel pojął, że Henry'emu chodzi o to, na jaką może liczyć zapłatę, ale on jeszcze nie skończył.

- Pierwszego dnia każdego miesiąca – kontynuował – chcę mieć pisemny raport z wyliczeniem udziałów Kane'a w innych towarzystwach, wszelkich jego interesów, a także szczegółów z jego życia prywatnego, o których uda ci się dowiedzieć. Interesuje mnie wszystko, co wyniuchasz, nawet gdyby to były błahostki.

– Powtarzam: to nie będzie łatwe – rzekł Henry.

– Czy tysiąc dolarów miesięcznie ułatwi ci zadanie?

– Tysiąc pięćset ułatwiłoby jeszcze bardziej.

– Tysiąc dolarów przez pierwsze pół roku. Jak się sprawdzisz, dam tysiąc pięćset.

– Umowa stoi – zgodził się Henry.

– Dobrze – powiedział Abel, sięgając po portfel do wewnętrznej kieszeni marynarki i wyjmując czek na tysiąc dolarów płatne gotówką.

Henry obejrzał czek.

– Nie miałeś cienia wątpliwości, że się zgodzę, prawda?

– Niezupełnie – odparł Abel. Wyjął z portfela inny czek i pokazał go Henry'emu. Czek opiewał na tysiąc pięćset dolarów. – Jeśli trafi ci się jakaś gratka w pierwszych sześciu miesiącach, to będziesz stratny tylko na trzy tysiące dolarów.

Obydwaj się roześmieli.

– Przejdźmy teraz do milszego tematu – powiedział Abel. – Czy wygramy?

– Mówisz o Niedźwiadkach?

– Nie, o wyborach.

– Pewnie Landon dostanie cięgi. Słonecznik z Kansas nie ma szans na pobicie F.D.R. – odparł Henry. – Jak przypomniał nam prezydent, ten szczególny kwiat jest jadowicie żółty, ma środek czarny jak piekło, jest przysmakiem papug i więdnie przed nadejściem listopada.

Abel znów się roześmiał.

– A co z tobą, Henry?

– Nie ma strachu. Demokraci nie stracą tego mandatu. Najtrudniej jest z uzyskaniem nominacji, a nie wygraniem wyborów.

– Nie mogę się doczekać, kiedy zostaniesz kongresmanem, Henry.

– Wierzę ci, Ablu. Chciałbym ci się tak przysłużyć, jak pozostałym moim wyborcom.

Abel rzucił mu kpiące spojrzenie.

– Znacznie lepiej, mam nadzieję – zauważył. W tym momencie postawiono przed nim talerz z olbrzymim befsztykiem z polędwicy, a do kieliszka nalano wina Côte de Beaune, rocznik 1929. Reszta lunchu upłynęła na rozmowie o kontuzji Gabby'ego Hartnetta, o czterech złotych medalach Jesse Owensa na olimpiadzie w Berlinie i o możliwości inwazji Hitlera na Polskę.

– Nigdy do tego nie dojdzie – zawyrokował Henry i zaczął wspominać, jak dzielnie bili się Polacy pod Mons podczas Wielkiej Wojny.

Abel zmilczał, że żaden polski pułk nie brał udziału w bitwie pod Mons.

O drugiej trzydzieści siedem Abel znów siedział za biurkiem, rozważając problemy związane z Apartamentem Prezydenckim i ośmioma tysiącami świeżych bułeczek.

Do domu wrócił dopiero o dziewiątej wieczorem, kiedy Florentyna już spała. Obudziła się jednak od razu, gdy ojciec wszedł do pokoju, i uśmiechnęła się do niego.

– Predyzent, predyzent, predyzent – powiedziała.

Abel uśmiechnął się.

– Ja nie. Może ty, ale nie ja. – Podniósł córeczkę i pocałował w policzek, a potem usiadł przy niej, ona zaś powtarzała w kółko to jedno jedyne słowo, jakie umiała.

III

W listopadzie 1936 roku Henry Osborne został wybrany do Izby Reprezentantów z dziewiątego okręgu Illinois. Wygrał nie tak dużą większością głosów jak jego poprzednik, co można było przypisać wyłącznie indolencji Osborne'a, gdyż Roosevelt porwał za sobą wszystkie stany prócz Vermontu i Maine, a w Kongresie republikanie zdołali uplasować zaledwie siedemnastu senatorów i zapewnić sobie tylko sto trzy miejsca w Izbie Reprezentantów. Ale Ablowi wystarczyło, że ma swojego człowieka w Izbie Reprezentantów, toteż z miejsca zaproponował Henry'emu stanowisko prezesa komisji planowania Grupy Hoteli Baron. Henry przyjął je z wdzięcznością.

Całą energię Abel skierował teraz na budowę coraz to nowych hoteli – z pomocą kongresmana Osborne'a, który, jak się zdawało, potrafił załatwić pozwolenie na budowę wszędzie, gdzie tylko baron sobie zażyczył. Abel zawsze płacił Henry'emu za te przysługi używanymi banknotami. Nie miał pojęcia, co Henry robi z tymi pieniędzmi, nie ulegało jednak wątpliwości, że ich część musiała trafiać do właściwych rąk. Szczegóły go nie interesowały.

Mimo pogarszającego się pożycia z Zofią Abel wciąż pragnął syna i był zrozpaczony, że żona nie może zajść w ciążę. Z początku przypisywał winę Zofii, która zresztą też marzyła o drugim dziecku, w końcu jednak uległ jej namowom i odwiedził lekarza. Czuł się upokorzony, kiedy się dowiedział, że ma niedobór spermatozoidów, będący wynikiem, zdaniem lekarza, niedożywienia w dzieciństwie, i że mało prawdopodobne, żeby został ponownie ojcem. Od tej pory Abel uznał sprawę za zamkniętą i wszystkie swoje uczucia i nadzieje skoncentrował na Florentynie, która rosła bujnie niczym chwast. Tylko Grupa Barona wzrastała jeszcze szybciej. Abel wzniósł nowy hotel na Północy i jeszcze jeden na Południu, unowocześniając zarazem i reorganizując starsze hotele.

W wieku czterech lat Florentyna zaczęła chodzić do przedszkola. Zażądała, aby pierwszego dnia towarzyszyli jej Abel i F.D.R. Dużo dziewczynek przyszło pod opieką nie matek, ale niań, a jedna nawet, jak grzecznie uświadomiono Abla, guwernantki. Tego wieczoru Abel oznajmił Zofii, że życzy sobie, aby osoba o takich kwalifikacjach zajęła się wychowaniem Florentyny.

– Dlaczego? – z irytacją zapytała Zofia.

– Żeby żadne inne dziecko nie miało już na starcie przewagi nad naszą córką.

– Uważam, że to bezsensowne wyrzucanie pieniędzy. Czy ktoś taki może dać Florentynie coś, czego ja bym nie potrafiła?

Abel nic nie odpowiedział, ale następnego ranka zamieścił ogłoszenie w chicagowskiej „Tribune", w „New York Timesie" i londyńskim „Timesie", w których podał, że poszukuje guwernantki, wyraźnie określając oferowane warunki. Z całego kraju napłynęły setki odpowiedzi od kobiet z wysokimi kwalifikacjami, chcących pracować u prezesa Grupy Hoteli Baron. Przychodziły listy z takich uczelni jak Vassar, Radcliffe i Smith, a jeden nawet z zakładu poprawczego dla kobiet w Alderson w Zachodniej Wirginii. Najbardziej jednak zaintrygował Abla list od osoby, która widać nigdy nie słyszała o baronie z Chicago.

Stara Plebania
Szynki Wielkie
Hrabstwo Hertfordshire
12 września 1938 roku

Szanowny Panie!
W odpowiedzi na Pański anons w rubryce ogłoszeń prywatnych na pierwszej stronie dzisiejszego dziennika „Times" zgłaszam swoją kandydaturę na posadę guwernantki Pańskiej córki.

Mam trzydzieści dwa lata, urodziłam się jako szósta z kolei córka wielebnego L.H. Tredgolda. Jestem starą panną i mieszkam w parafii Szynki Wielkie w Hertfordshire. Obecnie uczę w miejscowym gimnazjum i pomagam ojcu w jego pracy duszpasterskiej.

Ukończyłam pensję w Cheltenham, gdzie uczyłam się łaciny, greki, francuskiego i angielskiego, a następnie wstąpiłam do Kolegium Newnhama w Cambridge, gdzie otrzymałam stypendium. Na uniwersytecie przystąpiłam do egzaminu końcowego z języków nowożytnych i wszystkie przedmioty zdałam z najwyższym wyróżnieniem. Nie otrzymałam dyplomu, gdyż statut uniwersytetu nie pozwala wręczać go kobietom.

38

Jestem gotowa w każdym terminie stawić się na rozmowę i z radością podejmę się pracy w Nowym Świecie.

Pozostaję z szacunkiem,
Pańska uniżona
W. Tredgold

Ablowi trudno było uwierzyć, że istnieje coś takiego jak pensja żeńska w Cheltenham czy miejscowość Szynki Wielkie, a już szczególne jego podejrzenia wzbudziło twierdzenie o uzyskaniu najwyższego wyróżnienia bez żadnego dyplomu.

Poprosił sekretarkę, żeby zamówiła rozmowę z Waszyngtonem. Kiedy wreszcie połączono go z osobą, o którą mu chodziło, odczytał jej cały list.

Osoba z Waszyngtonu potwierdziła, że każda z informacji zawartych w liście może być prawdziwa i że nie ma powodu, aby powątpiewać w jego wiarygodność.

– Ale czy na pewno istnieje coś takiego jak pensja żeńska w Cheltenham? – dopytywał się Abel.

– Ależ tak, panie Rosnovski. Sama się tam kształciłam – odparła sekretarka ambasadora brytyjskiego.

Wieczorem Abel ponownie odczytał list na głos, tym razem Zofii.

– I co myślisz? – zapytał, chociaż już podjął decyzję.

– Nie podoba mi się – odparła Zofia, nie podnosząc oczu znad magazynu, który przeglądała. – Jeśli już musimy kogoś mieć do Florentyny, to dlaczego nie Amerykankę?

– Pomyśl, ile pożytku odniesie Florentyna, jeśli

będzie ją uczyła angielska guwernantka. – Abel zawiesił głos. – I tobie też się przyda jej towarzystwo.

Tym razem Zofia oderwała wzrok od czasopisma.

– Czyżby? – spytała. – Czy sądzisz, że uda jej się i mnie wyedukować?

Abel nie odpowiedział.

Nazajutrz rano wysłał telegram do Szynek Wielkich, oferując pannie Tredgold posadę guwernantki.

Trzy tygodnie później, kiedy pojechał po nią na stację przy La Salle Street, natychmiast, ledwie ją ujrzał, wiedział, że podjął słuszną decyzję. Osoba, która samotnie stała na peronie z trzema walizkami różnych rozmiarów i fasonów, nie mogła być nikim innym, tylko panną Tredgold; wysoka, chuda i trochę wyniosła, z kokiem na czubku głowy, dzięki któremu o pełne dwa cale górowała nad swoim przyszłym pracodawcą.

Zofia przyjęła pannę Tredgold niczym intruza, który zamierza podkopać jej matczyną władzę. Kiedy prowadziła ją do pokoju córki, nigdzie nie było śladu Florentyny. Spod łóżeczka wyjrzało dwoje oczu o podejrzliwym spojrzeniu. Panna Tredgold pierwsza dostrzegła dziewczynkę i przyklękła.

– Obawiam się, że nie będę mogła wiele ci pomóc, jeśli tam zostaniesz, dziecko. Jestem o wiele za duża, żeby mieszkać pod łóżkiem.

Florentyna roześmiała się i wyczołgała się spod łóżka.

– Jak ty śmiesznie mówisz – powiedziała. – Skąd jesteś?

– Z Anglii – odparła panna Tredgold i usiadła koło Florentyny.

40

– Gdzie to jest?

– O tydzień podróży stąd.

– Tak, ale jak daleko?

– To zależy, czym się jedzie przez ten tydzień. Jakimi środkami lokomocji mogłam podróżować, żeby pokonać tak dużą odległość? Czy potrafiłabyś wymienić trzy?

Florentyna skupiła się.

– Z domu pojechałabym rowerem, a kiedy bym dotarła na koniec Ameryki, wsiadłabym na...

Żadna z nich nie zauważyła, kiedy Zofia wyszła z pokoju.

Już po kilku dniach panna Tredgold stała się dla Florentyny siostrą i bratem, których nigdy nie miała mieć.

Florentyna potrafiła siedzieć całymi godzinami i przysłuchiwać się temu, co mówiła jej nowa towarzyszka, Abel zaś z dumą przyglądał się, jak ta stara panna – nigdy nie potrafił sobie wyobrazić, że ma tylko trzydzieści dwa lata, tak jak on – uczy jego córkę tylu przedmiotów, które on sam chętnie poznałby lepiej.

Pewnego ranka Abel zapytał George'a, czy potrafi wymienić sześć żon Henryka VIII, bo jeśli nie, to należałoby sprowadzić dwie następne guwernantki, absolwentki pensji w Cheltenham, póki Florentyna nie zakasuje ich swoją wiedzą. Zofia nie interesowała się Henrykiem VIII ani jego żonami i nadal uważała, że Florentyna powinna być wychowywana według prostych, polskich tradycji. Dawno już jednak zrezygnowała z prób przekonania Abla. Tak organizowała sobie życie, aby przez większość dnia nie widywać guwernantki.

Jeśli chodzi o organizację dnia narzuconą przez pannę Tredgold, to stanowiła ona połączenie dyscypliny grenadiera gwardii z metodami Marii Montessori. Florentyna co dzień wstawała o siódmej rano i, siedząc prosto, tak że plecami nie dotykała oparcia krzesła, wysłuchiwała podczas śniadania nauk o zachowaniu przy stole i o prawidłowej postawie. Między siódmą trzydzieści a siódmą czterdzieści pięć panna Tredgold wybierała dwie lub trzy wiadomości z chicagowskiej „Tribune", czytała je i omawiała z Florentyną, a po godzinie odpytywała ją na ten temat. Florentynę od razu wielce zainteresowało, co robi prezydent, może dlatego, że nosił imię jej misia. Panna Tredgold poświęcała dużo swojego wolnego czasu na szczegółowe zapoznawanie się z dziwacznym amerykańskim systemem politycznym, żeby przypadkiem żadne z pytań jej podopiecznej nie zostało bez odpowiedzi.

Między dziewiątą a dwunastą Florentyna i F.D.R. przebywali w przedszkolu, gdzie w gronie rówieśników oddawali się zajęciom stosownym dla ich wieku. Kiedy panna Tredgold przychodziła po Florentynę, bez trudu mogła poznać, czy dziewczynka miała tego dnia do czynienia z gliną, klejem i nożyczkami, czy też z farbami. Za każdym razem guwernantka prowadziła dziecko prosto do domu, wsadzała do wanny i przebierała, zżymając się i od czasu do czasu coś burcząc pod nosem.

Po południu panna Tredgold z Florentyną wyruszały zazwyczaj na wyprawę, szczegółowo zaplanowaną rano przez guwernantkę w tajemnicy przed dziewczynką, choć ta i tak zawsze próbowała się dowiedzieć, co takiego obmyśliła opiekunka.

– Co dzisiaj będziemy robiły? – lub: – Dokąd pójdziemy? – dopytywała się Florentyna.

– Cierpliwości, dziecko.

– A czy pójdziemy tam, gdyby padało?

– To się okaże. Ale nawet gdybyśmy nie mogły, bądź spokojna, bo ja zawsze mam w pogotowiu rezerwowy plan.

– Co to takiego deserowy plan?

– Rezerwowy, dziecko. Coś, co musisz mieć w zanadrzu, kiedy wszystko inne zawiedzie – wyjaśniała panna Tredgold.

Popołudniowe wyprawy to były spacery po parku, wizyty w ogrodzie zoologicznym, czasami nawet jazda na piętrze trolejbusu, sprawiająca Florentynie szczególną frajdę. Panna Tredgold korzystała z okazji i wprowadzała swoją pupilkę w początki francuskiego; była mile zdziwiona odkrywszy, że dziewczynka ma wrodzone zdolności do języków. Po powrocie do domu Florentyna spędzała pół godzinki z „mamą", jak się do niej zwracała po polsku, pałaszowała podwieczorek, znów brała kąpiel i o siódmej leżała już opatulona w łóżeczku. Panna Tredgold siadała przy niej i czytała jej fragment z Biblii albo Marka Twaina – kiedyś, w przypływie, jak jej się wydawało, frywolności, stwierdziła, że Amerykanie i tak nie odróżniają jednego od drugiego – po czym, zgasiwszy światło, czuwała przy swojej pupilce i przy F.D.R., dopóki oboje nie zasnęli.

Tego rozkładu dnia kategorycznie przestrzegano i naruszany był tylko przy tak rzadkich okazjach, jak urodziny czy święta państwowe, kiedy to panna Tredgold zezwalała Florentynie, aby towarzyszyła jej do kina wytwórni United Artists przy West Randolph Street na filmy w rodzaju „Królewna Śnieżka i siedmiu krasnoludków". Jednak uprzednio panna Tredgold sama oglądała film, żeby się upewnić, iż będzie on stosowny dla małej podopiecznej. Walt Disney zyskał aprobatę guwernantki, podobnie jak Laurence Olivier w roli Heathcliffa, za którym uganiała się Merle Oberon – ten film oglądała przez trzy kolejne czwartki w wolne od pracy popołudnia, za każdym razem płacąc dwadzieścia centów za bilet. Przekonała samą siebie, że warto nań roztrwonić sześćdziesiąt centów; w końcu „Wichrowe Wzgórza" należały do klasyki.

Panna Tredgold nigdy nie zbywała pytań Florentyny, czy to o nazistów, czy o Nowy Ład, albo i nawet o bazę-metę w baseballu, chociaż czasami dziewczynka najwyraźniej nie rozumiała odpowiedzi. Mała wkrótce odkryła, że matka nie zawsze potrafi zaspokoić jej ciekawość, i zdarzało się, że panna Tredgold, żeby nie wprowadzić dziewczynki w błąd, musiała udać się do swego pokoju i wertować Encyklopedię Brytannikę.

W wieku pięciu lat Florentyna zaczęła uczęszczać do przedszkola przy Szkole Podstawowej i Gimnazjum Klasycznym dla Dziewcząt w Chicago, ale w ciągu tygodnia przesunięto ją o rok wyżej, gdyż znacznie wyprzedzała swoje rówieśniczki. W jej świecie wszystko wyglądało cudownie. Miała mamę i tatusia, pannę Tredgold i Franklina D. Roosevelta i, jak daleko sięgał jej horyzont, wszystko zdawało się osiągalne.

Tylko najlepsze rodziny, jak mawiał Abel, posyłały swoje dzieci do szkoły, do której uczęszczała Florentyna, toteż panna Tredgold przeżyła swego rodzaju szok, kiedy zaprosiła kilka koleżanek Florentyny na podwieczorek i otrzymała grzeczną odmowę. Serdeczne przyjaciółki Florentyny, Mary Gill i Susie Jacobson, przychodziły regularnie do domu przy Rigg Street, ale niektórzy rodzice innych dziewczynek odrzucali zaproszenia, używając błahych wymówek, i do panny Tredgold wkrótce dotarło, że co prawda baron z Chicago zdołał się wyrwać z zaklętego kręgu biedy i zbić fortunę, ale nie jest w stanie sforsować drzwi lepszych salonów w Chicago. Zofia nie potrafiła mu w tym pomóc; nie próbowała nawet poznać rodziców innych dzieci, czy choćby wstąpić do jakiegoś komitetu charytatywnego, szpitalnego, czy jednego z klubów, do których tak wielu z nich należało.

Panna Tredgold starała się, jak mogła, ale ponieważ w oczach większości rodziców była tylko sługą, nie zdołała wiele wskórać. Modliła się, żeby Florentyna nigdy się nie dowiedziała o tych uprzedzeniach – ale jej modły nie zostały wysłuchane.

Florentyna dzielnie radziła sobie w pierwszej klasie, bynajmniej nie pozostając w tyle, i tylko jej wzrost przypominał wszystkim, że jest o rok młodsza.

Abel zbyt był pochłonięty powiększaniem własnego imperium, by zaprzątać sobie głowę pozycją towarzyską czy wnikać w problemy trapiące pannę Tredgold. Grupa wciąż się rozwijała i do 1938 roku Abel na tyle umocnił swoją pozycję finansową, że mógł już zacząć myśleć o spłacie pożyczki swojemu protektorowi. Prawdę mówiąc, Abel przewidywał zysk roczny w wysokości dwustu pięćdziesięciu tysięcy dolarów, mimo zakrojonego na szeroką skalę programu budowy hoteli.

Jego stroskane myśli nie krążyły wokół pokoju dziecinnego ani hoteli, lecz biegły do ukochanej ojczyzny, odległej o prawie pięć tysięcy mil. Najgorsze obawy potwierdziły się, kiedy 1 września 1939 roku Hitler zaatakował Polskę, a w dwa dni później Anglia wypowiedziała Niemcom wojnę. W obliczu nowej wojny Abel poważnie się zastanawiał, czy nie zostawić Grupy Barona pod opieką George'a, który okazał się tak oddanym adiutantem, a samemu popłynąć do Londynu i wstąpić do polskiego wojska na wychodźstwie. George z Zofią odwiedli go jednak od tego zamiaru, skupił się więc na zbiórce funduszy i wysyłaniu ich Brytyjskiemu Czerwonemu Krzyżowi oraz na wywieraniu nacisków na polityków z Partii Demokratycznej, aby Ameryka przystąpiła do wojny wraz z Anglikami.

– F.D.R. potrzebuje teraz wszystkich przyjaciół, jakich tylko zdoła pozyskać – oświadczył Abel któregoś ranka w obecności Florentyny.

W ostatnim kwartale 1939 roku Abel, z pomocą niewielkiej pożyczki z banku First City w Chicago, stał się wyłącznym właścicielem Grupy Hoteli Baron. W dorocznym sprawozdaniu przewidywał, że zyski w 1940 roku przekroczą pół miliona dolarów.

Franklin D. Roosevelt – ten z czerwonymi oczkami i puszystym brązowym futerkiem – niemal zawsze towarzyszył w szkole Florentynie, nawet kiedy przeszła do drugiej klasy. Panna Tredgold uważała, że pora już zostawiać misia w domu. W normalnych okolicznościach wydałaby Florentynie polecenie, polałoby się trochę łez i problem byłby rozwiązany; wbrew jednak swemu przekonaniu pozwoliła dziecku robić, jak chciało. Decyzja ta okazała się jedną z nielicznych pomyłek panny Tredgold.

Co poniedziałek uczniowie Szkoły Podstawowej i Gimnazjum Klasycznego dla Chłopców mieli z dziewczynkami wspólną lekcję francuskiego, prowadzoną przez nauczycielkę języków nowożytnych mademoiselle Mettinet. Dla wszystkich dzieci prócz Florentyny było to pierwsze, pełne trudności, zetknięcie się z tym językiem. Podczas gdy klasa chóralnie powtarzała za mademoiselle: *boucher*, *boulanger* i *épicier*, Florentyna bardziej z nudów niż z chęci imponowania zaczęła rozmawiać po francusku z F.D.R. Jej sąsiad, duży, dość leniwy chłopak, Edward Winchester, który nie był w stanie pojąć różnicy między *le* i *la*, powiedział Florentynie, żeby przestała się popisywać. Florentyna zaczerwieniła się i wybąkała:

– Chciałam tylko wytłumaczyć F.D.R., jaka jest różnica między rodzajem męskim a żeńskim.

– Tak? – powiedział Edward. – Ja ci pokażę *la différence*, panno Mądralińska – i w odruchu złości schwycił F.D.R., z całej siły pociągnął za jedną łapkę i oderwał ją od tułowia. Florentyna siedziała niczym przykuta i z przerażeniem patrzyła, jak Edward łapie następnie kałamarz i wylewa cały atrament na łebek misia.

Mademoiselle Mettinet, która nigdy nie była zwolenniczką wspólnych lekcji chłopców z dziewczynkami, pospieszyła na odsiecz, ale nie zdążyła na czas. F.D.R. był już szafirowy od stóp do głów i leżał na podłodze na kupce trocin z oderwanego ramienia. Florentyna schwyciła swoją maskotkę i zaczęła oblewać rzęsistymi łzami futro nasączone atramentem. Mademoiselle Mettinet poszła z Edwardem do gabinetu dyrektorki, nakazawszy dzieciom siedzieć cicho.

Florentyna przykucnęła i zaczęła zbierać z podłogi trociny. Próbowała bez powodzenia wepchnąć je z powrotem w misia, kiedy jasnowłosa dziewczynka, której Florentyna nigdy nie lubiła, pochyliła się w jej stronę i syknęła:

– Dobrze ci tak, ty głupia Polko. – Klasa zareagowała chichotem i część dzieci zaczęła skandować:

– Głupia Polka, głupia Polka, głupia Polka.

Florentyna przylgnęła kurczowo do F.D.R. i modliła się o powrót mademoiselle Mettinet.

Po upływie paru minut – choć Florentynie wydawało się, że to trwało kilka godzin – wróciła nauczycielka z Edwardem, podążającym za nią ze spuszczoną głową. Skandowanie urwało się z chwilą wejścia nauczycielki do klasy, ale Florentyna bała się nawet podnieść wzrok. W nienaturalnej ciszy Edward podszedł do Florentyny i przeprosił ją głośno, acz bez przekonania. Potem wrócił na swoje miejsce i uśmiechnął się od ucha do ucha do kolegów.

Kiedy panna Tredgold przyszła tego popołudnia po swoją podopieczną, od razu spostrzegła, że dziewczynka ma czerwone od płaczu policzki i drepcze koło niej ze spuszczoną główką, kurczowo trzymając szafirowego misia o spochmurniałym obliczu za jedyną łapkę, jaka mu została. Zanim doszły do domu, panna Tredgold wydobyła z Florentyny opowieść o całym wydarzeniu. Tego wieczoru dała dziewczynce na kolację jej ulubione smakołyki, których zazwyczaj nie pochwalała – hamburgera oraz lody, a następnie wcześniej położyła ją do łóżeczka, licząc na to, że mała prędko zaśnie. Po godzinie daremnego szorowania szczoteczką do rąk i mydłem nieodwracalnie zafarbowanego misia panna Tredgold musiała dać za wygraną. Kiedy kładła wilgotne zwierzątko obok Florentyny, spod kołderki odezwał się cichy głosik:

– Dziękuję, panno Tredgold. F.D.R. potrzebuje teraz wszystkich przyjaciół, jakich tylko zdoła pozyskać.

Kiedy Abel przyszedł do domu tuż po dziesiątej – ostatnio prawie każdego wieczoru wracał późno – panna Tredgold poprosiła go o rozmowę na osobności. Zaskoczony tym żądaniem, natychmiast zaprowadził ją do swojego gabinetu. W ciągu osiemnastu miesięcy spędzonych w jego domu w charakterze guwernantki panna Tredgold zazwyczaj zdawała sprawę panu Rosnovskiemu z postępów dziecka w niedzielę między dziesiątą a wpół do jedenastej rano, kiedy Florentyna z matką słuchały mszy w katedrze Imienia Bożego. Relacje panny Tredgold zawsze były ścisłe i akuratne, z tym że na ogół pomniejszała w nich osiągnięcia dziewczynki.

– O co chodzi, panno Tredgold? – spytał Abel, starając się nie okazać niepokoju. Bał się, że takie odstępstwo od przyjętych zwyczajów może znaczyć, iż guwernantka chce wymówić pracę. Panna Tredgold opowiedziała mu, co wydarzyło się w szkole.

W czasie opowieści panny Tredgold Abel coraz bardziej czerwieniał na twarzy i, nim dobiegła końca, był purpurowy.

– Niesłychane – wydusił wreszcie. – Florentynę trzeba stamtąd natychmiast zabrać. Jutro osobiście rozmówię się z panną Allen i powiem jej, co myślę o niej i o jej szkole. Jestem pewien, że uważa pani tę decyzję za słuszną, panno Tredgold.

– Nie, proszę pana. Wręcz przeciwnie – padła nadzwyczaj kategoryczna odpowiedź.

– Słucham panią? – spytał z niedowierzaniem Abel.

– Moim zdaniem ponosi pan taką samą winę jak rodzice Edwarda Winchestera.

– Ja? – zdziwił się Abel. – Dlaczego?

– Dawno temu powinien pan powiedzieć córce, że jest rzeczą szczytną być Polakiem, i wyjaśnić jej, jak należy sobie radzić z wszelkimi problemami wiążącymi się z polskim pochodzeniem. Powinien pan był uświadomić jej głęboko zakorzenione uprzedzenia, jakie żywią Amerykanie wobec Polaków, uprzedzenia, które według mnie są równie naganne jak stosunek Anglików do Irlandczyków, i które dzieli tylko krok od barbarzyńskiego traktowania Żydów przez nazistów.

Abel milczał. Już od dawna nikt mu nie mówił, że w czymkolwiek się myli.

– Tak, proszę pana. Jeśli zabierze pan Florentynę z tej szkoły, natychmiast złożę wymówienie. Skoro za pierwszym razem, kiedy dziecko napotyka problem, pan postanawia chować głowę w piasek, to jakże mogę ją nauczyć radzić sobie w życiu? Jakże ja, widząc mój kraj pogrążony w wojnie, ponieważ my, Anglicy, koniecznie chcieliśmy wierzyć, że Hitler jest rozsądnym, nawet jeśli trochę pomylonym człowiekiem, mogłabym przekazywać Florentynie równie wypaczoną interpretację rzeczywistości? Trudno mi będzie przeboleć rozstanie z Florentyną, bo nie mogłabym kochać jej bardziej, gdyby była moim własnym dzieckiem, ale nie zgodzę się na ukrywanie przed nią rzeczywistości, bo pan ma dosyć pieniędzy, żeby zatajać prawdę jeszcze przez parę lat, gdyż tak panu wygodniej. Proszę mi wybaczyć moją szczerość, czuję bowiem, że posunęłam się za daleko, ale nie mogę potępiać uprzedzeń innych ludzi, przymykając oczy na pańskie.

Abel zagłębił się jeszcze bardziej w swoim fotelu i dopiero po dłuższym namyśle odpowiedział:

– Panno Tredgold, pani powinna zostać ambasadorem, a nie guwernantką. Oczywiście, że ma pani rację. Co mi pani radzi?

Panna Tredgold, która nadal stała – nigdy by się nie ważyła usiąść w obecności pryncypała, chyba że przy Florentynie – zastanowiła się chwilę.

– Dziecko powinno przez następny miesiąc wstawać co dzień pół godziny wcześniej i uczyć się historii Polski. Musi się dowiedzieć, na czym polega wielkość Polski i dlaczego Polacy postanowili zmierzyć się z potęgą Niemiec, chociaż sami nie mogli mieć nadziei na zwycięstwo. Uzbrojona w wiedzę potrafi stawić czoło tym, którzy wyśmiewać będą jej pochodzenie, zamiast przegrywać z powodu ignorancji.

Abel zajrzał pannie Tredgold w oczy.

– Teraz wiem, co miał na myśli Bernard Shaw, kiedy powiedział, że trzeba spotkać angielską guwernantkę, żeby się dowiedzieć, dlaczego Wielka Brytania jest wielka.

Roześmiali się oboje.

– Dziwię się, że nie chce pani osiągnąć w życiu czegoś więcej, panno Tredgold – powiedział Abel, uświadamiając sobie, że jego słowa mogą się wydać obraźliwe. Jeśli tak było, panna Tredgold nic po sobie nie pokazała.

– Mój ojciec miał sześć córek. Pragnął syna, ale to marzenie się nie spełniło.

– A jak tamte ułożyły sobie życie?

– Wszystkie wyszły za mąż – odrzekła bez goryczy.

– A pani?

– Ojciec kiedyś mi powiedział, że moim przeznaczeniem jest zostać nauczycielką i że Bóg Wszechmogący w całej swojej mądrości sprawi, że spotkam na swej drodze ucznia, któremu pisana jest wielka przyszłość.

– Miejmy nadzieję, panno Tredgold. – Abel chętnie zwróciłby się do niej po imieniu, ale go nie znał. Wiedział tylko, że podpisuje się „W. Tredgold", z powściągliwością nie zachęcającą do dalszych pytań. Uśmiechnął się do niej.

– Może napiłaby się pani ze mną, panno Tredgold?

– Dziękuję panu, panie Rosnovski. Odrobina sherry sprawiłaby mi dużą przyjemność.

Abel nalał jej wytrawnego sherry, sobie zaś dużą szklaneczkę whisky.

– W jakim stanie jest F.D.R.?

– Okaleczony nieodwracalnie, niestety. Co zresztą sprawi, że dziecko pokocha go jeszcze mocniej. Postanowiłam, że w przyszłości F.D.R. powinien siedzieć w domu, a wszelkie podróże będzie odbywać tylko w moim towarzystwie.

– Zupełnie jakbym słyszał Eleanor Roosevelt mówiącą o prezydencie.

Panna Tredgold znów się roześmiała i pociągnęła łyczek sherry.

– Czy mogę jeszcze coś zasugerować à propos Florentyny?

– Naturalnie – powiedział Abel i cały zamienił się w słuch. Nie zdążyli skończyć drugiego drinka, kiedy Abel pokiwał głową z aprobatą.

– Doskonale – rzekła panna Tredgold. – Zatem, skoro pan się zgadza, załatwię to przy pierwszej nadarzającej się okazji.

– Naturalnie – powtórzył Abel. – A jeśli chodzi o te poranne lekcje, to chyba nie będę dysponował czasem codziennie przez cały miesiąc. Panna Tredgold chciała coś powiedzieć, gdy Abel dodał:

– Mam umówione spotkania, których nie mogę przełożyć tak z dnia na dzień, co pani z pewnością zrozumie.

– Zrobi pan, co uzna za stosowne, i jeśli pańskim zdaniem jest coś ważniejszego niż przyszłość pańskiej córki, ona to z pewnością zrozumie.

Abel potrafił przegrywać. Odwołał wszystkie umówione spotkania poza Chicago w najbliższym miesiącu i co rano wstawał o trzydzieści minut wcześniej. Nawet Zofia pochwaliła pomysł panny Tredgold.

Pierwszego dnia Abel opowiedział Florentynie o tym, jak urodził się w lesie i został przygarnięty przez chłopską rodzinę, jak później dostał się pod opiekę dostojnego barona, który go zabrał do swego zamku w Słonimiu. – Traktował mnie jak własnego syna – powiedział córce.

W ciągu następnych dni opowiedział jej, w jaki sposób jego siostra Florentyna, której imię nosi, również dostała się do zamku, a także jak odkrył, że baron był jego prawdziwym ojcem.

– Ja wiem, ja wiem, po czym to poznałeś! – wykrzyknęła Florentyna.

– Skąd ty to możesz wiedzieć, maleńka?

– On miał tylko jedną sutkę – powiedziała Florentyna. – Tak było. Na pewno. Widziałam cię kiedyś w kąpieli. Masz tylko jedną sutkę, więc musia-

53

łeś być jego synem. W szkole wszyscy chłopcy mają dwie... – Abel i panna Tredgold spojrzeli na nią z osłupieniem, ona zaś ciągnęła – ale skoro jestem twoją córką, to dlaczego ja mam dwie?

– Ponieważ to jest cecha, która przechodzi tylko z ojca na syna, prawie nigdy na córki.

– To niesprawiedliwe. Ja bym chciała mieć tylko jedną.

Abel wybuchnął śmiechem.

– No, może jeśli będziesz miała syna, to urodzi się tylko z jedną.

– Czas zapleść warkocze i szykować się do szkoły – obwieściła panna Tredgold.

– Ale to takie strasznie ciekawe.

– Rób, co mówię, dziecko.

Florentyna, ociągając się, zostawiła ojca i poszła do łazienki.

– Jak pani myśli, o czym będzie jutro? – zagadnęła pannę Tredgold w drodze do szkoły.

– Nie mam pojęcia, dziecko, ale jak kiedyś radził pan Asquith, poczekajmy, a zobaczymy.

– Czy pan Asquith mieszkał w zamku z tatusiem?

Podczas następnych dni Abel wytłumaczył Florentynie, jak wyglądało życie w obozie w Rosji i dlaczego okulał. Powtarzał też córce historie, jakie przed ponad dwudziestu laty usłyszał w lochach zamku od barona. Florentyna wysłuchiwała opowieści o legendarnym polskim bohaterze narodowym Tadeuszu Kościuszce i o licznych innych postaciach historycznych, aż do czasów współczesnych, a panna Tredgold wskazywała odpowiednie miejsca na mapie Europy, którą powiesiła na ścianie sypialni.

Na koniec Abel wyjawił Florentynie, w jaki sposób stał się właścicielem srebrnej bransolety, którą nosił na ręku.

– Co tu jest napisane? – pytała Florentyna, przypatrując się drobnym, wyrytym na bransolecie literom.

– Spróbuj sama odczytać, maleńka – odparł Abel.

– Ba-ron A-bel Ros-nov-ski – wysylabizowała. – Ale przecież to ty tak się nazywasz.

– I tak nazywał się mój ojciec.

Po kilku następnych dniach Florentyna potrafiła już odpowiedzieć na wszystkie pytania ojca, chociaż z jej pytaniami Abel nie zawsze umiał sobie poradzić.

W szkole Florentyna z dnia na dzień czekała, kiedy Edward Winchester znowu ją zaczepi, lecz on zdawał się nie pamiętać o tamtym zdarzeniu i kiedyś nawet chciał się z nią podzielić jabłkiem.

Ale nie wszyscy w klasie zapomnieli, a zwłaszcza jedna tłusta i tępawa dziewczynka, która przy każdej okazji, kiedy Florentyna mogła ją usłyszeć, z lubością szeptała:

– Głupia Polka.

Florentyna zrazu nie reagowała, tylko odczekała kilka tygodni, aż tłuścioszka, która najgorzej napisała klasówkę z historii – podczas gdy Florentyna zrobiła to najlepiej – obwieściła:

– Ale za to nie jestem Polką.

Edward Winchester skrzywił się, lecz kilkoro uczniów zaczęło się śmiać.

Florentyna poczekała, aż zapadnie cisza, po czym powiedziała:

– To prawda. Nie jesteś Polką, tylko Amerykanką w trzecim pokoleniu i twoja historia zaczyna się sto lat temu. Moja liczy tysiąc lat i dlatego ty jesteś ostatnia, a ja pierwsza w tym przedmiocie.

Nikt z klasy nie wracał więcej do tego tematu. Kiedy panna Tredgold usłyszała relację Florentyny w drodze do domu, uśmiechnęła się pod nosem.

– Czy powiemy o tym tatusiowi dzisiaj wieczorem? – spytała Florentyna.

– Nie, kochanie. Nigdy nie należy się chełpić. Czasami mądrzej jest zachować milczenie.

Sześcioletnia dziewczynka kiwnęła główką w zadumie, po czym zapytała:

– Czy pani myśli, że Polak mógłby zostać prezydentem Stanów Zjednoczonych?

– Z pewnością, jeśli Amerykanie potrafią przezwyciężyć swoje uprzedzenia.

– A katolik?

– To przestanie mieć znaczenie jeszcze za mojego życia.

– A kobieta? – upewniała się Florentyna.

– Na to, dziecko, trzeba będzie trochę dłużej poczekać.

Wieczorem panna Tredgold oznajmiła Ablowi, że jego nauki nie poszły w las.

– A kiedy przeprowadzi pani drugą część swego planu? – zagadnął Abel.

– Jutro – odparła z uśmiechem.

Nazajutrz o trzeciej trzydzieści panna Tredgold stała na rogu ulicy i czekała, aż jej pupilka skończy lekcje. Florentyna szczebiocząc wybiegła przez bramę i dopiero kiedy przeszły kilka przecznic, zauważyła, że nie kierują się do domu.

– Dokąd idziemy, panno Tredgold?

– Cierpliwości, dziecko. Niedługo zobaczysz.

56

Panna Tredgold uśmiechała się, ale Florentyna chciała jej koniecznie opowiedzieć, jak doskonale napisała dziś rano klasówkę z angielskiego, i trajkotała bez przerwy aż do Menomonee Street, gdzie panna Tredgold zaczęła zwracać uwagę na numery domów i przestała się interesować rzeczywistymi czy też wyimaginowanymi sukcesami Florentyny.

Wreszcie stanęły przed świeżo malowanymi, czerwonymi drzwiami, na których widniał numer dwieście osiemnasty. Panna Tredgold dwukrotnie zastukała ręką obleczoną w rękawiczkę. Florentyna, która dopiero teraz zamilkła, czekała cicho u jej boku. Po chwili drzwi się uchyliły i stanął w nich mężczyzna w szarym swetrze i niebieskich dżinsach.

– Przyszłam w związku z pańskim ogłoszeniem w „Sun-Timesie" – przemówiła panna Tredgold, nim mężczyzna zdążył cokolwiek powiedzieć.

– A, tak – odparł. – Proszę wejść.

Panna Tredgold wkroczyła do domu, a za nią zaintrygowana Florentyna. Poprowadzono je wąskim korytarzem, gdzie wisiały fotografie i kolorowe rozetki, nagrody z wystaw, do drzwi wychodzących na ogród.

Florentyna ujrzała je natychmiast, w koszu na końcu ogrodu. Puściła się biegiem. Sześcioro żółtych szczeniąt rasy labrador, skupionych wokół matki. Jedno z nich porzuciło ciepło rodzinne, wygramoliło się z kosza i, utykając, podbiegło do Florentyny.

– Ono kuleje – powiedziała Florentyna, podnosząc szczenię i oglądając chromą łapkę.

– Niestety – przyznał hodowca. – Ale jest jeszcze do wyboru pięć innych, wszystkie bez defektu.

– A co się stanie, jeśli tego nikt nie weźmie?

– No cóż... – hodowca zawahał się. – Myślę, że trzeba będzie je uśpić.

Florentyna, tuląc szczenię, które z zapałem lizało jej buzię, spojrzała błagalnie na pannę Tredgold.

– Ja je chcę – oznajmiła bez wahania, lękając się jej reakcji.

– Ile płacę? – spytała guwernantka, otwierając portmonetkę.

– Nic, proszę pani. Cieszę się, że trafi w dobre ręce.

– Dziękuję – powiedziała Florentyna. – Dziękuję.

W drodze do nowego domu szczenię ani na chwilę nie przestało wymachiwać ogonkiem, natomiast Florentyna, ku zdziwieniu panny Tredgold, nie odezwała się ani słowem. Dziewczynka nie odstępowała zwierzątka ani na krok, póki nie znalazła się w zaciszu kuchni. Zofia i panna Tredgold przyglądały się, jak szczenię, utykając, biegnie do miski z ciepłym mlekiem.

– Przypomina mi tatusia – powiedziała Florentyna.

– Dziecko, nie bądź zuchwała – skarciła ją panna Tredgold.

Zofia powściągnęła uśmiech.

– Powiedz, Florentynko, jak jej dasz na imię?

– Eleanor.

IV

Pierwszy raz Florentyna ubiegała się o urząd prezydenta mając sześć lat. Panna Evans, nauczycielka w drugiej klasie, postanowiła urządzić zabawę w wybory. Zaproszono także chłopców i Edward Winchester, któremu Florentyna nigdy całkiem nie przebaczyła, że oblał jej misia atramentem, miał się wcielić w postać Wendella Willkie'ego. Naturalnie Florentyna wystąpiła w roli F.D.R.

Uzgodniono, że każdy kandydat wygłosi pięciominutowe przemówienie do pozostałych dwudziestu siedmiu uczniów obu klas. Panna Tredgold, która nie chciała nic sugerować Florentynie, wysłuchała tylko jej oracji trzydzieści jeden, a może i trzydzieści dwa razy, jak powiedziała Ablowi w niedzielę rano przed owym doniosłym wydarzeniem.

Florentyna co dzień czytała na głos przy pannie Tredgold polityczne kolumny chicagowskiej „Tribune", szukając wszelkich informacji, które nadawałyby się do jej przemówienia. Wszędzie słychać było głos Kate Smith śpiewającej „Boże, pobłogosław Amerykę", a wskaźnik Dow Jonesa po raz pierwszy przekroczył 150 punktów: jakkolwiek by to interpretować, sytuacja zdawała się sprzyjać urzędującemu kandydatowi. Florentyna czytała również o działaniach wojennych w Europie i o wodowaniu okrętu wojennego „Waszyngton" o wyporności 36 tysięcy ton, pierwszego od dziewiętnastu lat okrętu bojowego zbudowanego w Ameryce.

– Dlaczego zbudowaliśmy okręt wojenny, skoro prezydent obiecał, że Amerykanie nigdy nie będą musieli iść na wojnę?

– Przypuszczam, że chodzi o zapewnienie krajowi jak najlepszej obrony – podsunęła panna Tredgold, migając drutami, na których robiła skarpety dla chłopców w swej ojczyźnie. – Na wszelki wypadek, gdyby Niemcy zaatakowały Amerykę.

– Nie odważą się – powiedziała Florentyna.

W dniu, kiedy Trocki został uśmiercony w Meksyku toporkiem do lodu, panna Tredgold ukryła gazety przed swoją pupilką, następnego zaś ranka nie potrafiła jej wytłumaczyć, co to takiego nylony i dlaczego pierwsza partia siedemdziesięciu dwu tysięcy par została wykupiona w ciągu ośmiu godzin, a następnie sklepy ograniczyły sprzedaż do dwóch par na osobę.

Panna Tredgold, która zwykle miała na nogach beżowe fildekosowe pończochy w odcieniu z dużą dozą optymizmu zwanym „Pokusa", czytała notatkę z dezaprobatą.

– Jestem pewna, że nigdy nie będę nosiła nylonów – obwieściła. I rzeczywiście nie nosiła.

Kiedy nadszedł dzień wyborów, Florentyna miała głowę nabitą faktami i liczbami, których sens nie zawsze rozumiała, ale których znajomość dawała jej poczucie, że wygra. Trapiło ją tylko, że Edward jest od niej wyższy. Florentyna wyobrażała sobie, że wysoki wzrost daje przewagę, czytała bowiem, że dwudziestu siedmiu z trzydziestu dwóch prezydentów Stanów Zjednoczonych górowało wzrostem nad swoimi rywalami.

Dwoje kandydatów rzucało nowo wybitą monetę z wizerunkiem Jeffersona, aby ustalić kolejność wystąpień. Florentyna wygrała i postanowiła przemawiać pierwsza; tego błędu nie powtórzyła więcej w życiu. Wyszła przed klasę, drobna, wręcz filigranowa figurka i pamiętając o radzie, jakiej jeszcze na koniec udzieliła jej panna Tredgold: „Trzymaj się prosto, dziecko. Nie garb się jak pytajnik", stanęła wyprostowana na środku drewnianego podwyższenia koło biurka panny Evans, twarzą do innych dzieci, oczekując na znak, że może zaczynać. Z trudem wykrztusiła pierwsze zdania. Wyjaśniła, że jej polityka zapewni stabilność finansową państwa, oraz obiecała, że będzie trzymać Stany Zjednoczone z dala od wojny. „Ani jeden Amerykanin nie powinien umrzeć z tego powodu, że narody Europy nie potrafią żyć w pokoju" – oznajmiła. Tego zdania z jednego z przemówień Roosevelta nauczyła się na pamięć. Mary Gill zaczęła bić brawo, ale Florentyna, nie zwracając na to uwagi, kontynuowała przemówienie, nerwowo obciągając sukienkę wilgotnymi rękami. Kilka ostatnich zdań wypowiedziała w wielkim pośpiechu i usiadła wśród braw i uśmiechów.

Teraz podniósł się Edward Winchester i kiedy stanął na podium koło tablicy, kilku chłopców z jego klasy powitało go okrzykami. Wtedy to Florentyna pierwszy raz uświadomiła sobie, że część wyborców podejmuje decyzję jeszcze przed rozpoczęciem przemówień. Miała nadzieję, że tak było również w jej przypadku. Edward powiedział uczniom i uczennicom, że wygrać mecz to to samo, co odnieść zwycięstwo dla ojczyzny, i że tak czy owak Willkie uosabia to wszystko, w co wierzą ich rodzice. Czy chcą głosować wbrew życzeniom swoich ojców i matek? Jeśli bowiem wypowiedzą się za F.D.R., to stracą wszystko. Te zdania przyjęto z takim aplauzem, że powtórzył je jeszcze raz. Na koniec Edwarda również nagrodzono oklaskami i uśmiechami, ale Florentyna zdołała przekonać samą siebie, że nie były one ani bardziej huczne, ani liczniejsze od tych, które jej przypadły w udziale.

Gdy Edward zajął swoje miejsce, panna Evans pogratulowała obojgu kandydatom i poprosiła wszystkich, aby wydarli czystą kartkę z notatników i wypisali na niej nazwisko Edwarda lub Florentyny, zależnie od przekonania, które z nich powinno zostać prezydentem. Pióra zanurzono w kałamarzach, spiesznie wypisano nazwiska, osuszono kartki wyborcze bibułą, złożono, a następnie dostarczono pannie Evans. Wreszcie nauczycielka zaczęła rozwijać małe kwadraciki papieru i układać je przed sobą w oddzielnych kupkach. Wydawało się, że trwa to całą wieczność. Podczas podliczania głosów cała klasa zachowywała ciszę, co już samo w sobie było niezwykłe. Panna Evans rozwinęła dwadzieścia siedem karteczek, powoli i dokładnie je policzyła, a następnie jeszcze raz sprawdziła wynik.

– W szkolnych wyborach na prezydenta Stanów Zjednoczonych – Florentyna wstrzymała oddech – Edward Winchester otrzymał trzynaście głosów – Florentyna z trudem stłumiła okrzyk triumfu – a Florentyna Rosnovski dwanaście. Dwie osoby nie wypełniły kartek, co oznacza wstrzymanie się od głosu. – Florentyna nie wierzyła własnym uszom. – Zatem ogłaszam, że Edward Winchester, reprezentujący Wendella Willkie'ego, został prezydentem.

Były to jedyne owego roku wybory przegrane przez F.D.R., lecz Florentyna nie potrafiła ukryć żalu i pobiegła do szatni, aby wypłakać się w samotności. Kiedy stamtąd wyszła, zobaczyła Mary Gill i Susie Jacobson, które na nią czekały.

– Wcale mi nie zależy – powiedziała Florentyna, robiąc dobrą minę do złej gry. – Przynajmniej wiem, że wy dwie na mnie głosowałyście.

– Nie mogłyśmy.

– Dlaczego? – spytała osłupiała Florentyna.

– Nie chciałyśmy, żeby panna Evans się dowiedziała, że nie potrafimy prawidłowo napisać twojego nazwiska – odparła Mary.

W drodze do domu, kiedy już panna Tredgold wysłuchała siedem razy opowieści Florentyny, zebrała się na odwagę i spytała, jaką dziecko wyciągnęło naukę z tego doświadczenia.

– Muszę wyjść za mąż za kogoś o bardzo krótkim nazwisku – odparła z przekonaniem Florentyna.

Abel ubawił się, kiedy mu wieczorem zrelacjonowano to wydarzenie, i powtórzył wszystko Henry'emu Osborne'owi przy kolacji.

– Lepiej uważaj na nią, Henry, bo niebawem wysadzi cię z siodła.

– Mam co najmniej piętnaście lat do czasu, kiedy uzyska prawa wyborcze, a wtedy chętnie przekażę jej moją klientelę.

– A co robisz, żeby przekonać Komisję Spraw Zagranicznych, że powinniśmy przystąpić do wojny?

– Roosevelt nie zrobi nic, póki nie będą znane wyniki wyborów. Wszyscy to wiedzą, Hitler też.

– Skoro tak, to mogę się tylko modlić, żeby Anglia nie przegrała, zanim przystąpimy do wojny. Ameryka dopiero w listopadzie przekona się, czy Roosevelt nadal jest prezydentem.

W tym roku Abel wyznaczył architektów do zaprojektowania następnych dwóch hoteli – w Waszyngtonie i San Francisco – i rozpoczął swoją pierwszą inwestycję w Kanadzie, w Montrealu. Chociaż nie przestawał myśleć o rozwoju grupy, było jeszcze coś, co nie dawało mu spokoju.

Ciągnęło go do Europy, ale bynajmniej nie po to, żeby wznosić tam hotele.

Pod koniec jesiennego okresu szkolnego Florentyna dostała pierwsze w życiu lanie. W późniejszych latach zawsze kojarzyło jej się ze śniegiem. Cała klasa postanowiła ulepić wielkiego bałwana i każdy musiał wnieść jakiś wkład. Oczy zrobiono mu z rodzynek, nos z marchwi, uszy z ziemniaków, dano mu też stare ogrodowe rękawice oraz kapelusz i cygaro, dostarczone przez Florentynę. Ostatniego dnia nauki zaproszono wszystkich rodziców, żeby obejrzeli bałwana, i wielu z nich zwróciło uwagę na kapelusz. Florentyna puszyła się jak paw, póki nie pojawił się ojciec z matką. Zofia wybuchnęła śmiechem, ale Abla nie zachwycił wcale widok jego własnego, eleganckiego, jedwabnego cylindra na głowie głupkowato uśmiechniętego bałwana. Po powrocie do domu Florentynę zaprowadzono do gabinetu ojca, gdzie musiała wysłuchać długiego wykładu o niestosowności zabierania cudzych rzeczy. Potem Abel wziął ją na kolano i wymierzył trzy mocne uderzenia szczotką do włosów.

Owego sobotniego wieczoru Florentyna miała nigdy nie zapomnieć.

Tamten niedzielny poranek Ameryka miała zapamiętać na zawsze.

Wschodzące Słońce pojawiło się nad Pearl Harbor na skrzydłach nieprzyjacielskich samolotów, które zdziesiątkowały amerykańską flotę wojenną, obróciły bazę w perzynę i uśmierciły dwa tysiące czterystu trzech Amerykanów. Stany Zjednoczone wypowiedziały Japonii wojnę następnego dnia, a Niemcom trzy dni później.

Abel natychmiast wezwał George'a i powiadomił go, że ma zamiar wstąpić do armii, zanim odpłynie ona do Europy. George protestował, Zofia perswadowała, a Florentyna tonęła we łzach. Jedynie panna Tredgold nie podzieliła się z nikim swoją opinią.

Abel musiał przed wyjazdem załatwić tylko jedną ważną sprawę. Wezwał Henry'ego.

– Czy zauważyłeś komunikat w „Wall Street Journal"? O mało co go nie przeoczyłem w tym natłoku informacji o Pearl Harbor.

– Chodzi ci o fuzję banku Lestera z bankiem Kane'a i Cabota, zapowiadaną przeze mnie w zeszłomiesięcznym raporcie? Tak, mam już wszystkie szczegóły. – Henry podał teczkę Ablowi. – Domyśliłem się, że chcesz się ze mną widzieć w tej sprawie.

Abel przejrzał pospiesznie papiery i znalazł wspomniany artykuł, zakreślony czerwonym ołówkiem przez Henry'ego. Dwukrotnie przeczytał notatkę, po czym zaczął bębnić palcami w blat stołu.

– To pierwszy błąd Kane'a – powiedział.

– Myślę, że masz rację.

– Zasługujesz na swoje tysiąc pięćset dolarów miesięcznie, Henry.

– Chyba już czas powiększyć je do dwóch tysięcy.

– Dlaczego?

– Zważywszy artykuł siódmy nowego statutu banku.

– Czym się kierował włączając tę nową klauzulę?

– Przede wszystkim chciał się zabezpieczyć. Najwidoczniej Kane'owi nigdy nie przyszło do głowy, że ktoś może chcieć go zniszczyć, a przecież zamieniając wszystkie udziały banku Kane'a i Cabota na tejże wartości udziały banku Lestera, traci kontrolę nad pierwszym, nie zyskując jej nad drugim, gdyż bank Lestera jest nieporównanie większy. Ponieważ ma w nim tylko osiem procent udziałów, zażądał włączenia tej klauzuli, żeby w razie czego wstrzymać wszelkie transakcje na trzy miesiące, a także nie dopuścić do wyboru nowego prezesa rady nadzorczej.

– Czyli że zostaje nam teraz tylko zdobyć osiem procent udziałów banku Lestera i wykorzystać przeciwko Kane'owi jego własną, specjalnie dodaną przez niego klauzulę, o ile i kiedy będzie nam to odpowiadało. – Abel zamilkł. – Nie sądzę, żeby to było łatwe.

– Właśnie dlatego poprosiłem cię o podwyżkę.

Abel przekonał się, że zaciągnąć się do wojska było o wiele trudniej, niż sobie zrazu wyobrażał. Komisja lekarska wyraziła niezbyt uprzejmą opinię o jego wzroku, tuszy, sercu i ogólnym stanie zdrowia. Dopiero po naciśnięciu odpowiednich sprężyn udało mu się otrzymać stanowisko kwatermistrza w Piątej Armii pod dowództwem generała Marka Clarka, oczekującego na rozkaz wypłynięcia do Afryki. Abel skwapliwie skorzystał z jedynej nadarzającej się okazji uczestniczenia w wojnie i wyjechał na kurs oficerski. Panna Tredgold nie wyobrażała sobie, że Florentyna będzie aż tak tęsknić za ojcem, kiedy go zabraknie w domu przy Rigg Street. Usiłowała przekonać ją, że wojna nie potrwa długo, ale sama nie wierzyła własnym słowom. Panna Tredgold za dobrze znała historię.

Abel wrócił ze szkoły oficerskiej w randze majora, szczuplejszy i odmłodniały, ale Florentyna nie cierpiała jego widoku w mundurze, gdyż wszyscy, którzy nosili mundury, odjeżdżali gdzieś poza Chicago i zdawali się nigdy nie wracać. W lutym Abel pomachał na pożegnanie i odpłynął z Nowego Jorku na S.S. „Borinquen". Florentyna, która przecież miała tylko siedem lat, była przekonana, że pożegnanie oznacza rozstanie na zawsze. Matka zapewniła ją, że tatuś bardzo szybko wróci do domu.

Podobnie jak panna Tredgold, Zofia nie wierzyła własnym słowom, i tym razem nie wierzyła w nie również Florentyna.

Florentyna została wyznaczona na sekretarza czwartej klasy, do której właśnie przeszła, i prowadziła protokoły cotygodniowych zebrań szkolnych. Kiedy odczytywała je w klasie, nie budziły specjalnego zainteresowania, ale w spiekocie i pyle Algieru Abel, to śmiejąc się, to płacząc, delektował się każdą linijką sumiennego sprawozdania swojej córki, jakby to był najnowszy bestseller. Ostatnią, wielce pochwalaną przez pannę Tredgold manią

Florentyny stał się skauting; mogła teraz parado-
wać w uniformie jak ojciec. Bardzo lubiła stroić
się w zgrabny brązowy mundurek, a w dodatku
okazało się, że może na rękawy naszywać różnokolorowe odznaki za tak różnorakie przedsięwzięcia
jak pomoc w kuchni czy zbieranie zużytych znaczków pocztowych. Florentyna w takim tempie zdo-
bywała coraz to nowe odznaki, że panna Tredgold
nie mogła nadążyć z ich naszywaniem i wkrótce
trudno było znaleźć na rękawach wolne miejsce.
Wiązanie węzłów, gotowanie, gimnastyka, opieka
nad zwierzętami, roboty ręczne, znaczki, wycieczki krajoznawcze – jedna sprawność goniła drugą.

– Szkoda, że nie jesteś ośmiornicą – wzdychała
panna Tredgold. Ale i tak odniosła zwycięstwo,
dziewczynka zdobyła bowiem małą żółtą odznakę
za szycie i sama musiała sobie ją przyszyć.

Kiedy Florentyna przeszła do piątej klasy,
większość lekcji odbywała się razem z chłopcami.
Edward Winchester został wybrany na starostę
klasy męskiej, głównie ze względu na swoje sportowe wyczyny, Florentyna natomiast nadal pełniła
funkcję sekretarza, chociaż mogła pochwalić się
lepszymi stopniami niż wszyscy łącznie z Edwardem. Nie miała tylko szczęścia do geometrii,
w której była druga w klasie, i do zajęć plastycz-
nych. Panna Tredgold zawsze wielokrotnie odczytywała oceny postępów Florentyny w jej dzienniczku, a już wręcz rozkoszowała się uwagami nauczycielki prowadzącej zajęcia plastyczne: „Może
gdyby Florentyna rozchlapywała więcej farby na
papier, a nie na wszystko dookoła, miałaby większe szanse zostać w przyszłości artystką, a nie tyn-
karką czy malarką pokojową".

Ale zdanie, jakie cytowała panna Tredgold, ilekroć pytano ją o postępy Florentyny, było autorstwa jej opiekunki ze szkolnej świetlicy i brzmiało: „Ta uczennica nie powinna płakać, kiedy zajmuje drugie miejsce".

Z czasem Florentyna przekonała się, że ojcowie wielu dzieci z jej klasy poszli na wojnę. Pojęła, że jej dom nie jest jedynym, który został osamotniony. Panna Tredgold zapisała Florentynę na lekcje tańca i fortepianu, żeby zająć cały jej wolny czas. Pozwoliła nawet dziewczynce zabierać na zbiórki Eleanor jako użyteczne zwierzę, ale suczkę odesłano do domu, gdyż kulała. Florentyna życzyłaby sobie, żeby tak samo postąpiono z jej ojcem. Kiedy nadeszły letnie wakacje, panna Tredgold, za zgodą Zofii, postanowiła poszerzyć horyzonty dziecka o Nowy Jork i Waszyngton, mimo ograniczeń podróży wprowadzonych w związku z wojną. Zofia, pod nieobecność córki, zaczęła uczestniczyć w akcjach dobroczynnych na rzecz polskich żołnierzy powracających z frontu.

Pierwsza w życiu wycieczka do Nowego Jorku dostarczyła Florentynie wiele wrażeń, chociaż Eleanor musiała zostać w domu. Zachwyciły dziewczynkę drapacze chmur, ogromne domy towarowe, Central Park i nie widziane dotychczas tłumy ludzi, a jednak jej największym marzeniem było zobaczyć Waszyngton. Florentyna pierwszy raz w życiu leciała samolotem, jak zresztą i panna Tredgold, i kiedy samolot płynął nad Potomakiem, zmierzając w stronę waszyngtońskiego portu lotniczego, Florentyna w oczarowaniu spoglądała w dół na Biały Dom, na monument Waszyngtona, pomnik Lincolna i jeszcze nie ukończoną budowlę ku czci Jeffersona. Chciała wiedzieć, czy ma to być monument, czy pomnik upamiętniający tego męża stanu, i spytała pannę Tredgold o wyjaśnienie różnicy między tymi dwoma określeniami. Panna Tredgold po namyśle odparła, że będą musiały sprawdzić ich znaczenie w słowniku Webstera po powrocie do Chicago, gdyż nie jest pewna, na czym polega różnica. Florentyna po raz pierwszy zdała sobie wówczas sprawę, że panna Tredgold nie jest wszystkowiedząca.

– Wygląda całkiem tak samo jak na filmach – orzekła Florentyna, spoglądając przez malutkie okienko samolotu na siedzibę Kongresu, Kapitol.

– A czego się spodziewałaś? – spytała panna Tredgold.

Henry Osborne załatwił im specjalną wizytę w Białym Domu i wprowadził je do Senatu i Izby Reprezentantów w trakcie obrad. Kiedy Florentyna znalazła się na galerii w Senacie, zahipnotyzowana śledziła, jak kolejni mówcy wstają, aby zabrać głos. Panna Tredgold musiała ją stamtąd wyciągać niczym chłopaka z meczu futbolu, co Florentynie nie przeszkadzało zasypywać Henry'ego Osborne'a lawiną pytań. Zdumiewała go wiedza tej dziewięcioletniej dziewczynki, niezwykła nawet jak na córkę Barona z Chicago.

Florentyna i panna Tredgold przenocowały w hotelu Willard. Abel nie zdążył jeszcze zbudować własnego hotelu w Waszyngtonie, ale kongresman Osborne zapewniał, że jest już w planie, i dodał, że działkę już wykombinował.

– Co to znaczy „kombinować", proszę pana?

Ani Henry Osborne, ani panna Tredgold nie potrafili jej udzielić zadowalającej odpowiedzi. Postanowiła więc sama sprawdzić ten wyraz w słowniku Webstera.

Wieczorem panna Tredgold ułożyła dziecko do snu w wielkim łożu hotelowym i wyszła z pokoju, przeświadczona, że po tak męczącym dniu jej pupilka prędko zaśnie. Florentyna odczekała parę minut, a następnie z powrotem zapaliła światło. Spod poduszki wydobyła przewodnik po Białym Domu. Z fotografii spoglądał na nią F.D.R. w czarnym płaszczu. Pod jego nazwiskiem widniały wypisane tłustym drukiem słowa: „Nie ma szczytniejszego powołania nad służbę publiczną". Florentyna przeczytała dwa razy broszurkę, jednakże najbardziej przykuła jej uwagę ostatnia strona. Zaczęła uczyć się tekstu na pamięć, ale parę minut po pierwszej zasnęła, nie zdążywszy zgasić światła.

W samolocie lecącym do Chicago Florentyna znowu wczytywała się w ostatnią stronę przewodnika, podczas gdy panna Tredgold zajęła się lekturą waszyngtońskiego dziennika „Times-Herald", który podawał wieści z teatru wojny. Włochy w gruncie rzeczy już się poddały, choć Niemcy najwyraźniej nadal wierzyli, że jeszcze mogą odnieść zwycięstwo. Florentyna ani razu, od Waszyngtonu aż do Chicago, o nic ją nie zapytała, więc panna Tredgold sądziła, że dziecko zmęczyła podróż. Po powrocie do domu pozwoliła Florentynie wcześnie pójść do łóżka, uprzednio jednak nakłoniła ją, aby napisała list z podziękowaniem do kongresmana Osborne'a. Kiedy przyszła do pokoju Florentyny zgasić światło, mała nadal wczytywała się w przewodnik po Białym Domu.

Dokładnie o wpół do jedenastej panna Tredgold zeszła do kuchni zrobić sobie przed snem fi-

liżankę kakao. Wracając usłyszała jakby monoton-
ną recytację. Na palcach zbliżyła się do drzwi sypialni Florentyny i zastygła nasłuchując. Jej uszu
dobiegły słowa, szeptane bez zająknienia: „ Jeden,
Waszyngton; dwa, Adams; trzy, Jefferson; cztery,
Madison. – Florentyna powtarzała nazwiska kolejnych prezydentów bez jednej pomyłki. – Trzydzieści jeden, Hoover; trzydzieści dwa F.D.R.; trzydzieści trzy, nieznany; trzydzieści cztery, nieznany;
trzydzieści pięć, trzydzieści sześć, trzydzieści siedem, trzydzieści osiem, trzydzieści dziewięć, czterdzieści, czterdzieści jeden, nieznany; czterdzieści
dwa... – I po chwili ciszy: – Raz, Waszyngton; dwa,
Adams; trzy, Jefferson"... – Panna Tredgold wycofała się na palcach do swojego pokoju i dłuższy
czas leżała wpatrując się w sufit, nie tknąwszy nawet stygnącego kakao i wspominając słowa ojca:
„Twoim przeznaczeniem jest zostać nauczycielką,
a Bóg Wszechmogący w całej swojej mądrości
sprawi, że spotkasz na swojej drodze ucznia, któremu pisana jest wielka przyszłość". Prezydent
Stanów Zjednoczonych, Florentyna Rosnovski?
Nie – pomyślała panna Tredgold. Florentyna miała rację. Będzie musiała poślubić kogoś o krótkim,
łatwo wpadającym w ucho nazwisku.

Florentyna wstała nazajutrz rano, powiedziała
pannie Tredgold *bonjour* na powitanie i znikła
w łazience. Nakarmiwszy Eleanor, która jadła teraz więcej niż jej pani, Florentyna przeczytała
w chicagowskiej „Tribune" artykuł o postanowieniu F.D.R. i Churchilla co do bezwarunkowej kapi-
tulacji Włoch i z radością oznajmiła matce, że to
znaczy, że tatuś wkrótce wróci do domu.

Zofia westchnęła – oby tak było – i powiedziała pannie Tredgold, że Florentyna doskonale wygląda, po czym zapytała:

– A jak ci się podobało w Waszyngtonie, skarbie?

– Bardzo, mamo. Myślę, że pewnego dnia tam zamieszkam.

– Dlaczego, Florentynko? Co byś robiła w Waszyngtonie?

Florentyna podniosła oczy i napotkała spojrzenie panny Tredgold. Zawahała się chwilę, po czym obróciła się ku matce.

– Nie wiem, mamo. Po prostu pomyślałam, że to ładne miasto. Czy mogłabym prosić o marmoladę, panno Tredgold?

V

Florentyna nie miała pewności, ile z jej listów, które pisała co tydzień, docierało do ojca, gdyż należało je adresować do rozdzielni wojskowej w Nowym Jorku, skąd dopiero po skontrolowaniu były wysyłane do miejsca stacjonowania majora Rosnovskiego.

Odpowiedzi przychodziły nieregularnie. Czasami Florentyna otrzymywała aż trzy listy w jednym tygodniu, a potem ani jednego przez trzy miesiące. Kiedy przez cały miesiąc nie było od ojca znaku życia, wpadała w rozpacz, przekonana, że zginął na polu bitwy. Panna Tredgold pocieszała ją tłumacząc, że to niemożliwe, gdyż zawsze wysyłano telegram zawiadamiający rodzinę o śmierci lub zaginięciu bliskiej osoby. Każdego ranka Florentyna pierwsza zbiegała na dół i sprawdzała pocztę, szukając koperty z charakterem pisma ojca, bądź złowróżbnego telegramu. Często w upragnionym liście niektóre słowa były zamazane czarnym atramentem. Próbowała odczytać je przy śniadaniu, trzymając papier pod światło, ale to się nie udawało. Panna Tredgold wyjaśniła, że czyniono tak ze względu na bezpieczeństwo jej ojca, gdyż mógł mimowolnie napisać coś, co byłoby wskazówką dla nieprzyjaciela, gdyby list dostał się w niepowołane ręce.

– Co by Niemcom przyszło z wiadomości, że jestem na drugim miejscu z geometrii? – zdziwiła się Florentyna.

Panna Tredgold pominęła to pytanie milczeniem i spytała dziewczynkę, czy już nie jest głodna.

– Proszę jeszcze o kawałek chleba.

– O kromkę, dziecko, o kromkę. O kawałek chleba prosi żebrak.

Co sześć miesięcy panna Tredgold zabierała swoją podopieczną wraz z Eleanor na Monroe Street do fotografa. Dziewczynka sadowiła się na wysokim stołku, z psem obok, upozowanym na skrzynce, i uśmiechała się spoglądając w obiektyw. Potem major Rosnovski oglądał zdjęcia i mógł porównać, ile od ostatniego razu urosły obie: córka i labrador.

– Nie można przecież dopuścić do tego, żeby ojciec nie poznał swojej jedynaczki, kiedy wróci do domu, prawda? – mawiała przy takich okazjach panna Tredgold.

Na odwrocie każdej fotografii Florentyna starannie wypisywała swój wiek i wiek Eleanor w przeliczeniu na ludzkie lata, a w liście szczegółowo wyliczała swoje postępy w nauce, zwierzała się, jak bardzo lubi latem pływać i grać w tenisa, a zimą w koszykówkę i futbol, i że półki ma zastawione starymi pudełkami ojca po cygarach, pełnymi zasuszonych motyli, jakich nałapała do pięknej siatki, którą dostała od mamy na Gwiazdkę. Dodawała też, że panna Tredgold wpierw chloroformem usypiała motyle, a dopiero potem przyszpilała je

75

i przy każdym wypisywała nazwę łacińską; że matka działa w organizacji dobroczynnej i że zainteresowała się działalnością Polskiej Ligi Kobiet, i na koniec, że ona, Florentyna, hoduje w ogródku warzywa, i że wprawdzie obie z Eleanor są niezadowolone z powodu niedoboru mięsa, ale za to Eleanor przepada za sucharkami, ona zaś uwielbia pudding z chleba. Każdy list kończył się tak samo: „Proszę, wróć jutro do domu".

Nadszedł rok 1944, a wojna wciąż trwała. Florentyna śledziła postępy aliantów, czytając „Tribune" i słuchając w radio doniesień Edwarda R. Murrowa z Londynu. Jej idolem został Eisenhower, podziwiała też skrycie generała George'a Pattona, gdyż trochę przypominał jej ojca. Szóstego czerwca zaczęła się inwazja sprzymierzonych w Europie Zachodniej. Florentyna wyobrażała sobie, że jej ojciec znalazł się na przyczółku na morskim brzegu i bała się, że nie wyjdzie stamtąd żywy. Zaznaczała szlak sprzymierzonych, zmierzających w kierunku Paryża, na mapie Europy, którą panna Tredgold powiesiła w jej pokoju podczas lekcji historii Polski. Zaczynała wierzyć, że wojna nareszcie ma się ku końcowi i że ojciec niedługo już wróci do domu.

Zaczęła godzinami przesiadywać przed domem na Rigg Street z Eleanor u boku, wypatrując, czy ojciec nie wyłoni się zza rogu. Ale mijały godziny, dni i tygodnie, a ojca nie było widać. Tylko jedno odwracało jej uwagę od oczekiwania na ojca: podczas letnich wakacji w Chicago miały się odbyć obydwie konwencje prezydenckie, dzięki czemu będzie mogła ujrzeć na własne oczy swojego ulubionego bohatera.

Republikanie w czerwcu wybrali na kandydata Thomasa E. Deweya, natomiast w lipcu demokraci wysunęli znowu Roosevelta. Kongresman Osborne zaprowadził Florentynę do Amfiteatru, gdzie po przyjęciu nominacji prezydent wygłosił mowę do zgromadzonych delegatów. Dziewczynkę intrygowało, że za każdym razem widziała kongresmana Osborne'a w towarzystwie innej kobiety. Postanowiła zapytać o to pannę Tredgold – ona z pewnością potrafi to wytłumaczyć. Po skończonym przemówieniu Florentyna ustawiła się w długiej kolejce osób pragnących wymienić uścisk dłoni z prezydentem, była jednak tak przejęta, że nawet nie podniosła głowy, kiedy przejechał obok na wózku.

To był najbardziej emocjonujący dzień w jej życiu i w drodze powrotnej do domu zwierzyła się kongresmanowi Osborne'owi, że jej pasją jest polityka. Osborne nie powiedział jej, że mimo wojny w Senacie nie zasiada ani jedna kobieta i tylko dwie są w całym Kongresie.

W listopadzie Florentyna napisała do ojca, żeby podzielić się z nim nowiną, która – jak sądziła – do niego nie dotarła. Że mianowicie F.D.R. wygrał wybory i rozpoczął czwartą kadencję. Czekała na odpowiedź kilka miesięcy.

A potem przyszedł telegram.

Dziewczynka pierwsza zauważyła w stercie listów małą żółtą kopertę. Panna Tredgold natychmiast zaniosła telegram Zofii do salonu; Florentyna podążała za nią trzymając się jej spódnicy, za nimi postępowała Eleanor. Zofia otworzyła kopertę drżącymi palcami, przeczytała telegram i zaczęła histerycznie szlochać.

– Nie, nie! – krzyknęła Florentyna. – To nieprawda, mamo. Powiedz, że tylko zaginął. – Wyrwała telegram z rąk matki, która nie mogła wydobyć z siebie słowa. Tekst brzmiał: „Dla mnie wojna się skończyła, wracam najrychlej, uściski, Abel". Florentyna wydała okrzyk radości i rzuciła się z tyłu na szyję panny Tredgold, która opadła na fotel, czego normalnie nigdy by nie zrobiła. Eleanor, jakby czując, że w tym momencie nie obowiązują przyjęte normy zachowania, też wskoczyła na fotel i zaczęła lizać jedną i drugą, Zofia zaś wybuchnęła śmiechem.

Panna Tredgold nie była w stanie przekonać Florentyny, że „najrychlej" wcale nie oznacza natychmiast, jako że w wojsku decyzje podejmuje się według sztywnego schematu, przy czym w pierwszej kolejności odsyła się do domu tych, którzy mają za sobą najdłuższą służbę bądź są ranni. Florentyna zachowywała optymizm, ale tygodnie wlokły się niemiłosiernie.

Jednego wieczoru, kiedy wracała do domu, ściskając odznakę za kolejną sprawność, tym razem ratownictwo, dostrzegła w małym oknie światło, nie zapalane od trzech lat. Natychmiast zapomniała o odznace, puściła się biegiem i omal nie wyważyła drzwi, nim wreszcie panna Tredgold zeszła jej otworzyć. Wpadła na górę do gabinetu ojca, który pogrążony był w rozmowie z matką. Objęła go i nie chciała puścić. Wreszcie zdołał ją odsunąć, żeby zobaczyć, jak wygląda jego jedenastoletnia córeczka.

– Jesteś o wiele ładniejsza niż na tych fotografiach.

– A ty jesteś cały i zdrowy, tatusiu.

– Tak, i nie zamierzam nigdzie znowu się wyprawiać.

78

– Nigdzie cię samego nie puszczę – powiedziała i znów się do niego przytuliła. Przez kilka następnych dni naprzykrzała się ojcu, żeby jej opowiedział, jak było na wojnie. Czy spotkał się z generałem Eisenhowerem? Nie. A z generałem Pattonem? Tak, rozmawiał z nim dziesięć minut. A czy widział generała Bradleya? Tak. A jakichś Niemców? Nie, ale pomagał ratować pluton, który wpadł w nieprzyjacielską zasadzkę pod Remagen.

– I co się stało?

– Dość, dość, moja panno. Jesteś gorsza od sierżanta sztabowego w czasie musztry.

Florentyna była tak podekscytowana powrotem ojca, że położyła się do łóżka godzinę później niż zwykle, a i tak nie mogła zasnąć. Panna Tredgold powiedziała jej, że powinna się cieszyć, że tatuś nie wrócił ranny ani okaleczony, jak tylu ojców innych dzieci z jej klasy.

Kiedy Florentyna usłyszała, że ojciec Edwarda Winchestera stracił rękę w walce gdzieś pod Bastogne, starała się okazać koledze, jak bardzo mu współczuje.

Abel prędko powrócił do normalnego toku zajęć. Kiedy pierwszy raz zjawił się w hotelu Baron, nikt go nie poznał. Tak zeszczuplał, że szef recepcji zagadnął go, kim jest. Przede wszystkim Abel zamówił pięć nowych garniturów u Braci Brooks, gdyż żaden z przedwojennych na niego nie pasował.

George Novak, na ile Abel wywnioskował z rocznych sprawozdań Grupy Barona, w czasie jego nieobecności trzymał ster pewną ręką, chociaż nie poczynił wielkich postępów. Właśnie od George'a Abel dowiedział się, że Henry Osborne został po raz piąty wybrany do Kongresu. Poprosił sekretarkę o połączenie z Waszyngtonem.

– Gratuluję, Henry. Czuj się wybrany do rady nadzorczej.

– Dziękuję, Ablu – powiedział Henry. – Mam dla ciebie dobrą wiadomość. Kiedy ty daleko stąd pichciłeś smakowite obiadki dla naszej generalicji, ja kupiłem sześć procent udziałów banku Lestera.

– Brawo, Henry. Jaką mamy szansę na zdobycie magicznych ośmiu procent?

– Bardzo dużą – odparł Henry. – Peter Parfitt, który spodziewał się, że zostanie prezesem rady nadzorczej banku Lestera, nim Kane pojawił się na scenie, został usunięty z rady i z największą radością utopiłby Kane'a w łyżce wody. Parfitt wyraźnie dał do zrozumienia, że chętnie rozstanie się ze swoimi dwoma procentami.

– Na co więc czekasz?

– Żąda za te udziały miliona dolarów, gdyż najpewniej wyniuchał, że są ci potrzebne, aby rozprawić się z Kane'em, a nie ma za wielu udziałowców, od których można by je nabyć. Ale milion to daleko więcej niż dziesięć procent powyżej aktualnej wartości kursowej, a do takiej ceny pozwoliłeś mi kupować.

Abel przestudiował wyliczenia, które Henry zostawił mu na biurku. – Zaproponuj mu siedemset pięćdziesiąt tysięcy dolarów – zdecydował.

George miał na myśli znacznie mniejsze kwoty, kiedy znów się odezwał.

– Podczas twojej nieobecności zgodziłem się udzielić Henry'emu pożyczki, ale on do tej pory jej nie zwrócił.

– Pożyczki?

– Określenie Henry'ego, nie moje – powiedział George.

– Kto tu kogo nabija w butelkę? Ile mu dałeś? – spytał Abel.

– Pięć tysięcy dolarów. Wybacz, Ablu.

– Nie ma o czym mówić. Jeśli tylko ten jeden błąd popełniłeś w ciągu ostatnich trzech lat, to mogę się uważać za szczęściarza. Jak myślisz, na co Henry wydaje pieniądze?

– Na wino, kobiety i śpiew. Nasz kongresman nie jest zbyt oryginalny. Poza tym w chicagowskich knajpach mówi się, że zaczął na całego uprawiać hazard.

– No tak, tego tylko brakowało, żeby nowy członek mojej rady nadzorczej był hazardzistą. Miej go na oku i daj mi znać, gdyby sytuacja się pogorszyła.

George kiwnął głową.

– A teraz pomówmy o dalszym rozwoju grupy. Teraz, kiedy Waszyngton pakuje trzysta milionów dolarów dziennie w gospodarkę, możemy oczekiwać koniunktury, jakiej jeszcze nigdy nie doświadczyła Ameryka. Musimy też zacząć budować hotele w Europie, póki ziemia jest tania, a większość ludzi myśli tylko o przetrwaniu z dnia na dzień. Zaczniemy od Londynu.

– Ależ Ablu, podczas wojny Londyn został w dużej części zrównany z ziemią.

– Tym łatwiej będzie tam budować, przyjacielu.

– Panno Tredgold – powiedziała Zofia. – Wychodzę po południu na pokaz mody, z którego dochód przeznacza się na Chicagowską Orkiestrę Symfoniczną, i mogę wrócić późno.

– Nie szkodzi, proszę pani – odparła panna Tredgold.

– Ja też bym chciała pójść – odezwała się Florentyna.

Obydwie kobiety spojrzały na dziecko ze zdumieniem.

– Ale już za dwa dni zaczynają się egzaminy – powiedziała Zofia, przypuszczając, że panna Tredgold nie zechce pozwolić, aby Florentyna traciła czas na podobne głupstwa. – Czego masz się uczyć dziś po południu?

– Historii średniowiecznej – odpowiedziała bez wahania panna Tredgold, wyręczając Florentynę. – Od Karola Wielkiego do soboru trydenckiego.

Zofii było żal, że córce nie pozwala się na kobiece rozrywki, tylko każe się pełnić rolę zastępczą z braku syna, którego tak bardzo pragnął mąż.

– To może innym razem – powiedziała. Miała ochotę postawić na swoim, ale bała się, że jeśli Abel się dowie, oberwie i ona, i Florentyna.

Ale panna Tredgold sprawiła jej niespodziankę.

– Nie jestem pewna, czy ma pani rację – oznajmiła. – To może być idealna okazja, żeby wprowadzić dziecko w świat mody i, co więcej, w towarzystwo. – Zwracając się do Florentyny, dodała: – A przerwa w nauce na parę dni przed egzaminem dobrze ci zrobi.

Zofia spojrzała na pannę Tredgold, jakby dopiero teraz ją zobaczyła.

– A może pani też by chciała pójść? – spytała. Pierwszy raz widziała, jak panna Tredgold się rumieni.

– Nie, dziękuję, nie mogę. – Zawahała się. –

Mam listy, tak, listy do odpisania i zaplanowałam sobie, że zrobię to dziś po południu.

Tego dnia przy głównej bramie szkolnej czekała Zofia w różowym kostiumie zamiast panny Tredgold w swoich praktycznych granatach. Zdaniem Florentyny matka wyglądała nadzwyczaj elegancko.

Florentyna całą drogę miała ochotę biec, a kiedy już znalazła się na miejscu, trudno jej było wytrwać bez ruchu, chociaż siedziały z matką w pierwszym rzędzie. Miałaby ochotę dotknąć wyniosłych modelek, gdy z gracją stąpały po rzęsiście oświetlonym wybiegu. Przed oczyma urzeczonej dziewczynki wirowały plisowane spódnice, po zdjęciu dopasowanych w talii żakiecików ukazywały się nagie ramiona, a wytworne damy, spowite całymi jardami zwiewnej, pastelowej organdyny, w jedwabnych kapeluszach na głowach, płynęły milcząco do tajemniczego miejsca ukrytego za aksamitną czerwoną kurtyną. Kiedy ostatnia modelka wykonała pełny obrót, sygnalizując zakończenie pokazu, fotoreporter spytał Zofię, czy mógłby jej zrobić zdjęcie.

– Mama – powiedziała nagląco po polsku Florentyna, gdy fotograf ustawiał statyw – musisz nasunąć kapelusz bardziej na czoło, jeśli chcesz szykownie wyglądać.

Matka po raz pierwszy posłuchała dziecka.

Kiedy panna Tredgold wieczorem układała Florentynę do snu, spytała, czy pokaz jej się podobał.

– O, tak – odparła Florentyna. – Nie miałam pojęcia, że stroje potrafią tak bardzo dodać urody.

Panna Tredgold uśmiechnęła się trochę smętnie.

– A czy pani wie, że zebrano ponad osiem tysięcy dolarów na orkiestrę symfoniczną? Nawet tatusiowi by to zaimponowało.

– Na pewno – zgodziła się panna Tredgold. – I nadejdzie dzień, kiedy i ty będziesz musiała zdecydować, jak spożytkować swoje bogactwo dla dobra innych. Nie zawsze łatwo jest urodzić się bogatym.

Nazajutrz panna Tredgold pokazała Florentynie w „Women's Wear Daily" zdjęcie jej matki opatrzone nagłówkiem: „Baronowa Rosnovski pojawia się na scenie mody w Chicago".

– Kiedy znów będę mogła pójść na pokaz mody? – zagadnęła Florentyna.

– Nie wcześniej, niż opanujesz historię od czasów Karola Wielkiego aż po sobór trydencki.

– Ciekawam, jaki strój miał na sobie Karol Wielki podczas koronacji na władcę Cesarstwa Rzymskiego.

Tego wieczoru, zamknąwszy się w swoim pokoju, przy świetle latarki podłużyła szkolną spódniczkę i sporo zwęziła ją w pasie.

Florentyna kończyła teraz szkołę podstawową i Abel miał nadzieję, że zdobędzie upragnione stypendium do gimnazjum. Florentyna wiedziała, że ojca i tak stać na posłanie jej tam, ale już z góry sobie obmyśliła, na co przeznaczyć pieniądze, jakie zaoszczędziłby co roku, gdyby nie musiał płacić czesnego. Mocno przykładała się w tym roku do nauki, ale nie mogła ocenić, jaką otrzymała lokatę, gdyż do egzaminu przystąpiło sto dwadzieścioro dwoje dzieci ze stanu Illinois, stypendia zaś były tylko cztery. Panna Tredgold uprzedziła ją, że wynik egzaminu pozna nie wcześniej niż za miesiąc.

– Cierpliwość popłaca – przypomniała jej i dodała z udawanym przerażeniem, że powróci do Anglii pierwszym statkiem, jeśli się okaże, że Florentyna nie zajmie jednego z trzech pierwszych miejsc.

– Ależ co pani opowiada, panno Tredgold, przecież dostanę pierwszą lokatę – odparła z przekonaniem Florentyna, ale z upływem czasu zaczęła żałować swojej chełpliwości i na długim spacerze zwierzyła się Eleanor, że chyba napisała cosinus zamiast sinus w jednym z zadań z geometrii i wymyśliła tym samym nie istniejący trójkąt. Któregoś ranka przy śniadaniu znienacka powiedziała:

– A może będę druga?

– Wtedy się zatrudnię jako guwernantka do dziecka, które będzie pierwsze – spokojnie odrzekła panna Tredgold.

Abel uśmiechnął się, spoglądając zza swojej porannej gazety.

– Jeśli otrzymasz stypendium – odezwał się – zaoszczędzisz mi tysiąc dolarów rocznie. Jeśli zdobędziesz pierwszą lokatę – dwa tysiące.

– Wiem, tatusiu, i obmyśliłam nawet pewien plan.

– Naprawdę, moja panno? A czy wolno zapytać, jaki?

– Jeśli dostanę stypendium, chciałabym, żebyś ulokował te pieniądze w akcjach Grupy Barona do czasu, kiedy skończę dwadzieścia jeden lat, a jeśli zdobędę pierwszą lokatę, to cię poproszę, żebyś kupił także akcje dla panny Tredgold.

– O Boże, nie! – zaprotestowała panna Tredgold, prostując się na całą swoją wysokość. – To byłoby wysoce niewłaściwe. Przepraszam pana, panie Rosnovski, za zuchwalstwo Florentyny.

– To nie jest żadne zuchwalstwo, tatusiu. Jeśli zdobędę pierwszą lokatę, to będzie to w połowie zasługa panny Tredgold.

– Co najmniej – zauważył Abel. – Zgadzam się, ale pod jednym warunkiem. – Starannie złożył gazetę.

– Jakim?

– Ile masz oszczędności, moja panno?

– Trzysta dwanaście dolarów – padła natychmiastowa odpowiedź.

– Bardzo dobrze. Jeśli więc się okaże, że nie zajęłaś jednego z czterech pierwszych miejsc, będziesz musiała poświęcić te trzysta dwanaście dolarów i dołożyć je do czesnego.

Florentyna zawahała się. Abel czekał, panna Tredgold też milczała.

– Zgoda – powiedziała wreszcie Florentyna.

– Nigdy w życiu z nikim się nie zakładałam – przemówiła panna Tredgold – i chciałabym mieć nadzieję, że mój drogi ojciec nigdy się o tym nie dowie.

– Pani to nie dotyczy, panno Tredgold.

– Ależ dotyczy, proszę pana. Skoro dziecko nie waha się zaryzykować i postawić swoje jedyne trzysta dwanaście dolarów, ufne w wiedzę, jaką udało mi się przekazać, muszę się odwzajemnić i dołożyć tyle samo do czesnego, jeśli nie uzyska stypendium.

– Brawo! – wykrzyknęła Florentyna i uściskała guwernantkę.

– Głupiego pieniądz się nie trzyma – westchnęła panna Tredgold.

– Owszem – zgodził się Abel. – Bo ja przegrałem.

– O czym ty mówisz, tatusiu? – spytała Florentyna. Abel rozwinął gazetę i pokazał tytuł złożony drobnym drukiem: „Córka Barona z Chicago zdobyła najwyższe stypendium".

– Panie Rosnovski, pan od początku wiedział.

– Owszem, panno Tredgold, ale to pani okazała się lepszym graczem.

Florentyna szalała z radości i przez kilka ostatnich dni w szkole podstawowej chodziła w nimbie heroiny. Nawet Edward Winchester złożył jej gratulacje.

– Chodź, opijemy to – zaproponował.

– Co ty – zaprotestowała Florentyna. – Nigdy jeszcze nie próbowałam alkoholu.

– Kiedyś trzeba zacząć – rzekł Edward i powiódł ją do małej klasy w męskiej części szkoły. Kiedy tam weszli, zamknął drzwi na klucz. – Lepiej, żeby nas nie przyłapali – wyjaśnił. Florentyna patrzyła z podziwem i niedowierzaniem, jak Edward podnosi pulpit swojej ławki, wydobywa butelkę piwa i podważa kapsel pięciocentówką. Nalał mętnego, brązowego płynu do dwóch brudnych szklaneczek, również ukrytych pod pulpitem, i podał jedną Florentynie.

– No to cyk! – powiedział.

– Co to znaczy? – chciała wiedzieć Florentyna.

– No, wypij to – rzekł, ale Florentyna odczekała, aż on pociągnie łyk, i dopiero wtedy zebrała się na odwagę i upiła troszeczkę. Edward zaczął szperać po kieszeniach kurtki i wydobył wymiętoszoną paczkę papierosów lucky strike. Florentynę zamurowało. Jej jedyny jak dotychczas kontakt z papierosami ograniczał się do reklamy, którą słyszała w radio: „Lucky strike to tytoń twoich marzeń, tak, to tytoń twoich marzeń". Reklama ta doprowadzała pannę Tredgold do białej gorączki. Edward bez słowa wyjął papierosa, wetknął go sobie do ust i zaczął palić. Buńczucznie wydmuchiwał dym na środek pokoju. Florentyna stała jak skamieniała, kiedy wyjął następnego papierosa i włożył go jej w usta. Nie śmiała się poruszyć, gdy zapalił zapałkę i przytknął ogień do papierosa, bo bała się, że zapalą się jej włosy.

– Zaciągaj się, głuptasie – powiedział, więc pociągnęła szybko trzy czy cztery razy i zakrztusiła się.

– Możesz wyjąć to z ust, nie wiesz? – burknął.

– Oczywiście, że wiem – powiedziała prędko, ujmując papierosa ruchem podpatrzonym u Jean Harlow w „Saratodze".

– W dechę – pochwalił ją Edward i pociągnął potężnie z butelki.

– W dechę – powtórzyła Florentyna i też się napiła. Przez kilka minut dotrzymywała kroku Edwardowi, zaciągając się papierosem i popijając piwo.

– Fajne, nie? – spytał Edward.

– Jeszcze jak – odparła Florentyna.

– Chcesz więcej?

– Nie, dziękuję. – Florentyna zakaszlała. – Ale było fajnie.

– Ja palę i piję już od kilku tygodni – oznajmił Edward.

– To widać – powiedziała Florentyna.

Zadzwonił dzwonek na korytarzu i Edward prędko schował pod pulpitem piwo, papierosy i dwa niedopałki, i dopiero wówczas otworzył drzwi. Florentyna wolno poszła do swojej klasy. Kręciło się jej w głowie i miała mdłości, kiedy usiadła w ławce, i czuła się jeszcze gorzej, gdy dotarła do domu godzinę później, nie zdając sobie sprawy, że nadal czuć ją tytoniem. Panna Tredgold nie odezwała się ani słowem, tylko kazała jej iść natychmiast do łóżka.

Następnego ranka Florentyna obudziła się z okropnym samopoczuciem, z twarzą i klatką piersiową pokrytą świerzbiącą wysypką. Spojrzała do lustra i wybuchnęła płaczem.

– Ospa wietrzna – oznajmiła Zofii panna Tredgold.

– Ospa wietrzna – potwierdził później lekarz. Panna Tredgold namówiła Abla, żeby poszedł do Florentyny po skończonym badaniu.

– Co mi jest? – spytała ze strachem Florentyna.

– Nie mam pojęcia – skłamał ojciec. – Wygląda mi na jedną z plag egipskich. Co pani myśli, panno Tredgold?

– Tylko raz widziałam coś podobnego w parafii mojego ojca, u mężczyzny, który palił papierosy, ale oczywiście tu nie wchodzi to w grę.

Abel pocałował córkę w policzek i wyszedł z panną Tredgold z pokoju.

– I jak? Udało się nam? – spytał, kiedy znaleźli się w jego gabinecie.

– Głowy nie dam, panie Rosnovski, ale chętnie założę się o jednego dolara, że Florentyna nigdy więcej nie zapali papierosa.

Abel wyjął portfel z wewnętrznej kieszeni marynarki, wyciągnął banknot dolarowy, ale po chwili schował go z powrotem.

– Nie, lepiej nie, panno Tredgold. Dobrze wiem, jak się kończy, kiedy się z panią zakładam.

Florentynie zapadło w pamięć spostrzeżenie dyrektorki szkoły, która kiedyś powiedziała, że niektóre wydarzenia historyczne wywołują tak potężne wrażenie, że człowiek potem dokładnie pamięta, gdzie był w momencie, gdy o nich pierwszy raz usłyszał.

Dwunastego kwietnia 1945 roku o czwartej czterdzieści siedem Abel rozmawiał właśnie z osobnikiem reklamującym produkt o nazwie pepsi-cola i nakłaniającym go, aby wypróbował napój w swoich restauracjach hotelowych. Zofia była na zakupach w magazynie Marshall Field's, a panna Tredgold wychodziła akurat z kina wytwórni United Artists, gdzie po raz trzeci obejrzała Humphreya Bogarta w „Casablance". Florentyna siedziała w swoim pokoju i szukała w słowniku Webstera słowa „nastolatek". Słownik nie zawierał jeszcze tego słowa w czasie, kiedy Franklin D. Roosevelt umierał w Warm Springs w stanie Georgia.

Ze wszystkich wzmianek prasowych, oddających hołd zmarłemu prezydentowi, jakie Florentyna przeczytała w ciągu następnych dni, jedną, wydrukowaną w nowojorskiej „Post", zachowała do końca życia. Tekst był krótki:

„Waszyngton, 19 kwietnia. Oto straty w ludziach, poniesione ostatnio w siłach zbrojnych, z podaniem osób z najbliższej rodziny.
WOJSKA LĄDOWE – MARYNARKA WOJENNA
ROOSEVELT, Franklin D., Głównodowodzący, żona Anna Eleanor Roosevelt, Biały Dom".

VI

Przed rozpoczęciem roku szkolnego Florentyna musiała się wybrać do Nowego Jorku, gdyż jedynym domem handlowym, który miał na składzie obowiązkowy strój szkolny, był Marshall Field's w Chicago, po buty zaś należało się udać do sklepu Abercrombie i Fitch w Nowym Jorku. Abel, słysząc o tym, lekceważąco prychnął i stwierdził, że jest to przewrotny snobizm najgorszego gatunku. Jednakże, ponieważ i tak miał jechać do Nowego Jorku na inspekcję nowo otwartego hotelu, postanowił sprawić przyjemność pannie Tredgold i swej jedenastoletniej córeczce i towarzyszyć im w wyprawie na Madison Avenue.

Abel od dawna uważał, że Nowy Jork jest jedyną metropolią świata, która nie może się pochwalić hotelem naprawdę wysokiej klasy.

Podziwiał wprawdzie hotel Plaza, Pierre i Carlyle, ale jego zdaniem żaden z nich nie umywał się do Claridge'a w Londynie czy George'a V w Paryżu lub Danielego w Wenecji, a tylko te osiągnęły poziom, na jakim on usiłował postawić nowojorski hotel Baron.

Florentyna zdawała sobie sprawę, że tatuś spędza coraz więcej czasu w Nowym Jorku, i martwiła się, że miłość między rodzicami całkiem wygasła. Utarczki wybuchały tak często, że zaczęła się zastanawiać, czy przypadkiem nie ona jest ich powodem.

Kiedy panna Tredgold kupiła w firmie Marshall Field's wszystko, co potrzeba – trzy swetry (granat marynarski), trzy spódniczki (granat marynarski), cztery bluzki (białe), sześć par spodenek gimnastycznych (ciemnoniebieskie), sześć par skarpetek (jasnoszare) oraz jedną jedwabną granatową sukienkę z białym kołnierzykiem i takimiż mankietami – zaplanowała podróż do Nowego Jorku.

Wsiadły obydwie do pociągu jadącego do Grand Central Station i po przybyciu do Nowego Jorku udały się prosto do domu handlowego Abercrombie i Fitch, gdzie nabyły dwie pary brązowych półbucików zwanych „oksfordami".

– Co za praktyczne buty! – zachwycała się panna Tredgold. – Można w nich przechodzić całe życie i nie bać się platfusa.

Następnie powędrowały na Piątą Aleję. Panna Tredgold dopiero po dłuższej chwili zorientowała się, że jest sama. Odwróciła się i ujrzała Florentynę z nosem rozpłaszczonym na szybie wystawowej sklepu Elizabeth Arden. Szybko wróciła. Napis na wystawie głosił: „Szminka w dziesięciu odcieniach dla wytwornej pani".

– Moim ulubionym kolorem jest czerwień róży – powiedziała z nadzieją w głosie Florentyna.

– Przepisy szkolne są wyraźne – tonem nie dopuszczającym sprzeciwu oznajmiła panna Tredgold. – Żadnej szminki, żadnego lakieru do paznokci i żadnej biżuterii poza pierścionkiem i zegarkiem.

Florentyna rozstała się z myślą o szmince i niechętnie odeszła od wystawy, po czym wraz z guwernantką podążyła Piątą Aleją w kierunku hotelu Plaza, gdzie w Sali Palmowej miały zjeść z Ablem podwieczorek. Abel nie umiał oprzeć się pokusie i wciąż powracał do hotelu, gdzie terminował w zawodzie jako młodszy kelner, i chociaż nikogo tu już nie poznawał z wyjątkiem starego Sammy'ego, starszego kelnera w Sali Dębowej, każdy tu dobrze wiedział, kim jest.

Florentynie podano makaroniki i lody, Ablowi filiżankę kawy, a pannie Tredgold herbatę z cytryną i kanapkę z rzeżuchą. Po podwieczorku Abel wrócił do pracy, panna Tredgold zaś zajrzała do swojego planu i postanowiła zabrać Florentynę na szczyt Empire State Building. Kiedy wysiadły z windy na sto pierwszym piętrze, Florentynie zakręciło się w głowie; po chwili obydwie wybuchnęły śmiechem, zobaczyły bowiem, że sponad East River podniosła się mgła i nie mogą dojrzeć nawet gmachu Chryslera. Panna Tredgold sprawdziła listę obiektów do zwiedzania i uznała, że lepiej wykorzystają czas, jeśli pójdą do Metropolitan Museum. Francis Henry Taylor, dyrektor muzeum, nabył ostatnio wielkie płótno Pabla Picassa. Obraz olejny przedstawiał kobietę o dwu głowach i jednej piersi wyrastającej z barku.

– Co pani o tym myśli? – zagadnęła Florentyna.

– Nic pochlebnego – odrzekła panna Tredgold. – Podejrzewam, że kiedy chodził do szkoły, miał w dzienniczku takie same uwagi o malarstwie jak ty teraz.

Florentyna zawsze uwielbiała zatrzymywać się w którymś z hoteli ojca, kiedy była w podróży.

Chętnie spędzała całe godziny na wypatrywaniu mankamentów. W końcu, jak mawiała do panny Tredgold, należało pamiętać, że obie ulokowały w tych hotelach pieniądze. Tego wieczoru przy kolacji w barze z grillem Florentyna powiedziała ojcu, że nie podobają jej się sklepy hotelowe.

– A co w nich ci się nie podoba? – spytał z roztargnieniem.

– Trudno to określić – odparła Florentyna. – Ale są beznadziejnie nudne w porównaniu z prawdziwymi sklepami, jak te przy Piątej Alei.

Abel nabazgrał z tyłu karty dań: sklepy beznadziejnie nudne, po czym zaczął pracowicie coś gryzmolić i wreszcie powiedział:

– Nie wrócę jutro z wami do Chicago, córeczko.

Florentyna nie odezwała się ani słowem.

– Wynikły pewne problemy związane z tym hotelem i muszę zostać, żeby samemu wszystkiego dopilnować – wyrecytował gładko, jakby sobie z góry obmyślił to zdanie.

Florentyna chwyciła rękę ojca.

– Postaraj się wrócić jutro. Ja i Eleanor zawsze do ciebie tęsknimy.

Zaraz po powrocie do Chicago panna Tredgold zaczęła przygotowywać Florentynę do gimnazjum. Co dzień spędzały dwie godziny na nauce innego przedmiotu, z tym że Florentyna miała prawo wyboru pory dnia – rano lub po południu. Jedynym wyjątkiem były czwartki, kiedy panna Tredgold miała wolne popołudnia.

Co czwartek z wybiciem drugiej panna Tredgold wychodziła z domu i nie wracała przed siódmą wieczór. Nigdy nie mówiła, dokąd się udaje,

Florentyna zaś nigdy nie zdobyła się na odwagę, aby ją o to spytać. W miarę jednak upływu wakacji Florentynę ogarniała coraz większa ciekawość, gdzie panna Tredgold spędza czas, aż wreszcie postanowiła dowiedzieć się na własną rękę.

Któregoś czwartku, po porannej lekcji łaciny i lekkim lunchu, który zjadły w kuchni, panna Tredgold powiedziała Florentynie do widzenia i udała się do swojego pokoju. O drugiej, równo z uderzeniem zegara, otworzyła frontowe drzwi i wyszła na ulicę z dużą, płócienną torbą w ręku. Florentyna obserwowała guwernantkę uważnie przez okno swojej sypialni. Kiedy panna Tredgold znikła za rogiem, Florentyna wybiegła z domu i puściła się pędem, zatrzymując się dopiero przed przecznicą. Wyjrzała zza węgła i zobaczyła swoją opiekunkę stojącą na przystanku autobusowym w odległości zaledwie dziesięciu jardów. Serce zabiło jej mocniej na myśl, że nie będzie mogła dalej śledzić panny Tredgold. W ciągu paru minut nadjechał autobus i stanął na przystanku. Florentyna miała już wracać do domu, kiedy zauważyła, że guwernantka znika na kręconych schodkach wiodących na piętro pojazdu. Bez namysłu podbiegła, wskoczyła do ruszającego autobusu i prędko przeszła do przodu.

Kiedy konduktor zapytał, dokąd chce jechać, nagle zdała sobie sprawę, że nie ma pojęcia, gdzie wysiąść.

– Jak daleko jedzie ten autobus? – spytała.

Konduktor spojrzał na nią podejrzliwie.

– Do Loop – odparł.

– Poproszę jeden bilet – zażądała śmiało.

– Piętnaście centów – powiedział konduktor.

Florentyna sięgnęła do kieszeni żakietu i znalazła tylko dziesięciocentówkę.

– Dokąd mogę dojechać za dziesięć centów? – spytała.

– Do Rylands School – padła odpowiedź.

Florentyna podała pieniądze, modląc się w duchu, żeby panna Tredgold nie jechała dalej. Wcale się nie zastanawiała, w jaki sposób wróci do domu.

Siedziała skulona na swoim miejscu i za każdym razem, kiedy autobus się zatrzymywał, czujnie obserwowała wysiadających pasażerów, ale chociaż naliczyła już dwanaście przystanków, panny Tredgold wciąż nie było widać. Tymczasem autobus jechał Nabrzeżem Jeziora i minął uniwersytet.

– Na następnym przystanku wysiadasz – kategorycznym tonem oznajmił konduktor.

Kiedy autobus zatrzymał się przy Siedemdziesiątej Pierwszej Ulicy, Florentyna wiedziała, że musi dać za wygraną. Wysiadła niechętnie i stanęła na chodniku, myśląc o czekającym ją dalekim powrotnym spacerze i obiecując sobie, że w następnym tygodniu weźmie ze sobą dość pieniędzy, żeby starczyło jej na bilet w obie strony.

Przybita odprowadzała wzrokiem autobus, który przejechał kilkaset jardów dalej, po czym znów się zatrzymał. Wyłoniła się z niego znajoma postać; to mogła być tylko panna Tredgold. Skręciła w boczną uliczkę krokiem osoby bez wahania zmierzającej do celu.

Florentyna pobiegła najszybciej jak umiała, kiedy jednak zadyszana dopadła do rogu ulicy, po pannie Tredgold nie było śladu. Dziewczynka poszła wolno ulicą, zachodząc w głowę, gdzie mogła się podziać jej guwernantka. Może weszła do jednego z domów, a może skręciła w inną uliczkę? Florentyna postanowiła, że przejdzie do końca ulicy i jeśli nie odnajdzie swojej zguby, wróci do domu.

Kiedy już miała zawrócić, zobaczyła placyk, a w głębi wielką, kutą z żelaza bramę, na której złotymi literami wypisano: „Klub Sportowy Południowy Brzeg".

Florentynie nawet nie przyszło do głowy, że panna Tredgold mogła tam wejść, ale z czystej ciekawości zajrzała do środka.

– Czego tu szukasz? – spytał umundurowany strażnik, który stał przy bramie.

– Mojej guwernantki – powiedziała niepewnie.

– Jak się nazywa?

– Panna Tredgold – śmielej odparła Florentyna.

– Przed chwilą tam weszła. – Strażnik wskazał stojący na stromym zboczu, otoczony drzewami wiktoriański budynek, odległy o jakieś ćwierć mili.

Śmiało, już bez dalszych słów, Florentyna wkroczyła na teren klubu i podążyła ścieżką, gdyż co kilka jardów widniały napisy zabraniające deptania trawników. Nie spuszczała oczu z budynku klubowego i gdy zobaczyła wychodzącą stamtąd pannę Tredgold, zdołała bez pośpiechu ukryć się za drzewem. Panna Tredgold zmieniła się nie do poznania; miała na sobie tweedowe spodnie w czerwono-żółtą kratkę, gruby, kolorowy sweter i solidne, brązowe półbuty do golfa. Na ramieniu niosła torbę z kijami golfowymi.

Florentyna jak zahipnotyzowana obserwowała guwernantkę.

Panna Tredgold podeszła do pierwszego pólka startowego, położyła torbę na trawie i wyjęła piłkę. Po paru zamachach dla rozgrzewki stanęła spokojnie, przygotowała się do uderzenia, następnie mocno wybiła piłkę i posłała ją dokładnie środkiem toru. Florentyna nie wierzyła własnym oczom. Chciałaby zawołać „brawo!", ale musiała podbiec do przodu, żeby skryć się za innym drzewem, kiedy panna Tredgold poszła dalej wzdłuż toru.

Za drugim uderzeniem piłka wylądowała tylko dwadzieścia jardów od łączki.

Florentyna pobiegła do przodu ku kępie drzew obok toru i obserwowała, jak panna Tredgold kieruje piłkę na łączkę i dwoma pchnięciami umieszcza ją w dołku. Nie ulegało wątpliwości, iż nie jest nowicjuszką.

Teraz panna Tredgold wyjęła z kieszonki białą karteczkę i coś na niej zanotowała, po czym skierowała się do drugiego pólka startowego. Idąc wpatrywała się w drugą łączkę, znajdującą się na lewo od kryjówki Florentyny. I znowu przystanęła, przygotowała się do uderzenia i machnęła kijem, ale tym razem uderzyła z boku i piłka zatrzymała się w odległości zaledwie piętnastu jardów od miejsca, gdzie przycupnęła Florentyna.

Dziewczynka spojrzała na korony drzew, ale tylko kot potrafiłby się tam wdrapać. Wstrzymała oddech i przykucnęła za najgrubszym pniem, nie mogła jednak się powstrzymać i wyjrzała, zerkając na pannę Tredgold, która właśnie oceniała położenie piłki. Panna Tredgold coś mruknęła pod nosem, a potem wybrała kij. Florentyna wypuściła powietrze z płuc w chwili, gdy panna Tredgold wzięła zamach. Piłka poleciała wysokim łukiem i znów potoczyła się środkiem toru.

Florentyna zobaczyła, jak panna Tredgold wkłada kij z powrotem do torby.

– Gdybym usztywniła rękę przy pierwszym strzale, nie zbliżyłabym się do tej kępy drzew.

Florentyna pomyślała, że panna Tredgold sama siebie strofuje, i nie ruszała się z miejsca.

– Podejdź, dziecko.

Florentyna posłusznie podbiegła, ale nic nie powiedziała.

Panna Tredgold wyjęła drugą piłkę z bocznej kieszeni torby i położyła ją na ziemi przed dziewczynką. Wybrała kij i podała go jej.

– Spróbuj posłać piłkę w tę stronę – wskazała chorągiewkę odległą o około stu jardów.

Florentyna niezgrabnie uchwyciła kij i parokrotnie usiłowała uderzyć piłkę, za każdym razem wydzierając tylko kawałek darni. W końcu udało się jej popchnąć piłkę o dwadzieścia jardów w stronę toru. Promieniała z zadowolenia.

– Widzę, że czeka nas pracowite popołudnie – westchnęła z rezygnacją panna Tredgold.

– Przepraszam – powiedziała Florentyna. – Czy pani mi kiedyś przebaczy?

– Mogę ci wybaczyć, że za mną pojechałaś, ale tego, jak grasz w golfa – nie. Musimy zacząć od podstaw, gdyż wygląda na to, że pożegnam się z samotnymi czwartkowymi popołudniami, teraz, gdy poznałaś jedyną słabostkę mego ojca.

Panna Tredgold uczyła Florentynę gry w golfa z taką samą energią i oddaniem, jak greki i łaciny. Jeszcze przed końcem lata czwartek stał się ulubionym dniem Florentyny.

Gimnazjum bardzo się różniło od szkoły podstawowej. Dotychczas była jedna nauczycielka od wszystkiego prócz gimnastyki, obecnie każdego przedmiotu uczył kto inny. Uczniowie musieli się przenosić z klasy do klasy na kolejne zajęcia i wiele lekcji odbywało się wspólnie z chłopcami. Do ulubionych przedmiotów Florentyny należała nauka o świecie współczesnym, łacina, francuski i angielski, aczkolwiek z niecierpliwością czekała również na odbywające się dwa razy w tygodniu lekcje biologii, kiedy mogła oglądać pod mikroskopem robaki ze szkolnego zbioru.

– Owady, drogie dziecko. Te stworzonka należy nazywać owadami – napominała ją panna Tredgold.

– Tak naprawdę są to nicienie, proszę pani.

Florentyna nadal interesowała się także strojami i zwróciła uwagę, że moda na krótkie sukienki, wymuszona ograniczeniami gospodarki wojennej, prędko przeminęła i że znowu spódnice sięgają niemal ziemi. Sama nie miała niestety pola do popisu, gdyż strój szkolny był wciąż taki sam, jak rok długi; dział młodzieżowy w Marshall Field's nie dostarczał raczej inspiracji „Vogue'owi". Jednakże Florentyna przeglądała w bibliotece wszelkie czasopisma z tej dziedziny i suszyła matce głowę, żeby zabierała ją ze sobą na pokazy mody. Jeśli zaś chodzi o pannę Tredgold, której kolan nigdy nie oglądało żadne męskie oko, nawet w dniach wyrzeczeń, kiedy obowiązywała ustawa o *lend-lease*, to dla niej nowy trend w modzie stanowił tylko potwierdzenie, iż cały czas postępowała słusznie.

Kiedy Florentyna kończyła pierwszy rok nauki w gimnazjum, nauczycielka języków nowożytnych postanowiła przygotować przedstawienie „Świętej Joanny" w języku francuskim. Ponieważ jedyną uczennicą, która opanowała tajniki tej mowy, była Florentyna, wybrano ją do roli Dziewicy Orleańskiej. Całymi godzinami przesiadywała teraz w dawnym pokoju dziecinnym i uczyła się tekstu wraz z panną Tredgold, która odgrywała wszystkie inne postaci oraz pełniła funkcję suflerki i inspicjentki. Nawet kiedy Florentyna opanowała rolę do perfekcji, panna Tredgold wytrwale uczestniczyła w codziennych próbach.

– Tylko papież i ja udzielamy posłuchania jednej osobie – mówiła właśnie Florentynie, gdy zadzwonił telefon. – To do ciebie – oznajmiła.

Florentyna zawsze z przyjemnością odbierała telefony, chociaż panna Tredgold nie pochwalała tego sposobu komunikowania się.

– Halo, tu Edward. Chcę cię prosić o pomoc.

– Naprawdę? Czyżbyś wreszcie chciał nauczyć się czytać?

– Na to nie ma szans. Ale dostałem rolę Delfina i nie potrafię prawidłowo wymówić niektórych słów.

Florentyna usiłowała stłumić śmiech.

– Wpadnij o wpół do szóstej, to weźmiesz udział w codziennej próbie. Muszę cię tylko uprzedzić, że do tej pory panna Tredgold wyśmienicie odgrywała Delfina.

Edward przychodził codziennie o wpół do szóstej i chociaż panna Tredgold czasem krzywiła się, kiedy „ten chłopiec" znów wpadał w amerykański akcent, przed próbą generalną uznała, że jest „prawie gotów".

Przed samym przedstawieniem panna Tredgold pouczyła Florentynę i Edwarda, że w żadnym wypadku nie wolno im patrzeć na widownię i próbować wyłowić wzrokiem rodziców, widzowie bowiem nie uwierzą w autentyczność postaci, które odgrywają. Byłoby to zachowanie nadzwyczaj nieprofesjonalne, dodała panna Tredgold i przypomniała Florentynie, jak to Noël Coward wyszedł kiedyś w trakcie przedstawienia „Romea i Julii", gdyż John Gielgud, recytując monolog, patrzył prosto na niego. Florentyna dała się przekonać, chociaż prawdę mówiąc nie miała pojęcia, co to za panowie Gielgud i Coward.

Kiedy kurtyna poszła w górę, Florentyna ani razu nie spojrzała na widownię. Panna Tredgold uznała jej grę za „godną najwyższej pochwały", a podczas przerwy, w rozmowie z matką Florentyny, szczególnie rozwodziła się nad sceną, gdy Dziewica stoi sama pośrodku sceny i rozmawia z Głosami.

– Wzruszające – unosiła się panna Tredgold. – Niewątpliwie wzruszające.

Kiedy na koniec opadła kurtyna, widzowie nagrodzili Florentynę gorącą owacją, i to nawet ci, którzy nie zrozumieli wszystkich francuskich słów. Edward stał o krok za nią, szczęśliwy, że przeszedł tę ciężką próbę, nie myląc się za często. Zemocjonowana Florentyna zmyła szminkę i puder, swój pierwszy w życiu makijaż, przebrała się w szkolny strój i dołączyła do matki i panny Tredgold, które wraz z innymi rodzicami piły kawę w szkolnej jadalni. Kilka osób, w tym dyrektor męskiej szkoły, podeszło do niej z gratulacjami.

– To nadzwyczajne jak na dziewczynkę w jej wieku – powiedział dyrektor matce Florentyny. – Chociaż, jeśli się zastanowić, to ona jest tylko parę lat młodsza od Joanny d'Arc, kiedy ta przeciwstawiła się całej potędze ówczesnego systemu francuskiego.

– Joanna d'Arc nie musiała się uczyć cudzych kwestii w obcym języku – rzuciła Zofia, zadowolona ze swojej odpowiedzi.

Do Florentyny nie docierały słowa matki, gdyż wypatrywała w tłumie ojca.

– Gdzie jest tatuś? – spytała.

– Nie mógł przyjść.

– Ale przecież obiecał – powiedziała dziewczynka. – On mi obiecał. – Łzy napłynęły jej do oczu i nagle zrozumiała, dlaczego panna Tredgold poleciła jej nie patrzeć poza światła rampy.

– Nie zapominaj, dziecko, że twój ojciec jest bardzo zapracowanym człowiekiem. Ma na głowie małe imperium.

– Joanna też miała – odparła Florentyna.

Kiedy wieczorem Florentyna położyła się do łóżka, panna Tredgold przyszła zgasić światło.

– Tatuś już nie kocha mamy, prawda?

Bezpośredniość tego pytania zbiła pannę Tredgold z tropu. Upłynęło parę chwil, nim zdobyła się na odpowiedź.

– Jednego jestem pewna, dziecko. Że oboje ciebie kochają.

– To dlaczego tatuś nie pojawia się w domu?

– Tego nie potrafię ci wytłumaczyć, ale, niezależnie od powodów, musisz być bardzo wyrozumiała i dorosła – powiedziała panna Tredgold i odgarnęła pukiel włosów, który opadł Florentynie na czoło.

Florentyna poczuła się nagle bardzo niedorosła i zaczęła się zastanawiać, czy Joanna d'Arc też była tak nieszczęśliwa, kiedy utraciła swoją ukochaną Francję. Gdy panna Tredgold cicho zamknęła drzwi, Florentyna włożyła rękę pod łóżko i poczuła uspokajający dotyk wilgotnego nosa Eleanor.

– Przynajmniej ciebie będę zawsze miała – szepnęła.

Eleanor wygramoliła się ze swego schronienia, wskoczyła na łóżko i ułożyła się obok Florentyny zwrócona ku drzwiom; szybki odwrót do kosza w kuchni mógłby okazać się koniecznością, gdyby znów pojawiła się panna Tredgold.

Florentyna nie widywała ojca podczas letnich wakacji i od dawna przestała wierzyć w opowieści, że to rozrastające się imperium hotelowe trzyma go z dala od Chicago. Kiedy pytała matkę o ojca, jej odpowiedzi często bywały uszczypliwe. Florentyna dowiedziała się też z zasłyszanych rozmów telefonicznych, że matka radzi się adwokatów.

Florentyna co dzień zabierała Eleanor na spacer po Michigan Avenue w nadziei, że może zobaczy ojca przejeżdżającego tamtędy samochodem. Którejś środy postanowiła zmienić trasę i powędrowała zachodnią stroną ulicy, chciała bowiem obejrzeć wystawy sklepów, które dyktowały modę Wietrznemu Miastu. Eleanor pełna zachwytu przystawała przy wspaniałych latarniach, które ostatnio ustawiono jakby dla niej co dwadzieścia jardów. Florentyna kupiła już sobie w myśli suknię ślubną i kreację balową za swoje pięciodolarowe kieszonkowe, i przyglądała się tęsknie eleganckiej sukni wieczorowej za pięćset dolarów na wystawie sklepu Marthy Weathereds na rogu Oak Street, gdy nagle ujrzała w szybie odbicie swego ojca. Odwróciła się rozradowana i zobaczyła, jak wychodzi od Spauldinga po drugiej stronie ulicy. Bez namysłu, nie rozejrzawszy się na boki, wbiegła na jezdnię i zaczęła go wołać. Żółta taksówka ostro zahamowała i gwałtownie skręciła na bok; kierowcy mignęła przed oczami ciemnoniebieska spódniczka, potem usłyszał głuchy łoskot i poczuł wstrząs

104

uderzenia. Wszystkie pojazdy zatrzymały się ze zgrzytem hamulców i wówczas taksówkarz zobaczył, jak tęgi, elegancko ubrany mężczyzna wbiega na jezdnię, a za nim policjant. W chwilę później Abel i taksówkarz stali obok siebie, patrząc na nieruchome ciało.

Nie żyje – powiedział policjant potrząsając głową i wyciągnął notes z górnej kieszeni bluzy.

Abel ukląkł, cały drżący. Spojrzał w górę na policjanta.

– A najgorsze, że to moja wina.

– Nie, tatusiu, to była moja wina – szlochała Florentyna. – Nie powinnam wybiegać na jezdnię. Przez swoją bezmyślność zabiłam Eleanor.

Taksówkarz, który potrącił labradora, tłumaczył, że nic miał wyboru: musiał najechać na psa, żeby ocalić dziewczynkę.

Abel pokiwał głową, podniósł córkę i zaniósł ją na skraj jezdni, nie pozwalając patrzeć na zniekształcone ciało psa. Ułożył Florentynę na tylnym siedzeniu samochodu i wrócił do policjanta.

– Nazywam się Abel...

– Wiem, kim pan jest, proszę pana.

– Czy mógłby się pan tym wszystkim sam zająć, panie posterunkowy?

– Tak, oczywiście – odparł policjant, nie podnosząc wzroku znad notesu. Abel wrócił do samochodu i polecił szoferowi jechać do hotelu Baron. Trzymał córkę za rękę, gdy szli zatłoczonym korytarzem do prywatnej windy, która błyskawicznie przeniosła ich na czterdzieste pierwsze piętro. Gdy rozsunęły się drzwi, ujrzeli George'a. Już miał powitać córkę chrzestną jakimś polskim żarcikiem, kiedy zobaczył jej twarzyczkę.

– Wezwij natychmiast pannę Tredgold, George.

– Już idę – odparł George i znikł w swoim biurze.

Abel usiadł i, nie wtrącając jednego słowa, wysłuchał kilku opowieści o Eleanor. Przyniesiono herbatę i kanapki, ale Florentyna zdołała przełknąć tylko łyk mleka. Potem nagle zmieniła temat.

– Dlaczego nie przychodzisz wcale do domu, tatusiu? – spytała.

Abel nalał sobie drugą filiżankę herbaty, rozlewając trochę płynu na spodek.

– Wiele razy chciałem przyjść do domu i bardzo żałowałem, że nie mogłem zobaczyć „Świętej Joanny", ale widzisz, ja i twoja matka zamierzamy się rozwieść.

– Och nie, to nieprawda, tatusiu...

– To moja wina, maleńka. Nie byłem dobrym mężem i...

Florentyna zarzuciła ojcu ręce na szyję.

– Czy to znaczy, że nigdy więcej cię nie zobaczę?

– Nie. Uzgodniliśmy z twoją matką, że w ciągu roku szkolnego będziesz przebywała w Chicago, ale resztę czasu będziesz spędzać ze mną w Nowym Jorku. Oczywiście zawsze, kiedy tylko zechcesz, możesz ze mną rozmawiać przez telefon.

Florentyna milczała, a Abel delikatnie gładził jej włosy.

Po niedługim czasie rozległo się pukanie do drzwi i w progu stanęła panna Tredgold. Szeleszcząc długą spódnicą podbiegła do Florentyny.

– Czy zechciałaby pani zabrać ją do domu, panno Tredgold?

– Naturalnie, panie Rosnovski. – Florentyna wciąż miała oczy pełne łez. – Chodź, dziecko – powiedziała guwernantka. Pochylając się szepnęła: – Spróbuj nie okazywać swoich uczuć.

Dwunastoletnia dziewczynka pocałowała ojca w czoło, schwyciła pannę Tredgold za rękę i odeszła.

Kiedy zamknęły się za nimi drzwi, Abel, którego nie wychowywała panna Tredgold, usiadł i zaczął szlochać.

VII

Niedługo po rozpoczęciu drugiego roku nauki w gimnazjum Florentyna zwróciła uwagę na Pete'a Wellinga. Siedział w kącie pokoju muzycznego i grał na pianinie ostatni przebój Broadwayu „Jestem chyba zakochany". Troszkę fałszował, ale Florentyna przypuszczała, że to pianino jest rozstrojone. Nie spojrzał na nią, kiedy przeszła obok, zawróciła więc i przedefilowała przed nim jeszcze raz, ale bez skutku. Przeciągnął niedbale ręką po falistej blond czuprynie i grał dalej; odeszła więc udając, że go nie widzi. Już na drugi dzień wiedziała, gdzie mieszka, że jest dwa oddziały wyżej od niej, ma prawie siedemnaście lat, jest zastępcą kapitana zespołu futbolowego oraz starostą klasy. Susie Jacobson, przyjaciółka Florentyny, ostrzegła ją, że inne dziewczynki też się nim interesują, ale nic nie udało im się wskórać.

– Ale ja – powiedziała Florentyna – zaproponuję mu coś, czemu się nie oprze. Po południu usiadła i napisała parę zdań. Uznała, że to jej pierwszy w życiu list miłosny.

Drogi Pete!
Od pierwszej chwili, gdy cię zobaczyłam, wiedziałam, że jesteś nadzwyczajny. Uważam, że cudownie

108

grasz na pianinie. Czy chciałbyś przyjść do mnie i po-
słuchać płyt ?

Szczerze oddana,
Florentyna (Rosnovski)

Odczekała do przerwy, po czym, przekonana, że
wszyscy ją obserwują, zaczęła skradać się korytarzem w poszukiwaniu szafki Pete'a. Kiedy ją znalazła, sprawdziła numer, który na niej widniał.
Czterdzieści dwa – uznała to za dobrą wróżbę.
Otworzyła drzwiczki, położyła list na książkach do
matematyki, gdzie Pete nie mógł go nie zauważyć,
i wróciła do klasy tak przejęta, że aż dłonie się jej
spociły. Co godzinę sprawdzała swoją szafkę i szukała w niej odpowiedzi, ale niczego nie było. Tydzień później, gdy już dała za wygraną, zobaczyła
Pete'a, który nie dość że siedział na stopniach kaplicy, to jeszcze się przy tym czesał. Że też się nie
boi – pomyślała – łamać dwu szkolnych zakazów
naraz. Co za śmiałość! Uznała, że oto nadarza się
okazja, aby zapytać, czy dostał jej zaproszenie.

Odważnie do niego podeszła, ale gdy była już
całkiem blisko, zapragnęła zapaść się pod ziemię,
taką poczuła pustkę w głowie. Stała nieruchomo
jak jagnię porażone wzrokiem pytona, gdy nagle
Pete pospieszył jej na ratunek.

– Cześć – powiedział.

– Cześć – bąknęła. – Czy znalazłeś mój list?

– Twój list?

– Tak, napisałam ci w zeszły poniedziałek, żebyś
do mnie wpadł i posłuchał płyt. Mam „Cichą noc"
i prawie wszystkie najnowsze przeboje Binga Crosby'ego. Czy słyszałeś, jak on śpiewa „Białe Boże
Narodzenie"? – zapytała, rzucając atutową kartę.

– A, to ty napisałaś ten list – powiedział.

– Tak. Widziałam cię, jak grałeś przeciwko drużynie Francisa Parkera w zeszłym tygodniu. Byłeś fantastyczny. Z kim teraz grasz?

– Możesz sobie przeczytać w szkolnym programie rozgrywek – odparł, chowając grzebień do kieszeni i oglądając się przez ramię.

– Przyjdę popatrzeć.

– Nie wątpię – odrzekł. W tym momencie podbiegła do niego wysoka blondynka z jednej ze starszych klas, która miała na nogach krótkie, białe skarpetki, na pewno, zdaniem Florentyny, nie należące do obowiązkowego stroju szkolnego, i spytała, czy Pete długo na nią czekał.

– Nie, parę minut – rzekł Pete i objął ją wpół, po czym odwrócił się do Florentyny.

– Chyba będziesz się musiała ustawić w kolejce – wybuchnął śmiechem. – Ale może się doczekasz. A poza tym uważam, że Crosby to ramol. Moim ulubieńcem jest Bix Beiderbecke.

Kiedy odchodzili, Florentyna usłyszała, jak Pete mówił do blondynki:

– To ona przysłała mi liścik. – Blondynka obejrzała się i zaczęła chichotać. – Pewnie jest jeszcze dziewicą – dodał Pete.

Florentyna skryła się w szatni dla dziewcząt i nie wytknęła stamtąd nosa, póki wszyscy nie rozeszli się do domu, przerażona, że cała szkoła będzie się z niej natrząsać, gdy ta historia się rozniesie. Tej nocy nie zmrużyła oka, a następnego ranka badawczo przyglądała się koleżankom, żadna jednak na jej widok nie chichotała ani nie mierzyła jej wzrokiem. Florentyna postanowiła zwierzyć się Susie Jacobson i spróbować się od niej dowiedzieć, czy sprawa wyszła na jaw. Kiedy skończyła swoją opowieść, Susie wybuchnęła śmiechem.

– To ty też? – zapytała.

Florentynie ulżyło, kiedy Susie jej powiedziała, ile jeszcze dziewcząt zabiega o względy Pete'a. Zdobyła się nawet na odwagę i spytała, czy Susie nie wie, co to takiego dziewica.

– Nie jestem pewna – odparła Susie. – A dlaczego pytasz?

– Bo Pete powiedział, że pewnie nią jestem.

– To chyba ja też. Kiedyś usłyszałam, jak Mary Alice Beckman mówiła, że jak się chłopak z tobą kocha, po dziewięciu miesiącach rodzi się dziecko. Podobnie jak u słonic, tylko że u nich to trwa dwa lata, o czym opowiadała nam panna Horton.

– Cickawam, jak to w ogóle jest.

– Według tych wszystkich pism, które Mary Alice trzyma w swojej szafce, to coś niebiańskiego.

– Znasz kogoś, kto próbował?

– Margie McCormick twierdzi, że tak.

– Ona zmyśla, zresztą gdyby to robiła, to dlaczego nie ma dziecka?

– Powiedziała, że przedsięwzięła „środki ostrożności", chociaż nie wiem, co to takiego.

– Jeśli to przypomina miesiączkę, to nie ma czym sobie zawracać głowy – zauważyła Florentyna.

– Masz rację – powiedziała Susie. – Ja dostałam swojej wczoraj. Czy myślisz, że chłopcy też mają takie problemy?

– Ależ skąd – zaprzeczyła Florentyna. – Ich jest zawsze na wierzchu. Wiadomo, że my mamy miesiączkę i dzieci, a oni muszą się golić i iść do wojska, ale lepiej wypytam o wszystko pannę Tredgold.

– Nie jestem pewna, czy ona będzie wiedziała – powiedziała Susie.

– Panna Tredgold – oświadczyła z przekonaniem Florentyna – wie wszystko.

Gdy wieczorem Florentyna zagadnęła nieśmiało pannę Tredgold, ta kazała jej usiąść i bez wahania w najdrobniejszych szczegółach wyjaśniła jej proces narodzin, przestrzegając zarazem przed niewczesną próbą eksperymentowania. Florentyna słuchała w milczeniu. Kiedy guwernantka skończyła, Florentyna spytała:

– To dlaczego robi się tyle hałasu wokół tej całej sprawy?

– We współczesnym społeczeństwie o swobodnych obyczajach dziewczęta muszą sprostać różnorakim wymaganiom, ale zawsze pamiętaj, że to od nas zależy, co myślą o nas inni i, co ważniejsze, co my sami o sobie myślimy.

– Ona wszystko wiedziała o ciąży i o rodzeniu dzieci – z dumą oznajmiła Florentyna Susie następnego dnia.

– Czy to znaczy, że zamierzasz pozostać dziewicą? – spytała Susie.

– O, tak – odrzekła Florentyna. – Panna Tredgold wciąż nią jest.

– A co z tymi „środkami ostrożności"? – dopytywała się Susie.

– Dziewicom nie są potrzebne – odparła Florentyna, dzieląc się nowo zdobytą wiedzą.

Jeszcze jednym ważnym wydarzeniem w życiu Florentyny było tego roku bierzmowanie. I chociaż udzielał jej nauk młody ksiądz z katedry Imienia Bożego, ojciec O'Reilly, panna Tredgold zdecydowanie poskromiła swe zasady anglikańskie przyswojone w młodości, przestudiowała katolickie obrzędy bierzmowania i starannie przygotowała Florentynę, bez żadnych niedopowiedzeń co do obowiązków, jakie podejmuje, składając ślubowanie Stwórcy. Sakramentu bierzmowania udzielił katolicki arcybiskup Chicago w asyście ojca O'Reilly, i zarówno Abel, jak i Zofia uczestniczyli w nabożeństwie. Byli już po rozwodzie i siedzieli w osobnych ławkach.

Florentyna miała na sobie skromną białą sukienkę ze stojącym kołnierzykiem, sięgającą dobrze poniżej kolan. Sama ją sobie uszyła, z niewielką tylko pomocą – kiedy zdarzało się jej zasnąć przy tym zajęciu – panny Tredgold. Model odwzorowała z fotografii w „Paris Matchu", przedstawiającej w takiej sukni księżniczkę Elżbietę. Panna Tredgold całą godzinę szczotkowała długie, ciemne włosy dziewczynki, aż nabrały pięknego połysku. Pozwoliła jej nawet rozpuścić je, tak że opadały na ramiona. Chociaż Florentyna miała zaledwie trzynaście lat, wyglądała zachwycająco.

– Moja chrzestna córka jest pięknością – powiedział George, który stał obok Abla w pierwszej ławce.

– Wiem o tym – rzekł Abel.

– Ja nie żartuję – stwierdził George. – Lada chwila całe tabuny mężczyzn zaczną szturmować zamek barona, prosząc go o rękę jedynaczki.

– Poślubi, kogo zechce. Żeby tylko była szczęśliwa.

Po skończonej ceremonii rodzina zgromadziła się w apartamentach Abla w hotelu Baron. Florentyna dostała prezenty od najbliższych i od przyjaciół, między innymi wspaniałą, oprawną w skórę

Biblię z Douai od panny Tredgold. Jednak prawdziwym skarbem wydał jej się podarunek od ojca, przechowywany przez niego do czasu, kiedy córka dorośnie na tyle, żeby docenić jego piękno; był to starej roboty pierścionek ofiarowany Florentynie z okazji chrztu przez człowieka, który obdarzył zaufaniem jej tatusia i udzielił pomocy finansowej Grupie Barona.

– Muszę do niego napisać i mu podziękować – powiedziała Florentyna.

– To niemożliwe, córeczko, ponieważ nie mam pewności, kto to jest. Dopełniłem wobec niego moich zobowiązań i teraz już chyba nigdy się nie dowiem, kto to taki.

Wsunęła staroświecki pierścionek na serdeczny palec lewej ręki i do końca dnia coraz to spoglądała na roziskrzone, maleńkie szmaragdy.

VIII

– Jak pani będzie głosowała w wyborach prezydenckich? – zapytał szykownie odziany młodzieniec.

– Nie będę głosowała – odparła panna Tredgold nie zwalniając ani trochę.

– Czy mogę umieścić pani odpowiedź w rubryce „nie wiem"? – dopytywał się młodzieniec, podbiegając, aby dotrzymać jej kroku.

– Z całą pewnością nie – rzekła panna Tredgold. – Nic podobnego nie sugerowałam.

– Czy mam zatem rozumieć, że pani nie życzy sobie wyjawiać swojego faworyta?

– Z przyjemnością wyjawiam moje gusty, młody człowieku, ale ponieważ pochodzę z wioski Szynki Wielkie w Anglii, nie mogę mieć wpływu na wybór pana Trumana czy też pana Deweya.

Człowiek prowadzący badania Gallupa wykonał odwrót, ale Florentyna obejrzała się za nim, czytała bowiem, że rezultaty badań opinii publicznej są obecnie poważnie traktowane przez wszystkich czołowych polityków.

Był rok 1948 i Ameryka przeżywała gorączkę kolejnej kampanii wyborczej. W odróżnieniu od Igrzysk Olimpijskich, w wyścigu do Białego Domu startowano regularnie co cztery lata, czy to pod-

115

czas wojny, czy pokoju. Florentyna była wierna demokratom, ale nie sądziła, żeby prezydent Truman utrzymał się w Białym Domu po tak wielkim spadku popularności w ciągu dwóch ostatnich lat. Kandydat republikanów, Thomas E. Dewey, miał przewagę ośmiu procent według najnowszych badań Gallupa i wszyscy byli pewni jego zwycięstwa.

Florentyna śledziła z uwagą kampanie wyborcze obu partii i bardzo się ucieszyła, gdy Margaret Chase Smith zwyciężyła trzech mężczyzn i została wybrana na kandydatkę Partii Republikańskiej na senatora ze stanu Maine. Po raz pierwszy Amerykanie mogli oglądać wybory w telewizji. Na kilka miesięcy przed swoją wyprowadzką Abel zainstalował w domu przy Rigg Street odbiornik telewizyjny RCA, ale w trakcie roku szkolnego panna Tredgold nie pozwalała Florentynie przesiadywać przed tą „nowomodną machiną" dłużej niż godzinę dziennie.

– Nigdy nie zastąpi słowa pisanego – oświadczyła. – Zgadzam się z profesorem Chesterem L. Dawesem z Harvardu – dodała. – Przed kamerami ludzie będą podejmować za dużo pochopnych decyzji, których potem trzeba będzie żałować.

Wprawdzie Florentyna nie podzielała wówczas w pełni zapatrywań panny Tredgold, to jednak z namysłem dobierała swój godzinny program, przy czym zawsze przedkładała wiadomości wieczorne CBS, podczas których Douglas Edwards komentował kampanię wyborczą, nad bardziej popularną audycję Eda Sullivana „Chluba naszego miasta". Zawsze jednak znajdowała czas, żeby posłuchać Eda Murrowa w radio. Po wszystkich jego audycjach z Londynu w czasie wojny Florentyna, podobnie jak wiele milionów Amerykanów, wie-

rzyła każdemu jego słowu. Uważała, że przynajmniej tyle mu się od niej należy.

W czasie letnich wakacji Florentyna zainstalo-
wała się w sztabie wyborczym kongresmana
Osborne'a i razem z kilkudziesięciorgiem innych
ochotników, różniących się wiekiem oraz zdolno-
ściami, wkładała do kopert „Zawiadomienie od
Waszego kongresmana" oraz nalepki samochodo-
we, które nawoływały wielkimi literami: „Wybierz
ponownie Osborne'a". Ona, tudzież blady, kościsty
wyrostek, który nigdy nie wyrywał się z żadną opinią, oblizywali następnie brzeg każdej koperty, za-
klejali je i układali na kupki według dzielnic, dokąd roznoszone były przez innych pomocników.
Pod koniec dnia wargi Florentyny lepiły się od
kleju, a do domu wracała spragniona i z niesma-
kiem w ustach.

Któregoś czwartku recepcjonistka odbierająca
telefony spytała Florentynę, czy nie mogłaby jej
zastąpić, gdyż chce wyjść na lunch.

– Bardzo chętnie – odpowiedziała Florentyna,
wielce podekscytowana, i wskoczyła czym prędzej
na miejsce recepcjonistki, żeby nie uprzedził jej
przypadkiem blady wyrostek.

– Nie powinnaś mieć żadnych problemów –
stwierdziła recepcjonistka. – Mów tylko, że to biuro kongresmana Osborne'a, a gdybyś miała jakieś
wątpliwości, zajrzyj do informatora wyborczego.
Znajdziesz tam wszystko, co trzeba wiedzieć –
wskazała na grubą broszurę leżącą obok telefonu.

– Poradzę sobie – zapewniła ją Florentyna.

Usadowiła się na zaszczytnym miejscu, wpatrując się w telefon i zaklinając go, żeby zadzwonił. Nie
musiała długo czekać. Pierwszy telefonował mężczy-

zna, który chciał się dowiedzieć, gdzie ma oddać swój głos. Dziwne pytanie – pomyślała Florentyna.

– Do urny wyborczej – odrzekła trochę zuchwale.

– Tyle to wiem, ty głupia krowo – usłyszała. – Ale gdzie jest mój punkt wyborczy?

Florentynie na chwilę odebrało mowę, a potem nadzwyczaj uprzejmie spytała:

– Gdzie pan mieszka?

– W siódmym obwodzie.

Florentyna przekartkowała informator.

– Powinien pan głosować w kościele Św. Chryzostoma na Dearborn Street.

– Gdzie to jest?

Florentyna sprawdziła na planie.

– Kościół znajduje się w odległości pięciu przecznic od jeziora i piętnastu przecznic na północ od Loop. – Telefon brzęknął i natychmiast zadzwonił znowu.

– Czy to biuro Osborne'a?

– Tak, proszę pana – odparła Florentyna.

– Powiedz temu gnuśnemu bydlakowi, że nie głosowałbym na niego, nawet gdyby był jedynym kandydatem w całej Ameryce. – Telefon znów brzęknął, a Florentyna poczuła jeszcze większe mdłości niż podczas zwilżania kopert językiem. Dopiero po trzecim dzwonku telefonu zebrała się na odwagę i podniosła słuchawkę.

– Halo – powiedziała nerwowo. – Tu biuro wyborcze kongresmana Osborne'a. Przy telefonie Florentyna Rosnovski.

– Witaj, moje dziecko. Nazywam się Daisy Bishop i w dniu wyborów potrzebny mi będzie samochód, żeby zawieźć męża do lokalu wyborczego. Stracił obie nogi na wojnie.

– Och, jak mi przykro – powiedziała Florentyna.

– Nie martw się, panienko. Nie opuścimy w potrzebie naszego kochanego pana Roosevelta.

– Ale Roosevelt... Tak, oczywiście, że nie. Czy mogę prosić o państwa adres i numer telefonu?

– West Buena Street sześćset pięćdziesiąt trzy, MA cztery, czterdzieści osiem, szesnaście.

– Zadzwonimy do państwa rano w dniu wyborów i zawiadomimy, o której godzinie przyjedzie samochód. Dziękuję państwu za udzielenie poparcia Partii Demokratycznej.

– Zawsze to robimy, panienko. Do widzenia i życzę szczęścia.

– Do widzenia – odparła Florentyna. Odetchnęła głęboko i poczuła się trochę lepiej. Obok nazwiska Bishopów postawiła cyfrę 2 w nawiasie, po czym włożyła notatkę do teczki z napisem „Transport w dniu wyborów". Następnie zaczęła czekać na kolejny telefon.

Odezwał się dopiero po kilku minutach, a do tego czasu Florentyna całkowicie odzyskała pewność siebie.

– Dzień dobry, czy to biuro Osborne'a?

– Tak, proszę pana – powiedziała Florentyna.

– Nazywam się Melvin Crudick i chciałbym się dowiedzieć, co kongresman Osborne sądzi o planie Marshalla.

– Jakim planie? – spytała Florentyna.

– Planie Marshalla – dobitnie wyskandował władczy głos.

Florentyna zaczęła gorączkowo wertować informator, który miał, zgodnie z obietnicą recepcjonistki, zawierać wszystko.

– Jest tam pani jeszcze? – warknął głos.

– Tak, proszę pana – odparła Florentyna. – Chciałabym udzielić panu wyczerpującej i szczegółowej odpowiedzi o poglądach kongresmana. Zechce pan jeszcze momencik poczekać.

Wreszcie Florentyna znalazła hasło „plan Marshalla" i wypowiedź Henry'ego Osborne'a na ten temat.

– Halo, proszę pana.

– Słucham – powiedział głos.

Florentyna odczytała głośno opinię Osborne'a:

– Kongresman Osborne aprobuje plan Marshalla – nastąpiła długa cisza.

– Tak, wiem – powiedział głos.

Florentynie zrobiło się słabo.

– Tak, kongresman popiera plan – powtórzyła.

– Ale dlaczego?

– Ponieważ wyjdzie on na dobre każdemu wyborcy z jego okręgu – kategorycznie oświadczyła Florentyna, zadowolona ze swojej odpowiedzi.

– Proszę mi wytłumaczyć, jakim cudem ofiarowanie sześciu miliardów dolarów Europie może wyjść na dobre dziewiątemu okręgowi wyborczemu Illinois? – kropelki potu wystąpiły na czoło Florentyny. – Panienko, proszę poinformować swojego kongresmana, że z powodu twojej nieudolności tym razem oddam głos na republikanów.

Florentyna odłożyła słuchawkę i właśnie zastanawiała się, czy by nie uciec, kiedy w drzwiach stanęła recepcjonistka. Florentyna nie wiedziała, co powiedzieć.

– Coś ciekawego? – spytała dziewczyna, zajmując swoje miejsce. – Czy też, jak zwykle, zgraja świntuchów, zboczeńców i pomyleńców, którzy nie

120

mają nic lepszego do roboty podczas przerwy na lunch?

– Nic specjalnego – powiedziała nerwowo Florentyna – poza tym, że chyba zniechęciłam do oddania na nas głosu niejakiego pana Crudicka.

– Co? Znowu ten stuknięty Mel? O co tym razem chodziło, o Komisję do Badania Działalności Antyamerykańskiej, plan Marshalla, czy może o slumsy Chicago?

Florentyna z radością wróciła do zaklejania kopert.

W dniu wyborów Florentyna przybyła do biura Osborne'a o ósmej rano i aż do wieczora siedziała przy telefonie, dzwoniąc do zarejestrowanych członków Partii Demokratycznej, aby się upewnić, czy głosowali.

– Pamiętajcie – powiedział Henry Osborne, kiedy jeszcze na koniec dodawał animuszu swoim ochotnikom – że ktoś, kto nie zdobył głosów Illinois, nigdy nic rządził w Białym Domu.

Florentyna czuła się bardzo dumna, że pomaga wybrać prezydenta, i przez cały dzień nie zrobiła sobie przerwy. O ósmej wieczór przyszła panna Tredgold i zabrała ją do domu. I chociaż Florentyna pracowała dwanaście godzin bez odpoczynku, nie przestawała mówić przez całą drogę.

– Czy pani myśli, że Truman wygra? – spytała na koniec.

– Tylko jeśli dostanie ponad pięćdziesiąt procent głosów – odparła panna Tredgold.

– Błąd – skorygowała ją Florentyna. – W Stanach Zjednoczonych można zostać prezydentem, kiedy uzyska się większość głosów kolegium elektorskiego, nawet jeśli nie zdobędzie się większości w głosowaniu bezpośrednim. – I Florentyna zrobiła pannie Tredgold krótki wykład na temat funkcjonowania amerykańskiego systemu politycznego.

– Nigdy by do tego nie doszło, gdyby tylko nasz drogi Jerzy III wiedział, gdzie znajduje się Ameryka – westchnęła panna Tredgold. I dodała: – Z dnia na dzień coraz bardziej się przekonuję, że już niedługo nie będę ci, dziecko, potrzebna.

To wtedy po raz pierwszy dotarło do Florentyny, że panna Tredgold może nie zostać z nią do końca życia.

Gdy znalazły się w domu, Florentyna zagłębiła się w starym fotelu ojca, żeby śledzić w telewizji pierwsze rezultaty wyborów, ale była tak znużona, że zdrzemnęła się w cieple kominka. Jak większość Amerykanów położyła się do łóżka z przeświadczeniem, że wygrał Thomas Dewey. Kiedy obudziła się następnego ranka, zbiegła na dół po „Tribune". Jej obawy potwierdziły się. „Dewey zwycięża Trumana" – głosił tytuł. I dopiero po półgodzinnym wysłuchiwaniu komunikatów radiowych i potwierdzeniu matki Florentyna uwierzyła, że Truman pozostał w Białym Domu. Podjęta o jedenastej przez nocnego redaktora „Tribune" decyzja o zamieszczeniu owej wiadomości nie została mu zapomniana do końca życia. Przynajmniej w jednym się nie pomylił: Henry Osborne istotnie szósty raz został wybrany do Kongresu.

Kiedy następnego dnia Florentyna przyszła do szkoły, jej opiekunka wezwała ją do siebie i nie owijając w bawełnę oznajmiła, że wybory się skończyły i pora zabrać się poważnie do nauki. Panna

Tredgold jej przyklasnęła, a Florentyna z takim samym zapałem, jak pracowała dla prezydenta, zaczęła teraz uczyć się do egzaminów.

Podczas tego roku szkolnego dostała się do szkolnej drużyny hokejowej juniorów, gdzie grała na prawym skrzydle, nie wyróżniając się szczególnie, a raz nawet udało się jej wcisnąć do trzeciego składu szkolnej reprezentacji tenisowej. Przed wakacjami wszyscy uczniowie otrzymali zawiadomienie, że jeśli chcą kandydować do samorządu szkolnego, powinni zgłosić swoje nazwiska u dyrektora szkoły męskiej najpóźniej do pierwszego poniedziałku nowego roku szkolnego. W samorządzie zasiadało sześcioro przedstawicieli wybranych z obu szkół i nikt nie pamiętał, żeby znalazł się tam kiedyś ktoś spoza najstarszej klasy. Niemniej jednak wiele koleżanek Florentyny radziło jej, żeby zgodziła się wysunąć swoją kandydaturę. Edward Winchester, który już wiele lat temu zrezygnował z prób pobicia Florentyny w czymkolwiek poza siłowaniem się na rękę, zaofiarował swoją pomoc.

– Ale ktoś, kto chce mi pomóc, musi być utalentowany, przystojny, popularny i obdarzony charyzmatem – droczyła się z nim.

– Ten jeden raz przyznam ci rację – odparował Edward. – Cymbał, który podejmuje się takiego zadania, musi mieć wszelkie możliwe zalety, żeby zrównoważyć głupotę, brzydotę, nieprzystępność i nijakość lansowanego przez niego kandydata.

– W takim razie może rozsądniej będzie, jeśli poczekam do przyszłego roku.

– Nic podobnego – rzekł Edward. – Nie widzę cienia szansy na zmianę na lepsze w tak krótkim czasie. Tak czy owak, powinnaś wejść do samorządu w tym roku.

– Dlaczego?

– Bo jeśli będziesz tam jedyną osobą z młodszej klasy w tym roku, to w przyszłym prawie na pewno wybiorą cię na przewodniczącą.

– Sporo nad tym deliberowałeś, co?

– Założyłbym się, że ty też.

– Może... – powiedziała cicho Florentyna.

– Tak?

– Może zastanowię się nad kandydowaniem jeszcze w tym roku.

W czasie letnich wakacji, które spędzała z ojcem w nowojorskim hotelu Baron, Florentyna zauważyła, że wiele dużych domów towarowych ma teraz działy mody, i dziwiła się, dlaczego tak mało jest sklepów specjalizujących się wyłącznie w konfekcji. Spędzała długie godziny w takich sklepach jak Best, Saks i Bonwit Teller, gdzie kupiła sobie pierwszą w życiu sukienkę wieczorową odsłaniającą ramiona. Obserwowała klientelę i porównywała jej gusty z upodobaniami tych, którzy robili zakupy w domach towarowych Bloomingdale, Altman i Macy. Wieczorami przy kolacji raczyła ojca wiedzą, jaką zdobyła w dzień. Ablowi tak zaimponowało tempo, z jakim przyswajała sobie nowe fakty, że zaczął jej dosyć dokładnie tłumaczyć, na jakich zasadach działa Grupa Barona. Był zbudowany, że do końca wakacji opanowała tak dużo wiadomości o inwentaryzacji zapasów, o przepływie gotówki i systemie rezerwacji, że zaznajomiła się z ustawą o zatrudnieniu z 1940 roku, nie mówiąc już o cenie ośmiu tysięcy świeżutkich bułeczek. Postraszył George'a, że w niedalekiej przyszłości może utracić stanowisko dyrektora Grupy.

– Myślę, że jej nie zależy na moim stanowisku, Ablu.

– Nie? – spytał Abel.

– Nie – odparł George. – Jej chodzi o twoje.

Ostatniego dnia wakacji Abel odwiózł Florentynę na lotnisko i podarował jej aparat fotograficzny polaroid do czarno-białych zdjęć.

– Tatusiu, co za fantastyczny prezent. Będę teraz najważniejszą osobą w całej szkole.

– To jest łapówka – rzekł Abel.

– Łapówka?

– Tak. George mi mówi, że chcesz zostać szefową Grupy Barona.

– Ale wpierw samorządu szkolnego – powiedziała Florentyna. Abel się roześmiał.

– Przedtem tam się dostań – powiedział, pocałował córkę w policzek i pomachał jej na pożegnanie, gdy wchodziła po schodkach do samolotu.

– Zdecydowałam się kandydować.

– Świetnie – powiedział Edward. – Zrobiłem już listę wszystkich uczniów obu szkół. Postaw ptaszek przy tych, którzy twoim zdaniem są za tobą, a przy tych, którzy nie – iks, tak, żebym mógł się zająć niezdecydowanymi, utwierdzając jednocześnie twoich zwolenników w ich przyjaznej postawie.

– Dobrze pomyślane. Ile osób kandyduje?

– Jak na razie piętnaścioro na sześć miejsc. Jest czterech kandydatów, których nie masz szans zwyciężyć, ale walka o pozostałe miejsca będzie wyrównana. Chyba zainteresuje cię wiadomość, że Pete Welling też startuje.

– Ten mydłek?

– Och, wydawało mi się, że jesteś w nim po uszy zakochana.

– Daj spokój, Edward. Przecież to głupek. Przejrzyjmy teraz twoją listę.

Wybory miały się odbyć pod koniec drugiego tygodnia nowego roku szkolnego, toteż kandydatom zostawało tylko dziesięć dni na zjednanie sobie wyborców. Wielu przyjaciół Florentyny wpadało na Rigg Street z zapewnieniem, że może na nich liczyć. Ze zdumieniem stwierdziła, że ma zwolenników wśród tych, których nigdy by o to nie podejrzewała, podczas gdy ci, których uważała za oddanych przyjaciół, powiedzieli Edwardowi, że nigdy by jej nie poparli. Zwierzyła się z tego pannie Tredgold, a ta jej uświadomiła, że jeśli człowiek ubiega się o stanowisko dające przywileje lub korzyści, przeciwni spełnieniu jego ambicji będą zawsze jego rówieśnicy, a nie starsi czy młodsi od niego; ci bowiem nie czują się zagrożeni rywalizacją.

Wszyscy kandydaci musieli napisać króciutką mowę wyborczą z uzasadnieniem, dlaczego chcą się znaleźć w samorządzie. Przemówienie Florentyny sprawdził Abel, który niczego nie dodał ani nie ujął, oraz panna Tredgold, która poczyniła tylko uwagi dotyczące poprawności języka.

Głosowanie trwało przez cały piątek, a rezultaty dyrektorka ogłaszała zawsze w poniedziałek po porannym apelu. Dla Florentyny był to okropny weekend. Panna Tredgold cały czas powtarzała tylko:

– Uspokój się, dziecko, uspokój się.

Nawet Edward, który w niedzielne popołudnia grywał z Florentyną w tenisa, pokonał ją bez wysiłku, wygrywając sześć do zera, sześć do zera.

– Nie trzeba wcale Jacka Kramera, aby poznać, że nie możesz się skoncentrować, „dziecko".

– Och, cicho bądź, Edward. Wcale mnie nie obchodzi, czy mnie wybiorą do samorządu, czy nie.

Florentyna obudziła się w poniedziałek o piątej rano; przed szóstą była już ubrana i zeszła na śniadanie. Trzykrotnie przeczytała strona po stronie całą gazetę, a panna Tredgold nie odzywała się do niej ani słowem. Dopiero przed samym wyjściem Florentyny do szkoły powiedziała:

– Pamiętaj, kochanie, że Lincoln przegrał więcej wyborów niż wygrał, ale jednak został prezydentem.

– Ja wolałabym zacząć od wygranej – odparła Florentyna.

Aula szkolna była szczelnie wypełniona już przed dziewiątą. Poranne modlitwy i obwieszczenia dyrektorki zdawały się ciągnąć w nieskończoność; Florentyna stała z oczami wbitymi w podłogę.

– A teraz odczytam wyniki wyborów do samorządu uczniowskiego – oznajmiła dyrektorka. – Kandydowało piętnaście osób, wybrano sześć. Pierwszy, Jason Morton, przewodniczący, otrzymał sto dziewięć głosów. Druga, Cathy Long, osiemdziesiąt siedem głosów. Trzeci, Roger Dingle, osiemdziesiąt pięć głosów. Czwarty, Eddie Bell, osiemdziesiąt jeden głosów. Piąty, Jonathan Lloyd, siedemdziesiąt dziewięć głosów.

Dyrektorka odkaszlnęła. Sala trwała w milczeniu.

– Szósta – Florentyna Rosnovski – otrzymała siedemdziesiąt sześć głosów. Tuż za nią uplasował się Pete Welling, na którego padło siedemdziesiąt pięć głosów. Pierwsze zebranie samorządu odbędzie się w moim gabinecie o dziesiątej trzydzieści. Możecie się rozejść.

Florentyna była nieprzytomna ze szczęścia. Rzuciła się na szyję Edwardowi.

– Pamiętaj, w przyszłym roku zostajesz przewodniczącą.

Na pierwszym zebraniu samorządu Florentynę, jako najmłodszą, wyznaczono na sekretarza.

– Będziesz miała nauczkę, żeby nie zajmować ostatniego miejsca – zaśmiał się przewodniczący samorządu, Jason Morton.

Znowu będę pisać sprawozdania, których nikt nie przeczyta – pomyślała Florentyna. – Ale teraz będę je przynajmniej pisać na maszynie i może w przyszłym roku zostanę wybrana na przewodniczącą. Podniosła głowę i przyjrzała się chłopcu o szczupłej, wrażliwej twarzy i z pozoru nieśmiałym sposobie bycia, który zjednał sobie tak licznych zwolenników.

– Pomówmy o przywilejach – powiedział żywo Jason, nieświadom jej spojrzenia. – Przewodniczącemu wolno prowadzić samochód, dziewczęta raz w tygodniu mogą wkładać bluzkę w pastelowym kolorze, a chłopcy – nosić mokasyny zamiast półbutów. Członkowie samorządu mogą się zwalniać z zajęć, jeśli mają do załatwienia szkolne sprawy, poza tym mają prawo udzielić nagany uczniowi, który złamał regulamin szkolny.

To już wiem, o co tak ciężko walczyłam – pomyślała Florentyna. – O możliwość włożenia pastelowej bluzki i udzielania nagan.

Wieczorem, po powrocie do domu, Florentyna zdała szczegółową relację pannie Tredgold i, promieniejąc dumą, powiedziała jej o wynikach wyborów i o swych nowych obowiązkach.

– Kto to taki ten biedaczek Peter Welling, któremu zabrakło tylko jednego głosu? – zainteresowała się panna Tredgold.

– Dobrze mu tak – odparła Florentyna. – Czy pani wie, co powiedziałam temu mydłkowi, kiedy minęliśmy się na korytarzu?

– Nie, nie mam pojęcia – rzekła zaniepokojona panna Tredgold.

– Teraz ty musisz ustawić się w kolejce, ale może kiedyś się doczekasz – zacytowała Florentyna i zaczęła się śmiać.

– To niegodne ciebie, Florentyno. Przynosisz mi wstyd. Pamiętaj, nigdy więcej w życiu tak się nie zachowuj. W godzinie triumfu nie należy poniżać rywali, raczej trzeba im okazać wspaniałomyślność.

Panna Tredgold podniosła się z krzesła i odeszła do swojego pokoju.

Kiedy nazajutrz Florentyna przybyła na lunch, Jason Morton przysiadł się do niej.

– Będziemy się odtąd często widywali, teraz, kiedy jesteś w samorządzie – powiedział i uśmiechnął się. Florentyna nie odwzajemniła uśmiechu, gdyż Jason miał taką samą reputację w żeńskiej szkole jak Pete Welling, ona zaś twardo postanowiła, że nie pozwoli drugi raz zrobić z siebie idiotki.

Przy lunchu rozmawiali o wyjeździe orkiestry szkolnej do Bostonu i zastanawiali się nad tym, co zrobić z kilkoma chłopcami, którzy zostali przyłapani na paleniu papierosów. Członkowie samorządu nie mieli zbyt wielu kar do wyboru, a najsroższą z nich było zatrzymanie winowajcy w pokoju nauki w sobotnie przedpołudnie. Jason powiedział

Florentynie, że jeśli posuną się do tego, żeby poinformować dyrektora, którzy z uczniów palą papierosy, wówczas niewątpliwie zostaną oni wydaleni ze szkoły. Problem polegał na tym, że nikt w szkole nie bał się kary kozy, jak również nikt nie wierzył, że jego przewinienie zostanie zgłoszone dyrektorowi.

– Jeśli pozwolimy na to, żeby uczniowie nadal palili, to bardzo prędko stracimy wszelki autorytet – stwierdził Jason. – Chyba że twardo się postawimy i od początku będziemy korzystać ze swoich uprawnień.

Florentyna zgodziła się z nim i była zaskoczona pytaniem, jakie jej następnie zadał:

– Czy nie zagrałabyś ze mną w tenisa w sobotę po południu?

Chwilę milczała.

– Owszem – powiedziała wreszcie, starając się, aby wypadło to niedbale, gdyż pamiętała, że Jason jest kapitanem drużyny tenisa, ona zaś ma fatalny bekhend.

– Wpadnę po ciebie o trzeciej. Czy to ci odpowiada?

– Dobrze – odparła Florentyna, mając nadzieję, że jej głos nadal brzmi obojętnie.

– Ten strój do tenisa jest zbyt kusy – powiedziała panna Tredgold.

– Wiem – odparła Florentyna. – Grałam w nim w zeszłym roku, a od tamtej pory urosłam.

– Z kim masz grać?

– Z Jasonem Mortonem.

– Naprawdę nie możesz grać z młodym mężczyzną ubrana w ten sposób.

130

– Albo tak, albo nago – powiedziała Florentyna.

– Tylko bez impertynencji, dziecko. Jeszcze tym razem pozwolę ci to włożyć, ale w poniedziałek kupimy nowy strój, bez dwóch zdań.

U drzwi frontowych zadzwonił dzwonek.

– To pewno on – powiedziała panna Tredgold.

Florentyna schwyciła rakietę i pobiegła ku drzwiom.

– Nie pędź tak, dziecko. Pozwólmy młodemu człowiekowi chwilkę poczekać. Nie dajmy mu poznać, jak ci na nim zależy.

Florentyna oblała się rumieńcem, związała wstążką swoje długie włosy i wolno podeszła do drzwi.

– Jak się masz, Jason – powitała go obojętnym głosem. – Może wejdziesz, proszę.

Jason, który miał na sobie zgrabny komplet do tenisa, wyglądający tak, jakby został kupiony tego ranka, pożerał wzrokiem Florentynę.

– Co za strój – rzucił i miał właśnie powiedzieć coś więcej, gdy nagle zobaczył pannę Tredgold wychodzącą z pokoju. Nie zdawał sobie przedtem sprawy, że Florentyna ma tak dobrą figurę. W chwili, gdy ujrzał guwernantkę, zrozumiał, dlaczego nie miał okazji się o tym dowiedzieć.

– To zeszłoroczny, niestety – powiedziała Florentyna, spoglądając w dół na swoje smukłe nogi. – Okropny, prawda?

– Nie, myślę, że jest wystrzałowy. Chodź, zarezerwowałem kort na wpół do czwartej i jeśli choć minutę się spóźnimy, ktoś nam go zajmie.

– Ojej! – zdumiała się Florentyna, kiedy zamknęła za sobą frontowe drzwi. – Czy to twój?

– Tak. Nie uważasz, że jest fantastyczny?

– Gdyby mnie ktoś o to pytał, to bym powiedziała, że pamięta pewnie lepsze czasy.

– No wiesz. Ja uważam, że jest wdechowy.

– Gdybym wiedziała, co znaczy to słowo, może bym się z tobą zgodziła. Oświeć mnie – kpiąco dodała – czy mam wsiąść do tego grata, czy raczej pomóc go pchać.

– To jest autentyczny przedwojenny packard.

– A więc powinien już dawno temu przejść w stan spoczynku – stwierdziła Florentyna, siadając z przodu i nagle zdając sobie sprawę, że prawie całe nogi ma odsłonięte. – Czy ktoś cię uczył, jak wprawiać w ruch tę kupę złomu? – zapytała słodko.

– Nie, właściwie nie – odparł Jason.

– Co? – spytała z niedowierzaniem Florentyna.

– Mówi się, że do prowadzenia samochodu wystarczy mieć trochę oleju w głowie.

Florentyna nacisnęła klamkę w drzwiach i lekko je uchyliła, jakby chciała wysiadać. Jason położył jej rękę na udzie.

– Nie wydziwiaj, Tyna. Uczył mnie ojciec i jeżdżę już prawie cały rok.

Florentyna zarumieniła się, zamknęła drzwi i kiedy jechali do klubu tenisowego, musiała w duchu przyznać, że chłopak rzeczywiście dobrze prowadzi, pomimo że samochód trząsł się i zgrzytał na wybojach.

Mecz tenisowy okazał się ciężką harówką dla Florentyny, która zaciekle walczyła, żeby zdobyć punkt, podczas gdy Jason robił co mógł, żeby jej to ułatwić. Z trudem wygrał zaledwie sześć do dwóch, sześć do jednego.

– Marzę o coca-coli – powiedział Jason po skończonym meczu.

– A ja o trenerze – westchnęła Florentyna.

Roześmiał się i wziął ją za rękę, gdy schodzili z kortu, i chociaż Florentyna była rozgrzana i spocona, nie wypuścił jej, aż dopiero kiedy znaleźli się w barze, na tyłach budynku klubu. Kupił jedną colę, po czym usiedli w kąciku, pociągając ją przez dwie słomki. Następnie Jason odwiózł Florentynę do domu. Gdy stanęli na Rigg Street, przechylił się i pocałował ją w usta. Florentyna nie odwzajemniła pocałunku, bardziej z zaskoczenia niż z jakiejkolwiek innej przyczyny.

– Może byś poszła wieczorem do kina? – spytał Jason. – W kinie United Artists grają dzisiaj „W mieście".

– Hm, zazwyczaj... Tak, chętnie – powiedziała Florentyna.

– Dobrze, przyjadę po ciebie o siódmej.

Florentyna patrzyła za samochodem, który odjeżdżał z jazgotem, i zastanawiała się, co powiedzieć matce, żeby wypuściła ją wieczorem z domu. W kuchni zastała pannę Tredgold przygotowującą herbatę.

– Udał się mecz, dziecko? – zagadnęła panna Tredgold.

– Obawiam się, że jemu niespecjalnie. Aha, on chce mnie zabrać do – zawahała się – do filharmonii na koncert dziś wieczorem, więc nie będę jadła w domu kolacji.

– Jak miło – powiedziała panna Tredgold. – Tylko wróć koniecznie przed jedenastą, bo inaczej matka będzie się martwiła.

Florentyna pobiegła na górę, usiadła na brzegu łóżka i zaczęła myśleć o tym, co na siebie włożyć wieczorem, jak okropnie wyglądają jej włosy i czy może podwędzić matce trochę kosmetyków. Stanęła przed lustrem i zastanawiała się, co zrobić, żeby jej piersi wyglądały na większe i żeby przy tym nie musiała cały wieczór trwać na wdechu.

O siódmej wieczorem przyszedł Jason w czerwonym rozciągniętym swetrze i spodniach koloru khaki. Panna Tredgold otworzyła mu drzwi.

– Miło mi cię poznać, młodzieńcze.

– Mnie również, proszę pani.

– Pozwól, proszę, do salonu.

– Dziękuję – rzekł Jason.

– Na jaki to koncert zabierasz Florentynę?

– Koncert?

– Tak. Ciekawa jestem, jaka gra orkiestra – powiedziała panna Tredgold. – W dzienniku porannym czytałam dobrą recenzję o „Trzeciej Symfonii" Beethovena.

– A tak, „Trzecia" Beethovena – potwierdził Jason. W tym momencie na schodach ukazała się Florentyna. Pannę Tredgold i Jasona zamurowało. On się zachwycił, ona – wręcz przeciwnie. Florentyna miała na sobie zieloną sukienkę, która sięgała tuż za kolana i odsłaniała nogi w najcieńszych nylonowych pończochach z ciemnym szwem z tyłu. Powoli, niepewnie schodziła po schodach; jej długie nogi lekko się chwiały w pantofelkach na wysokich obcasach, małe piersi wyglądały na większe niż zazwyczaj, ciemne, błyszczące włosy opadały na ramiona jak u Jennifer Jones, co sprawiało, że Florentyna wyglądała o wiele poważniej niż na swoje piętnaście lat. Jedyne, co nie mogło budzić obiekcji panny Tredgold, to zegarek, który dziewczynka miała na ręku, a który sama jej podarowała na trzynaste urodziny.

– Chodź, Jason, bo się spóźnimy – przynagliła go Florentyna, pragnąc uniknąć konwersacji z panną Tredgold.

– Dobra – powiedział Jason. Florentyna nie obejrzała się ani razu, jakby się bała, że się zamieni w słup soli.

– Przyprowadź ją do domu przed jedenastą, młodzieńcze – przykazała panna Tredgold.

– Dobra – powtórzył Jason i zamknął za sobą drzwi. – Skąd ty ją wytrzasnęłaś?

– Pannę Tredgold?

– Tak, ona jest jak z powieści wiktoriańskiej. „Przyprowadź ją do domu przed jedenastą, młodzieńcze" – przedrzeźniał, otwierając Florentynie drzwiczki samochodu.

– Nie bądź arogancki – powiedziała i uśmiechnęła się do niego kokieteryjnie. Przed kinem była długa kolejka i Florentyna cały czas stała koło Jasona z twarzą odwróconą do ściany, żeby jej ktoś przypadkiem nie poznał. Gdy weszli do środka, Jason z miną bywalca szybko poprowadził dziewczynę do ostatniego rzędu.

Usiadła i, gdy zgasły światła, wreszcie poczuła się odprężona. Nie miała jednak długo zaznać spokoju. Jason przechylił się, objął ją i zaczął całować. Kiedy ustami rozchylił jej wargi i ich języki pierwszy raz się zetknęły, odczuła przyjemność. Po chwili Jason się odsunął i oboje patrzyli na napisy pojawiające się na ekranie. Florentyna ucieszyła się, że w filmie występuje Gene Kelly. Jason znowu się nad nią pochylił i przycisnął usta do jej ust. Rozchyliła wargi. Prawie natychmiast poczuła jego rękę na piersi. Usiłowała oderwać jego palce, ale nie zdołała. Po kilku sekundach podniosła głowę, żeby zaczerpnąć powietrza, i przelotnie ujrzała Statuę Wolności, ale zaraz Jason drugą ręką sięgnął do drugiej piersi i zaczął ją pieścić. Tym razem udało się jej go odepchnąć, ale nie na długo. Zirytowany, wydobył paczkę cameli i zapalił jednego. Florentyna nie wierzyła własnym oczom. Zaciągnął się kilkakrotnie, zgasił papierosa i wsunął rękę między jej nogi. Bliska paniki ścisnęła mocno uda, uniemożliwiając mu dalsze podboje.

– Dajże spokój – mruknął Jason. – Nie bądź taka świętoszka, bo skończysz jak panna Tredgold. – Pochylił się, żeby ją znowu pocałować.

– Na litość boską, Jason, oglądajmy film.

– Nie bądź śmieszna. Nikt nie przychodzi do kina, żeby obejrzeć film. – Znowu położył rękę na nodze Florentyny. – Nie mów mi, że tego wcześniej nie robiłaś. Do diabła, masz prawie szesnaście lat. Chcesz zostać najstarszą dziewicą w Chicago?

Florentyna poderwała się i zaczęła przepychać do wyjścia, potykając się o nogi siedzących. Dobrnęła do przejścia i nawet nie obciągnąwszy sukienki, wydostała się, najszybciej jak mogła, na ulicę. Próbowała biec, ale na wysokich obcasach było to niemożliwe, zdjęła więc buty i pobiegła w samych pończochach. Gdy stanęła przed domem, starała się uspokoić i modliła się w duchu, żeby móc przemknąć do swojego pokoju, nie natknąwszy się na pannę Tredgold. Drzwi do jej sypialni były uchylone i gdy Florentyna mijała je na palcach, usłyszała głos guwernantki:

– Czy koncert wcześniej się skończył, kochanie?

– Tak... nie... chciałam powiedzieć, że nie czułam się najlepiej – wybąkała Florentyna i wbiegła szybko do swojego pokoju, zanim panna Tredgold mogła ją jeszcze o coś zapytać. Kiedy położyła się do łóżka, wciąż dygotała.

Nazajutrz zbudziła się wcześnie rano i chociaż nadal była zła na Jasona, chciało jej się śmiać z wczorajszej przygody i postanowiła nawet, że pójdzie sama do kina i obejrzy film. Lubiła Gene'a Kelly'ego, ale po raz pierwszy widziała swojego prawdziwego idola na ekranie i nie mogła się nadziwić, że wygląda tak szczupło i krucho.

Na zebraniu samorządu następnego dnia nie potrafiła się zmusić, żeby patrzeć na Jasona, kiedy cichym, stanowczym głosem oznajmiał, że niektórzy chłopcy ze starszych klas, nie należący do samorządu, zaczynają ubierać się niedbale. Dodał również, że nazwisko pierwszego ucznia, który zostanie przyłapany na paleniu papierosów, należy zgłosić dyrektorowi, bo w przeciwnym wypadku on, jako przewodniczący, straci autorytet. Wszyscy prócz Florentyny wyrazili zgodę.

– Dobrze, wobec tego umieszczę komunikat z ostrzeżeniem na tablicy ogłoszeń.

Florentyna zaraz po zakończeniu zebrania, nim ktokolwiek zdążył się do niej odezwać, wymknęła się do klasy. Tego dnia późno skończyła odrabiać lekcje i dopiero parę minut po szóstej zaczęła zbierać się do domu. Kiedy znalazła się przy głównym wyjściu, zaczęło padać, schroniła się więc pod sklepieniem bramy, żeby przeczekać burzę. Kiedy tam stała, tuż przed jej nosem przeszedł Jason z dziewczyną z najstarszej klasy. Patrzyła, jak wsiadają do samochodu, i zagryzała wargi. Deszcz się wzmagał, postanowiła więc wrócić do klasy i napisać na maszynie protokół z zebrania samorządu. Po drodze minęła tłumek uczniów czytających na tablicy ogłoszeń komunikat o niedbałych strojach i paleniu papierosów.

Pisanie protokołu zabrało jej prawie godzinę; nie mogła się skupić, gdyż wciąż wracała myślami do dwulicowości Jasona. Deszcz ustał, zanim skończyła pisać, zamknęła więc pudło maszyny i schowała protokół do górnej szuflady biurka. Gdy szła szkolnym korytarzem, wydało jej się, że słyszy jakiś hałas dobiegający z szatni chłopców. Nikomu oprócz członków samorządu nie było wolno przebywać w szkole po siódmej wieczorem bez specjalnego pozwolenia, zawróciła więc, żeby sprawdzić, kto to może być. Kiedy zbliżyła się na parę kroków do szatni, zgasło światło prześwitujące pod drzwiami. Podeszła, otworzyła drzwi i przekręciła kontakt. Dopiero po chwili dostrzegła sylwetkę chłopca stojącego w kącie i chowającego za siebie papierosa; wiedział jednak, że go zobaczyła.

– Pete – powiedziała zdziwiona.

– No cóż, koleżanko, przyłapałaś mnie na gorącym uczynku. Dwa poważne wykroczenia jednego dnia. Po godzinach w szkole i z papierosem w ręku. Mogę się pożegnać ze studiami na Harvardzie – mówiąc to, rozgniótł papierosa na kamiennej posadzce. Florentynie przypomniał się przewodniczący samorządu uczniowskiego, przydeptujący papierosa poprzedniego wieczoru w ciemnościach kina.

– Jason Morton też chce tam studiować, prawda?

– Tak. A co to ma ze mną wspólnego? – zdziwił się Pete. – Jemu nic nie przeszkodzi w dostaniu się do grona studentów najlepszych uczelni w kraju.

– O, właśnie sobie coś przypomniałam. Dziewczynom nie wolno przebywać o żadnej porze w szatni męskiej.

– Tak, ale przecież ty jesteś...

– Dobranoc, Pete.

Florentyna zasmakowała we władzy związanej ze swą funkcją i tak serio traktowała swoje obowiązki w samorządzie, że w miarę upływu roku szkolnego panna Tredgold zaczęła coraz bardziej się niepokoić, iż odbije się to niekorzystnie na jej nauce. Nie poruszała tego tematu w rozmowach z panią Rosnovski, uważała bowiem, że to jej obowiązkiem jest znalezienie rozwiązania. Miała nadzieję, że postawa Florentyny jest tylko typowym dla wieku dojrzewania przejawem niewłaściwie ukierunkowanego zapału. Panna Tredgold, mimo podobnych doświadczeń w przeszłości, była zaskoczona, że Florentyna tak szybko się zmieniła, gdy powierzono jej tę odrobinę władzy.

W połowie drugiego okresu szkolnego panna Tredgold zdała sobie sprawę, że problem przestał być błahy i szybko wymyka się spod kontroli. Florentyna zaczęła traktować własną osobę z nadmierną powagą, lekceważąc naukę. Oceny szkolne na koniec trymestru daleko odbiegały od jej zazwyczaj doskonałych stopni, opiekunka zaś wyraźnie napomykała, że dziewczynka traktuje z góry innych uczniów i zbytnio szafuje naganami.

Pannie Tredgold trudno było nie zauważyć, że Florentyna nie dostaje już tyle zaproszeń na zabawy co przedtem i że jej starzy przyjaciele nie odwiedzają już tak często domu przy Rigg Street, z wyjątkiem wciąż oddanego Florentynie Edwar-

139

da Winchestera... Panna Tredgold lubiła tego chłopca.

Sprawy nie uległy poprawie w trymestrze letnim i Florentyna zaczęła uciekać się do wykrętów, kiedy panna Tredgold wspominała o nie odrobionych zadaniach szkolnych. Zofia, która utratę męża zrekompensowała sobie, przybierając na wadze dziesięć funtów, nie okazywała chęci do pomocy.

– Nie zauważyłam nic szczególnego – była to jedyna odpowiedź, na jaką się zdobyła, kiedy panna Tredgold próbowała z nią poruszyć ten temat.

Panna Tredgold zacisnęła usta i uznała sytuację za beznadziejną, gdy pewnego ranka przy śniadaniu Florentyna, zapytana o plany na sobotę i niedzielę, zachowała się zdecydowanie arogancko.

– Powiadomię panią, jeśli będzie to pani dotyczyło – powiedziała, nie odrywając oczu od „Vogue'a". Pani Rosnovski nie zareagowała ani słowem, panna Tredgold zachowała więc lodowate milczenie, przekonana, że prędzej czy później trafi kosa na kamień.

Nie trzeba było na to długo czekać.

IX

– Jesteś przesadnie pewna siebie – powiedział Edward.

– Czyżby? A kto mi może zagrozić? Jestem w samorządzie już blisko rok, a wszyscy pozostali koledzy kończą szkołę – odparła Florentyna rozparta w jednym z wyściełanych foteli, zarezerwowanych dla członków samorządu.

Edward nadal stał.

– Tak, wiem, ale nie wszyscy cię lubią.

– O co ci chodzi?

– Mnóstwo osób uważa, że odkąd znalazłaś się w samorządzie, przewróciło ci się w głowie.

– Mam nadzieję, że się do nich nie zaliczasz, Edwardzie.

– Nie. Ale martwię się, że jeżeli nie będziesz więcej się udzielać wśród uczniów młodszych klas, to możesz przegrać.

– Nie wygłupiaj się. Po co miałabym tracić czas na zaznajamianie się z nimi, skoro oni już mnie znają? – spytała Florentyna, bawiąc się papierami, które leżały na poręczy fotela.

– Co się z tobą stało, Florentyno? Rok temu zachowywałaś się całkiem inaczej – powiedział Edward z troską w głosie.

– Jeśli uważasz, że źle spełniam swoje obowiązki, popieraj kogo innego.

– To nie ma z tym nic wspólnego. Każdy przyznaje, że jesteś najlepszym sekretarzem samorządu od wielu lat, ale przewodniczący musi się wykazać innymi kwalifikacjami.

– Dziękuję ci za dobre rady, Edwardzie, ale przekonasz się, że i bez nich jakoś przeżyję.

– To znaczy, że nie chcesz, żebym ci pomagał w tym roku?

– Edward, ty wciąż nic nie rozumiesz. Nie to, że nie chcę, po prostu nie potrzebuję twojej pomocy.

– Życzę ci szczęścia, Florentyno, i mam nadzieję, że się okaże, iż nie miałem racji.

– Nie potrzebuję twoich życzeń. W niektórych sprawach nie jest ważne szczęście, tylko zdolności.

Florentyna nie powtórzyła tej rozmowy pannie Tredgold.

Z końcem roku szkolnego Florentyna z zaskoczeniem stwierdziła, że jest najlepsza w klasie tylko z łaciny i francuskiego, a ogółem spadła z pierwszego na trzecie miejsce. Panna Tredgold uważnie przeczytała oceny szkolne i doszła do wniosku, że potwierdziły się jej najgorsze obawy, uznała jednak, że powstrzyma się od krytycznych uwag, skoro Florentyna przestała słuchać czyichkolwiek rad, o ile nie potwierdzały jej własnych opinii. Na wakacje Florentyna znów pojechała do Nowego Jorku do ojca, który pozwolił jej pracować w jednym ze sklepów hotelowych w charakterze ekspedientki.

Florentyna co dzień wstawała wcześnie rano i wkładała pastelowozielony uniform noszony przez niższy personel hotelowy. Z całą energią przystąpiła do nauki, w jaki sposób należy prowadzić mały salon mody, i wkrótce zaczęła przedstawiać własne pomysły kierowniczce sklepu, pani Parker, budząc jej podziw, i to wcale nie dlatego, że była córką barona. Niedługo Florentyna nabrała większej pewności siebie i, zdając sobie sprawę ze swej uprzywilejowanej pozycji, przestała nosić obowiązujący strój, a nawet zaczęła wydawać polecenia niektórym z młodszych sprzedawczyń. Pilnowała się jednak i nigdy tego nie robiła w obecności pani Parker.

Pewnego piątku, jeszcze przed otwarciem sklepu, kiedy pani Parker sprawdzała w swoim biurze podręczną kasę, Jessie Kovats, pomocnica ekspedientki, przyszła do pracy z dziesięciominutowym spóźnieniem. Florentyna czekała na nią w drzwiach.

– Znowu się spóźniłaś – powiedziała, ale Jessie nie odezwała się ani słowem.

– Czy słyszałaś, co mówiłam? – spytała Florentyna.

– No pewnie – odparła Jessie, wieszając swój deszczowiec.

– Więc co masz dzisiaj na swoje usprawiedliwienie?

– Nie muszę się przed tobą usprawiedliwiać.

– Jeszcze zobaczymy – powiedziała Florentyna, kierując się do biura pani Parker.

– Nie fatyguj się, ty nadęta purchawko. I tak mam cię po dziurki w nosie – wypaliła Jessie, weszła do biura pani Parker i zamknęła za sobą drzwi. Florentyna udawała, że porządkuje ladę, czekając na powrót Jessie. Po paru minutach dziewczyna wyszła z biura, włożyła płaszcz i bez słowa opuściła sklep. Florentynę bardzo uradował taki efekt jej interwencji. Po chwili z biura wyszła pani Parker.

– Jessie mi powiedziała, że przez ciebie odchodzi ze sklepu.

– Niewielka strata – stwierdziła Florentyna. – Niezbyt przykładała się do pracy.

– Nie w tym rzecz, Florentyno. Ja muszę prowadzić ten sklep także po twoim powrocie do domu.

– Może do tej pory pozbędziemy się innych pasożytów w rodzaju Jessie Kovats, marnujących czas i pieniądze mego ojca.

– To jest zespół, panno Rosnovski. Nie każdy musi być bystry i inteligentny, a nawet bardzo sumienny, ale wszyscy starają się pracować jak najlepiej w miarę swoich możliwości i jak dotąd nie było żadnych skarg.

– Czyżby dlatego, że mój ojciec jest za bardzo zajęty, żeby mieć na panią oko?

Pani Parker wyraźnie się zaczerwieniła i oparła o ladę.

– Chyba czas, żebyś przeszła do innego sklepu hotelowego – powiedziała. – Pracuję u twojego ojca od blisko dwudziestu lat i nie zdarzyło się, żeby był wobec mnie tak nieuprzejmy.

– Może czas, żeby to pani zmieniła sklep – rzuciła Florentyna. – I najlepiej, żeby to nie był sklep mojego ojca. – Wyszła przez główne drzwi, skierowała się prosto do prywatnej windy i pojechała na czterdzieste pierwsze piętro. Kiedy znalazła się na miejscu, poinformowała sekretarkę ojca, że chce się z nim natychmiast widzieć.

– W tej chwili pani ojciec prowadzi zebranie rady nadzorczej.

– Więc proszę mu przerwać i powiedzieć, że chcę z nim rozmawiać.

Po chwili wahania sekretarka połączyła się z szefem.

– Wydaje mi się, panno Deneroff, że prosiłem panią, żeby mi nie przeszkadzano.

– Zechce mi pan wybaczyć, ale jest tu pańska córka i koniecznie chce się z panem widzieć.

Po chwili milczenia padła odpowiedź:

– Dobrze, proszę ją wpuścić.

– Przepraszam, tatusiu, ale to coś bardzo pilnego – powiedziała Florentyna wchodząc do pokoju. Na widok ośmiu mężczyzn wstających od stołu narad poczuła się nagle mniej pewnie. Abel zaprowadził ją do swojego gabinetu.

– Cóż to tak pilnego, córeczko?

– Chodzi o panią Parker. Ona jest nadęta, nieudolna i głupia – oznajmiła Florentyna i przedstawiła ojcu własną wersję porannego zajścia z Jessie Kovats.

Abel ani na chwilę nie przestawał bębnić palcami o blat biurka, słuchając potoku słów Florentyny. Kiedy skończyła, nacisnął przełącznik wewnętrznego telefonu.

– Proszę wezwać do mnie natychmiast panią Parker z salonu mody.

– Dziękuję, tatusiu.

– Florentyno, poczekaj, proszę, w sąsiednim pokoju, kiedy będę rozmawiał z panią Parker.

– Naturalnie, tatusiu.

Po kilku minutach pojawiła się pani Parker, nadal z wypiekami na twarzy. Abel spytał ją, co się stało. Pani Parker zrelacjonowała mu sprzeczkę zgodnie z jej prawdziwym przebiegiem, a swoją opinię o Florentynie ograniczyła do stwierdzenia, że dobrze się spisuje jako ekspedientka, ale że wyłącznie z jej winy Jessie Kovats, długoletni członek personelu sklepu, odeszła z pracy. Inne ekspedientki, zaznaczyła pani Parker, także mogą odejść, jeśli Florentyna nie zmieni swego zachowania. Abel słuchał, z trudem hamując gniew. Na koniec wyraził swoją opinię i powiedział pani Parker, że jeszcze dziś zostanie jej wręczony list, potwierdzający jego decyzję.

– Jak pan sobie życzy, proszę pana – rzekła pani Parker i odeszła. Abel zadzwonił do sekretarki.
– Panno Deneroff, czy mogłaby pani poprosić tu moją córkę?

Do pokoju wkroczyła Florentyna.

– Czy powiedziałeś pani Parker, co o tym wszystkim myślisz, tatusiu?

– Owszem.

– Przekona się, że trudno jej będzie znaleźć inną pracę.

– Nie będzie musiała jej szukać.

– Nie będzie musiała?

– Nie. Dałem jej podwyżkę i przedłużyłem z nią umowę – powiedział Abel, pochylając się do przodu i opierając mocno obu dłońmi o blat biurka. – Jeśli jeszcze raz potraktujesz w ten sposób kogoś z moich pracowników, wezmę cię na kolano i spuszczę ci porządne manto, i nie będzie to lekki klaps jak kiedyś. Jessie Kovats już odeszła z powodu twojego niedopuszczalnego zachowania i wyraźnie nikt w sklepie cię nie lubi.

Florentyna z niedowierzaniem patrzyła na ojca, a potem wybuchnęła płaczem.

– A swoje łzy zachowaj dla kogo innego – ciągnął twardo Abel. – Na mnie nie robią wrażenia. Chyba nie muszę ci przypominać, że mam na głowie całe przedsiębiorstwo. Jeszcze jeden tydzień takich twoich wyskoków, a miałbym mnóstwo konfliktów. Pójdziesz teraz do pani Parker i przeprosisz ją za swoje skandaliczne zachowanie. Będziesz się też trzymać z daleka od moich sklepów, póki nie zdecyduję, że możesz tam wrócić. I żebyś nigdy więcej nie przerywała posiedzenia mojej rady nadzorczej. Rozumiesz?

– Ale, tatusiu...

– Żadnych wymówek. Masz natychmiast przeprosić panią Parker.

Florentyna wybiegła pędem z biura ojca i zalana łzami wróciła do swojego pokoju, spakowała się, zostawiła pastelowozielony mundurek na podłodze sypialni i pojechała taksówką na lotnisko. Niebawem była w Chicago.

Gdy Abel dowiedział się o wyjeździe córki, zatelefonował do panny Tredgold, która przyjęła jego opowieść ze smutkiem, ale bez specjalnego zdziwienia.

Kiedy Florentyna przybyła do domu, zastała tylko pannę Tredgold. Jej matka jeszcze przebywała w uzdrowisku, dokąd pojechała, żeby choć trochę schudnąć.

– Widzę, że wróciłaś tydzień wcześniej.

– Tak, znudziło mi się w Nowym Jorku.

– Nie kłam, dziecko.

– Czy pani też musi mi dokuczać? – spytała Florentyna i pobiegła do siebie na górę. Tego weekendu siedziała zamknięta w pokoju i tylko od czasu do czasu zakradała się do kuchni, żeby coś zjeść. Panna Tredgold nawet nie próbowała się z nią spotkać.

Na rozpoczęcie roku szkolnego Florentyna ubrała się w jedną z eleganckich, pastelowych bluzek z najmodniejszym kołnierzykiem z rogami przypinanymi na guziczki, którą kupiła u Bergdorfa-Goodmana. Wiedziała, że koleżanki w szkole będą jej zazdrościć. Miała zamiar pokazać im wszystkim, jak powinien się nosić przyszły przewodniczący samorządu uczniowskiego. Ponieważ wybory do samorządu miały się odbyć dopiero za dwa tygodnie, Florentyna codziennie wkładała bluzkę w innym kolorze i przyjęła na siebie obowiązki przewodniczącego. Zaczęła się nawet zastanawiać, na kupno jakiego samochodu namówić ojca, kiedy wygra wybory. Przez cały czas unikała Edwarda Winchestera, który także zgłosił swoją kandydaturę do samorządu i naśmiewała się głośno, kiedy ktoś przy niej wspominał, jak jest popularny. W poniedziałek trzeciego tygodnia Florentyna przybyła na poranny apel szkolny, przeświadczona, że została wybrana na przewodniczącą.

Kiedy panna Allen, dyrektorka szkoły, odczytała listę wybranych, Florentyna czuła się, jakby dostała obuchem w głowę. Nie znalazła się nawet w pierwszej szóstce. Uplasowała się zaledwie na siódmym miejscu, a na domiar wszystkiego przewodniczącym został Edward Winchester. Kiedy wychodziła z sali, nikt nie okazał jej współczucia i cały dzień przesiedziała milcząca i oszołomiona na końcu klasy. Wieczorem, po powrocie do domu, zakradła się pod drzwi pokoju panny Tredgold i delikatnie zapukała.

– Wejdź.

Florentyna powolutku uchyliła drzwi i spojrzała na pannę Tredgold, która czytała przy swoim biurku.

– Nie wybrali mnie na przewodniczącą – powiedziała cicho. – W ogóle nie wybrali mnie do samorządu.

– Wiem – odparła panna Tredgold, zamykając Biblię.

– Skąd może pani to wiedzieć?

– Bo sama bym na ciebie nie głosowała. – Guwernantka zamilkła na chwilę. – Ale na tym zamykamy sprawę, dziecko.

Florentyna przebiegła przez pokój i objęła pannę Tredgold, która mocno przycisnęła ją do siebie.

– No, dobrze, teraz musimy odbudować zerwane mosty. Otrzyj łzy, kochanie, zaczynamy od zaraz. Nie ma czasu do stracenia. Potrzebny nam jest bloczek do pisania i ołówek.

Florentyna zanotowała wszystko, co podyktowała jej panna Tredgold, nie sprzeciwiając się żadnemu jej poleceniu. Tego wieczoru napisała długie listy do ojca, pani Parker (załączając list do Jessie Kovats), Edwarda Winchestera i, na koniec, chociaż to akurat nazwisko nie figurowało na liście, do panny Tredgold. Nazajutrz Florentyna poszła do spowiedzi do ojca O'Reilly. W szkole pomogła koleżance wybranej na sekretarza samorządu w pisaniu pierwszych protokołów, zdradzając jej swoją wypróbowaną metodę. Powinszowała nowo obranemu przewodniczącemu i obiecała pomoc zarówno jemu, jak i samorządowi, jeśli tylko do niej się zwrócą. Przez cały następny tydzień odpowiadała na pytania członków samorządu, ale nie udzielała żadnych rad. Edward, którego kilka dni później spotkała na korytarzu, poinformował ją, że samorząd postanowił pozwolić jej zachować dotychczasowe przywileje. Panna Tredgold poradziła Florentynie grzecznie przyjąć tę propozycję, ale w żadnym razie z niej nie korzystać. Wszystkie bluzki kupione w Nowym Jorku Florentyna schowała w najniższej szufladzie komody i zamknęła na klucz.

Kilka dni później wezwała ją dyrektorka. Florentyna lękała się, że odzyskanie jej szacunku potrwa znacznie dłużej, jednak zdecydowała tego dopiąć. Kiedy weszła do gabinetu, filigranowa, nienagannie ubrana kobieta powitała ją przyjaznym uśmiechem i wskazała miejsce obok siebie.

– Pewno jesteś bardzo zawiedziona wynikami wyborów – powiedziała.

– Tak, proszę pani – odparła Florentyna, spodziewając się reprymendy.

– Ale z tego, co wiem, wynika, że nauka nie poszła w las, i przypuszczam, że będziesz chciała zmienić swoje postępowanie.

– Za późno, proszę pani. Kończę szkołę w tym roku i już nigdy nie będę mogła zostać przewodniczącą.

– To prawda. Musimy się więc zastanowić, czy nie ma innych przeszkód do wzięcia. Pod koniec tego roku odchodzę na emeryturę i muszę wyznać, że niewiele jest celów, których nie udało ,mi się osiągnąć. Bardzo wiele moich uczniów i uczennic studiowało w takich uczelniach jak Harvard, Yale, Radcliffe czy Smith College i nasza szkoła zawsze była najlepsza w Illinois, nie ustępując przy tym żadnej na Wschodnim Wybrzeżu. Jest jednak coś, co mi zawsze umykało.

– Co takiego, proszę pani?

– Chłopcy zdobywali liczące się stypendia najbardziej renomowanych uczelni w kraju, w tym trzykrotnie Princeton, ale żadnej z dziewcząt przez całe ćwierćwiecze nie udało się uzyskać stypendium, o jakim zawsze marzyłam. To konkursowe Stypendium Woolsonowskie na studia języków klasycznych w Radcliffe. Chcę, żebyś się o nie ubiegała. Jeśli wygrasz konkurs, moje ambicje zostaną spełnione.

– Chętnie bym spróbowała – rzekła Florentyna – ale moje ostatnie porażki...

– Rzeczywiście – powiedziała dyrektorka. – Ale jak pani Churchill przypomniała Winstonowi, gdy niespodziewanie przegrał wybory, nie ma tego złego, co by na dobre nie wyszło.

Obydwie się uśmiechnęły.

Tego wieczoru Florentyna przestudiowała formularz z warunkami uczestnictwa w konkursie. O stypendium mogła się ubiegać każda uczennica w Ameryce, która pierwszego lipca tego roku miała ukończone szesnaście lat i nie przekroczone osiemnaście. Egzamin składał się z trzech prac pisemnych – z łaciny, greki i z zagadnień aktualnych.

W ciągu następnych tygodni Florentyna przed śniadaniem rozmawiała z panną Tredgold, posługując się wyłącznie greką i łaciną, w każdy zaś poniedziałek panna Allen dawała jej trzy tematy ogólne do opracowania na następny tydzień. W miarę jak zbliżał się termin egzaminu, Florentyna coraz wyraźniej sobie uświadamiała, że cała szkoła pokłada w niej nadzieje. Ślęczała nocami, wczytując się w Cycerona, Wergilego, Platona i Arystotelesa, co rano zaś po śniadaniu pisywała pięćset słów na tak różnorodne tematy, jak Dwudziesta Druga Poprawka do Konstytucji, znaczenie dominacji prezydenta Trumana nad Kongresem podczas wojny koreańskiej, czy nawet oddziaływanie telewizji po objęciu jej zasięgiem całego kraju.

Pod koniec każdego dnia panna Tredgold sprawdzała wypracowania Florentyny, opatrując je przypisami i uwagami, aż wreszcie półżywe ze zmęczenia kładły się spać, żeby nazajutrz zerwać się o wpół do siódmej i studiować testy egzaminacyjne z ubiegłych lat. Florentynie wcale nie przybywało pewności siebie, wręcz odwrotnie. Jak przyznała się guwernantce, z każdym dniem ogarniał ją większy strach.

Egzamin konkursowy w Radcliffe miał się odbyć na początku marca. Wieczorem w przeddzień owego ważkiego wydarzenia Florentyna otworzyła dolną szufladę komody i wyjęła swoją ulubioną bluzkę. Panna Tredgold odprowadziła ją na stację; po drodze zamieniły tylko parę słów, posługując się greką. Na koniec panna Tredgold powiedziała:

– Nie poświęcaj najwięcej czasu na najłatwiejsze pytania.

Kiedy znalazły się na peronie, Florentyna nagle poczuła czyjąś rękę obejmującą ją w talii i ujrzała różę, która wyrosła jej przed nosem.

– Edward, ty wariacie.

– To tak się mówi do przewodniczącego samorządu szkolnego? Pamiętaj, nie waż się wracać, jeśli nie zdobędziesz Stypendium Woolsonowskiego – powiedział i pocałował ją w policzek.

Żadne z nich nie zauważyło uśmiechu, jaki wykwitł na twarzy panny Tredgold. Florentyna znalazła pusty przedział i przez całą podróż prawie nie odrywała wzroku od „Orestei”, nawet żeby wyjrzeć przez okno.

Przed dworcem w Bostonie czekał ford „drewniak", który zawiózł ją wraz z czterema innymi dziewczętami, które musiały przyjechać tym samym pociągiem, na uniwersytet. Sporadycznie wymieniane, zdawkowe uprzejmości podkreślały tylko długie chwile pełnego napięcia milczenia podczas jazdy. Florentyna z ulgą stwierdziła, że umieszczono ją w osobnym pokoju w domu przy Garden Street 55; nie chciała nikomu okazywać, jak bardzo jest stremowana.

O szóstej dziewczęta spotkały się w Kolegium Longfellowa, gdzie dziekan wydziału, Wilma Kirby-Miller, udzieliła im szczegółowych informacji o egzaminie.

– Jutro, moje panie, między dziewiątą a dwunastą będziecie pisać pracę z łaciny, a po południu, między trzecią a szóstą, z greki. Pojutrze rano odbędzie się ostatni egzamin pisemny – na temat ogólny. Byłoby niemądre życzyć wam wszystkim zwycięstwa, gdyż nie wszystkie możecie zdobyć stypendium, zatem wyrażę tylko nadzieję, że kiedy już napiszecie te trzy prace, wszystkie co do jednej będziecie przekonane, że dałyście z siebie wszystko.

Florentyna wróciła do swego pokoju na Garden Street w poczuciu osamotnienia i ze świadomością, że bardzo mało umie. Zeszła na dół i z automatu telefonicznego zadzwoniła do matki i do panny Tredgold. Położyła się spać, ale zbudziła się już o trzeciej rano; próbowała czytać „Politykę" Arystotelesa, ale nic do niej nie docierało. O siódmej zeszła na dół i parokrotnie okrążyła dziedziniec uniwersytecki, po czym udała się do Budynku Agassiza na śniadanie. Czekały na nią dwa telegramy, jeden od ojca, z życzeniami szczęścia i zaproszeniem w podróż do Europy podczas letnich wakacji, drugi od panny Tredgold, o następującej treści: *Jedyne, czego musimy się bać, to sam strach*.

Po śniadaniu znów zrobiła parę rund wokół dziedzińca, tym razem w towarzystwie kilku milczących dziewcząt, a następnie zajęła miejsce w sali egzaminacyjnej. Dwieście czterdzieści trzy dziewczyny czekały, aż zegar wybije dziewiątą i proktorzy dadzą znak, że wolno otworzyć małe brązowe koperty leżące na pulpitach. Florentyna przeczytała zestaw pytań z łaciny najpierw szybko, a potem drugi raz powoli i uważnie, i dopiero wtedy wybrała te pytania, na które potrafiła najlepiej odpowiedzieć. O dwunastej, dokładnie z wybiciem zegara, zabrano wypracowania. Florentyna wróciła do swojego pokoju i przez dwie godziny wkuwała grekę, posiliwszy się tylko batonikiem Hersheya. Po południu znów pisała, tym razem na trzy tematy z greki. Wprowadzała jeszcze poprawki, kiedy skończył się wyznaczony czas i trzeba było oddać pracę. Poszła do swojego pokoiku na Garden Street i była tak wyczerpana, że padła na wąskie łóżko i nie poruszyła się, póki nie nadeszła pora posiłku. Przy późnej kolacji przysłuchiwała się znów rozmowom koleżanek, które zjechały tu z różnych stron kraju, od Filadelfii po Houston i od Detroit po Atlantę, o czym zresztą świadczyła ich wymowa; kojąca była świadomość, że każda z nich, jak ona, lęka się wyniku egzaminu. Florentyna wiedziała, że prawie wszystkie uczestniczki egzaminu zostaną przyjęte do Radcliffe, dwadzieścia dwie otrzymają stypendia, ale tylko jedna zdobędzie Stypendium Woolsonowskie.

Następnego dnia otworzyła brązową kopertę z tematem ogólnym. Bała się najgorszego, ale trochę się uspokoiła po przeczytaniu pierwszego pytania: „Jakie zmiany nastąpiłyby twoim zdaniem w Ameryce, gdyby Dwudziesta Druga Poprawka do konstytucji została uchwalona przed wybraniem Roosevelta na prezydenta"? Zaczęła pisać z impetem.

Kiedy Florentyna wróciła do Chicago, na peronie zastała czekającą pannę Tredgold.

– Nie zapytam cię, kochanie, czy uważasz, że zdobyłaś nagrodę, zapytam cię tylko, czy poszło ci tak dobrze, jak pragnęłaś?

– Tak – odparła po chwili namysłu Florentyna. – Jeśli nie zdobędę stypendium, to dlatego, że widocznie nie jestem aż tak dobra.

– Trudno żądać więcej, dziecko. Nadszedł więc czas, żeby ci powiedzieć, że w lipcu wracam do Anglii.

– Dlaczego? – spytała osłupiała Florentyna.

– A do czego mogę ci się jeszcze przydać, teraz, kiedy wybierasz się na uniwersytet? Zaproponowano mi od września posadę kierowniczki działu języków klasycznych w żeńskiej szkole w południowo-zachodniej Anglii i przyjęłam tę ofertę.

– Nie mogłabyś mnie opuścić, gdybyś wiedziała, jak bardzo cię kocham.

Panna Tredgold uśmiechnęła się, słysząc ten cytat, i wypowiedziała następny wiersz: – To dlatego, że tak bardzo cię kocham, muszę cię teraz opuścić, Perdano.

Florentyna wzięła ją za rękę, a panna Tredgold spojrzała z uśmiechem na piękną młodą kobietę, za którą już teraz oglądali się mężczyźni.

Trzy ostatnie tygodnie w szkole nie były łatwe dla Florentyny, w napięciu czekającej na wyniki egzaminu. Pocieszała Edwarda, że przynajmniej on ma murowane miejsce na Uniwersytecie Harvarda.

– Tam jest więcej boisk sportowych niż sal wykładowych – pokpiwała sobie – więc na pewno cię przyjmą.

Wcale nie było to takie pewne i Florentyna dobrze o tym wiedziała. Z każdym dniem nadzieje obojga ustępowały coraz bardziej obawom. Florentynę poinformowano, że wyniki egzaminów zostaną ogłoszone czternastego kwietnia. W tym dniu rano dyrektorka szkoły poprosiła Florentynę do swojego gabinetu, usadowiła ją w kąciku, sama zaś zadzwoniła do sekretarza uniwersytetu. Na połączenie z panią sekretarz czekało w kolejce już kilka osób. W końcu w słuchawce odezwał się jej głos.

– Czy mogłaby mnie pani poinformować, czy Florentyna Rosnovski uzyskała stypendium na studia w Radcliffe? – spytała panna Allen.

Nastąpiła długa chwila oczekiwania.

– Proszę przeliterować nazwisko.

– R-o-s-n-o-v-s-k-i.

Znowu milczenie. Florentyna zacisnęła pięść. Po chwili w słuchawce odezwał się głos, który również ona usłyszała:

– Nie, przykro mi, ale na liście stypendystów nie ma tego nazwiska, jednakże ponad siedemdziesiąt procent uczestniczek egzaminu zostanie przyjętych do Radcliffe i otrzyma zawiadomienia w najbliższych dniach.

Zarówno panna Allen, jak i Florentyna nie były w stanie ukryć rozczarowania. Wychodząc z gabinetu dyrektorki, Florentyna natknęła się na Edwarda, który czekał na nią pod drzwiami. Schwycił ją w ramiona i prawie krzycząc oznajmił:

156

– Dostałem się na Harvard. A co z tobą? Zdobyłaś Stypendium Woolsonowskie? – Odczytał odpowiedź w jej twarzy. – Przykro mi – powiedział. – Zachowałem się bezmyślnie. – Trzymał ją w ramionach, aż się rozpłakała. Dziewczynki z młodszych klas, przechodzące obok, zaczęły na ich widok chichotać. Edward odprowadził Florentynę do domu, gdzie wraz z panną Tredgold i matką zasiadła do kolacji. Żadna nie odezwała się ani słowem.

W dwa tygodnie później, z okazji Dnia Rodziców, dyrektorka wręczyła Florentynie szkolną nagrodę za doskonałe wyniki w językach klasycznych, ale nie było to wystarczające zadośćuczynienie. Panna Tredgold i Zofia uprzejmie klaskały, ale ojcu Florentyna powiedziała, żeby nie przyjeżdżał do Chicago, gdyż nie jest to specjalnie ważna uroczystość.

Po wręczeniu nagród panna Allen lekko stuknęła w pulpit, po czym przemówiła.

– Nie jest tajemnicą – powiedziała donośnym, czysto brzmiącym głosem – że przez wszystkie moje lata w tej szkole pragnęłam, aby któraś z uczennic zdobyła konkursowe Stypendium Woolsonowskie na studia w Radcliffe. – Florentyna wbiła wzrok w drewniane deski podłogi. – W tym roku byłam przekonana, że moja szkoła wydała najzdolniejszą, najlepszą uczennicę od dwudziestu pięciu lat i że wreszcie spełni się moje marzenie. Parę tygodni temu zatelefonowałam do Radcliffe i dowiedziałam się, że nasza kandydatka nie otrzymała stypendium. Wszakże dziś nadszedł telegram, który zasługuje na to, żeby go odczytać.

Florentyna wyprostowała się, przestraszona, że to może ojciec przysłał telegram z niewczesnymi gratulacjami.

Panna Allen włożyła okulary.

– *Nazwisko Florentyny Rosnovski nie figurowało wśród ogółu stypendystów, gdyż, jak z przyjemnością powiadamiamy, jest ona zdobywczynią Stypendium Woolsonowskiego. Prosimy o potwierdzenie jego przyjęcia.* – Cała sala eksplodowała okrzykami radości uczniów i rodziców. Panna Allen uniosła rękę i zapadła cisza. – Po dwudziestu pięciu latach powinnam była pamiętać, że nazwisko zwyciężczyni konkursu zawsze ogłasza się w późniejszym terminie. Musicie to złożyć na karb mojego podeszłego wieku. Rozległ się szmer uprzejmego śmieszku. – Są wśród nas tacy, którzy wierzą, że Florentyna nie ustanie w wysiłkach i będzie służyć swojej uczelni oraz krajowi w sposób, który naszej szkole przyniesie chlubę. Mam tylko jedno życzenie: chciałabym żyć dostatecznie długo, aby być tego świadkiem.

Florentyna wstała i popatrzyła na matkę. Po policzkach płynęły jej wielkie łzy. Nikomu z obecnych nigdy nie przyszłoby do głowy, że dama obok Zofii, siedząca sztywno, jakby kij połknęła, i patrząca prosto przed siebie, wprost upaja się oklaskami, którymi zagrzmiała sala.

Tak wiele radości spadło teraz na Florentynę, i tyle smutku, nic jednak nie mogło się równać jej rozstaniu z panną Tredgold. W czasie podróży pociągiem z Chicago do Nowego Jorku Florentyna usiłowała wyrazić swoją miłość i wdzięczność, na koniec zaś wręczyła starszej kobiecie kopertę.

– Co tam jest, dziecko? – spytała panna Tredgold.

– Cztery tysiące akcji Grupy Barona, jakie zarobiłyśmy przez ostatnie cztery lata.

– To są nie tylko moje, ale i twoje akcje, kochanie.

– Nie – rzekła Florentyna – ponieważ nie została tu wliczona suma, jaką zaoszczędziłam, zdobywając Stypendium Woolsonowskie.

Guwernantka nic nie odpowiedziała.

Godzinę później panna Tredgold stała na nabrzeżu w porcie nowojorskim. Za chwilę miała wsiąść na statek i ostatecznie rozstać się ze swoją podopieczną, którą czekało dorosłe życie.

– Będę o tobie czasami myśleć, kochanie – powiedziała – z nadzieją, że mój ojciec miał rację, kiedy mówił o przeznaczeniu.

Florentyna ucałowała pannę Tredgold w oba policzki i patrzyła, jak wchodzi pomostem na statek. Panna Tredgold stanęła na pokładzie, pomachała dłonią w rękawiczce, a następnie wezwała tragarza, który wziął bagaże i podążył za surowo wyglądającą damą do jej kabiny. Nie obejrzała się już więcej na Florentynę, która stała nieruchomo jak posąg i wstrzymywała łzy cisnące się do oczu, wiedziała bowiem, iż pannie Tredgold taka słabość by się nie podobała.

Kiedy panna Tredgold znalazła się w kabinie, wręczyła bagażowemu pięćdziesiąt centów i zamknęła drzwi.

Winifred Tredgold usiadła na brzeżku koi i wybuchnęła niepohamowanym płaczem.

X

Florentyna czuła się tak zagubiona jak wówczas, kiedy jako mała dziewczynka pierwszy raz szła do szkoły. Gdy wróciła z wakacji, które spędziła wraz z ojcem w Europie, czekała na nią pękata brązowa koperta z uczelni. Zawierała szczegółowe informacje o tym, kiedy i gdzie należy się zgłosić oraz jak się ubierać; program zajęć, a także „czerwoną książkę" z zasadami obowiązującymi w Radcliffe. Florentyna usiadła na łóżku i zaczęła się pilnie wczytywać w kolejne stronice, aż doszła do zasady numer 11a: „Jeśli podejmujesz w swoim pokoju mężczyznę herbatą, drzwi muszą być przez cały czas uchylone, a wszystkie cztery stopy dotykać podłogi". Florentyna wybuchnęła śmiechem, kiedy sobie wyobraziła, że pierwszy raz w życiu będzie się kochać na stojąco, przy uchylonych drzwiach i z filiżanką herbaty w ręku.

Zbliżał się czas wyjazdu z Chicago i Florentyna dopiero teraz pojęła, jak dalece polegała we wszystkim na pannie Tredgold. Spakowała trzy wielkie walizy, które pomieściły jej nowe stroje, kupione w Europie. Matka, nadzwyczaj szykowna w najmodniejszym chanelowskim kostiumiku, odwiozła Florentynę na dworzec. Kiedy Florentyna wsiadła do pociągu, nagle zdała sobie sprawę, że pierwszy raz wybiera się dokądś na dłużej, nie znając żywej duszy w nowym miejscu.

Gdy przybyła do Bostonu, Nowa Anglia powitała ją jesiennym kolorytem brązów i zieleni. Koło dworca czekał wiekowy żółty szkolny autobus, żeby zawieźć studentki na teren uniwersytetu. Kiedy wysłużony wehikuł przejechał przez most na Charles River, Florentyna wyjrzała przez tylną szybę i zobaczyła błyszczącą w słońcu kopułę stanowego parlamentu. Woda upstrzona była kilkoma żaglami, ósemka studentów na łodzi wiosłowała z zapałem, podczas gdy starszy mężczyzna jadący brzegiem na rowerze wykrzykiwał komendy przez tubę. Gdy autobus dotarł na miejsce, kobieta w średnim wieku, ubrana w strój akademicki, powiodła stadko nowicjuszek do Kolegium Longfellowa, gdzie Florentyna zdawała egzamin. Poinformowano je, w jakim budynku będą mieszkać w czasie pierwszego roku studiów, i przydzielono im pokoje. Florentynie przypadł pokój numer siedem w Kolegium Whitmana. Jakaś studentka drugiego roku pomogła jej zanieść walizki i zostawiła ją samą, aby się rozpakowała.

Pokój pachniał świeżą farbą, jakby malarze wynieśli się stąd zaledwie wczoraj. Sądząc po umeblowaniu, oprócz niej miały tu zamieszkać jeszcze dwie koleżanki. W pokoju znajdowały się trzy łóżka, trzy komody, trzy biurka z krzesłami i lampami, trzy poduszki, trzy kapy na łóżko i trzy komplety koców, zgodnie ze spisem umieszczonym na wewnętrznej stronie drzwi. Nie było śladu niczyjej obecności, Florentyna wybrała więc łóżko przy oknie i zaczęła rozpakowywać walizki. Właśnie sięgnęła po ostatnią, kiedy drzwi się otworzyły i na środku pokoju wylądował olbrzymi kufer.

– Cześć! – odezwał się grzmiący głos, który skojarzył się Florentynie raczej z syreną okrętową niż ze studentką pierwszego roku Radcliffe. – Nazywam się Bella Hellaman. Jestem z San Francisco.

Bella uścisnęła dłoń Florentyny, która aż skrzywiła się z bólu, usiłując się uśmiechnąć do olbrzymki, mierzącej sześć stóp wzrostu i ważącej dobrze ponad dwieście funtów. Bella wyglądała jak kontrabas, a jej głos brzmiał niczym tuba. Od razu zaczęła rozglądać się po pokoju.

– Wiedziałam, że nie będą mieli odpowiedniego dla mnie łóżka – oświadczyła na początek. – Moja dyrektorka mnie ostrzegała, że powinnam się starać na męską uczelnię.

Florentyna wybuchnęła śmiechem.

– Wcale nie będzie ci tak wesoło, kiedy przeze mnie nie zmrużysz oka przez całą noc. Przewracam się na łóżku i rzucam tak, że będzie ci się wydawać, iż jesteś na pokładzie statku – ostrzegła Bella, otwierając nad łóżkiem Florentyny okno, przez które wpadło chłodne bostońskie powietrze. – Kiedy tutaj podają kolację? Ostatni porządny posiłek jadłam jeszcze w Kalifornii.

– Nie mam pojęcia, ale to na pewno będzie w „czerwonej książce" – odparła Florentyna i sięgnęła po swój egzemplarz leżący obok łóżka. Przekartkowała stronice i znalazła pozycję „Posiłki i ich pory". – Kolacja od szóstej trzydzieści do siódmej trzydzieści.

– A więc punktualnie o wpół do siódmej będę warowała pod drzwiami jadalni, czekając na sygnał startu – rzekła Bella. – A może wiesz, gdzie się znajduje sala gimnastyczna?

– Nie – odparła Florentyna z szerokim uśmiechem. – Szczerze mówiąc, nie wydało mi się to najważniejsze akurat dzisiaj.

Rozległo się pukanie do drzwi i Bella krzyknęła: „Proszę wejść!" Florentyna dopiero później się zorientowała, że nie był to krzyk, ale normalny sposób mówienia Belli. Do pokoju wkroczyła blondyneczka przypominająca figurkę z miśnieńskiej porcelany, ubrana w zgrabny ciemnoniebieski kostiumik i z fryzurą, z której nie śmiał się wyłamać ani jeden włosek. Uśmiechnęła się, odsłaniając małe, równiutkie ząbki. Bella odpowiedziała jej takim uśmiechem, jakby to jej kolacja wcześniej się zjawiła.

– Jestem Wendy Brinklow. Chyba mam z wami mieszkać w tym pokoju. – Florentyna chciała ją przestrzec przed uściskiem dłoni Belli, ale nie zdążyła. Stała i patrzyła, jak Wendy się kuli.

– Będziesz musiała spać tutaj – oznajmiła Bella, wskazując ostatnie, nie zajęte łóżko. – Nie wiesz przypadkiem, gdzie jest sala gimnastyczna?

– A po co tu komu sala gimnastyczna? – zapytała Wendy Bellę, która pomagała jej wnosić walizki. Bella i Wendy zaczęły się rozpakowywać, a Florentyna przebierała w swoich książkach, usiłując nie okazywać, jak bardzo intrygują ją przedmioty, które Bella wydobywa ze swoich bagaży. Kolejno pojawiły się parkany, fartuch bramkarski, dwie pary butów z kołkami, maska, którą Florentyna przymierzyła, dwie laski do hokeja na trawie i w końcu para rękawic ochronnych. Wendy zdążyła ułożyć w szufladach wszystkie swoje ubrania w małe,

163

zgrabne stosiki, nim Bella zdołała zadecydować, gdzie umieścić laski hokejowe. W końcu zwyczajnie wrzuciła je pod łóżko.

Kiedy już się rozpakowały, we trzy ruszyły do jadalni. Bella pierwsza zaatakowała bufet z gotowymi potrawami i nałożyła sobie na talerz taką górę mięsa i warzyw, że musiała balansować nim na otwartej dłoni niczym tacą. Florentyna wzięła tyle, ile jadała zazwyczaj, Wendy zaś ograniczyła się do odrobiny sałatki. Florentyna nie mogła się oprzeć wrażeniu, że przypominają trzy niedźwiadki z bajki o złotowłosej dziewczynce.

Jak zapowiedziała Bella, Florentyna i Wendy spędziły bezsenną noc, i dopiero po kilku tygodniach były w stanie sypiać osiem godzin bez przerwy. Po latach Florentyna przekonała się, że dzięki temu, iż rok mieszkała z Bellą, potrafi zasnąć wszędzie, nawet w zatłoczonej poczekalni dworca lotniczego.

Bella była pierwszą początkującą studentką, która grała na bramce w reprezentacji uniwersyteckiej i przez cały rok odstraszała skutecznie tych, którzy ośmielali się próbować strzelić gola. Z tymi nielicznymi, którym się to udało, zawsze wymieniała uścisk dłoni. Wendy trawiła mnóstwo czasu, umykając pogoniom mężczyzn odwiedzających Radcliffe, i tylko z rzadka pozwalała złapać się w sidła. Częściej czytywała raport Kinseya niż notatki z wykładów.

– Moje kochane – powiedziała kiedyś z oczami ogromnymi jak spodki – to poważna praca naukowa napisana przez wybitnego profesora.

– Pierwsza praca naukowa, którą się sprzedaje w nakładzie ponad miliona egzemplarzy – zauważyła Bella, zabierając laski hokejowe i wychodząc z pokoju.

Wendy, usadowiona przed jedynym lustrem w pokoju, zaczęła próbować nową szminkę.

– Kto tym razem jest wybrańcem? – zagadnęła ją Florentyna.

– Nikt specjalnie – odparła Wendy. – Ale z Dartmouth przysłali zespół tenisowy na mecz z reprezentacją Harvardu i myślę, że warto pójść i popatrzeć. Chciałabyś mi towarzyszyć?

– Nie, dziękuję, ale chciałabym wiedzieć, jak ty to robisz, że mężczyźni tak się koło ciebie kręcą – powiedziała Florentyna, krytycznie przyglądając się sobie w lustrze. – Nie pamiętam, żeby ktoś oprócz Edwarda chciał się ze mną umówić.

– Łatwo zgadnąć – rzuciła Wendy. – Pewnie ich sama odstraszasz.

– Jak? – spytała Florentyna, odwracając się w jej stronę.

Wendy odłożyła szminkę i wzięła do ręki grzebień.

– Za bardzo kłuje w oczy twoja błyskotliwość i inteligencja, a niewielu mężczyzn to lubi. Onieśmielasz ich i tracą przy tobie pewność siebie.

Florentyna roześmiała się.

– Mówię poważnie. Pomyśl, jaki mężczyzna ośmieliłby się zaczepić twoją ukochaną pannę Tredgold czy się do niej przystawiać?

– Więc co mi radzisz? – spytała Florentyna.

– Jesteś naprawdę ładna i ubierasz się z dużym smakiem, wystarczy więc, jeśli będziesz udawać głupią i schlebiać ich próżności, a uznają, że należy traktować cię opiekuńczo. Ja ich zawsze na to biorę.

– Ale co robisz, żeby sobie nie wyobrażali, że jak cię raz zaproszą na hamburgera, to zaraz mają prawo wleźć ci do łóżka?

– Najpierw zjadam kilka steków, zanim pozwolę na zalecanki. I tylko czasami mówię „tak".

– Bardzo pięknie, ale jak sobie poradziłaś za pierwszym razem?

– A bo ja wiem? – odparła Wendy. – To było tak dawno temu, że już nie pamiętam.

Florentyna znów się roześmiała.

– Gdybyś poszła ze mną na mecz tenisa, mogłoby ci się coś trafić. W końcu będzie do wzięcia jeszcze pięciu chłopców z Dartmouth, nie licząc całej szóstki z Harvardu.

– Niestety, nie mogę – z żalem powiedziała Florentyna. – Muszę do szóstej skończyć szkic o Edypie.

– A wszyscy wiemy, co mu się przydarzyło – stwierdziła Wendy, pokazując ząbki w uśmiechu.

Mimo odmiennych zainteresowań trójka dziewcząt stała się nierozłączna, a Florentyna z Wendy w każde sobotnie popołudnie chodziły popatrzeć, jak Bella gra w hokeja na trawie. Wendy nauczyła się nawet krzyczeć „Gola!" tuż zza linii autowej, choć nie brzmiało to specjalnie bojowo. To był szalony, obfitujący w wydarzenia pierwszy rok studiów i Florentyna z wielką uciechą raczyła ojca opowieściami o Radcliffe, Belli i Wendy.

Musiała mocno przysiąść fałdów, gdyż jak chętnie przypominała jej opiekunka, panna Rose, Stypendium Woolsonowskie co roku było wznawiane i reputacja ich obu mocno by ucierpiała, gdyby zostało cofnięte. Pod koniec roku oceny Florentyny okazały się bardziej niż zadowalające, znalazła również czas, aby udzielać się w towarzystwie dyskusyjnym oraz w Demokratycznym Klubie Radcliffe jako przedstawicielka studentek pierwszego roku. Ale największym jej sukcesem, jak czuła, była wygrana z Bellą w golfa przewagą siedmiu punktów.

Podczas letnich wakacji 1952 roku Florentyna spędziła tylko dwa tygodnie z ojcem w Nowym Jorku, gdyż uprzednio zgłosiła się do obsługi konwencji nominacyjnej demokratów w Chicago.

Gdy tylko przyjechała do matki do Chicago, rzuciła się w wir polityki. Dwa tygodnie wcześniej odbyła się w Chicago konwencja republikanów i Grand Old Party wybrała na swoich kandydatów Dwighta D. Eisenhowera oraz Richarda Nixona. Florentyna nie widziała wśród demokratów nikogo, kto mógłby zmierzyć się z Eisenhowerem, największym bohaterem narodowym od czasu Teddy'ego Roosevelta. Wszędzie było widać plakietki głoszące: „Lubię Ike'a".

Kiedy 21 lipca rozpoczęła się konwencja Partii Demokratycznej, Florentynie poruczono zadanie odprowadzania ważnych osobistości na ich miejsca na podium. Podczas tych czterech dni nauczyła się dwu istotnych rzeczy: jak ważne są kontakty i jak próżni bywają politycy. Dwukrotnie w ciągu czterech dni zdarzyło jej się wskazać senatorom niewłaściwe miejsca, a narobili takiego rabanu, jakby posadziła ich na krześle elektrycznym. Najmilej wspominała chwilę, kiedy młody, przystojny kongresman z Massachusetts zagadnął ją, z jakiej jest uczelni.

– Kiedy studiowałem na Harvardzie – zaśmiał się – spędzałem o wiele za dużo czasu w Radcliffe. Słyszałem, że teraz jest dokładnie na odwrót.

Florentyna miała ochotę powiedzieć coś błyskotliwego, co by mu zapadło w pamięć, ale nic takiego nie przyszło jej do głowy. Dopiero po wielu latach zobaczyła ponownie Johna Kennedy'ego.

Szczytowy moment konwencji nastąpił, kiedy delegaci wybrali na swego kandydata Adlaia Stevensona. Florentyna wielce go podziwiała jako gubernatora Illinois, ale nie wierzyła, żeby ten człowiek o akademickim umyśle mógł zagrozić Eisenhowerowi w dniu wyborów. Wbrew okrzykom, owacjom i śpiewom „Wróciły znów radosne dni", tylko niewielu obecnych, zdawało się, było o tym przekonanych.

Po zakończeniu konwencji Florentyna przeniosła się do biura Henry'ego Osborne'a, aby pomóc mu w utrzymaniu miejsca w Kongresie. Tym razem udzielała informacji telefonicznych, ale to zadanie nie sprawiało jej przyjemności, wiedziała już bowiem od pewnego czasu, że kongresman Osborne nie cieszy się szacunkiem swoich towarzyszy partyjnych, nie mówiąc o wyborcach, których reprezentował. Opinia pijaka i drugi rozwód nie budziły uznania w oczach wyborców z klas średnich w jego okręgu.

Florentyna przekonała się, że swoich wyborców, którzy mu zawierzyli, Osborne traktuje zbyt nonszalancko, częstując ich obietnicami bez pokrycia. Zaczęło jej świtać w głowie, dlaczego ludzie mają tak mało zaufania do wybieranych przez siebie przedstawicieli. Ich wiara w polityków znów została wystawiona na próbę, kiedy Richard Nixon, kandydat Eisenhowera na wiceprezydenta, w przemówieniu do narodu wygłoszonym 23 września, usiłował wyjaśnić sprawę nielegalnego funduszu osiemnastu tysięcy dolarów, zgromadzonych, jak utrzymywał, przez grupę milionerów i jego zwolenników, na „niezbędne wydatki na cele polityczne" i w celu „zdemaskowania komunistów".

W dniu wyborów Florentyna oraz inni ochotnicy działali na rzecz obu swoich kandydatów bez specjalnego przekonania, co znalazło wyraz w wynikach. Eisenhower odniósł miażdżące zwycięstwo, uzyskując najwięcej głosów w historii Ameryki, mianowicie trzydzieści trzy miliony dziewięćset trzydzieści sześć tysięcy dwieście trzydzieści cztery. Na Stevensona głosowało dwadzieścia siedem milionów trzysta czternaście tysięcy dziewięciuset dziewięćdziesięciu dwu wyborców. Wśród przegranych znalazł się także kongresman Osborne.

Rozczarowana polityką Florentyna wróciła na uczelnię na drugi rok studiów i z całą energią zabrała się do nauki. Bella została kapitanem drużyny hokejowej; po raz pierwszy uhonorowano w ten sposób studentkę drugiego roku. Wendy oznajmiła, że zakochała się w tenisiście z Dartmouth imieniem Roger i, zasięgnąwszy rady Florentyny, przystąpiła do studiowania ślubnych kreacji w „Vogue'u". Wprawdzie teraz wszystkie trzy miały osobne pokoje w Kolegium Whitmana, ale nadal spotykały się regularnie. Florentyna nigdy nie opuściła meczu hokejowego, czy padał deszcz, czy śnieg, co nader często zdarzało się w Cambridge, z kolei zaś Wendy poznała ją z kilkoma mężczyznami, ale żaden nie zdawał się wart trzeciego czy czwartego steku.

Mniej więcej w połowie wiosennego semestru Florentyna zastała w swym pokoju zapłakaną Wendy, siedzącą na podłodze.

– Co się stało? – spytała. – Chyba nie oblałaś egzaminów na półmetku semestru?

– Nie, to coś o wiele gorszego.

– Co może być gorszego?

– Jestem w ciąży.

– Co? – przeraziła się Florentyna, klękając i obejmując koleżankę. – Jesteś tego pewna?

– Już drugi miesiąc nie mam okresu.

– No, to jeszcze nie przesądza sprawy. A gdyby nawet tak było, to przecież wiadomo, że Roger chce się z tobą ożenić.

– Nie jestem pewna, czy to Roger jest ojcem.

– O Boże – jęknęła Florentyna. – To kto nim jest?

– Myślę, że Bob, futbolista z Princeton. Poznałaś go, pamiętasz?

Nie pamiętała. Przewinęło się ich niemało w ciągu tego roku i Florentyna nie wiedziała, co robić, skoro Wendy nie jest nawet pewna, jak ojciec dziecka ma na imię. Przesiedziały we trzy do późna w noc, a Bella okazała tyle delikatności i zrozumienia, że Florentyna nigdy by jej o to nie podejrzewała. Postanowiły, że jeśli Wendy nie dostanie następnego okresu, musi pójść do uczelnianego ginekologa, doktora MacLeoda.

Wendy nie dostała okresu, poprosiła więc Bellę i Florentynę, żeby towarzyszyły jej do gabinetu doktora przy Brattle Street. Tego wieczoru doktor poinformował opiekunkę roku Wendy o jej stanie i nikt się nie zdziwił podjętej przez nią decyzji. Nazajutrz przyjechał ojciec Wendy, żeby zabrać córkę do Nashville, i podziękował obu jej koleżankom za to, co dla niej zrobiły. Wszystko stało się tak nagle, że żadna z nich nie mogła uwierzyć, iż nie zobaczy już Wendy. Florentyna czuła się bezradna i zastanawiała się, czy nie mogła zrobić nic więcej.

Pod koniec drugiego roku studiów Florentyna uwierzyła, że ma szansę zdobycia upragnionej odznaki Phi Beta Kappa. Coraz mniej pociągała ją uniwersytecka działalność polityczna, a poczynania McCarthy'ego i Nixona z pewnością do niej nie zachęcały. Jeszcze bardziej odstręczyło ją od tego zajście, jakie miało miejsce pod koniec letnich wakacji.

Znów pracowała wtedy u ojca w Nowym Jorku. Dużo się nauczyła od czasu awantury o Jessie Kovats. W gruncie rzeczy Abel z chęcią powierzał jej teraz prowadzenie sklepów hotelowych podczas urlopów kierowników.

Któregoś dnia w przerwie na lunch usiłowała uniknąć spotkania z szykownie ubranym mężczyzną w średnim wieku, który w tym samym czasie przechodził przez hall, ale on już ją dostrzegł i zawołał:

– Witaj, Florentyno!

– Cześć, Henry – powiedziała bez entuzjazmu.

Schwycił ją za ramiona, a potem pocałował w oba policzki.

– Masz dziś szczęśliwy dzień, kochanie – rzekł.

– Dlaczego? – spytała szczerze zdziwiona Florentyna.

– Dziewczyna, z którą byłem umówiony, wystawiła mnie do wiatru i chcę ci zaproponować, żebyś ją zastąpiła.

Gdyby Henry nie był członkiem rady nadzorczej Grupy Barona, powiedziałaby mu: „Spływaj!", i właśnie chciała się jakoś zręcznie wymówić, kiedy dodał:

– Mam bilety na musical „Can-can".

Od chwili przyjazdu do Nowego Jorku Florentyna próbowała dostać się na to najnowsze, bijące wszelkie rekordy popularności przedstawienie na Broadwayu, ale wszystkie bilety były wyprzedane na osiem tygodni naprzód, a wówczas będzie już musiała wracać do Radcliffe. Przez moment wahała się, a potem powiedziała:

– Dziękuję ci, Henry.

Spotkali się u Sardiego, gdzie wypili po kieliszku, po czym wyruszyli do Shubert Theatre. Spektakl bardzo się podobał Florentynie. Zdawała sobie sprawę, że zachowałaby się grubiańsko, nie przyjmując zaproszenia Henry'ego na kolację. Zabrał ją do „Rainbow Room" i tam właśnie zaczęły się kłopoty. Henry wypił trzy podwójne szkockie jeszcze zanim podano pierwszą potrawę, i chociaż nie był pierwszym mężczyzną, który położył jej rękę na kolanie, był pierwszym z przyjaciół ojca, który to uczynił. Zanim skończyli jeść kolację, wypił tyle, że język mu się plątał.

W taksówce, w drodze do hotelu Baron, Henry zdusił papierosa i próbował pocałować Florentynę. Wcisnęła się w kąt auta, ale to wcale go nie zniechęciło. Nie miała pojęcia, jak sobie radzić z pijanymi, nie wiedziała też, że bywają tak nachalni. Kiedy przyjechali do hotelu, Henry napierał się, żeby odprowadzić ją do pokoju, ona zaś nie potrafiła mu się przeciwstawić; nie chciała wdawać się z nim w szarpaninę na oczach wszystkich, bo mogłoby to zaszkodzić opinii ojca. W windzie znowu próbował ją pocałować, kiedy zaś znaleźli się przed jej małym apartamentem na czterdziestym piętrze, a ona otworzyła drzwi, na siłę wtargnął do środka. Natychmiast skierował się do barku i nalał sobie kolejną podwójną whisky. Florentyna żałowała, że ojciec jest we Francji i że nie ma George'a, który dawno temu wyszedł do domu. Nie wiedziała, co robić.

– Czy nie uważasz, że powinieneś już pójść, Henry?

– Co? – wybełkotał. – Teraz, kiedy pora na igraszki? – Podszedł do niej, zataczając się. – Dziewczyna powinna okazać, jak jest wdzięczna facetowi, który zabrał ją na najlepsze przedstawienie w mieście i zafundował kolację pierwsza klasa.

– Jestem ci wdzięczna, Henry, ale i zmęczona, i chciałabym już położyć się do łóżka.

– Dokładnie to miałem na myśli.

Florentynie zrobiło się niedobrze, gdy niemal się na nią zwalił i rękoma przeciągnął po jej plecach w dół aż po pośladki.

– Henry, lepiej wyjdź, bo jeszcze zrobisz coś, czego potem będziesz żałował – powiedziała, czując, że jej słowa brzmią nieco absurdalnie.

– Niczego nie będę żałował – odparł, próbując rozsunąć na plecach suwak jej sukni. – Ani ty.

Florentyna usiłowała go odepchnąć, ale był od niej o wiele silniejszy, zaczęła więc bić go po ramionach.

– Nie broń się za bardzo, moja mała – wysapał. – Wiem, że tego chcesz. Pokażę ci parę numerów, o jakich te twoje studenciaki nie mają bladego pojęcia.

Pod Florentyną ugięły się kolana i upadła na dywan razem z Henrym, zrzucając telefon ze stolika na podłogę.

– To już lepiej – ucieszył się Henry. – Podobają mi się osoby z werwą. Znowu na nią natarł, chwycił dłonią obie jej ręce i unieruchomił nad głową. Drugą dłoń zaczął przesuwać w górę po jej udzie. Z całą siłą, na jaką mogła się zdobyć, uwolniła rękę i wymierzyła Henry'emu policzek, ale on tylko chwycił ją mocno za włosy i zadarł jej sukienkę powyżej pasa. Rozległ się trzask rozrywanego materiału i Henry wybuchnął pijackim śmiechem.

– Poszłoby łatwiej... gdybyś od razu zdjęła... to paskudztwo... – wydyszał, drąc materiał.

Florentyna rozpaczliwie spojrzała do tyłu i na stoliku, z którego spadł telefon, zobaczyła ciężki kryształowy wazon z różami. Wolną ręką przygarnęła Henry'ego do siebie i zaczęła namiętnie całować jego twarz i szyję.

– To mi się podoba – powiedział i uwolnił drugą jej rękę.

Powoli sięgnęła po wazon. Kiedy go już mocno uchwyciła, odepchnęła Henry'ego i uderzyła w tył czaszki. Głowa mu gwałtownie opadła i Florentyna musiała zmobilizować wszystkie siły, aby go z siebie zepchnąć. Zobaczyła krew sączącą się spod włosów i w pierwszej chwili zlękła się, że go zabiła. Rozległo się głośne stukanie do drzwi.

Przestraszona Florentyna próbowała się podnieść, ale nogi miała jak z waty. Pukanie powtórzyło się, jeszcze głośniejsze, ale odezwał się też głos, który mógł należeć tylko do jednej osoby. Florentyna, słaniając się, podeszła do drzwi, otworzyła je i zobaczyła Bellę, której postać wypełniała całą przestrzeń między framugami.

– Okropnie wyglądasz.

– I okropnie się czuję. – Florentyna spojrzała w dół na swoją poszarpaną suknię wieczorową od Balenciagi.

– Kto ci to zrobił?

Florentyna cofnęła się o krok i wskazała nieruchome ciało Henry'ego Osborne'a.

– Teraz rozumiem, dlaczego twój telefon był głuchy – powiedziała Bella, podchodząc do leżącego mężczyzny. – Widzę, że oberwał mniej, niż mu się należało.

– Żyje? – słabym głosem zapytała Florentyna.

Bella przyklękła obok niego i sprawdziła puls, po czym odrzekła:

– Niestety, tak. Rana jest powierzchowna. Gdybym ja go uderzyła, nie przeżyłby. Jedyna pamiątka, jaka mu zostanie, to wielki guz na głowie jutro rano, a to za mało dla takiego drania. Chyba wyrzucę go przez okno – dodała, podniosła Henry'ego i przerzuciła go sobie przez ramię niczym worek kartofli.

– Nie, Bello. To czterdzieste piętro.

– I tak nie zauważy pierwszych trzydziestu dziewięciu – rzekła Bella i ruszyła ku oknu.

– Nie, nie – przeraziła się Florentyna.

Bella uśmiechnęła się od ucha do ucha i zawróciła.

– Tym razem będę wspaniałomyślna i wrzucę go do windy towarowej. Personel hotelowy zrobi z nim, co uzna za stosowne. – Florentyna nie sprzeciwiła się, gdy Bella przedefilowała przed nią z Henrym przewieszonym przez ramię. Wróciła po paru minutach z taką miną, jakby obroniła rzut karny w meczu z zespołem Vassar.

– Spuściłam go do podziemi – oznajmiła z uciechą.

Florentyna siedziała na podłodze i popijała małymi łykami rémy martin.

– Bello, czy ktoś kiedyś będzie się do mnie romantycznie zalecał?

– Mnie o to nie pytaj. Nikt mnie nie próbował zgwałcić, nie mówiąc już o romantycznych zalotach.

Florentyna przytuliła się do niej ze śmiechem.

– Dzięki Bogu, że akurat się zjawiłaś. Skąd się tu wzięłaś?

– Moja mała mądralińska zapomniała, że na dzisiejszą noc ulokowano mnie w hotelu, bo jutro gram w meczu hokejowym w Nowym Jorku. Szatany kontra Anioły.

– Ależ to męskie zespoły.

– Im tak się wydaje, ale nie przerywaj. Kiedy zgłosiłam się w recepcji, powiedzieli mi, że nie mają rezerwacji na moje nazwisko i że wszystkie pokoje są zajęte, pomyślałam więc, że pojadę na górę i poskarżę się kierownictwu. Daj mi poduszkę, chętnie prześpię się w wannie.

Florentyna ukryła twarz w dłoniach.

– Dlaczego płaczesz?

– Nie płaczę, Bello. Śmieję się. Bello, należy ci się królewskie łoże i dostaniesz je. – Florentyna włączyła telefon i podniosła słuchawkę.

– Słucham, panno Rosnovski.

– Czy Apartament Prezydencki jest wolny?

– Tak.

– Proszę ulokować w nim pannę Bellę Hella-

man na mój koszt. Ona zaraz zjedzie na dół i do-
pełni formalności.

– Naturalnie, panno Rosnovski. Jak poznam
pannę Hellaman?

Następnego ranka zatelefonował Henry Osborne
i błagał Florentynę, żeby nie mówiła ojcu, co wydarzyło się poprzedniego wieczoru. Tłumaczył się,
że nie doszłoby do tego, gdyby tak dużo nie wypił,
i dodał płaczliwie, że nie może sobie pozwolić na
utratę miejsca w radzie nadzorczej. Florentyna
spojrzała na czerwoną plamę krwi na dywanie
i niechętnie wyraziła zgodę.

12. Córka marnotrawna

XI

Kiedy Abel wrócił z Paryża, zaszokowała go wiadomość, że jednego z członków jego rady nadzorczej znaleziono pijanego w windzie towarowej i trzeba mu było założyć siedemnaście szwów na głowie.

– Niewątpliwie Henry utrzymuje, że potknął się o ruchomy barek – powiedział Abel, otworzył szufladę z osobistymi papierami, wyjął nie oznaczoną teczkę i umieścił w niej notatkę.

– Raczej o barmankę – zaśmiał się George.

Abel kiwnął głową.

– Zamierzasz coś z nim zrobić? – spytał George.

– Nie w tej chwili. Jest wciąż przydatny, póki ma kontakty w Waszyngtonie. Zresztą jestem bardzo zajęty doglądaniem budowy hoteli w Londynie i w Paryżu, a tu jeszcze rada nadzorcza życzy sobie, żebym się zorientował w możliwościach w Amsterdamie, Genewie, Cannes i Edynburgu. Nie mówiąc o tym, że Zofia grozi mi wytoczeniem sprawy sądowej, jeśli nie podniosę jej alimentów.

– A może najprostszym wyjściem byłoby przenieść Henry'ego na emeryturę? – podsunął George.

– Jeszcze nie w tej chwili – odparł Abel. – Z pewnego powodu jest mi nadal potrzebny.

Choćby nawet George bardzo chciał, nie mógłby wskazać ani jednego takiego powodu.

– Załatwimy ich – oznajmiła Bella. Pomysł Belli, żeby zaproponować harvardzkiej drużynie hokeja na lodzie rozegranie meczu hokeja na trawie, nie zaskoczył nikogo z wyjątkiem drużyny Harvardu, która grzecznie i bez żadnych wyjaśnień uchyliła się od zaproszenia. Bella natychmiast zamieściła w harvardzkiej gazetce „Crimson" ogłoszenie na pół strony o następującej treści:
„Harvard wzgardził wyzwaniem Radcliffe".
Przedsiębiorczy redaktor „Crimson", który widział ogłoszenie, zanim poszło do druku, postanowił przeprowadzić rozmowę z Bellą i zamieścił ją na pierwszej stronie gazety. Pod fotografią Belli w masce i ochraniaczach, dzierżącej kijek hokejowy, widniał podpis: „Po zdjęciu maski jest jeszcze groźniejsza". Bella była zachwycona i fotografią, i podpisem.
W ciągu tygodnia zespół Harvardu zaproponował, że wyśle trzeci garnitur zawodników na mecz z Radcliffe. Bella odmówiła, kategorycznie domagając się przysłania reprezentacji uniwersytetu. Osiągnięto kompromis: w skład drużyny harvardzkiej miało wejść czterech graczy z reprezentacji Uniwersytetu Harvarda, czterech z drugiej reprezentacji i trzech z zespołu trzeciego. Studentki z Radcliffe ogarnął nastrój fanatyzmu, a Bella stała się przedmiotem ogólnego uwielbienia.
– Więcej przedmiotu niż uwielbienia – powiedziała Florentynie.
Taktykę, jaką zastosowała Bella, aby wygrać mecz, „Crimson" nazwał później szatańską. Kiedy

drużyna Harvardu przyjechała swoim autobusem, powitało ją jedenaście dziewcząt na schwał, z laskami do hokeja na ramionach.

Krzepcy młodzieńcy zostali z miejsca porwani na lunch. Zawodnicy ekipy Harvardu zazwyczaj nie biorą przed meczem kropli alkoholu do ust, ale ponieważ wszystkie bez wyjątku dziewczęta zamówiły piwo, nie wypadało im postąpić inaczej. Prawie wszyscy wypili po trzy puszki piwa przed lunchem, potem zaś pociągali znakomite wino serwowane w trakcie posiłku. Żaden nie skomentował tej nadzwyczajnej hojności, żaden też nie zapytał, czy przypadkiem nie zostały naruszone jakieś reguły uniwersyteckie. Pod koniec lunchu wszyscy chłopcy i dziewczęta, razem dwadzieścia dwie osoby, wznieśli toast szampanem za pomyślność obu uczelni.

Jedenastkę z Harvardu zaprowadzono następnie do szatni, gdzie na chłopców czekała wielka butla szampana. Jedenaście rozanielonych dziewcząt zostawiło ich samych, żeby się przebrali. Gdy kapitan drużyny harvardzkiej wyprowadził zawodników na boisko, powitało go ponad pięciuset kibiców oraz jedenaście atletycznie zbudowanych dziewcząt, których nigdy przedtem nie widział na oczy. Jedenaście innych, skądinąd mu znanych, walczyło z sennością, siedząc na trybunach. Do przerwy zespół Harvardu stracił trzy bramki i mógł się tylko cieszyć, że przegrał mecz siedem do zera. „Crimson" piorunował na Bellę nazywając ją szarlatanką, ale bostoński „Globe" uznał ją za kobietę z inicjatywą.

Kapitan drużyny Harvardu niezwłocznie zaproponował Belli mecz rewanżowy, tym razem z reprezentacją uniwersytetu w pełnym składzie. „Właśnie o to mi od początku chodziło" – powiedziała potem Florentynie. W odpowiedzi na zaproszenie Bella wysłała telegram z jednego krańca błoni miejskich Cambridge na drugi. Zawierał tylko kilka słów: „U was czy u nas?" Radcliffe College musiał się postarać o kilka samochodów do przewiezienia studentek kibicujących własnemu zespołowi, przy czym zastęp chętnych znacznie się powiększył na wieść o tańcach, jakie miały się odbyć po meczu. Florentyna zawiozła Bellę i trzy inne zawodniczki swoim nowiutkim Oldsmobilem rocznik 1952, z laskami hokejowymi, nagolennikami i ochraniaczami bramkarskimi wysoko spiętrzonymi w otwartym bagażniku. Po przybyciu na miejsce nie natknęły się na żadnego z graczy zespołu harvardzkiego. Zobaczyły ich dopiero na boisku. Tym razem powitał ich tłum trzech tysięcy kibiców, a wśród nich rektorzy uniwersytetów Harvard i Radcliffe, Conant i Jordan.

Taktyka obrana przez Bellę znów mogła budzić wątpliwości: najwyraźniej każda z zawodniczek otrzymała polecenie, żeby koncentrować się raczej na zawodniku przeciwnej drużyny niż na piłce. Bezlitosne kopanie po wrażliwych na ból goleniach uniemożliwiło zespołowi Harvardu zdobycie choćby jednej bramki w pierwszej połowie meczu.

Drużyna Radcliffe o mało co nie wbiła piłki do bramki przeciwnika w pierwszych minutach drugiej połowy meczu, co pobudziło zawodniczki do gry na znacznie wyższym poziomie niż zazwyczaj, i zaczynało już wyglądać na to, że mecz zakończy się remisem, kiedy środkowy napastnik, chłopisko tylko

trochę mniejsze od Belli, przedarł się do przodu
i złożył się do strzału. Znalazł się na linii pola bram-
kowego, kiedy Bella wypadła ze swojej klatki i od-
trąciła go ramieniem, powalając na trawę. To było
ostatnie, co zapamiętał z meczu; parę sekund później wyniesiono go na noszach. Rozległ się gwizdek
jednego i drugiego sędziego, i na minutę przed końcem meczu drużynie Harvardu przyznano rzut karny. Do strzału wyznaczono lewoskrzydłowego. Niewysoki, szczupły zawodnik odczekał, aż obydwa zespoły ustawią się w szeregi. Mocno uderzył piłkę,
podając do prawego łącznika, który strzelił ją prosto w tors Belli. Piłka upadła u jej stóp. Bella kop-
nęła ją na prawo. Piłka znów zatrzymała się przed
filigranowym lewoskrzydłowym. Bella ruszyła do
ataku na drobną figurkę i co wrażliwsi kibice od-
wrócili wzrok od boiska, ale tym razem trafiła kosa
na kamień. Lewoskrzydłowy zwinnie uskoczył, pozostawiając kapitana zespołu Radcliffe rozciągnię-
tego na ziemi, a sobie dosyć czasu, żeby ulokować
piłkę w środku siatki. Rozległ się gwizdek i drużyna Radcliffe przegrała mecz jeden do zera.

Florentyna widziała wtedy pierwszy raz, jak
Bella płacze, chociaż widzowie zgotowali jej owację na stojąco, kiedy sprowadzała drużynę z boiska. Mimo przegranej Bella została podwójnie na-
grodzona: włączono ją do kobiecej reprezentacji
Stanów Zjednoczonych w hokeju na trawie, a na
dodatek poznała swojego przyszłego męża.

Claude Lamont został przedstawiony Florentynie na przyjęciu, jakie wydano po meczu. W szy-
kownym niebieskim blezerze i szarych flanelowych spodniach wyglądał na jeszcze mniejszego
niż na boisku.

– Słodki malec, prawda? – powiedziała Bella, głaszcząc go po głowie. – To był fantastyczny strzał. – Florentynę zdumiało, że Claude nie ma nic przeciwko takiemu traktowaniu. Powiedział tylko: – Czy ona nie grała pierwszorzędnie?

Bella z Florentyną wróciły do siebie, żeby przebrać się do tańca. Claude towarzyszył im obu do sali tanecznej, którą, gdy rój mężczyzn otoczył Florentynę, Bella porównała do wystawy hodowlanej. Wszyscy chcieli z Florentyną tańczyć jitterbuga, więc Claude został wysłany po picie i jedzenie, żeby nakarmić tę armię. Bella rozdzielała kanapki i napoje, przyglądając się przyjaciółce wirującej w jedwabnej sukni po parkiecie.

Pierwszy raz Florentyna ujrzała go, gdy tańczyła, on zaś siedział w kącie i rozmawiał z jakąś dziewczyną. Robił wrażenie wysokiego, miał falujące blond włosy i opaleniznę na twarzy, co świadczyło o tym, że wakacji zimowych nie spędził w Cambridge. Kiedy mu się przyglądała, obrócił głowę w stronę parkietu i ich spojrzenia się spotkały. Florentyna odwróciła się szybko i usiłowała słuchać, co mówi jej partner – coś o Ameryce wkraczającej w erę komputerów i o tym, w jaki sposób on zamierza popłynąć z prądem. Gdy taniec się skończył, gadatliwy partner odprowadził ją z powrotem do Belli. I wtedy Florentyna nagle spostrzegła tamtego u swego boku.

– Czy pani już coś jadła? – zagadnął ją.

– Nie – skłamała.

– Wobec tego zapraszam panią do mojego stolika.

– Dziękuję – odparła i zostawiła Bellę i Claude'a, dyskutujących o zaletach i wadach podania piłki z jednego skrzydła na drugie w hokeju na trawie i hokeju na lodzie.

Przez kilka pierwszych minut żadne z nich nic nie mówiło. On przyniósł coś do jedzenia z bufetu i wtedy nagle oboje zaczęli mówić jednocześnie. On nazywał się Scott Forbes i studiował historię na Harvardzie. Florentyna czytała o nim w rubrykach towarzyskich bostońskich gazet, gdzie przedstawiono go jako dziedzica familijnego przedsiębiorstwa Forbesów i jednego z cieszących się największym wzięciem młodzieńców w Ameryce. Wolałaby, żeby tak nie było. „Cóż znaczy imię?" – pomyślała słowami Julii i przedstawiła mu się. Nie zmienił wyrazu twarzy.

– Ładne imię dla ładnej kobiety – powiedział tylko. – Żałuję, że nie spotkaliśmy się wcześniej. – Florentyna uśmiechnęła się. On zaś dodał: – Byłem w Radcliffe parę tygodni temu i grałem w tym niesławnym meczu hokejowym, który przegraliśmy siedem do zera.

– Grał pan wtedy? Nie zauważyłam.

– Wcale się nie dziwię. Miałem nudności i większość czasu przeleżałem na ziemi. Nigdy w życiu nie wypiłem tyle alkoholu. Bella Hellaman trzeźwemu człowiekowi wydaje się olbrzymką, ale na pijanym robi wrażenie rozpędzonego czołgu.

Florentyna roześmiała się, a potem siedziała zasłuchana, kiedy Scott opowiadał jej różne historyjki z Harvardu, mówił o swojej rodzinie i życiu w Bostonie. Do końca wieczoru tańczyła tylko z nim, a kiedy zabawa się skończyła; towarzyszył jej w drodze powrotnej do Radcliffe.

– Czy mógłbym panią jutro zobaczyć? – zapytał na pożegnanie.

184

– Tak, oczywiście.

– Może pojechalibyśmy za miasto i zjedli razem lunch?

– Chętnie.

Bella z Florentyną do późnej nocy opowiadały sobie o swoich chłopakach.

– Jak myślisz, czy to, że on jest postacią z kroniki towarzyskiej, nie będzie przeszkodą?

– Nie, jeśli jest facetem, którego warto brać poważnie – odpowiedziała Bella, zdając sobie sprawę, że obawy Florentyny są uzasadnione. – Nie mam pojęcia, czy Claude ma w ogóle jakąś pozycję towarzyską – dodała.

Następnego ranka Scott Forbes zawiózł Florentynę za miasto swoim wysłużonym M. G. Nigdy w życiu nie była tak szczęśliwa. Poszli na lunch do małej restauracyjki w Dedham, pełnej ludzi, których Scott zdawał się znać. Florentynę przedstawiono osobom o nazwiskach: Lowell, Winthrop, Cabot i jakiemuś innemu Forbesowi. Odetchnęła z ulgą na widok Edwarda Winchestera, który wstał od narożnego stolika i podszedł do niej, prowadząc za rękę atrakcyjną, ciemnowłosą dziewczynę. Nareszcie – pomyślała Florentyna – i ja kogoś tu znam. Zdumiało ją, że Edward tak wyprzystojniał i tak promienieje szczęściem, ale od razu pojęła dlaczego, kiedy jej przedstawił swoją narzeczoną, Danielle.

– Powinnyście obie doskonale się dogadywać.

– Dlaczego? – spytała Florentyna, uśmiechając się do dziewczyny.

– Danielle jest Francuzką. Od dawna jej powtarzam, że wprawdzie wcieliłem się w Delfina, ale nawet wówczas, gdy ogłosiłem cię czarownicą, musiałaś mnie uczyć wymawiać słowo *sorcière*.

Florentyna patrzyła, jak odchodzą, trzymając się za ręce, kiedy Scott cicho powiedział:

– *Je n'aurais jamais pensé que je tomberais amoureux d'une sorcière.*

Florentyna skromnie zamówiła colę i pochwaliła Scotta za wybór muscadeta, zadowolona ze swojego znawstwa potraw i win. Była zaskoczona, kiedy o czwartej okazało się, że zostali tylko we dwoje w restauracji, a starszy kelner napomknął, że już czas na przygotowania do wieczornego posiłku. Kiedy wrócili do Radcliffe, Scott delikatnie pocałował ją w policzek i powiedział, że zadzwoni nazajutrz.

Zatelefonował w porze lunchu i spytał, czy nie chciałaby w sobotę obejrzeć meczu hokeja na lodzie rozgrywanego przez drugą reprezentację Harvardu – z jego udziałem – przeciw drużynie Penn, a potem zjeść razem z nim kolacji.

Florentyna przyjęła zaproszenie, nie okazując, jak bardzo ją ucieszyło. Nie mogła się doczekać, kiedy znów zobaczy Scotta, i zdawało się jej, że to najdłuższy tydzień w jej życiu.

W sobotę rano powzięła pewne ważne postanowienie dotyczące wspólnego weekendu ze Scottem. Spakowała małą walizeczkę i umieściła ją w bagażniku samochodu. Pojechała na lodowisko na długo przed rozpoczęciem meczu. Usiadła na jednym z dolnych miejsc pod gołym niebem i czekała, aż pojawi się Scott.

Przez chwilę bała się, że może teraz, przy trzecim spotkaniu, jemu nie będzie już tak na niej zależało, ale jej obawy się rozwiały, kiedy zobaczyła, jak Scott macha do niej i przecina lodowisko, sunąc na łyżwach.

– Bella powiedziała, że nie mam po co wracać do domu, jeśli przegracie.

– Może ja też bym tego nie chciał – powiedział i odjechał, mocno odpychając się łyżwami.

Przyglądała się meczowi i marzła coraz bardziej. Scott prawie nie dotknął krążka przez całe popołudnie, ale i tak parokrotnie wpadł z impetem na bandę. Florentyna doszła do wniosku, że to niezbyt mądry sport, ale nie zamierzała mówić tego Scottowi. Po skończonym meczu czekała na niego w samochodzie, póki się nie przebrał; dopiero po przyjęciu, które odbyło się po meczu, zostali wreszcie sami. Zabrał ją do restauracji Locke-Obera, gdzie znów, jak się zdawało, znał wszystkich, ale tym razem ona nie dostrzegła żadnej znajomej twarzy prócz tych, jakie widywała w modnych ilustrowanych czasopismach. On tak był nią zajęty, że na nikogo nie zwracał uwagi, i to pomogło Florentynie poczuć się swobodnie. Znowu wyszli ostatni, po czym odwiózł ją do jej samochodu. Delikatnie pocałował ją w usta.

– Czy chciałbyś przyjechać jutro do Radcliffe na lunch?

– Nie mogę – odparł. – Przed południem muszę tkwić nad pracą pisemną i nie jestem pewien, czy uda mi się ją skończyć przed drugą. A może zechciałabyś wypić ze mną herbatę?

– Pewnie, że tak, głuptasie.

– Szkoda, że nie wiedziałem. Byłbym ci zamówił pokój gościnny.

– Szkoda – powtórzyła Florentyna i pomyślała o nie otwieranej walizeczce leżącej w bagażniku.

Następnego dnia Scott przyjechał po Florentynę tuż po trzeciej i zawiózł ją do siebie na herbatę.

Uśmiechnęła się, kiedy zamknął drzwi swego pokoju, pamiętała bowiem, że w Radcliffe nadal jest to niedozwolone. Pokój był o wiele większy od jej własnego, a na biurku stała fotografia arystokratycznej, trochę surowo wyglądającej damy, która mogła być tylko matką Scotta. Florentyna rozejrzała się wokół i stwierdziła, że ani jeden mebel nie należy do wyposażenia zwyczajnego pokoju studenckiego.

Scott podał herbatę, a potem słuchali nowego idola Ameryki, Elvisa Presleya. Następnie Scott nastawił płytę już nie tak chudego jak dawniej Sinatry, który śpiewał „Na południe od granicy". Zatańczyli i każde z nich zastanawiało się, o czym myśli drugie. Usiedli na sofie i on pocałował ją wpierw leciutko, a potem namiętnie. Wydawało się, że nie zamierza posunąć się dalej, a Florentyna była zbyt nieśmiała i niedoświadczona, aby go zachęcić. Z nagła położył jej rękę na piersi i zastygł, jakby czekając na reakcję. W końcu przesunął rękę w górę i zaczął manipulować przy pierwszym guziczku sukienki. Florentyna nie powstrzymywała go, kiedy rozpinał następny. Znów ją całował, najpierw ramiona, potem piersi. Florentyna pragnęła go tak bardzo, że omal sama nie wykonała następnego ruchu, ale on znienacka wstał i zdjął koszulę. Wówczas ona wyśliznęła się z sukienki i zrzuciła pantofle na podłogę. Skierowali się oboje do łóżka, niezręcznie usiłując się nawzajem rozebrać do końca. Przed położeniem się przez chwilę przyglądali się sobie. Ku jej zdumieniu cała przyjemność trwała zaledwie parę sekund.

– Przepraszam, byłam okropna – powiedziała Florentyna.

– Nie, nie, to moja wina – zaprotestował. Po chwili dodał: – W końcu mogę ci powiedzieć, że to był mój pierwszy raz.

– I mój – oznajmiła. Oboje wybuchnęli śmiechem. Przez resztę wieczoru leżeli przytuleni i robili to jeszcze dwukrotnie, za każdym razem z większą przyjemnością i pewnością siebie. Florentyna obudziła się rano zdrętwiała i trochę zmęczona, ale niewypowiedzianie szczęśliwa; czuła instynktownie, że zostaną razem na całe życie. Do końca semestru widywali się w każdą sobotę i niedzielę, czasem również w ciągu tygodnia.

Podczas przerwy semestralnej spotkali się potajemnie w Nowym Jorku i spędzili razem trzy dni – najszczęśliwsze trzy dni w dotychczasowym życiu Florentyny. Obejrzeli „Na nadbrzeżu", „Światła rampy" i musical „Południowy Pacyfik", odwiedzili klub „21", restaurację Sardiego, a nawet Salę Dębową w hotelu Plaza. Przed południem chodzili na zakupy, oglądali kolekcję Fricka i spacerowali po parku. Florentyna wracała nocą do hotelu obładowana prezentami, które składała na podłodze przy łóżku.

Wiosna była jedną idyllą; prawie się nie rozstawali. Pod koniec semestru Scott zaprosił Florentynę na tydzień do Marblehead podczas wakacji, aby poznała jego rodziców.

– Wiem, że cię pokochają – powiedział, wsadzając ją w pociąg do Chicago.

– Mam nadzieję – odparła.

Florentyna całymi godzinami opowiadała matce o Scotcie, o tym, jaki jest nadzwyczajny i jak bardzo przypadnie jej do gustu. Zofia była szczęśliwa szczęściem córki i bardzo pragnęła poznać rodziców chłopca. Modliła się w duchu, żeby Florentyna spotkała człowieka, z którym spędzi całe życie, i żeby nie dała się ponieść impulsowi, którego mogłaby później żałować. Florentyna dobierała różnokolorowe jedwabie w magazynie Marshall Field's, a wieczorami projektowała suknię, w której zamierzała podbić serce matki Scotta.

List przyszedł w poniedziałek i Florentyna od razu poznała charakter pisma Scotta. Rozdarła kopertę pełna oczekiwania, ale wewnątrz znalazła tylko króciutką wiadomość, że z powodu zmiany planów rodzinnych jej przyjazd do Marblehead musi zostać odłożony. Florentyna w kółko odczytywała list, doszukując się ukrytych znaczeń. Mając w pamięci pełne czułości rozstanie ze Scottem, postanowiła zatelefonować do niego do domu.

– Rezydencja państwa Forbesów – odezwał się głos, najpewniej kamerdynera.

– Czy mogłabym rozmawiać z panem Scottem Forbesem? – Florentyna słyszała drżenie własnego głosu, gdy wypowiadała jego imię.

– A kto mówi, madame?

– Florentyna Rosnovski.

– Sprawdzę, czy jest w domu, madame.

Florentyna kurczowo ściskała w ręku słuchawkę i nie mogła się doczekać uspokajających słów Scotta.

– Nie ma go w tej chwili w domu, madame, ale przekażę mu, że pani dzwoniła.

Florentyna nie wierzyła w ani jedno słowo i po godzinie zadzwoniła znów. Ten sam głos powiedział:

– Jeszcze nie wrócił, madame.

Odczekała do ósmej i głos oznajmił, że pan Forbes właśnie spożywa kolację.

– Więc proszę mu powiedzieć, że dzwonię.

– Tak, madame.

Po kilku chwilach znów odezwał się ten sam głos, tym razem wyraźnie mniej uprzejmie:

– Nie można przeszkadzać panu Forbesowi.

– Nie wierzę w to. Nie wierzę, że powiedział mu pan, kto dzwoni.

– Ależ mogę panią zapewnić...

W słuchawce odezwał się inny, kobiecy głos o władczym brzmieniu:

– Kto to dzwoni?

– Nazywam się Florentyna Rosnovski. Chciałabym porozumieć się ze Scottem w sprawie...

– Panno Rosnovski, Scott w tej chwili je kolację razem ze swoją narzeczoną i nie można go niepokoić.

– Z narzeczoną? – wyszeptała Florentyna, do krwi wbijając paznokcie w dłoń.

– Tak, panno Rosnovski. – Położono słuchawkę. Dopiero po kilku sekundach Florentyna w pełni pojęła sens tych słów. Powiedziała na głos:

– Boże, ja chyba umrę – i zemdlała.

Kiedy odzyskała przytomność, leżała w łóżku, a obok niej siedziała matka.

– Dlaczego? – brzmiało pierwsze słowo wypowiedziane przez Florentynę.

– Bo nie był ciebie wart. Mężczyzna z charakterem nie pozwoliłby, żeby matka wybierała mu kobietę, z którą spędzi resztę życia.

Powrót do Cambridge nie pomógł Florentynie. Nie była w stanie skoncentrować się na żadnej poważnej pracy i często całymi godzinami leżała na łóżku, płacząc. Bella jak mogła, starała się ją pocieszyć, ale na próżno. Nie potrafiła zresztą wymyślić nic lepszego od lekceważących uwag o Scotcie, w rodzaju: „Takiego faceta nie chciałabym mieć w swojej drużynie". Różni chłopcy chcieli się umawiać z Florentyną, ale wszystkim odmawiała. Ojciec i matka tak bardzo się o nią martwili, że nawet zaczęli ze sobą rozmawiać, zastanawiając się wspólnie, jak jej pomóc.

W końcu, kiedy Florentyna omal nie straciła roku, panna Rose ostrzegła ją, że musi bardzo dużo pracować, jeśli nadal chce zdobyć odznakę Phi Beta Kappa. Florentyny wcale to nie poruszyło. Letnie wakacje spędzała siedząc w domu w Chicago i nie przyjmując żadnych zaproszeń na przyjęcia czy kolacje. Pomogła matce wybrać nowe stroje, ale sobie niczego nie kupiła. Przeczytała ze wszystkimi szczegółami opis „towarzyskiego wydarzenia roku", jak bostoński „Globe" nazwał ślub Scotta Forbesa i Cynthii Knowles, ale to tylko wywołało nowe potoki łez. Zaproszenie na ślub Edwarda Winchestera też nie poprawiło jej samopoczucia. Żeby nie myśleć o Scotcie wyjechała do Nowego Jorku, gdzie bez opamiętania pracowała u ojca w hotelu Baron. Im bliższy był koniec wakacji, tym większy ogarniał ją lęk przed powrotem na uniwersytet na ostatni rok studiów. Nie pomagały żadne rady ojca ani współczucie matki. Oboje wpadli w prawdziwą rozpacz, kiedy nie okazała najmniejszego zainteresowania przygotowaniami do przyjęcia z okazji jej własnych dwudziestych pierwszych urodzin.

Na kilka dni przed wyjazdem na uniwersytet Florentyna zobaczyła Edwarda po drugiej stronie Lake Shore Drive. Wyglądał na równie przygniecionego nieszczęściem jak ona. Pomachała do niego i uśmiechnęła się. Pomachał i on, ale nie odpowiedział uśmiechem. Przystanęli i patrzyli na siebie, wreszcie Edward przeciął ulicę i podszedł do Florentyny.

– Jak tam Danielle? – zapytała.

Otworzył szeroko oczy.

– To ty nic nie słyszałaś?

– Ale o czym?

Patrzył na nią tak, jakby słowa uwięzły mu w gardle. Wreszcie powiedział:

– Ona nie żyje.

Florentyna spojrzała na niego, niepewna, czy się nie przesłyszała.

– Za szybko jechała, chciała się popisać moim nowym austinem-healeyem, i samochód przewrócił się na dach. Ja przeżyłem, ona zginęła.

– O, Boże – jęknęła Florentyna i objęła go. – Jakże byłam samolubna!

– Nieprawda. Wiem, że miałaś własne zmartwienie.

– To nic w porównaniu z twoim. Wracasz na Harvard?

– Muszę. Ojciec Danielle bardzo nalegał, mówił, że nigdy mi nie wybaczy, jeśli zrezygnuję ze studiów. Mam więc przynajmniej po co pracować. Nie płacz, Florentyno, bo gdy ja zacznę, nie potrafię przestać.

Florentyna wzdrygnęła się.

– O, mój Boże, jakże byłam samolubna – powiedziała jeszcze raz.

– Wpadnij kiedy do Harvardu. Pogramy w tenisa i pomożesz mi ze słówkami francuskimi. Będzie jak dawniej.

– Myślisz? – powiedziała w zadumie. – Nie jestem pewna.

13. Córka marnotrawna

XII

Kiedy Florentyna przyjechała do Radcliffe, czekał na nią dwustustronicowy informator z programem nauki, którego przestudiowanie zajęło jej trzy wieczory. Musiała wybrać dowolny przedmiot poza głównym kierunkiem studiów. Panna Rose radziła jej, aby wybrała coś nowego, z czym może już nigdy nie będzie miała szansy dogłębnie się zapoznać.

Florentyna, jak i wszyscy inni studenci, słyszała, że profesor Luigi Ferpozzi przez rok będzie prowadzić w Harvardzie gościnne wykłady i cotygodniowe seminarium. Od czasu, kiedy uhonorowano go pokojową Nagrodą Nobla, triumfalnie przemierzał świat. Gdy zaś Oksford nadał mu tytuł honorowy, w laudum określono go jako jedynego człowieka, z którym papież i prezydent są w całkowitej zgodzie, poza Panem Bogiem. Ten światowy autorytet w dziedzinie architektury włoskiej wybrał Rzym baroku jako swój przedmiot ogólny. „Miasto kształtu i umysłu" – brzmiał tytuł pierwszego wykładu. Streszczenie podane w informatorze było kuszące: Gianlorenzo Bernini, arystokrata wśród artystów, i Francesco Borromini, syn kamieniarza, przekształcili Wieczne Miasto cezarów i papieży w najbardziej podziwianą stolicę świata. Warunki przyjęcia: znajomość łaciny i języka włoskiego, zalecana znajomość niemieckiego i francuskiego. Grupa ograniczona do trzydziestu studentów.

Panna Rose nie sądziła, aby Florentyna miała duże szanse znalezienia się w gronie wybrańców.

– Podobno – powiedziała – ustawiła się już kolejka od Biblioteki Widenera aż do bostońskich błoń, żeby zobaczyć profesora. Nie mówiąc o tym, że jest znanym mizoginistą.

– Juliusz Cezar też nim był.

– Kiedy wczoraj wieczorem byłam w pokoju profesorskim, wcale nie traktował mnie jak Kleopatry – odparła panna Rose. – Ale podziwiam go za to, że w czasie drugiej wojny światowej latał na bombowcach i że to dzięki niemu ocalała połowa kościołów we Włoszech, gdyż pilnował, aby samoloty nie nadlatywały nad ważniejsze zabytki.

– Chciałabym należeć do grona jego wybrańców.

– Naprawdę? – spytała oschle panna Rose. – Cóż, jeśli ci się nie uda – dodała z uśmiechem, pisząc karteczkę do profesora Ferpozziego – zawsze możesz się zapisać na jeden z tych kursów wiedzy ogólnej. Zdaje się, że tam nie ograniczają liczby słuchaczy.

– Przelewanie z pustego w próżne – powiedziała lekceważąco Florentyna. – To nie dla mnie. Spróbuję usidlić profesora Ferpozziego.

Następnego ranka o wpół do dziewiątej, godzinę przed rozpoczęciem przyjęć przez profesora, Florentyna weszła po marmurowych schodach Biblioteki Widenera. Gdy znalazła się w środku, wsiadła do windy – na tyle pojemnej, żeby pomieścić ją razem z jedną książką – i pojechała na poddasze, gdzie zasłużeni profesorowie mieli swoje lektoria. Wcześniejsze pokolenie widać uznało, że takie oddalenie od żądnych wiedzy studentów z nawiązką rekompensuje trud długiej wspinaczki schodami czy niewygodę oczekiwania na wiecznie zajętą windę.

Na górze Florentyna stanęła przed drzwiami z matowego szkła, na których widniał świeżo wykonany za pomocą szablonu napis: „Profesor Ferpozzi". Przypomniała sobie, że to właśnie on wraz z Conantem zadecydował w Monachium w 1945 roku o losie niemieckiej architektury, wskazując, co ma być zachowane, a co zrównane z ziemią. Doskonale wiedziała, że nie powinna przeszkadzać profesorowi jeszcze co najmniej przez godzinę. Obróciła się na pięcie, żeby odejść, ale winda właśnie zjechała na dół. Florentyna znów się obróciła i śmiało zastukała do drzwi. Nagle usłyszała brzęk rozbijanego naczynia.

– Madonna! Kimkolwiek jesteś, intruzie, idź precz! Przez ciebie stłukłem mój ulubiony czajniczek do herbaty – odezwał się poirytowanym głosem ktoś, czyim językiem ojczystym mógł być tylko włoski.

Florentyna stłumiła impuls ucieczki i powoli przekręciła klamkę. Wetknęła głowę w drzwi i objęła spojrzeniem pokój, który zapewne miał ściany, ale trudno było tego dociec, gdyż książki i czasopisma piętrzyły się od podłogi do sufitu w taki sposób, jakby zastępowały cegły i zaprawę murarską.

W środku owego rozgardiaszu widniała profesorska postać w nieokreślonym wieku pomiędzy czterdziestką a siedemdziesiątką. Był to wysoki mężczyzna w wysłużonej marynarce z tweedu z Harris i szarych flanelowych spodniach, które wyglądały, jakby zostały kupione w sklepie ze starzyzną lub odziedziczone po dziadku. Trzymał w ręku brązowe porcelanowe uszko, a u jego stóp widniały szczątki czajniczka, które przed chwilą stanowiły całość z owym uszkiem, oraz torebka herbaty.

– Ten czajniczek służył mi ponad trzydzieści lat. Tylko Pietę kochałem bardziej od niego. Czym mi go zastąpisz, młoda kobieto?

– Skoro nie mogę poprosić Michała Anioła, żeby wyrzeźbił panu następny, będę musiała iść do Woolwortha i go panu odkupić.

Profesor uśmiechnął się mimo woli.

– Czego chcesz? – spytał, podnosząc torebkę herbaty, ale zostawiając na podłodze skorupy.

– Dostać się na pańskie zajęcia – odparła Florentyna.

– Nie przepadam za kobietami o żadnej porze – powiedział, nie patrząc na nią. – A już z pewnością nie takimi, przez które tłukę czajniczek przed śniadaniem. Czy jakoś się nazywasz?

– Rosnovski.

Przewiercił ją spojrzeniem, po czym usiadł za biurkiem i wrzucił torebkę herbaty do popielniczki. Coś zanotował.

– Rosnovski, masz trzydzieste miejsce.

– Ale pan nie zna moich stopni ani uzdolnień.

– Dobrze wiem, do czego jesteś zdolna – mruknął złowieszczo. – Na seminarium w przyszłym tygodniu przygotujesz pracę – zawahał się moment – na temat jednego z wczesnych dzieł Borrominiego, kościoła San Carlo alle Quattro Fontane. Do widzenia – dodał, nie zwracając już więcej uwagi na Florentynę, która pospiesznie pisała w swoim notesie, i zajął się szczątkami czajniczka.

Florentyna cicho zamknęła za sobą drzwi. Wolno schodziła po marmurowych schodach, usiłując zebrać myśli. Dlaczego tak prędko zgodził się ją przyjąć? Skąd mógł coś o niej wiedzieć?

Przez następny tydzień całymi dniami ślęczała w podziemiach muzeum Fogga nad uczonymi czasopismami, wykonywała przezrocza reprodukcji projektów San Carlo, studiowała nawet sporządzoną przez Borrominiego długą listę wydatków, aby się dowiedzieć, ile kosztowało wzniesienie tej wspaniałej budowli. Znalazła też czas, by odwiedzić dział porcelany magazynu Shreve, Crump i Lowe.

Po napisaniu pracy Florentyna kilkakrotnie odczytała ją na głos w wieczór poprzedzający seminarium i nabrała pewności siebie, która ulotniła się z chwilą przybycia na zajęcia profesora Ferpozziego. Pokój był już pełen zaintrygowanych słuchaczy, a gdy Florentyna odczytała listę wiszącą na ścianie, ze zgrozą stwierdziła, że ona jedna wśród obecnych nie ma stopnia uniwersyteckiego, nie studiuje sztuk pięknych i jest kobietą. Na biurku profesora stał projektor skierowany na wielki biały ekran.

– A, oto nasz szkodnik domowy – odezwał się profesor na widok Florentyny, zajmującej jedyne wolne miejsce w pierwszym rzędzie. – Ostrzegam tych, którzy wcześniej nie mieli okazji zetknąć się z panną Rosnovski: nie zapraszajcie jej do domu na herbatę. – Uśmiechnął się z własnego żarciku i stuknął fajką o brzeg biurka, co stanowiło sygnał rozpoczęcia zajęć.

– Panna Rosnovski – powiedział z przekonaniem – będzie mówiła o Oratorio di San Filippo Neri Borrominiego. – Serce Florentyny zamarło. – Nie, nie. – Profesor znowu się uśmiechnął. – Pomyliłem się. O ile pamiętam, to miał być kościół San Carlo.

Przez dwadzieścia minut Florentyna mówiła na przygotowany temat, wyświetlała przezrocza i odpowiadała na pytania. Ferpozzi siedział nieporuszony ze swoją fajką, zareagował tylko parokrotnie, żeby poprawić jej wymowę włoskich słów.

Kiedy wreszcie Florentyna usiadła, pokiwał głową w zadumie i oznajmił:

– Doskonała prezentacja dzieła geniusza. – Po całym dniu napięcia Florentyna odetchnęła z ulgą, tymczasem Ferpozzi żwawo poderwał się z krzesła i powiedział: – Moim przykrym obowiązkiem jest pokazać wam teraz przeciwieństwo tego, o czym była mowa. Proszę, żeby wszyscy robili notatki, gdyż za tydzień szczegółowo przedyskutujemy ten temat. – Ferpozzi powłócząc nogami podszedł do projektora i wsunął pierwsze przezrocze. Na ekranie za biurkiem profesora zajaśniała sylweta budynku.

Florentyna z konsternacją poznała fotografię sprzed dziesięciu lat chicagowskiego hotelu Baron, górującego nad skupiskiem eleganckich, niewysokich domów czynszowych na Michigan Avenue. W sali zapanowała cisza jak makiem zasiał i parę spojrzeń skierowało się ku Florentynie, ciekawych jej reakcji.

– Barbarzyńskie, nieprawdaż? – Ferpozzi znów się uśmiechał. – Mówię nie tylko o samej budowli, która jest bezwartościowym okazem plutokratycznego zadufania, ale i o tym, jak to gmaszysko psuje wygląd miasta. Spójrzcie tylko, jak wieżyca gwałci przyrodzone oku poczucie symetrii i harmonii po to tylko, aby zaćmić wszystko dokoła i zwrócić uwagę. – Umieścił w projektorze następ-

ne przezrocze. Ukazał się Baron w San Francisco.
– Pewien postęp – oznajmił, wpatrując się w tonące w ciemności, zasłuchane audytorium. – Ale to tylko dlatego, że od czasu trzęsienia ziemi w tysiąc dziewięćset szóstym roku przepisy miejskie w San Francisco nie zezwalają na stawianie budynków liczących powyżej dwudziestu kondygnacji. Przenieśmy się teraz za granicę – ciągnął, zwracając się ku ekranowi. Pojawił się na nim kairski hotel Baron, w którego lśniących oknach odbijały się nędzne, bezładnie spiętrzone rudery.

– Kto może winić tych biedaków za to, że przyłączają się do wybuchających co jakiś czas rewolucji, skoro muszą patrzeć na takie pomniki ku czci mamony, gdy sami wegetują w lepiankach pozbawionych nawet elektryczności. – Profesor nieubłaganie prezentował po kolei przezrocza hoteli Baron w Londynie, Johannesburgu i Paryżu, na koniec zaś powiedział: – Chciałbym, abyście na przyszły tydzień przygotowali opinie krytyczne o tych wszystkich monstrach. Czy mają jakieś walory architektoniczne, czy ich kształt da się uzasadnić racjami finansowymi, czy zobaczą je jeszcze wasze wnuki. A jeśli tak, to dlaczego. Żegnam was.

Wszyscy wyszli prócz Florentyny, która rozpakowała leżący koło niej pakunek w brązowym papierze.

– Przyniosłam panu pożegnalny prezent – powiedziała i wstała, trzymając gliniany czajniczek. W chwili, gdy Ferpozzi wyciągnął po niego ręce, upuściła czajniczek, który spadł i rozbił się na kilka kawałków.

Profesor spojrzał na skorupy leżące na podłodze i uśmiechnął się do Florentyny.

– Na nic lepszego nie zasłużyłem – powiedział.

– To było – odrzekła, zdecydowana wypowiedzieć swoje zdanie – niegodne człowieka o pańskiej reputacji.

– Święta prawda – przyświadczył jej. – Ale musiałem się przekonać, czy ma pani charakter. Tak wielu kobietom go brak.

– Czy pan sobie wyobraża, że pańskie stanowisko upoważnia pana...

Profesor przerwał jej machnięciem ręki.

– Z zainteresowaniem przeczytam w przyszłym tygodniu obronę imperium hotelowego pani ojca, młoda kobieto, i będę bardzo zadowolony, jeśli mnie pani przekona.

– Czy pan myśli, że ja się tu jeszcze pokażę?

– O tak, panno Rosnovski. Jeśli jest pani choć w połowie tak dzielna i bezkompromisowa, jak mówią moi koledzy, to będę miał z panią niezłą przeprawę w przyszłym tygodniu.

Florentyna wyszła, z trudem się hamując, żeby nie trzasnąć drzwiami.

Przez siedem dni rozmawiała z profesorami architektury, projektantami miejskimi Bostonu i międzynarodowymi specami od ochrony środowiska miejskiego. Telefonowała do ojca, do matki i do George'a Novaka i w końcu musiała, aczkolwiek niechętnie, przyznać, że chociaż każde z nich przytaczało inne argumenty, to jednak profesor Ferpozzi nie przesadzał. W dniu seminarium przybyła do lektorium profesora na najwyższym piętrze budynku biblioteki i usiadła z tyłu, z niepokojem czekając na zapowiedzianą dyskusję.

Kiedy zajmowała miejsce, profesor spojrzał na nią. Następnie wytrząsnął popiół z fajki do popielniczki i zwrócił się do słuchaczy:

201

– Proszę zostawić prace na moim biurku pod koniec zajęć. Dziś chcę mówić o wpływie Borrominiego na architekturę kościołów europejskich w ciągu stu lat po jego śmierci. – I Ferpozzi wygłosił wykład tak barwny i porywający, że trzydziestu słuchaczy wprost łowiło każde jego słowo. Kiedy skończył, wybrał siedzącego w pierwszym rzędzie młodzieńca o rudoblond czuprynie i polecił mu przygotować na następny tydzień pracę o pierwszym spotkaniu Borrominiego z Berninim.

Wszyscy studenci wyszli, zostawiwszy swoje prace na brzegu biurka Ferpozziego, Florentyna natomiast, jak poprzednio, nadal tkwiła na swoim krześle. Kiedy już byli sami, wręczyła profesorowi pakunek w brązowym papierze. Rozwinął go i wyjął porcelanowy dzbanek do herbaty „Viceroy" z 1912 roku, z manufaktury Royal Worcester.

– Przepiękny – powiedział. – I będzie olśniewać urodą, póki go ktoś nie upuści. – Oboje się roześmiali. – Dziękuję, młoda damo.

– I ja dziękuję – odparła Florentyna. – Za to, że oszczędził mi pan dalszych upokorzeń.

– Twoja godna podziwu powściągliwość, niezwykła u kobiety, sprawiła, że było to niepotrzebne. Mam nadzieję, że mi wybaczysz, ale byłoby równie naganne, gdybym nie usiłował wpłynąć na kogoś, kto pewnego dnia będzie zarządzał największym hotelowym imperium na świecie. – Aż do tego momentu podobna myśl nigdy nie przyszła Florentynie do głowy. – Zapewnij, proszę, swego ojca, że zawsze, kiedy jestem w podróży, zatrzymuję się w hotelu Baron. Pokoje, kuchnia i obsługa są tam o wiele lepsze niż w innych hotelach i człowiek na nic nie może się uskarżać, kiedy już znajdzie się w środku. Postaraj się nauczyć tyle o synu kamieniarza, ile ja wiem o budowniczym hoteli ze Słonimia. Twój ojciec i ja zawsze będziemy się szczycić tym, co nas łączy – że obaj jesteśmy imigrantami. Do widzenia, młoda damo.

Florentyna wyszła z poddasza Biblioteki Widenera z przygnębiającym uczuciem, że tak zdumiewająco mało wie o funkcjonowaniu grupy hotelowej swego ojca.

W ciągu tego roku Florentyna wszystkie siły poświęciła studiom języków nowożytnych, ale we wtorkowe popołudnia zawsze można ją było zobaczyć, jak siedzi na stercie książek, pilnie przysłuchując się wykładom profesora Ferpozziego. Sam rektor Conant rzucił kiedyś przy kolacji uwagę, że szkoda, iż jego uczony kolega nie spotkał przed trzydziestu laty kogoś, z kim mógłby się tak zaprzyjaźnić jak teraz z Florentyną.

Ceremonia wręczania dyplomów w Radcliffe była wielce kolorowa. Promicniejący dumą, wystrojeni rodzice przemieszani byli z profesorami spowitymi w szkarłatne, purpurowe i wielokolorowe stroje akademickie, w zależności od stopnia. Akademicy sunęli dostojnie wśród zaproszonych gości, niby szacowni biskupi, wychwalając przed rodzicami, czasem z pewną przesadą, ich potomstwo. W przypadku Florentyny przesada nie była potrzebna, uzyskała bowiem dyplom z najwyższym odznaczeniem i jeszcze na początku roku została przyjęta do Phi Beta Kappa.

Dla Florentyny i Belli w tym dniu radość mieszała się ze smutkiem, odtąd bowiem miały żyć na przeciwległych krańcach Ameryki, jedna w Nowym Jorku, druga w San Francisco. Bella oświadczyła się Claude'owi 28 lutego poprzedniego roku, gdyż, jak wyjaśniła, za długo trzeba by czekać do roku przestępnego[1]. Wiosną wzięli ślub w kaplicy w Harvardzie. Claude nalegał na ceremonię kościelną i Bella zgodziła się ślubować mu „miłość, szacunek i posłuszeństwo". Kiedy Claude powiedział na przyjęciu: – „Czyż Bella nie jest piękna?", Florentyna uświadomiła sobie, jak bardzo są oboje szczęśliwi.

Uśmiechnęła się do Claude'a i obróciła ku Belli, która właśnie mówiła, jaka to szkoda, że nie ma z nimi Wendy.

– Chociaż trzeba przyznać, że nauka nie była jej w głowie – dodała z szerokim uśmiechem.

– Florentyna bardzo przykładała się do nauki podczas ostatniego roku studiów – powiedziała panna Rose – i doprawdy trudno się dziwić jej sukcesom.

– Jestem przekonany, że bardzo dużo pani zawdzięcza – rzekł Abel.

– Nie, nie, lecz myślałam, że ją przekonam, aby w przyszłym roku wróciła na uniwersytet i zaczęła przygotowywać się do doktoratu, a potem została na wydziale, ale ona ma chyba inne projekty.

– Tak, istotnie – odparł Abel. – Florentyna wejdzie do rady nadzorczej Grupy Barona i zajmie się dzierżawą sklepów hotelowych. W ciągu ostatnich lat tak rozkwitły, że już nad tym nie panuję i obawiam się, że je zaniedbałem.

– Nic takiego mi nie mówiłaś, Florentyno – zagrzmiała Bella. – Zdaje się, że powiedziałaś...

[1] Zgodnie ze starym zwyczajem zapoczątkowanym w Szkocji, w roku przestępnym kobieta może się oświadczyć mężczyźnie (przyp. tłum.)

– Pst, Bello – szepnęła Florentyna, przykładając palec do ust.

– A cóż to znowu, moja panno? Czy masz przede mną jakieś tajemnice?

– Tatusiu, to nie miejsce ani czas, żeby o tym mówić.

– No, powiedz, nie trzymaj nas w niepewności – odezwał się Edward. – Czy to ONZ, czy może General Motors uważają, że bez ciebie nie mają szansy przetrwania?

– Muszę przyznać – odezwała się panna Rose – że pali mnie ciekawość, w jaki sposób zamierzasz spożytkować wysokie kwalifikacje, jakie zdobyłaś na tym uniwersytecie.

– Może do kariery Rockette w Radio City? – wtrącił Claude.

– Prawie zgadłeś – odrzekła Florentyna.

Wszyscy wybuchnęli śmiechem prócz matki Florentyny.

– Gdybyś nie mogła znaleźć pracy w Nowym Jorku, zawsze możesz przyjechać do mnie i pracować w San Francisco – zaofiarowała się Bella.

– Zapamiętam sobie twoje słowa – rzuciła lekko Florentyna.

Na szczęście dalszą rozmowę na temat jej przyszłości przerwało rozpoczęcie ceremonii. George Kennan, były ambasador Stanów Zjednoczonych w Rosji, wygłosił mowę, która została przyjęta z entuzjazmem. Florentynie podobał się zwłaszcza cytat z Bismarcka, przytoczony na zakończenie: „Zostawmy coś do roboty naszym dzieciom”.

– Pewnego dnia ty wygłosisz tutaj przemowę – powiedział Edward, kiedy przechodzili obok Kolegium Trzechsetlecia.

– I o czym to będę mówić, mój panie?

– O problemach, z jakimi musi się uporać pierwsza kobieta-prezydent.

Florentyna roześmiała się.

– Nadal w to wierzysz, jak widzę?

– Ty również, nawet jeśli to mnie przychodzi ci o tym przypominać.

W ciągu tego roku Edwarda widywano stale z Florentyną i ich przyjaciele mieli nadzieję, że wkrótce ogłoszą zaręczyny, ale Edward wiedział, że to nigdy nie nastąpi. To jedyna kobieta – myślał – która pozostanie dla mnie na zawsze nieosiągalna. Ich przeznaczeniem była przyjaźń, nie miłość.

Florentyna spakowała resztę rzeczy, pożegnała się z matką, sprawdziła, czy nie zostawiła czegoś w pokoju, po czym usiadła na łóżku, rozmyślając o latach spędzonych w Radcliffe. Przybyła tu z trzema walizkami, wyjeżdżała z sześcioma i z dyplomem uniwersyteckim. I z niczym więcej. Na ścianie został jedynie szkarłatny proporczyk klubu hokejowego, ofiarowany jej kiedyś przez Scotta. Florentyna zdjęła go, chwilę potrzymała w ręku i wrzuciła do kosza na śmieci.

Usiadła obok ojca z tyłu samochodu, który ruszył, opuszczając teren uniwersytetu.

– Czy mógłby pan jechać trochę wolniej? – spytała szofera.

– Oczywiście, proszę pani.

Florentyna obróciła się i patrzyła przez tylną szybę, póki sterczące ponad koronami drzew wieżyczki Cambridge nie rozpłynęły się w oddali i nie było już widać nic, co wiązało się z jej przeszłością.

XIII

Szofer zatrzymał rolls-royce'a przed światłami przy Arlington Street po zachodniej stronie parku. Czekał, aż zmienią się na zielone, gdy tymczasem Florentyna gawędziła z ojcem o ich wspólnej podróży do Europy.

W chwili, gdy zmieniały się światła, przemknął przed nimi inny rolls-royce, zjeżdżając z Commonwealth Avenue. Z tyłu samochodu siedział również świeżo upieczony absolwent uniwersytetu, pogrążony w rozmowie z matką.

– Czasami żałuję, Richard, że nie studiowałeś w Yale – mówiła matka.

Z upodobaniem patrzyła na syna. Miał ten sam subtelny, arystokratyczny wygląd, który tak ją pociągał u jego ojca ponad dwadzieścia lat temu. Richard reprezentował piąte z kolei pokolenie swojej rodziny na Uniwersytecie Harvarda.

– Dlaczego Yale? – spytał łagodnie, wyrywając matkę z zadumy.

– Cóż, może byłoby lepiej dla ciebie, gdybyś się wydostał z hermetycznego bostońskiego światka.

– Lepiej nie mów tego przy ojcu. Jemu takie stwierdzenie wydałoby się zdradą.

– Ale czy koniecznie musisz kontynuować studia w harvardzkiej Business School? Na pewno są inne uczelnie tego typu.

– Chcę być bankierem jak ojciec. I jeśli mam pójść w jego ślady, to nie mam innej drogi, bo Yale ani się umywa do Harvardu.

Kilka minut później rolls-royce zatrzymał się przed dużym domem w Beacon Hill. Otworzyły się drzwi frontowe i stanął w nich kamerdyner.

– Mamy mniej więcej godzinę do przyjścia gości – powiedział Richard, spoglądając na zegarek. – Pójdę się przebrać. Proponuję, żebyśmy się spotkali tuż przed siódmą trzydzieści w zachodnim pokoju, matko.

Nawet sposób mówienia ma taki jak jego ojciec, pomyślała.

Richard pobiegł na górę, przeskakując po dwa stopnie naraz; w większości domów z łatwością przeskakiwał po trzy. Matka podążała za nim wolniej, ale ani razu nie dotknęła poręczy.

Kamerdyner odprowadził ich oboje spojrzeniem, po czym pospieszył do pokoju kredensowego. Na kolacji miał być kuzyn pani Kane, Henry Cabot Lodge, należało więc starannie skontrolować, czy wszystko jest w idealnym porządku.

Richard brał prysznic i uśmiechał się, myśląc o wątpliwościach matki. Zawsze chciał ukończyć Harvard i prześcignąć ojca w jego osiągnięciach. Nie mógł się doczekać, kiedy jesienią rozpocznie studia w Business School, chociaż cieszył się też, musiał przyznać, na wspólne wakacje z Mary Bigelow, z którą mieli jechać na Barbados. Poznał Mary w sali prób kółka muzycznego, później zaś zaproszono ich oboje do uniwersyteckiego kwartetu smyczkowego. Fertyczna mała kobietka z Vassar grała o wiele lepiej na skrzypcach niż on na wiolonczeli. Równie wirtuozerska okazała się w łóżku, do którego ją w końcu zwabił, choć udawała niedoświadczoną. Na najlżejsze dotknięcie jego palców reagowała jak najczulszy stradivarius.

Wreszcie Richard włączył na moment strumień zimnej wody, wyskoczył spod prysznica, wytarł się i przebrał w smoking. Przejrzał się w lustrze; smoking miał dwurzędowe zapięcie. Richard przypuszczał, że dzisiejszego wieczoru tylko on będzie ubrany według najnowszej mody – co prawda nie miało to specjalnego znaczenia, jeśli ktoś był tak jak on wysoki, smukły i ciemnowłosy. Mary powiedziała kiedyś, że wygląda równie dobrze w skąpych slipach, jak w żakiecie.

Zszedł na dół i czekał na matkę w pokoju zachodnim. Kiedy się pojawiła, kamerdyner podał im obojgu drinki.

– Wielkie nieba, to dwurzędowe garnitury znów są w modzie? – zagadnęła syna.

– Tak, mamo. To najnowszy krzyk mody.

– Trudno mi uwierzyć – powiedziała. – Pamiętam...

Kamerdyner kaszlnął. Obejrzeli się.

– Czcigodny Henry Cabot Lodge – zaanonsował kamerdyner.

– Henry! – powitała go matka Richarda.

– Kate, moja droga – powiedział i pocałował ją w policzek. Kate uśmiechnęła się; kuzyn miał na sobie dwurzędową marynarkę.

Richard też się uśmiechnął, gdyż na oko marynarka wyglądała, jakby miała dwadzieścia lat. Richard i Mary Bigelow wrócili z Barbadosu opaleni jak Murzyni. Zatrzymali się na krótko w Nowym Jorku, gdzie zjedli obiad z rodzicami Richarda, którzy w zupełności zaakceptowali wybrankę syna. Mary była w końcu stryjeczną wnuczką Alana Lloyda, który po dziadku Richarda stanął na czele rodzinnego banku.

Zaraz po powrocie do Czerwonego Domu, bostońskiej rezydencji rodzinnej w Beacon Hill, Richard zaczął się przygotowywać do rozpoczęcia nauki w Harvard Business School. Wprawdzie wszyscy go ostrzegali, że jest to najtrudniejszy kurs uniwersytecki, z którego odpada najwięcej studentów, ale mimo to, kiedy zaczęły się zajęcia, był zaskoczony, jak mało czasu zostaje mu na inne zainteresowania. Mary wpadła w rozpacz, kiedy zrezygnował z udziału w kwartecie smyczkowym i oznajmił, że będą się widywać tylko podczas weekendów.

Pod koniec roku akademickiego Mary zaproponowała, żeby znowu pojechali na wakacje na Barbados, ale ku jej rozczarowaniu Richard postanowił zostać w Bostonie i spędzić czas na nauce.

Drugi i ostatni rok w Harvard Business School Richard rozpoczął z postanowieniem, że ukończy ją jako najlepszy lub jeden z najlepszych w swojej grupie. Ojciec radził mu, żeby nie spoczywał na laurach, póki nie zda ostatniego egzaminu. Dodał również, że jeśli nie uzyska jednej z pierwszych lokat, nie ma co marzyć o pracy w jego banku, on nie chce być bowiem pomawiany o nepotyzm.

Święta Bożego Narodzenia Richard spędził z rodzicami w Nowym Jorku, ale już po trzech dniach wyjechał do Bostonu. Kate niepokoiła się, że syn tak się zapracowuje, ale mąż pocieszał ją, że potrwa to jeszcze tylko sześć miesięcy, a potem będzie mógł sobie odpoczywać do woli. Kate nie podzieliła się swoją opinią, ale nie widziała, aby mąż kiedykolwiek odpoczywał w ciągu ostatnich dwudziestu pięciu lat.

Przed Wielkanocą Richard zatelefonował do matki i powiadomił ją, że krótkie ferie wiosenne spędzi w Bostonie. Przekonała go jednak, żeby przyjechał do domu na urodziny ojca. Zgodził się, ale zapowiedział, że już nazajutrz rano będzie musiał wrócić do Harvardu.

Richard przybył do domu rodziców przy Wschodniej Sześćdziesiątej Ósmej Ulicy po czwartej po południu w dniu urodzin ojca. Powitała go matka wraz z siostrami, Virginią i Lucy. Matce wydał się wymizerowany i przemęczony; bardzo chciała, żeby miał już za sobą egzaminy. Richard wiedział, że ojciec nie skróciłby godzin urzędowania w banku dla niczyich urodzin. Przyjdzie do domu jak zwykle parę minut po siódmej.

– Co kupiłeś tatusiowi na urodziny? – spytała Virginia.

– Właśnie chciałem zasięgnąć twojej rady – przymilnie rzekł Richard, który całkiem zapomniał o prezencie.

– To się nazywa czekać do ostatniej chwili – odezwała się Lucy. – Ja kupiłam ojcu prezent trzy tygodnie temu.

– Wiem, czego potrzebuje – powiedziała matka. – Rękawiczek. Te jego stare są już zupełnie znoszone.

– Ciemnoniebieskie, skórkowe, gładkie – zaśmiał się Richard. – Idę do Bloomingdale'a i od razu takie kupię.

Szybkim krokiem powędrował Lexington Avenue, wpadając w rytm miasta. Już z góry się cieszył na myśl o rozpoczęciu jesienią pracy w banku ojca i był pewien, że jeśli w ciągu najbliższych miesięcy nic nie oderwie go od nauki, ukończy Harvard Business School jako jeden z najlepszych. Zrobi wszystko, żeby dorównać ojcu, i pewnego dnia zostanie prezesem banku. Uśmiechnął się pod nosem. Pchnął drzwi domu towarowego Bloomingdale'a, wszedł po schodach na górę i spytał ekspedientkę, gdzie może kupić rękawiczki. Przeciskając się przez tłum, spojrzał na zegarek. Będzie miał dość czasu, żeby się przebrać przed powrotem ojca. Podniósł głowę i zobaczył dwie dziewczyny w stoisku z rękawiczkami. Uśmiechnął się; odpowiedziała mu uśmiechem nie ta, o którą mu chodziło.

Uśmiechająca się dziewczyna podeszła do lady. Miała blond włosy o odcieniu miodu, za grubo uszminkowane usta i przesadnie głęboko rozpiętą bluzkę, jak z pewnością uznałby szef sklepu. Można było tylko podziwiać taką pewność siebie. Na malutkiej plakietce, jaka widniała nad jej lewą piersią, Richard odczytał: „Maisie Bates".

– Czy mogłabym panu w czymś pomóc? – zapytała.

– Tak, proszę – rzekł Richard. Spojrzał w stronę ciemnowłosej dziewczyny. – Chciałbym kupić rękawiczki. Ciemnoniebieskie, skórkowe, bez wzoru – powiedział, nie odrywając oczu od tamtej.

Maisie wybrała parę rękawiczek i zaczęła wkładać je na ręce Richarda, wolno naciągając na każdy palec, potem zaś zaprezentowała mu je, żeby mógł ocenić, czy dobrze leżą.

– Jeśli panu nie odpowiadają, może pan przymierzyć inną parę.

– Nie, są dobre – odparł. – Czy płacę pani, czy tamtej dziewczynie?

– Mogę przyjąć od pana pieniądze.

– Niech to diabli – mruknął do siebie Richard. Odszedł z ociąganiem, zdecydowany przyjść tu następnego dnia. Do tego popołudnia uważał, że miłość od pierwszego wejrzenia to śmieszny frazes, coś w sam raz dla czytelniczek pism kobiecych.

Ojcu podobał się „praktyczny" prezent, jak powiedział o rękawiczkach przy kolacji, a jeszcze bardziej był zadowolony z postępów Richarda w nauce.

– Jeśli zmieścisz się w górnych dziesięciu procentach, chętnie przyjmę cię na praktykę do banku – powtórzył tysiączny raz.

Virginia i Lucy uśmiechnęły się szelmowsko.

– A jeśli Richard zdobędzie pierwszą lokatę, tatusiu? Czy wtedy mianujesz go prezesem? – spytała Lucy.

– Nie rób sobie kpinek, córeczko. Jeśli Richard otrzyma kiedyś stanowisko prezesa, to po latach wytężonej, ciężkiej pracy. – Odwrócił się do syna. – Kiedy wracasz na uczelnię?

Richard już miał odpowiedzieć, że jutro, ale usłyszał, że mówi:

– Może jutro.

– Słusznie – powiedział tylko ojciec.

Nazajutrz Richard udał się nie do Harvardu, ale do Bloomingdale'a, gdzie skierował się wprost do działu z rękawiczkami. Zanim zdążył zwrócić się do drugiej dziewczyny, wyrosła przed nim Maisie; nie pozostało mu nic innego jak kupić parę rękawiczek i wrócić do domu.

Następnego dnia rano trzeci raz wybrał się do Bloomingdale'a i podszedł do sąsiedniego stoiska, gdzie oglądał krawaty. Kiedy Maisie zajęła się jakąś klientką, druga zaś dziewczyna była wolna, Richard podszedł pewnym krokiem do lady i czekał, aż zostanie obsłużony. Ze zgrozą zobaczył, jak Maisie porzuciła klientkę w pół zdania i rzuciła się ku niemu, gdy tymczasem druga dziewczyna pospieszyła ją zastąpić.

– Znowu rękawiczki? – spytała chichocząc blondynka.

– Tak... tak – odparł bezradnie.

Wyszedł ze sklepu z jeszcze jedną parą ciemnoniebieskich, gładkich, skórkowych rękawiczek.

Następnego dnia wyjaśnił ojcu, że jest jeszcze w Nowym Jorku, gdyż musi zebrać do swojej pracy pewne dane z Wall Street. Gdy tylko ojciec wyszedł do banku, Richard skierował się do Bloomingdale'a. Tym razem przygotował sobie plan, jak nawiązać rozmowę z drugą dziewczyną. Podszedł do stoiska z rękawiczkami, przekonany, że Maisie natychmiast zechce go obsłużyć. Tymczasem podeszła do niego druga dziewczyna.

– Dzień dobry panu – powitała go.

– O, dzień dobry – odparł Richard, któremu nagle zabrakło słów.

– Czym mogę panu służyć?

– Dziękuję, ale... chciałem powiedzieć, że przydałyby mi się rękawiczki – powiedział bez przekonania.

– Proszę bardzo. Czy odpowiadałyby panu ciemnoniebieskie? Skórkowe? Na pewno mamy pański rozmiar... jeśli nie wyprzedaliśmy wszystkich.

Richard odczytał jej imię i nazwisko na plakietce, którą miała przypiętą do bluzki: Jessie Kovats. Podała mu rękawiczki. Przymierzył. Nie pasowały.

Przymierzył inne i zerknął na Maisie. Uśmiechnęła się do niego zachęcająco. Odpowiedział jej spłoszonym uśmiechem. Panna Kovats podała mu jeszcze jedną parę rękawiczek. Te leżały jak ulał.

– No to ma pan, czego pan pragnął – stwierdziła Jessie.

– Nie, niezupełnie – rzekł Richard.

Jessie powiedziała, zniżając głos:

– Pójdę na odsiecz Maisie. Niechże pan spróbuje się z nią umówić. Jestem pewna, że się zgodzi.

– Och, nie – powiedział Richard. – Pani nie rozumie. To nie z nią chciałbym się umówić, ale z panią. – Jessie osłupiała. – Czy mógłbym panią zaprosić na kolację dziś wieczorem?

– Tak – odparła nieśmiało.

– Mam przyjechać po panią do domu?

– Nie. Spotkajmy się w restauracji.

– Jaka by pani odpowiadała? – Jessie milczała. – Może więc „U Allena" na rogu Siedemdziesiątej Trzeciej i Trzeciej?

– Tak, dobrze – zdołała tylko powiedzieć Jessie.

– Koło ósmej?

– Koło ósmej – zgodziła się.

Richard wyszedł ze sklepu z tym, czego pragnął. I nie były to wcale rękawiczki. Nie pamiętał, żeby mu się zdarzyło przez cały dzień myśleć o jakiejś dziewczynie, ale od chwili, gdy Jessie powiedziała „tak", wszystko inne przestało go interesować.

Matka Richarda nie posiadała się z radości, że syn spędzi jeszcze jeden dzień w Nowym Jorku, i podejrzewała, że Mary Bigelow jest w mieście. Przechodząc koło łazienki usłyszała, jak Richard śpiewa „Kiedyś potajemnie się kochałem", i pomyślała, że zgadła.

Richard nadzwyczaj długo zastanawiał się, jak się ubrać tego wieczoru. Doszedł do wniosku, że nie włoży garnituru i w końcu wybrał ciemnoniebieski blezer i sportowe spodnie z szarej flaneli. Dłużej też niż zwykle przyglądał się sobie w lustrze. Pomyślał, że wygląda jak laluś z renomowanej uczelni, ale trudno było na to coś poradzić tak z godziny na godzinę.

Wyszedł z domu tuż przed siódmą, żeby nie musieć tłumaczyć się ojcu, dlaczego wciąż tu tkwi. Wieczór był rześki, niebo bezchmurne. Do restauracji dotarł parę minut po wpół do ósmej i zamówił sobie kufel budweisera. Co minutę spoglądał na zegarek, sprawdzając, jak daleko jeszcze do ósmej, a potem co parę sekund, gdy ósma minęła, i cały czas się zastanawiał, czy nie rozczaruje się, gdy znowu ją zobaczy.

Nie rozczarował się.

Pojawiła się w drzwiach, olśniewająca w skromnej niebieskiej sukience, zdaniem Richarda kupionej u Bloomingdale'a, chociaż każda kobieta od razu by poznała, że to model Bena Zuckermana. Rozglądała się po sali. Wreszcie zobaczyła Richarda idącego w jej stronę.

– Przepraszam za spóźnienie... – zaczęła.

– Nie szkodzi. Ważne, że pani przyszła.

– Myślał pan, że nie przyjdę?

– Nie byłem pewien – powiedział Richard i uśmiechnął się. Stali i patrzyli na siebie. – Przepraszam, ale nie wiem, jak pani ma na imię – przemówił wreszcie Richard, który nie chciał się przyznać, że bywając u Bloomingdale'a, widywał je codziennie na plakietce.

Zawahała się.

– Nazywam się Jessie Kovats. A pan?

– Richard Kane – powiedział wyciągając rękę. Podała mu swoją, a on najchętniej wcale by jej nie wypuszczał.

– Czym się pan zajmuje, kiedy nie kupuje pan rękawiczek u Bloomingdale'a? – spytała Jessie.

– Studiuję w Harvard Business School.

– Dziwię się, że tam nie uczą, iż ludzie mają zwykle tylko jedną parę rąk.

Roześmiał się, uszczęśliwiony, że nie tylko dzięki jej urodzie ten wieczór będzie niezapomniany.

– Może usiądziemy – zaproponował i, ująwszy ją pod rękę, poprowadził do stolika. Jessie spojrzała na menu wypisane na tablicy.

– Mielony à la Salisbury? – rzuciła.

– Hamburger, innym nazwany imieniem... – wyrecytował.

Zaśmiała się, a on się zdumiał, że od razu rozpoznała kwestię z „Romea i Julii", którą pozwolił sobie strawestować, ale później poczuł się winny, gdyż z dalszej rozmowy niezbicie wynikało, że ona widziała więcej sztuk, czytała więcej powieści, a nawet częściej bywała na koncertach niż on. Po raz pierwszy w życiu żałował, że studia przesłoniły mu wszelkie inne zainteresowania.

– Czy pani mieszka w Nowym Jorku?

– Tak – odparła, pijąc małymi łykami trzecią filiżankę kawy, którą nalał jej kelner na skinienie Richarda. – Razem z rodzicami.

– W jakiej części miasta? – zapytał.

– Na Wschodniej Pięćdziesiątej Siódmej Ulicy – odpowiedziała.

– Więc przespacerujmy się – zaproponował Richard, biorąc ją za rękę. Jessie uśmiechnęła się przyzwalająco i ruszyli przez miasto. Aby przedłużyć spacer, Richard zatrzymywał się przed wystawami, na które zazwyczaj nie rzuciłby nawet okiem. Znajomość mody, jaką wykazywała Jessie, oraz jej wiedza na temat prowadzenia sklepów była imponująca. Richard pomyślał, że to wielka szkoda, iż Jessie zakończyła naukę mając szesnaście lat i podjęła pracę w hotelu Baron, skąd trafiła do Bloomingdale'a.

Przejście szesnastu przecznic zajęło im blisko godzinę. Gdy dotarli do Pięćdziesiątej Siódmej Ulicy, Jessie zatrzymała się przed starym, niewielkim domem czynszowym.

– Tu mieszkają moi rodzice – oznajmiła. Richard nie od razu puścił jej rękę.

– Mam nadzieję, że się jeszcze spotkamy – powiedział.

– Chętnie – odparła Jessie bez specjalnego entuzjazmu.

– Może jutro? – zaproponował niepewnie.

– Jutro? – spytała.

– Tak. Moglibyśmy wpaść do „Błękitnego Anioła" i posłuchać Bobby'ego Shorta. – Znów ujął jej dłoń. – Tam byłoby trochę bardziej romantycznie niż „U Allena".

Jessie sprawiała wrażenie niezdecydowanej, jakby jego propozycja była kłopotliwa.

– Chyba że nie masz ochoty – dodał Richard.

– Ależ mam – szepnęła.

– Jem z ojcem kolację, a potem mógłbym wpaść po ciebie koło dziesiątej.

– Nie, nie – zaprotestowała Jessie. – Przyjdę sama. To tylko dwie przecznice stąd.

– A więc o dziesiątej. – Nachylił się i pocałował ją w policzek. Dopiero w tym momencie poczuł de-

218

likatny zapach perfum. – Dobranoc, Jessie – powiedział i odszedł.

Richard zaczął pogwizdywać „Koncert wiolonczelowy" Dworzaka i nim dotarł do domu, skończył pierwszą część. Nie pamiętał drugiego równie cudownego wieczoru. Zasypiał myśląc o Jessie, a nie o teoriach Galbraitha czy Freedmana. Nazajutrz rano towarzyszył ojcu na Wall Street i spędził cały dzień w bibliotece „Wall Street Journal", z krótką tylko przerwą na lunch. Wieczorem, przy kolacji, opowiedział ojcu, w jaki sposób gromadzi materiały na temat przejęcia większego przedsiębiorstwa przez mniejsze. Bał się tylko, że zapał, z jakim mówił, może się wydać ojcu podejrzany.

Po kolacji poszedł do swojego pokoju. Upewnił się, czy nikt nie widzi, jak się wymyka frontowymi drzwiami tuż przed dziesiątą. Kiedy znalazł się w klubie, zajął stolik i powrócił do hallu, aby czekać tam na Jessie.

Czuł, jak mocno bije mu serce, i zastanowiło go, dlaczego nigdy mu się to nie zdarzało przy Mary Bigelow. Kiedy przyszła Jessie, pocałował ją w policzek i poprowadził do sali. Dobiegł ich głos Bobby'ego Shorta, śpiewającego piosenkę:

Czy mówisz mi prawdę,
Czy jestem tylko jednym z twoich kłamstw?

Kiedy wchodzili, Bobby Short podniósł rękę w powitalnym geście. Richard machinalnie mu skinął, chociaż widział artystę tylko raz i nigdy nie był mu przedstawiony.

Zaprowadzono ich do stolika na środku sali. Ku zdziwieniu Richarda Jessie usiadła tyłem do fortepianu.

Richard zamówił butelkę chablis i spytał Jessie, jak upłynął jej dzień.

– Richard, chciałabym ci coś...

– Cześć, stary! – Richard obejrzał się.

Przy stoliku stał młody człowiek, też w ciemnoniebieskim blezerze i szarych flanelowych spodniach.

– Jak się masz, Steve. Poznajcie się: Jessie Kovats – Steve Mellon. Steve i ja studiowaliśmy razem na Harvardzie.

– Oglądałeś ostatnio drużynę Jankesów?

– Nie – odparł Richard. – Kibicuję tylko zwycięzcom.

– Jak Eisenhower. Przy jego ograniczeniu można by pomyśleć, że studiował w Yale. – Rozmawiali parę minut, a Jessie nawet nie próbowała się włączyć. – No, nareszcie przyszła – stwierdził Steve, spoglądając ku drzwiom. – Do widzenia, Richard. Miło było cię poznać, Jessie.

Tego wieczoru Richard opowiedział Jessie o swoich planach przyjazdu do Nowego Jorku i podjęcia pracy w banku Lestera, którym kieruje jego ojciec. Wspaniale umiała słuchać; miał tylko nadzieję, że jej nie nudzi. Było mu jeszcze przyjemniej niż wczoraj, kiedy zaś wychodzili, pomachał Bobby'emu Shortowi, jakby znali się od dziecka. Gdy znaleźli się przed domem Jessie, pierwszy raz pocałował ją w usta. Oddała pocałunek, ale po chwili pożegnała się i znikła w starym czynszowym budynku.

Następnego ranka Richard wrócił do Bostonu. Ledwie przekroczył próg Czerwonego Domu, zatelefonował do Jessie i spytał ją, czy wybrałaby się z nim w piątek na koncert. Powiedziała, że chętnie, a on pierwszy raz w życiu wykreślał dni w kalendarzu. Pod koniec tygodnia zadzwoniła Mary, której najdelikatniej jak umiał wytłumaczył, dlaczego nie będzie mógł się z nią dłużej spotykać.

Ten weekend okazał się niezapomniany. Najpierw koncert w filharmonii nowojorskiej, potem „M jak morderca", wreszcie mecz z udziałem nowojorskich knickerbockersów, na którym Jessie wcale się nie nudziła. W niedzielę wieczorem Richard z żalem wrócił do Harvardu. Zapowiadało się, że następne cztery miesiące będą się składać z leniwie ciągnących się dni tygodnia i przemijających błyskawicznie weekendów. Richard codziennie telefonował do Jessie i rzadko się zdarzało, żeby nie spędzili wspólnie soboty i niedzieli.

Zaczął nienawidzić poniedziałków.

Podczas jednego z poniedziałkowych przedpołudniowych wykładów na temat krachu w 1929 roku Richard złapał się na tym, że nie słucha wykładowcy. Myślał o tym, w jaki sposób wytłumaczy ojcu, że zakochał się w dziewczynie, która pracuje w dziale z rękawiczkami, chusteczkami i filcowymi kapeluszami u Bloomingdale'a. Nawet jemu samemu wydawało się niezrozumiałe, dlaczego tak inteligentna, atrakcyjna dziewczyna jest tak mało ambitna. Gdyby tylko Jessie miała takie możliwości jak on... Napisał jej imię i nazwisko nad notatkami z wykładu. Ojciec będzie musiał się z tym pogodzić. Spojrzał na to, co napisał: Jessie Kane.

Kiedy Richard przyjechał do Nowego Jorku tego piątku, powiedział matce, że musi wyjść, bo skończyły mu się żyletki. Matka poradziła, żeby skorzystał z żyletek ojca.

– Nie, nie – powiedział. – To tylko chwila. Zresztą ojciec używa innych niż ja.

Kate Kane zdziwiła się w duchu, gdyż wiedziała, że używają takich samych.

Richard przebiegł osiem przecznic do Bloomingdale'a, chcąc zdążyć przed zamknięciem sklepu. Kiedy dotarł do działu z rękawiczkami, nigdzie nie było widać Jessie. Z boku stała Maisie i piłowała sobie paznokcie.

– Czy Jessie jest tu jeszcze? – spytał zadyszany.

– Nie, poszła już do domu... parę minut temu. Musi być niedaleko. Czy nie...

Richard wybiegł na Lexington Avenue. Wypatrywał twarzy Jessie wśród przechodniów spieszących do domu. Już chciał dać za wygraną, gdy mignęła mu czerwień chusteczki, którą jej kiedyś podarował. Jessie szła drugą stroną ulicy ku Piątej Alei, w kierunku przeciwnym niż jej dom. Richard, z lekkim poczuciem winy, podążył za nią. Kiedy doszła do księgarni Scribnera na Czterdziestej Ósmej Ulicy, zatrzymał się i obserwował, jak wchodzi do środka. Jeśli chciała kupić coś do czytania, z pewnością mogłaby to dostać u Bloomingdale'a. Zaintrygowało go to. Zajrzał przez okno wystawowe i zobaczył, że Jessie rozmawia ze sprzedawcą, który zostawił ją na chwilę, po czym wrócił z dwiema książkami. Z daleka udało mu się odcyfrować tytuły: „Społeczeństwo obfitości" Johna Kennetha Galbraitha i „Inside Russia Today" Johna Gunthera. Jessie podpisała rachunek – co zdziwiło Richarda – i wyszła. W porę uskoczył za róg.

– Kim ona jest? – powiedział na głos, patrząc, jak Jessie odwraca się i wchodzi do salonu mody Bendela. Portier z szacunkiem przytknął rękę do czapki, najwyraźniej ją rozpoznając. Richard znów zajrzał przez szybę i zobaczył ekspedientki krzątające się wokół Jessie z nadzwyczajną atencją. Jakaś starsza pani podeszła z pakunkiem, którego Jessie najwyraźniej oczekiwała. Kobieta rozwinęła go i wyjęła długą wieczorową suknię w kolorze czerwieni. Jessie uśmiechnęła się i skinęła głową, kiedy sprzedawczyni wkładała suknię do brązowobiałego pudełka. Następnie, ze słowami podziękowania, jak odgadł z ułożenia jej ust, Jessie odwróciła się do drzwi, nie podpisawszy nawet żadnego rachunku. Richard o mało co się z nią nie zderzył, gdy wybiegła ze sklepu. Wskoczyła do taksówki.

Porwał sprzed nosa jakiejś starszej pani taksówkę i kazał kierowcy jechać za Jessie. „Jak na filmie, co?" – powiedział taksówkarz. Richard nie zareagował. Kiedy samochód minął dom, przed którym zwykle się rozstawali, Richard poczuł się nieswojo. Jej taksówka przejechała jeszcze sto jardów i zatrzymała się przed nowiutkim budynkiem mieszkalnym z portierem w liberii, który usłużnie otworzył Jessie drzwi. Ze zdumieniem i gniewem Richard wyskoczył z taksówki i ruszył ku drzwiom, za którymi zniknęła.

– Należy się dziewięćdziesiąt pięć centów, cwaniaczku – usłyszał za sobą głos.

– Och, przepraszam – powiedział, wsadził rękę do kieszeni i wyjął banknot, który pospiesznie wcisnął taksówkarzowi, nie żądając reszty.

– Dziękuję, kolego – ucieszył się kierowca, ściskając w garści pięciodolarówkę. – Ktoś ma dzisiaj szczęśliwy dzień.

Richard dopadł drzwi i zdążył dogonić Jessie w chwili, gdy wchodziła do windy. Patrzyła na niego bez słów.

– Kim ty jesteś? – nagląco spytał Richard, kiedy zasunęły się drzwi windy. Dwoje pozostałych współpasażerów patrzyło przed siebie z wyrazem wystudiowanej obojętności, gdy winda sunęła na pierwsze piętro.

– Richard – wyjąkała. – Chciałam ci wszystko powiedzieć dziś wieczór. Jakoś nigdy nie było odpowiedniego momentu.

– Nie wierzę ci! – rzucił, podążając za nią, kiedy wyszła z windy, i dalej, do jej mieszkania. – Prawie trzy miesiące karmiłaś mnie kłamstwami. Czas, aby prawda wyszła na jaw.

Bezceremonialnie naparł na nią, gdy otwierała drzwi. Spoza jej pleców zajrzał do środka, kiedy bezradnie stała w korytarzu. Za hallem znajdował się duży salon z pięknym, orientalnym dywanem na podłodze i ze stylowym georgiańskim sekretarzykiem. Antyczny zegar stał na podłodze naprzeciwko podręcznego stolika, na którym znajdował się wazon ze świeżymi anemonami. Pokój był wspaniale urządzony, nawet w porównaniu z wnętrzami domu rodzinnego Richarda.

– Ładne gniazdko jak na ekspedientkę – powiedział cierpko Richard. – Ciekawe, który z twoich kochanków za to płaci.

Jessie zbliżyła się o krok i wymierzyła mu tak siarczysty policzek, że aż zapiekła ją dłoń.

– Jak śmiesz? – powiedziała. – Wynoś się stąd.

Mówiąc to, rozpłakała się. Richard wziął ją w ramiona.

– O Boże, przepraszam cię – rzekł. – Jak mogłem coś tak okropnego powiedzieć. Wybacz mi, proszę. Po prostu tak bardzo cię kocham i myślałem, że dobrze cię znam, a teraz widzę, że nie wiem o tobie nic.

– Ja też cię kocham, Richard, i przepraszam, że

cię uderzyłam. Nie chciałam cię oszukiwać, ale ja naprawdę nie mam nikogo innego. Zapewniam cię.
– Dotknęła jego policzka.

– To mi się należało – powiedział i pocałował ją.

Spleceni uściskiem osunęli się na kanapę i przez chwilę tak trwali w bezruchu.

Delikatnie gładził jej włosy, aż łzy przestały płynąć jej po policzkach. Jessie wsunęła palce w szczelinę między dwoma górnymi guziczkami jego koszuli.

– Chcesz spać ze mną? – cicho spytała.

– Nie – odparł. – Chciałbym przy tobie nie zmrużyć oczu do samego rana.

Bez dalszych słów rozebrali się i zaczęli się kochać, czule i nieśmiało, bojąc się zadać sobie nawzajem ból, rozpaczliwie starając się sprawić jedno drugiemu przyjemność. Potem Jessie położyła mu głowę na ramieniu i zaczęli rozmawiać.

– Kocham cię – powiedział Richard. – Pokochałem cię w chwili, gdy cię zobaczyłem. Czy wyjdziesz za mnie? Bo nie obchodzi mnie, kim jesteś, Jessie, ani co robisz. Wiem tylko, że muszę być z tobą do końca życia.

– Ja też chcę cię poślubić, Richard, ale wpierw muszę powiedzieć ci prawdę.

Naciągnęła marynarkę Richarda na swe nagie ciało, a on w milczeniu czekał, aż zacznie mówić.

– Nazywam się Florentyna Rosnovski – zaczęła, a potem powiedziała mu o sobie wszystko. Wyjaśniła, dlaczego przybrała nazwisko Jessie Kovats – po to, żeby traktowano ją jak zwykłą ekspedientkę, kiedy uczyła się zawodu, a nie jak córkę Barona z Chicago. Richard ani razu nie przerwał jej opowieści i milczał, kiedy skończyła.

– Czy już przestałeś mnie kochać? – spytała. – Teraz, gdy wiesz, kim jestem naprawdę?

– Najdroższa – powiedział bardzo cicho Richard. – Mój ojciec nienawidzi twego ojca.

– Co chcesz przez to powiedzieć?

– Że jedyny raz, kiedy byłem świadkiem, jak przy nim wymieniono jego nazwisko, dostał ataku szału i wykrzykiwał, że wyłącznym celem życia twego ojca jest doprowadzenie rodziny Kane'ów do ruiny.

– Co? Dlaczego? – wyjąkała zaszokowana Florentyna. – Nigdy nic nie słyszałam o twoim ojcu. Czy oni w ogóle mogą się znać? Chyba się mylisz.

– Bardzo bym chciał – westchnął Richard i przekazał jej tę garść faktów o waśni między ich ojcami, jakie kiedyś zasłyszał od matki.

– O Boże. Pamiętam, że kiedyś ojciec mówił coś o „Judaszu", kiedy po dwudziestu pięciu latach zmienił bank. To musiało mieć z tym jakiś związek. Co my teraz zrobimy?

– Powiemy im prawdę – odparł Richard. – Że poznaliśmy się o niczym nie wiedząc, pokochaliśmy się i teraz chcemy się pobrać. I że cokolwiek zrobią, nic nas nie powstrzyma.

– Poczekajmy kilka tygodni – zaproponowała Florentyna.

– Dlaczego? – spytał Richard. – Czy myślisz, że twój ojciec mógłby cię odwieść od zamiaru poślubienia mnie?

– Nie, Richard – odparła, przytulając znów czule głowę do jego ramienia. – Nigdy, najdroższy. Ale spróbujmy najpierw się przekonać, czy nie udałoby się im tego zakomunikować jakoś oględnie, a nie stawiać ich przed faktem dokonanym. Zresztą, może nie będą się aż tak bardzo sprzeciwiać,

226

jak ci się wydaje. W końcu ta cała sprawa z Grupą Richmond rozegrała się, jak mówisz, ponad dwadzieścia lat temu.

– Zapewniam cię, że zareagują wrogo. Mój ojciec byłby wściekły, gdyby nas razem zobaczył, a co dopiero, gdyby się dowiedział, że zamierzamy się pobrać.

– Więc tym bardziej powinniśmy trochę odczekać, zanim im o tym powiemy. Zyskamy czas na zastanowienie się, jak to najlepiej przeprowadzić.

Pocałował ją jeszcze raz.

– Kocham cię, Jessie.

– Florentyno.

– To jeszcze jedna nowość, do której będę musiał się przyzwyczaić.

Na początku Richard postanowił przeznaczyć jedno popołudnie w tygodniu, aby się czegoś dowiedzieć o waśni między ich ojcami, ale z czasem zamieniło się to w obsesję i sprawiło, że często opuszczał zajęcia. Podjęta przez Barona z Chicago próba usunięcia ojca Richarda z jego własnej rady nadzorczej sama w sobie stanowiła temat do analiz w Harvard Business School. Im więcej się dowiadywał, tym bardziej uświadamiał sobie, jak nieprzejednanymi wrogami są ich ojcowie. Matka Richarda mówiła o tym tak, jakby od lat pragnęła się z kimś podzielić tą historią.

– Dlaczego tak się interesujesz panem Rosnovskim? – zagadnęła Richarda.

– Natknąłem się na jego nazwisko, kiedy przeglądałem stare egzemplarze „Wall Street Journal". – To prawda, pomyślał, i zarazem kłamstwo.

Florentyna poprosiła o wolny dzień w pracy i poleciała do Chicago, żeby zrelacjonować matce, co się wydarzyło. Kiedy zaczęła nalegać, żeby opowiedziała jej o waśni, matka mówiła prawie godzinę bez przerwy. Florentyna sądziła, że matka przesadza, ale z odpowiedzi na kilka zręcznie sformułowanych pytań, jakie zadała przy obiedzie George'owi Novakowi, wynikało, że niestety nie.

W każdy weekend kochankowie dzielili się swoimi odkryciami, co tylko powiększało ów rejestr nienawiści.

– To wszystko wydaje się tak mało znaczące – powiedziała Florentyna. – Przecież mogliby się spotkać i dojść do porozumienia. Myślę, że dobrze by się ze sobą zgadzali.

– Sądzę, że tak – rzekł Richard. – Ale które z nas spróbuje im to powiedzieć?

– Obydwoje będziemy musieli, prędzej czy później.

Podczas następnych tygodni Richard był jeszcze bardziej niż zwykle czuły i opiekuńczy. Chociaż robił, co mógł, żeby Florentyna zapomniała, co ich czeka „prędzej czy później", zabierał ją regularnie do teatru, na koncerty do nowojorskiej filharmonii i na dalekie spacery do parku, i tak każda ich rozmowa nieuchronnie schodziła na temat ojców.

Nawet podczas recitalu, który Richard dał specjalnie dla Florentyny w jej mieszkaniu, dziewczyna nie mogła przestać myśleć o swoim ojcu – jak mógł być aż tak zawzięty? Gdy Richard skończył grać sonatę Brahmsa, odłożył smyczek i wpatrzył się w jej szare oczy.

– Musimy im niedługo powiedzieć – rzekł, biorąc ją w ramiona.

– Wiem. Po prostu nie chciałabym sprawić ojcu bólu.

228

– Wiem.

Patrzyła w podłogę.

– W przyszły piątek tatuś wraca z Waszyngtonu.

– A więc w piątek – powiedział cicho Richard, nie wypuszczając jej z objęć. Wieczorem, gdy Richard odjeżdżał spod jej domu, Florentyna odprowadzała go spojrzeniem i zastanawiała się, czy będzie miała dość siły, żeby wytrwać w postanowieniu.

W piątek rano Richard opuścił poranny wykład i przyjechał wcześniej do Nowego Jorku, żeby być przez resztę dnia z Florentyną.

Całe popołudnie spędzili powtarzając to, co mieli powiedzieć swoim ojcom. O siódmej wieczorem opuścili mieszkanie Florentyny przy Pięćdziesiątej Siódmej Ulicy. Szli nic nie mówiąc. Przy Park Avenue zatrzymali się przed czerwonym światłem.

– Czy wyjdziesz za mnie?

W ogóle o tym nie myślała, zbierając siły, żeby stawić czoło ojcu. Po jej policzku spłynęła łza; łza, która – jak czuła – nie powinna towarzyszyć najszczęśliwszej chwili jej życia. Richard wyjął z małego czerwonego pudełeczka pierścionek – szafir okolony brylantami. Włożył go jej na serdeczny palec lewej ręki. Próbował wstrzymać jej łzy pocałunkami. Oderwali się od siebie, jedno spojrzało na drugie, po czym Richard odwrócił się i odszedł w przeciwnym kierunku.

Uzgodnili, że się spotkają w jej mieszkaniu, gdy już będzie po wszystkim. Florentyna spoglądała na pierścionek na palcu obok starego, antycznego, który do tej pory najbardziej lubiła.

Idąc Park Avenue Richard powtarzał sobie w myśli zdania, które tak starannie skomponował,

ale kiedy stanął przed domem rodziców na Sześćdziesiątej Ósmej Ulicy, nie czuł się jeszcze całkiem gotów.

Zastał ojca w salonie, popijającego swoją ulubioną szkocką z wodą sodową, jak zwykle przed
przebraniem się do kolacji. Matka skarżyła się, że
siostra Richarda za mało je.

– Chyba Virginia postanowiła zostać najszczu-
plejszą dziewczyną w Nowym Jorku – mówiła. Richard roześmiałby się, gdyby mógł.

– Witaj, Richard, spodziewałem się ciebie
wcześniej.

– Tak – powiedział Richard. – Musiałem się
z kimś spotkać przed przyjściem do domu.

– Z kim? – spytała matka bez specjalnego zainteresowania.

– Z kobietą, z którą zamierzam się ożenić.

Obydwoje spojrzeli na niego ze zdumieniem;
nie tak miało brzmieć początkowe zdanie, które
tyle czasu obmyślał.

Pierwszy ochłonął ojciec.

– Czy nie sądzisz, że jesteś trochę za młody?
Z pewnością możecie z Mary poczekać jeszcze trochę.

– To nie Mary chcę poślubić.

– Nie Mary? – zdziwiła się matka.

– Nie – rzekł Richard. – Ona się nazywa Florentyna Rosnovski.

Kate Kane zbladła.

– Córka Abla Rosnovskiego? – spytał bezna-
miętnie William Kane.

– Tak, ojcze – powiedział stanowczo Richard.

– Czy to jakiś żart, synu?

– Nie, ojcze. Poznaliśmy się w niezwykłych okolicznościach i pokochaliśmy się, nie zdając sobie

230

sprawy z nieporozumień między naszymi rodzicami.

– Nieporozumień, mówisz? – powtórzył. – To ty nie wiesz, że ten pyszałkowaty dorobkiewicz, polski imigrant, od lat robi wszystko, żeby mnie usunąć z mojej własnej rady nadzorczej, i że raz prawie mu się udało? I ty nazywasz to nieporozumieniem? Richard, jeśli chcesz zasiąść w radzie nadzorczej banku Lestera, nie możesz nigdy więcej spotkać się z córką tego oszusta. Czy brałeś to pod uwagę?

– Tak, ojcze, ale to nie zmieni mojej decyzji. Spotkałem kobietę, z którą chcę spędzić całe życie i jestem dumny, że ona chce być moją żoną.

– Ona cię złapała, usidliła, po to, aby razem ze swoim ojcem odebrać mi mój bank. Czy nie umiesz przejrzeć ich zamiarów?

– Nawet ty, ojcze, nie możesz wierzyć w coś tak niedorzecznego.

– Niedorzecznego? On kiedyś oskarżył mnie, że ponoszę odpowiedzialność za śmierć jego wspólnika, Davisa Leroya, kiedy ja...

– Ojcze, Florentyna nic nie wiedziała o okolicznościach waszego konfliktu, póki mnie nie spotkała. Jak możesz być tak zaślepiony?

– Powiedziała ci, że jest w ciąży i że musisz się z nią ożenić.

– Ojcze, to nie było ciebie godne. Florentyna nigdy, od kiedy się spotkaliśmy, nie zrobiła nic, żeby mnie do czegokolwiek nakłaniać. Wręcz odwrotnie. – Richard zwrócił się do matki. – Czy nie moglibyście się z nią spotkać? Wówczas byście zrozumieli, jak to się stało.

Kate chciała odpowiedzieć, ale ojciec Richarda krzyknął:

– Nie! Nigdy! – i zwracając się do żony zażądał, żeby zostawiła ich samych. Richard zauważył, że matka, wychodząc, płakała.

– Teraz słuchaj, Richard. Jeśli poślubisz tę dziewczynę, nie dam ci złamanego grosza.

– Odziedziczyłeś, ojcze, po kilku pokoleniach przodków mylne przekonanie, że wszystko da się kupić. Twój syn nie jest na sprzedaż.

– Ale mógłbyś przecież ożenić się z Mary Bigelow, to taka porządna dziewczyna, i w dodatku z naszej sfery.

Richard zaśmiał się.

– Kogoś tak cudownego jak Florentyna nie można zastąpić panienką z dobrego domu z kasty bostońskich braminów.

– Nie kalaj naszego dziedzictwa, wymieniając jednym tchem nas razem z tą głupią Polką.

– Ojcze, nigdy nie sądziłem, że ktoś tak trzeźwo myślący jak ty może się kierować podobnie nonsensownymi uprzedzeniami.

William Kane postąpił krok w stronę syna. Richard ani drgnął. Ojciec zatrzymał się.

– Wynoś się – powiedział. – Nie należysz już do mojej rodziny. Nigdy...

Richard wyszedł z pokoju. Przecinając hall zauważył matkę, która pochylona opierała się o poręcz. Podszedł i objął ją. Wyszeptała:

– Zawsze będę cię kochać – i uwolniła się z objęć, kiedy usłyszała kroki męża.

Richard cicho zamknął za sobą frontowe drzwi. Stał znowu na Sześćdziesiątej Ósmej Ulicy. Myślał tylko o tym, jak powiodło się Florentynie. Zatrzymał taksówkę i, nie oglądając się do tyłu, polecił kierowcy jechać pod dom Florentyny.

232

Nigdy w życiu nie czuł się tak wolny.

Kiedy przyjechał na miejsce, zapytał portiera, czy Florentyna wróciła. Okazało się, że nie, czekał więc przed budynkiem, bojąc się, że nie udało jej się wyrwać. Stał głęboko zamyślony i nie zauważył, jak inna taksówka zatrzymuje się przy krawężniku i wyłania się z niej drobna postać Florentyny. Przyciskała ligninową chusteczkę do zakrwawionej wargi. Podbiegła do niego. Szybko poszli na górę i schronili się w jej mieszkaniu.

– Kocham cię, Richard – brzmiały jej pierwsze słowa.

– Ja też cię kocham – powiedział Richard, biorąc ją w ramiona i mocno przyciskając, jakby to mogło rozwiązać jakiekolwiek problemy.

Florentyna tuliła się do niego, gdy opowiadał:

– Zagroził mi, że nie da mi grosza, jeśli się z tobą ożenię. Kiedy oni wreszcie zrozumieją, że nie zależy nam na ich pieniądzach? Próbowałem szukać oparcia w matce, ale nawet ona nie potrafiła go ułagodzić. Kazał jej wyjść z pokoju. Jeszcze nigdy nie widziałem, żeby tak ją potraktował. Płakała, przez co jeszcze bardziej się zawziąłem. Zostawiłem go w pół zdania. Oby tylko nie wyładował swojego gniewu na Virginii i Lucy. A co się stało, kiedy ty powiedziałaś swemu ojcu?

– Uderzył mnie – powiedziała cichutko Florentyna. – Pierwszy raz w życiu. Myślę, że mógłby cię zabić, gdyby nas razem zobaczył. Kochanie, musimy się stąd wynosić, zanim on wpadnie na to, gdzie jesteśmy, a na pewno najpierw tu będzie nas szukał. Tak się boję.

– Nie trzeba, Florentyno. Wyjedziemy dziś wieczór jak najdalej stąd, i do diabła z nimi obydwoma.

233

– Jak szybko możesz się spakować? – spytała.

– Wcale nie będę się pakował – odparł. – Nie mogę już wrócić do domu. Ty się spakuj i zaraz możemy jechać. Mam przy sobie około stu dolarów i wiolonczelę, która została w sypialni. Co myślisz o poślubieniu faceta, który ma wszystkiego sto dolarów?

– Przypuszczam, że ekspedientka z domu towarowego nie może liczyć na więcej. I pomyśleć, że marzyłam, żeby zostać utrzymanką. Chyba nie spodziewasz się posagu? – Przetrząsnęła torebkę. – Cóż, mam dwieście dwanaście dolarów i kartę kredytową American Express, tak więc będzie mi pan winien pięćdziesiąt sześć dolarów, Richardzie Kane, ale sądzę, że zgodzę się na spłaty po dolarze rocznie.

– Pomysł z posagiem uważam za lepszy – rzekł Richard.

Florentyna spakowała się w pół godziny. Potem usiadła przy biurku i napisała krótki list do ojca, zapowiadając, że nigdy się z nim więcej nie zobaczy, jeśli on nie zaakceptuje Richarda. Zostawiła kopertę na nocnym stoliku przy łóżku.

Richard przywołał taksówkę. – „Idlewild" – powiedział kierowcy, gdy już umieścił trzy walizki Florentyny i swoją wiolonczelę w bagażniku.

Po przyjeździe na lotnisko Florentyna poszła zatelefonować. Poczuła ulgę, kiedy z tamtej strony podniesiono słuchawkę. Podzieliła się nowiną z Richardem, a wówczas on kupił bilety na samolot.

O siódmej trzydzieści samolot Super Constellation 1049 należący do American Airlines zaczął kołować na start; podróż miała trwać siedem godzin.

Richard pomógł Florentynie zapiąć pas. Uśmiechnęła się do niego.

– Czy pan wie, jak bardzo pana kocham, panie Kane?

– Myślę, że tak... pani Kane – odparł.

– Jeszcze pożałujesz swojego dzisiejszego postępku.

Nie odpowiedział od razu, siedział tylko bez ruchu patrząc przed siebie. Potem zaś rzekł: – Nie próbuj się z nim nigdy kontaktować.

Wyszła z pokoju bez słowa.

Siedział samotnie w swoim fotelu obciągniętym wiśniową skórą; czas stanął w miejscu. Nie słyszał kilkakrotnego dzwonka telefonu. Kamerdyner delikatnie zapukał i wszedł do pokoju.

– Dzwoni jakiś pan Rosnovski. Czy będzie pan rozmawiał?

William Kane poczuł ostry ból w dołku. Wiedział, że musi odbyć tę rozmowę. Podniósł się z fotela i tylko dzięki maksymalnemu wysiłkowi nie opadł nań z powrotem. Podszedł do aparatu i podjął słuchawkę.

– William Kane przy telefonie.

– Mówi Abel Rosnovski.

– Czyżby? Więc kiedy wpadł pan na pomysł, żeby nakłonić swoją córkę, aby usidliła mojego syna? Niechybnie wtedy, gdy tak srodze się pan zawiódł, nie mogąc doprowadzić do upadku mego banku.

– Nie bądź pan takim cholernym... – Abel opanował się w porę. – Tak samo zależy mi na niedopuszczeniu do tego małżeństwa jak panu. Nigdy nie zrobiłem nic, żeby odebrać panu syna. Dopiero dziś dowiedziałem się o jego istnieniu. Bardziej kocham moją córkę, niż pana nienawidzę, i nie chcę jej utracić. Czy nie moglibyśmy się spotkać i czegoś wspólnie wymyślić?

– Nie – uciął William Kane.

– Czy jest sens rozgrzebywać przeszłość, Kane? Jeśli pan wie, gdzie oni teraz są, może udałoby się nam ich powstrzymać. Przecież pan też tego chce. Chyba że jest pan taki cholernie dumny, że woli pan stać bezczynnie i patrzeć, jak pański syn żeni się z moją córką?

William Kane bez słowa odwiesił słuchawkę i wrócił do swojego fotela. Wszedł kamerdyner. – Kolacja podana, proszę pana.

– Nie będę jadł kolacji. I nie ma mnie w domu.

– Tak, proszę pana – powiedział kamerdyner i wyszedł z pokoju.

William Kane siedział w samotności. Nikt mu nie zakłócił spokoju aż do ósmej rano następnego dnia.

XIV

Kiedy samolot wylądował na międzynarodowym lotnisku w San Francisco, Florentyna pomyślała z niepokojem, czy nie uprzedziła przyjaciół zbyt późno. Ledwie jednak Richard postawił stopę na płycie lotniska, zobaczył pędzącą ku nim olbrzymkę, która rzuciła się Florentynie na szyję. Florentyna wciąż nie była w stanie objąć Belli.

– Nie dałaś mi za dużo czasu. Zadzwoniłaś przed samym odlotem samolotu.

– Przepraszam, Bello, ale sama nie wiedziałam...

– Daj spokój. Właśnie martwiliśmy się z Claude'em, że nie mamy dziś wieczór nic do roboty.

Florentyna roześmiała się i przedstawiła obojgu Richarda.

– Czy to wasz cały bagaż? – dopytywała się Bella, patrząc na trzy walizki i wiolonczelę.

– Musieliśmy wyjechać dość nagle – wyjaśniła Florentyna.

– W porządku, mój dom zawsze jest twoim domem – powiedziała Bella i schwyciła od razu dwie walizki.

– Dzięki Bogu, że cię mam, Bello. Ani trochę się nie zmieniłaś.

– Pod jednym względem – tak. Jestem w szóstym miesiącu ciąży. Tyle że wyglądam jak wielka panda, więc nikt tego nie zauważa.

Dziewczęta uskakiwały co chwila na boki, przemierzając płytę lotniska, na której panował wielki ruch. Szły w stronę parkingów. Podążał za nimi Richard ze swoją wiolonczelą, a na końcu Claude. W trakcie jazdy do San Francisco Bella obwieściła, że Claude został niedawno młodszym wspólnikiem w kancelarii adwokackiej Pillsbury, Madison i Sutro.

– Prawda, że świetnie się spisuje? – spytała.

– A Bella jest nauczycielką wychowania fizycznego w miejscowej szkole średniej i odkąd tam uczy, szkolna drużyna nie przegrała ani jednego meczu hokejowego – z podobną dumą oznajmił Claude.

– A czym ty się zajmujesz? – zagadnęła Bella, dźgając palcem pierś Richarda. – Po twoim bagażu sądząc, jesteś pewnie bezrobotnym muzykiem.

– Niezupełnie – odparł ze śmiechem Richard. – Jestem niedoszłym bankierem i od jutra zabieram się do szukania pracy.

– Kiedy się pobierzecie?

– Nie wcześniej niż za trzy tygodnie – powiedziała Florentyna. – Chcę wziąć ślub kościelny, a wpierw ksiądz musi ogłosić zapowiedzi.

– Więc będziecie żyli w grzechu – zauważył Claude, przejeżdżając koło tablicy z napisem: „San Francisco wita ostrożnych kierowców". – We współczesnym stylu. Ja też tak chciałem, ale Bella nie dała się przekonać.

– A dlaczego w takim pośpiechu opuściliście Nowy Jork? – spytała Bella, puszczając mimo uszu uwagę Claude'a.

Florentyna wyjaśniła, jak poznała Richarda, i opowiedziała o długoletniej waśni dzielącej ich ojców. Bella i Claude z niedowierzaniem wysłuchali całej historii, nie przerywając ani słowem. Wreszcie samochód się zatrzymał.

– Oto nasz dom – oznajmił Claude, zaciągając zdecydowanym ruchem hamulec i zostawiając samochód na pierwszym biegu.

Florentyna stanęła na zboczu stromego wzgórza. Nie było stąd jeszcze widać zatoki.

– Przeniesiemy się wyżej, kiedy Claude zostanie wspólnikiem – powiedziała Bella. – Na razie musi nam to wystarczyć.

– Tu jest fantastycznie – zachwyciła się Florentyna, wchodząc do małego domku. Uśmiechnęła się na widok kijów do hokeja tkwiących w stojaku na parasole.

– Zaprowadzę was od razu do waszego pokoju, żebyście się mogli rozpakować – oznajmiła Bella i powiodła gości wąskimi, kręconymi schodami do wolnego pokoju na samej górze. – Nie jest to co prawda Apartament Prezydencki w hotelu Baron, ale lepsze to niż koczowanie na ulicy.

Dopiero po kilku tygodniach Florentyna dowiedziała się, że Bella z Claude'em mozolili się całe popołudnie, żeby wtaszczyć swoje szerokie łoże na górę i znieść stamtąd dwa jednoosobowe łóżka; chcieli, aby Richard i Florentyna mogli spędzić razem swoją pierwszą noc.

W Nowym Jorku była czwarta rano, kiedy wreszcie się położyli.

– No cóż, skoro Grace Kelly nie jest już osiągalna, zadowolę się tobą. Chociaż myślę, że Claude ma rację i będziemy musieli żyć w grzechu.

– Gdybyś nawet żył w grzechu z Claude'em, nikt w San Francisco nie zwróciłby na to uwagi.

– Czy masz już może jakieś pretensje?

– Owszem. Zawsze marzyłam, że mój ukochany będzie sypiał na lewej stronie łóżka.

Rano, po spożyciu gargantuicznego śniadania w stylu Belli, Florentyna i Richard zaczęli wertować gazety pod kątem ofert pracy.

– Musimy próbować szybko coś znaleźć – powiedziała Florentyna. – Tych pieniędzy nie starczy nam na dłużej niż miesiąc.

– Tobie może pójść łatwiej. Nie sądzę, żeby dużo banków zaproponowało mi pracę, skoro nie mam dyplomu lub chociażby polecenia od mego ojca.

– Nie przejmuj się – pocieszyła go Florentyna, wichrząc mu czuprynę. – Jeszcze zakasujemy naszych ojców.

Okazało się, że Richard miał rację. Zaledwie po trzech dniach poszukiwań i jednym telefonie przyszłego chlebodawcy do kierownika kadr u Bloomingdale'a Florentyna otrzymała pracę ekspedientki w sklepie z odzieżą młodzieżową „Modne szaty Kolumba", ogłaszającym w „Chronicle", że potrzebna „bystra sprzedawczyni". Już po tygodniu kierownik sklepu zorientował się, jaka trafiła mu się perła.

Richard z kolei przemierzał wszerz i wzdłuż San Francisco, odwiedzając bank za bankiem. Dyrektor kadr zawsze prosił go, żeby zatelefonował za kilka dni, a wówczas nagle okazywało się, że „na razie nie ma żadnego wakatu" dla osoby z jego kwalifikacjami. Zbliżał się dzień ślubu i Richarda ogarniał coraz większy niepokój.

– Nie można mieć do nich pretensji – mówił Florentynie. – Oni wszyscy prowadzą interesy z moim ojcem i nie chcą go drażnić.

– Banda tchórzy. A czy nie słyszałeś o kimś, kto miał konflikt z bankiem Lestera i nie łączą go z nim żadne interesy?

Richard objął głowę rękoma i przez dłuższy czas się zastanawiał.

– Tylko Bank of America. Ojciec kiedyś pokłócił się z nimi, gdyż ubezpieczył się u nich przeciwko spadkowi wartości akcji, a im uznanie tej gwarancji zajęło tyle czasu, że poniósł duże straty. Poprzysiągł, że nigdy więcej nie będzie robił z nimi żadnych interesów. Warto spróbować, jutro tam wpadnę.

Kiedy nazajutrz rozmawiał z dyrektorem, ten go spytał, czy ubiega się o pracę w Bank of America ze względu na głośne nieporozumienie banku z jego ojcem.

– Tak, proszę pana – odparł Richard.

– Doskonale, zatem jest coś, co nas ze sobą łączy. Zacznie pan pracować w poniedziałek na stanowisku młodszego kasjera, a jeśli jest pan nieodrodnym synem Williama Kane'a, to nie sądzę, żeby pan tam długo zagrzał miejsce.

W sobotę, w trzy tygodnie po przyjeździe do San Francisco, Richard i Florentyna wzięli cichy ślub w kościele św. Edwarda przy California Street. Ojciec O'Reilly razem z matką Florentyny przyleciał z Chicago, żeby połączyć ich węzłem małżeńskim. Claude poprowadził Florentynę do ślubu, po czym stanął obok Richarda, przeistaczając się w drużbę, Bella zaś, gigantyczna w różowej sukni ciążowej, pełniła funkcję starościny. Wszyscy sześcioro zjedli wieczorem uroczystą kolację u DiMaggio na Nabrzeżu Rybackim. Połączone tygodniówki Richarda i Florentyny nie starczyły na zapłacenie rachunku, więc Zofia pospieszyła z pomocą.

– Gdybyście znów chcieli pójść we czwórkę do restauracji – powiedziała – zadzwońcie tylko, a przylecę pierwszym samolotem.

Oblubieńcy znaleźli się w łóżku o pierwszej w nocy.

– Nigdy nie przypuszczałam, że wyjdę za kasjera bankowego.

– A ja, że poślubię ekspedientkę, ale to z punktu widzenia socjologii dobrze rokuje.

– Miejmy nadzieję, że nie skończy się na socjologii – powiedziała Florentyna, gasząc światło.

Abel użył wszelkich możliwych środków, żeby się dowiedzieć, gdzie podziała się Florentyna. Spędzał całe dni na wydzwanianiu, wysyłaniu telegramów, a nawet próbował nakłonić do poszukiwań policję. Wreszcie zdał sobie sprawę, że została mu tylko jedna jedyna droga. Wykręcił numer telefonu w Chicago.

– Słucham? – odezwał się w słuchawce głos tak samo lodowaty jak głos Williama Kane'a.

– Na pewno wiesz, dlaczego dzwonię.

– Domyślam się.

– Od kiedy wiedziałaś o Florentynie i Richardzie Kane'ie?

– Mniej więcej od trzech miesięcy. Florentyna przyleciała do Chicago i wszystko mi opowiedziała. Potem widziałam Richarda na ich ślubie. Ona nie przesadza. To nadzwyczajny chłopak.

– Czy wiesz, gdzie oni teraz są? – dopytywał się Abel.

– Tak.

– Gdzie?

– Znajdź ich sam. – Przerwano połączenie. Znowu ktoś, kto odmawia pomocy.

Na biurku przed Ablem leżała nie otwierana teczka ze szczegółowym programem jego bliskiej podróży do Europy. Przejrzał ją. Dwa bilety na samolot, podwójne rezerwacje w hotelach w Londynie, Edynburgu i Cannes. Dwa bilety do opery, dwa do teatru. Ale pojedzie tylko jedna osoba. Florentyna nie dokona uroczystego otwarcia hotelu Baron w Edynburgu ani w Cannes.

Abel zapadł w niespokojny sen, z którego wolałby się nie obudzić. George zastał go następnego dnia o ósmej rano śpiącego z głową na biurku. Obiecał, że przed jego powrotem z Europy odnajdzie Florentynę, ale do Abla, który w kółko odczytywał list od córki, wreszcie dotarło, że nawet gdyby to się udało, ona nie zechce się z nim zobaczyć.

XV

– Chciałabym pożyczyć trzydzieści cztery tysiące dolarów – oznajmiła Florentyna.

– Na co potrzebujesz tych pieniędzy? – przybierając oschły ton spytał Richard.

– Chcę przejąć w dzierżawę budynek w Nob Hill i otworzyć w nim salon mody.

– Jakie są warunki dzierżawy?

– Na dziesięć lat, z możliwością przedłużenia.

– Jakie zabezpieczenie pożyczki możesz zaoferować?

– Mam trzy tysiące akcji Grupy Hoteli Baron.

– Ale to jest spółka prywatna – rzekł Richard – i te akcje nie mają w efekcie żadnej wartości, gdyż nie można ich sprzedawać w wolnym obrocie.

– Ale grupa Hoteli Baron jest warta co najmniej pięćdziesiąt milionów, a moje akcje stanowią jeden procent majątku spółki.

– Jak zostałaś właścicielką tych akcji?

– Mój ojciec, który jest prezesem Grupy, ofiarował mi je na moje dwudzieste pierwsze urodziny.

– Dlaczego więc nie zwrócisz się o pożyczkę do niego?

– Do diabła – powiedziała Florentyna. – Czy oni będą aż tak dociekliwi?

– Obawiam się, że tak, Jessie.

– I wszyscy dyrektorzy banku potraktują mnie tak surowo jak ty? W Chicago nigdy się do mnie w ten sposób nie odnosili.

– Dlatego, że mieli zabezpieczenie w majątku twego ojca. Nikt, kto cię nie zna, nie będzie ci tak łatwo szedł na rękę. Urzędnik banku decydujący o udzielaniu pożyczek musi liczyć się z tym, że każda nowa pożyczka może nie zostać spłacona, jeśli więc nie ma podwójnego zabezpieczenia, ryzykuje utratę pracy. Kiedy chcesz pożyczyć pieniądze, musisz uruchomić wyobraźnię i rozważyć punkt widzenia tej drugiej osoby. Każdy, kto pragnie zaciągnąć pożyczkę, jest święcie przekonany, że mu się powiedzie w interesach, ale urzędnik banku dobrze wie, że ponad połowa przedstawionych mu projektów zakończy się fiaskiem, a w najlepszym przypadku nie przyniesie ani zysków, ani strat. Musi więc zachować wielką ostrożność i mieć pewność, że zawsze będzie mógł odzyskać swoje pieniądze. Mój ojciec mawiał, że większość transakcji finansowych przynosi jednoprocentowy zysk, tak więc bank nie może sobie pozwolić na stuprocentową stratę częściej niż raz na pięć lat.

– To logiczne, ale wobec tego jak odpowiedzieć na pytanie: „Dlaczego nie zwróci się pani do ojca?"

– Powiedz prawdę. Pamiętaj, działanie banku opiera się na zaufaniu i jeśli przekonają się, że jesteś wobec nich uczciwa, pomogą ci, kiedy będziesz miała kłopoty.

– Nie odpowiedziałeś na moje pytanie.

– Po prostu powiedz: „Posprzeczaliśmy się z oj-

cem w sprawach rodzinnych i teraz chcę samo-
dzielnie prowadzić interesy".

– Myślisz, że to ich przekona?

– Nie wiem, ale jeśli tak, to przynajmniej będziesz miała od początku jasną sytuację. No dobrze, przećwiczmy to jeszcze raz.

– Czy musimy?

– Tak. To nie oni chcą od ciebie pieniędzy, Jessie.

– Chciałabym pożyczyć trzydzieści cztery tysiące dolarów.

– Na co są pani potrzebne te pieniądze?

– Zamierzam przejąć...

– Kolacja gotowa! – huknęła Bella.

– Wybawiła mnie – ucieszyła się Florentyna.

– Tylko na pół godziny. Ile banków odwiedzisz
w poniedziałek?

– Trzy: Bank of California, Wells Fargo i Crockera. A może wpaść do Bank of America, a ty byś
mi po prostu wyłożył na kontuar te trzydzieści
cztery tysiące?

– Nic z tego, w Ameryce nie ma w więzieniach
wspólnych, męsko-damskich cel.

Claude wsadził głowę w drzwi. – Hej, pospiesz-
cie się, bo nic dla was nie zostanie.

George poświęcał tyle samo czasu szukaniu Florentyny, co swym obowiązkom dyrektora Grupy
Barona. Przyrzekł sobie, że przed powrotem Abla
z Europy dowie się czegoś konkretnego.

Pod jednym względem bardziej mu się poszczę-
ściło niż Ablowi. Mianowicie Zofia z satysfakcją
poinformowała go, że regularnie odwiedza nowo-
żeńców na wybrzeżu. Wystarczył jeden telefon do

246

biura podróży w Chicago, żeby się dowiedzieć, że Zofia lata do San Francisco. W ciągu dwudziestu czterech godzin George ustalił adres i numer telefonu Florentyny. Udało mu się nawet zamienić parę słów ze swoją chrzestną córką, ale potraktowała go z wyraźną rezerwą.

Henry Osborne zaofiarował się z pomocą, ale wkrótce wyszło na jaw, że chciał tylko wywęszyć, co się dzieje w życiu osobistym Abla. Próbował nawet naciągnąć George'a na kolejną pożyczkę.

– Będziesz musiał poczekać do powrotu Abla – powiedział mu ostro George.

– Nie wiem, czy wytrzymam do tej pory.

– Przykro mi, Henry, ale nie jestem upoważniony do udzielania prywatnych pożyczek.

– Nawet członkowi rady nadzorczej? Jeszcze pożałujesz tej odmowy, George. W końcu wiem o wiele lepiej od ciebie, jakie były początki grupy, i jestem pewien, że znajdą się tacy, którzy chętnie mi zapłacą za te informacje.

George zawsze był na lotnisku pół godziny przed przylotem samolotu, ilekroć Abel wracał z Europy. Wiedział, że właściciel Grupy Barona będzie ciekaw, niczym świeżo upieczony dyrektor, co się ostatnio wydarzyło w firmie. Teraz jednak był pewien, że jego pierwsze pytanie będzie dotyczyło całkiem innej sprawy.

Abel jak zwykle wyszedł z odprawy celnej na samym początku i gdy tylko usadowili się obaj na tylnym siedzeniu cadillaca firmy, od razu przystąpił do rzeczy, nie tracąc czasu na wstępne uprzejmości.

– Jakie wieści? – zapytał, doskonale zdając sobie sprawę, że George pojmie, o co mu chodzi.

– I dobre, i złe – odparł George, naciskając guzik przy oknie. Abel patrzył, jak szklana tafla sunie w górę, oddzielając ich od kierowcy. Niecierpliwie bębnił palcami o boczną szybę i czekał. – Florentyna nadal utrzymuje kontakty z matką. Mieszka w niewielkim domku w San Francisco u starych przyjaciół z Radcliffe.

– Wyszła za mąż?

– Tak.

Abel przez jakiś czas milczał, jakby oswajając się z nieodwołalnością tego stwierdzenia.

– A co robi młody Kane? – zapytał.

– Dostał posadę w banku. Podobno w wielu miejscach mu odmówiono, gdyż rozeszło się, że nie ukończył Harvard Business School i że ojciec nie da mu referencji. Nikt się nie kwapił, żeby go zatrudnić, aby nie narazić się Williamowi Kane'owi. W końcu przyjęto go na młodszego kasjera w Bank of America, z pensją o wiele niższą, niż mógłby się spodziewać przy swoich kwalifikacjach.

– A Florentyna?

– Pracuje jako zastępczyni kierowniczki w magazynie „Modne szaty Kolumba” w okolicy Parku Złotych Wrót. Próbowała pożyczyć pieniądze w paru bankach.

– Dlaczego? – spytał Abel z niepokojem. – Czy ma jakieś kłopoty?

– Nie, szuka kapitału na założenie własnego sklepu.

– Ile potrzebuje?

– Trzydziestu czterech tysięcy dolarów na wydzierżawienie małego budynku w Nob Hill, który właśnie się zwolnił.

Abel dłuższą chwilę przetrawiał wiadomości.

– Dopilnuj, żeby dostała te pieniądze. Zrób tak, żeby wyglądało na zwykłą bankową pożyczkę, i postaraj się, żeby nie wyszło na jaw, że maczałem w tym palce. – Znowu zaczął bębnić po szybie. – To na zawsze musi pozostać między nami, George.

– Jak sobie życzysz, Ablu.

– I nadal informuj mnie o każdym jej kroku, choćby wydawał ci się mało ważny.

– A o Richardzie Kane'ie?

– On mnie nie obchodzi – rzekł Abel. – A jaka jest ta zła wiadomość?

– Znów kłopoty z Henrym Osborne'em. Wygląda na to, że wszystkim naokoło jest winien pieniądze, i dałbym głowę, że jedynym źródłem jego dochodów jesteś ty. Nadal się odgraża, że ujawni, iż przymykałeś oczy na łapówki w dawnych czasach, kiedy przejąłeś grupę. Mówi, że przechowuje wszystkie papiery od pierwszego dnia, kiedy cię poznał. Twierdzi, że załatwił ci wypłatę korzystniejszego, niż się należało, odszkodowania po pożarze starego Richmondu w Chicago. Wszystkim dookoła rozpowiada, że ma twoje dossier grube już na trzy cale.

– Pogadam sobie z nim jutro rano – rzekł Abel.

Abel zdążył już zorientować się na bieżąco w interesach grupy, kiedy Henry stawił się na spotkanie. Abel podniósł wzrok znad biurka i przyjrzał mu się; picie na umór i wieczne wpadanie w długi zaczynało się już odbijać na jego twarzy. Pierwszy raz Abel pomyślał, że Henry wygląda staro na swoje lata.

– Potrzebuję trochę forsy, żeby wydobyć się z tarapatów – oznajmił Henry, jeszcze nim uścisnęli sobie dłonie. – Miałem ostatnio pecha.

– Znowu, Henry? Czas byłby już zmądrzeć. Ile ci trzeba tym razem?

– Dziesięć tysięcy by mnie urządziło – powiedział Henry.

– Dziesięć tysięcy! – żachnął się Abel. – Cóż ty sobie myślisz, że ja mam kopalnię złota? Ostatnio zadowoliło cię pięć.

– Inflacja – powiedział Henry, usiłując się roześmiać.

– To jest ostatni raz, rozumiesz? – rzekł Abel, sięgając po książeczkę czekową.

– Spróbuj tylko przyjść i znowu żebrać, a usunę cię z rady nadzorczej i wyrzucę bez złamanego grosza.

– Jesteś prawdziwym przyjacielem, Ablu. Przysięgam, że już nigdy więcej nie będę cię nagabywał, możesz mi wierzyć. – Abel przyglądał się, jak Henry bierze cygaro z pudełka na stole i zapala je. George nie zrobił tego ani razu w ciągu dwudziestu lat. – Dziękuję, Ablu. Nigdy tego nie pożałujesz.

Henry niespiesznie wyszedł z pokoju, wypuszczając kłęby dymu z cygara.

Abel odczekał, aż zamkną się drzwi, po czym wezwał telefonicznie George'a. Ten pojawił się po chwili.

– No i jak?

– Uległem ostatni raz – powiedział Abel. – Sam nie wiem, dlaczego. Dałem mu dziesięć tysięcy.

– Dziesięć tysięcy? – George aż westchnął z wrażenia. – Założę się, że on znowu wróci. Możesz być tego pewien.

– Nie będzie miał po co się fatygować – rzekł Abel. – Ja już z nim skończyłem. Jeśli nawet coś dla mnie zrobił w przeszłości, to teraz jesteśmy kwita. Czy masz jakieś nowe wiadomości o mojej małej?

– Przygotowałem jej grunt w Crocker National Bank w San Francisco – powiedział George. – W najbliższy poniedziałek ma umówione spotkanie z pracownikiem banku, który decyduje o udzielaniu pożyczek. To będzie wyglądało jak zwyczajna pożyczka bankowa, bez żadnych specjalnych względów. Zażądają nawet od niej pół procenta więcej niż zazwyczaj, więc się nie połapie, w czym rzecz. Nie dowie się, że za nią poręczyłeś.

– Wyśmienicie. Dziękuję, George. Stawiam dziesięć dolarów, że spłaci tę pożyczkę w ciągu dwóch lat i nigdy nie przyjdzie po następną. Informuj mnie o wszystkich jej zamierzeniach. Absolutnie o wszystkich.

Florentyna odwiedziła w poniedziałek trzy banki. Bank of California wykazał pewne zainteresowanie, Wells Fargo żadnego, a w banku Crockera powiedziano jej, żeby zatelefonowała za kilka dni. Richard był mile zaskoczony.

– Jakie proponowali warunki?

– W Bank of California zażądali ośmiu procent i oddania w depozyt umowy dzierżawnej. W banku Crockera chcą osiem i pół procent, umowy dzierżawnej oraz moich akcji Grupy Barona.

– Przyzwoite warunki, zważywszy, że nie mieli przedtem z tobą do czynienia, ale to znaczy, że musiałabyś się wykazać dwudziestopięcioprocentowym zyskiem przed opodatkowaniem, żeby wyjść na zero.

– Wyliczyłam sobie wszystko na papierze i myślę, że osiągnę trzydzieści dwa procent zysku w pierwszym roku.

– Przestudiowałem wczoraj wieczorem twoje obliczenia, Jessie, i uważam, że kalkulowałaś zbyt optymistycznie. Nie masz szans na taki zysk. Myślę, że w rzeczywistości firma poniesie w pierwszym roku straty rzędu siedmiu do dziesięciu tysięcy dolarów – musisz więc liczyć na ich wiarę w twoją przyszłość.

– Dokładnie to samo powiedzieli mi w banku.

– Kiedy się dowiesz o ich decyzji?

– Pod koniec tygodnia. To gorsze niż czekanie na wynik egzaminu.

– Doskonale się pan spisuje, panie Kane – powiedział kierownik – Zasugerowałem zwierzchnictwu, żeby przenieść pana na wyższe stanowisko. Mam na myśli...

Na biurku kierownika zadzwonił telefon. Kierownik podniósł słuchawkę.

– To do pana – powiedział zdziwiony, oddając ją Richardowi.

– W Bank of California poinformowano mnie, że komisja pożyczkowa mi odmówiła, ale bank Crockera wyraził zgodę. Och, Richard, czy to nie cudowne?

– Tak, szanowna pani, to istotnie dobra wiadomość – rzekł Richard, unikając wzroku zwierzchnika.

– Hm, to bardzo uprzejme stwierdzenie, panie Kane. Poza tym mam mały problem socjologiczny i właśnie się zastanawiałam, czy nie mógłbyś pomóc mi go rozwiązać.

– Gdyby szanowna pani zechciała pofatygować się do banku, omówilibyśmy tę kwestię bardziej szczegółowo.

– Co za znakomity pomysł. Zawsze marzyłam

o tym, żeby kochać się z tobą w bankowym skarbcu między stosami banknotów, pod spojrzeniami setek i tysięcy Benjaminów Franklinów.

– Zgadzam się na tę propozycję. Zadzwonię do szanownej pani i potwierdzę przy najbliższej okazji.

– Nie zwlekaj za długo, bo zmienię bankiera.

– W Bank of America zawsze staramy się zadowolić naszych klientów, proszę szanownej pani.

– Jakoś nie widać tego na moim koncie bankowym.

Przerwano połączenie.

– Gdzie pójdziemy uczcić tę okazję? – spytał Richard.

– Powiedziałam ci przez telefon. W bankowym skarbcu.

– Kochanie, kiedy zadzwoniłaś, miałem właśnie prywatną konferencję z moim przełożonym, który zaproponował mi trzecie w hierarchii stanowisko w dziale zagranicznym.

– To fantastyczne. Mamy więc do uczczenia podwójną okazję. Wybierzmy się do Chinatown i kupmy pięć gotowych dań i pięć wielkich butli coca-coli.

– Dlaczego pięć, Jessie?

– Ponieważ zaprosimy Bellę. Nawiasem mówiąc, panie Kane, wolę, kiedy zwracasz się do mnie „szanowna pani".

– A ja wolę „Jessie". To imię mi przypomina, jak daleko zaszłaś, odkąd cię poznałem.

Wieczorem Claude zjawił się w domu, pod każdą pachą dzierżąc butelkę szampana. – Otwórzmy zaraz jedną i świętujmy – zaproponowała Bella.

– Zgoda – powiedziała Florentyna. – A co z drugą?

– Zachowamy ją na specjalną okazję, jakiej nikt z nas nie potrafi przewidzieć – stanowczo oświadczył Claude.

Richard otworzył butelkę i rozlał szampana do czterech kieliszków, drugą Florentyna schowała w kąt lodówki.

Następnego dnia Florentyna podpisała umowę o dzierżawę małego budyneczku w Nob Hill i państwo Kane wprowadzili się do niewielkiego mieszkania nad sklepem. Florentyna, Bella i Richard spędzali weekendy na malowaniu i sprzątaniu, Claude zaś, który miał z nich czworga największe zdolności artystyczne, wymalował szafirowymi literami napis „Florentyna" nad szybą wystawową. Miesiąc później można już było otworzyć sklep.

Podczas pierwszego tygodnia pracy w charakterze właścicielki, kierowniczki i sprzedawczyni Florentyna skontaktowała się ze wszystkimi głównymi hurtownikami, którzy prowadzili interesy z jej ojcem w Nowym Jorku, i bardzo szybko miała w sklepie pełno towarów dostarczonych na dziewięćdziesięciodniowy kredyt.

Otworzyła swój mały sklep pierwszego sierpnia 1958 roku. Na zawsze zapamiętała tę datę, ponieważ po północy Bella wydała na świat dziecko o wadze dwunastu funtów.

Florentyna rozesłała liczne zawiadomienia o otwarciu sklepu akurat w przeddzień ogłoszenia podwyżki cen znaczków z trzech do czterech centów. Wykradła również swoim poprzednim pracodawcom ze sklepu „Modne szaty Kolumba" ekspedientkę nazwiskiem Nancy Ching, która miała wdzięk Maisie, ale na szczęście nie jej iloraz inteligencji. Rankiem w dniu otwarcia stały obie w drzwiach w pełnym nadziei oczekiwaniu, ale jedyna osoba, która się pojawiła, zapytała o drogę do innego sklepu. Nazajutrz rano przyszła młoda kobieta, która spędziła godzinę na oglądaniu wszystkich bluzek, jakie nadeszły z Nowego Jorku. Przymierzyła kilka, ale w końcu żadnej nie kupiła. Po południu zjawiła się dama w średnim wieku, która po długich korowodach wybrała wreszcie parę rękawiczek.

– Ile płacę? – spytała.

– Nic – odparła Florentyna.

– Nic? – zdumiała się dama.

– Tak. Jest pani pierwszą klientką, która zrobiła zakup w naszym sklepie i dlatego otrzymuje pani te rękawiczki gratis.

– Jak miło z pani strony. Rozpowiem wszystkim moim przyjaciołom.

– Mnie nigdy nie sprezentowała pani rękawiczek, kiedy robiłem zakupy u Bloomingdale'a, panno Kovats – powiedział Richard tego wieczoru. – Zbankrutujesz jeszcze w tym miesiącu, jeśli będziesz dalej tak postępować.

Tym razem jednak wyjątkowo nie miał racji. Okazało się, że klientka była prezeską Ligi Młodzieżowej w San Francisco i jedno jej słowo więcej znaczyło niż całostronicowe ogłoszenie w tutejszej „Chronicle".

Przez pierwsze tygodnie Florentyna pracowała po osiemnaście godzin na dobę, gdyż ledwie zamknęła sklep, zabierała się do sprawdzania, co ma w magazynie, gdy tymczasem Richard kontrolował księgi. Z upływem miesięcy Florentyna zaczęła powątpiewać, czy jej sklepik kiedykolwiek przyniesie jakiś zysk.

W pierwszą rocznicę otwarcia sklepu zaprosili Bellę i Claude'a, aby wspólnie celebrować stratę siedmiu tysięcy trzystu osiemdziesięciu dolarów.

– W następnym roku musimy osiągnąć lepsze wyniki – powiedziała stanowczo Florentyna.

– Dlaczego? – spytał Richard.

– Bo będziemy więcej wydawać na żywność.

– Czy Bella się do nas sprowadzi?

– Nie. Spodziewam się dziecka.

Richard był uszczęśliwiony, jedyne tylko, co go martwiło, to upór Florentyny, która nie przestawała pracować do ostatniego dnia, do chwili pójścia do szpitala. Drugi rok przyniósł im mały zysk w wysokości dwóch tysięcy dolarów oraz dużego syna, który gdy się urodził, ważył dziewięć funtów i trzy uncje. Miał na piersi tylko jedną sutkę.

O tym, jak nazwą swojego pierworodnego, jeśli będzie to chłopiec, zdecydowali już kilka tygodni wcześniej.

Kiedy George Novak został zaproszony na ojca chrzestnego syna Florentyny, zdumiał się i ucieszył. Abel, chociaż się nie przyznawał, również był zadowolony, gdyż miła mu była każda okazja, żeby dowiedzieć się czegokolwiek o życiu córki.

Dzień przed chrzcinami George poleciał samolotem do Los Angeles, żeby skontrolować, jak przebiega budowa nowego hotelu. Abel koniecznie chciał, by hotel był gotowy w połowie września, zależało mu bowiem, aby otwarcia dokonał John Kennedy, kiedy odwiedzi miasto w trakcie kampanii wyborczej. Przekonawszy się, że termin będzie dotrzymany, George udał się następnie do San Francisco.

Miał taki charakter, że potrzebował dużo czasu, żeby kogoś polubić, a jeszcze więcej, żeby komuś zaufać. Jednakże przy Richardzie wszelkie jego opory z miejsca stopniały. Od razu poczuł do niego sympatię, a kiedy na własne oczy się przekonał, jak wiele Florentyna osiągnęła w tak krótkim czasie, uznał, że byłoby to niemożliwe, gdyby nie rozwaga i rozsądek jej męża. George nie zamierzał bynajmniej ukrywać swoich spostrzeżeń przed Ablem po powrocie do Nowego Jorku.

Po spożyciu skromnej kolacji obaj panowie zaczęli grać w tryktraka po dolarze za punkt i gawędzili o chrzcinach. „To nie to, co chrzciny Florentyny" – zwierzał się George Richardowi, którego rozbawiła niefortunna przygoda teścia, spędzającego noc w areszcie.

– Masz szczęście do dubletów – zauważył George, sącząc nalane mu przez Richarda rémy martin.

– Mój ojciec... – Richard zawahał się przez moment – zawsze mi docinał, że nie umiem przegrywać, kiedy mówiłem, że mu sprzyja szczęście w rzutach.

George roześmiał się.

– A jak się miewa twój ojciec?

– Nie mam pojęcia. Nasze kontakty urwały się od czasu, kiedy pobraliśmy się z Jessie. – George wciąż nie mógł przywyknąć do tego imienia swojej chrzestnej córki. Wiedział, że Abel ubawi się, gdy się dowie, dlaczego Richard tak nazywa Florentynę.

– Szkoda, że twój ojciec reaguje z taką samą zaciętością jak Abel – powiedział.

– Spotykam się z matką – ciągnął Richard, popijając brandy – ale nie widzę szans na zmianę stanowiska ojca, zwłaszcza że Abel nadal próbuje zwiększyć swój udział w banku Lestera.

– Jesteś tego pewien? – spytał George głosem, w którym brzmiało zdziwienie.

– Dwa lata temu każdy bankier na Wall Street wiedział, co on zamierza.

– Abel stał się taki zawzięty – westchnął George. – Nie mogę go nakłonić, żeby posłuchał głosu rozsądku. Ale nie sądzę, żeby teraz mógł przysporzyć jakichś kłopotów. – George zajął się swoją brandy. Richard nie dopytywał się o szczegóły; wiedział, że jeśli George zechce go objaśnić, to sam to zrobi. – Widzisz, jeśli Kennedy wygra wybory – ciągnął George odstawiając kieliszek – Abel będzie miał pewną szansę objęcia pomniejszego stanowiska w nowej administracji. Nie spodziewałbym się niczego więcej.

– Niewątpliwie chodzi o stanowisko amerykańskiego ambasadora w Polsce – wtrąciła się Florentyna, wchodząc do pokoju z tacą, na której stały filiżanki z kawą. – Byłby pierwszym polskim imigrantem, którego tak uhonorowano. Wiedziałam o tych ambicjach ojca od czasu naszej podróży do Europy.

George zachował milczenie.

– Czy Henry Osborne macza w tym palce? – spytała Florentyna.

– Nie, on nawet o tym nie wie – odparł George, na powrót zagłębiając się wygodnie w fotelu. – Twój ojciec nie ma już do niego zaufania. Od kiedy Henry stracił miejsce w Kongresie, nie można na nim polegać, delikatnie mówiąc, i twój ojciec nawet zastanawia się, czy go nie usunąć z rady nadzorczej.

– Tatuś wreszcie przejrzał na oczy.

– Myślę, że on zawsze wiedział, jaki to kawał drania, ale trudno przeczyć, że kiedy Henry był w Waszyngtonie, przydawał się twojemu ojcu. Myślę, że nadal jest niebezpieczny, choć usunięto go z Kongresu.

– Dlaczego? – spytała Florentyna ze swojego fotela w rogu.

– Bo podejrzewam, że za dużo wie o konflikcie między Ablem i ojcem Richarda, i boję się, że jeśli wpadnie w większe długi, może sprzedać te informacje bezpośrednio panu Kane'owi.

– Na pewno nie – odezwał się Richard.

– Skąd masz tę pewność? – spytał George.

– Chcesz powiedzieć, że po tych wszystkich latach nie wiesz o tym? – zdziwił się Richard.

George spojrzał na niego, a potem na Florentynę.

– Ale o czym? – zapytał.

– Najwyraźniej nie ma pojęcia – stwierdziła Florentyna.

– Musisz wpierw się napić – rzekł Richard i nalał George'owi do pełna. – Henry Osborne nienawidzi mojego ojca jeszcze bardziej niż Abel.

– Co? Dlaczego? – zapytał George i aż pochylił się do przodu.

– Henry ożenił się z moją babką po śmierci dziadka. – Richard dolał sobie kawy, po czym ciągnął dalej: – Przed laty, kiedy był młody, próbował wydrzeć mojej babce małą rodzinną fortunę. Nie udało mu się jednak, gdyż mój ojciec, który miał wówczas zaledwie siedemnaście lat, odkrył, że wojenna przeszłość Henry'ego to zwyczajny blef, i wyrzucił go ze swego domu.

– O mój Jezu! – po polsku powiedział George.

– Ciekaw jestem, czy Abel o tym wie. – Aż zapomniał o swojej kolejce w grze.

– Oczywiście, że wie – odezwała się Florentyna. – To przede wszystkim musiało wpłynąć na jego decyzję o zatrudnieniu Henry'ego. Potrzebował kogoś zaufanego, co do kogo mógł mieć pewność, że nigdy nic nie powie Kane'owi.

– Jak na to wpadliście?

– Powiązaliśmy ze sobą fakty, kiedy Richard odkrył, że nie jestem Jessie Kovats. Większość informacji o Henrym znajduje się w teczce zamkniętej w dolnej szufladzie biurka tatusia.

– Myślałem, że jestem już za stary, żeby nauczyć się tak dużo jednego dnia – powiedział George.

– Twoje nauki jeszcze nawet się nie zaczęły – rzekł Richard. – Henry Osborne nigdy nie studiował na Harvardzie, nigdy nie walczył na wojnie i naprawdę nazywa się Vittorio Togna.

George ze zdumienia otworzył usta.

– Wiemy też, że tatuś ma sześć procent udziałów banku Lestera – odezwała się Florentyna. – Pomyśl tylko, ile złego mógłby narobić, gdyby wpadło mu w ręce jeszcze dwa procent.

– Przypuszczamy, że Abel usiłuje odkupić te dwa procent od Petera Parfitta, który stracił kiedyś stanowisko prezesa banku Lestera, i że ostatecznym jego celem jest usunięcie mojego ojca z jego własnej rady nadzorczej – rzekł Richard.

– Tak mogło być kiedyś.

– A teraz już nie? – spytała Florentyna.

– Teraz, kiedy Kennedy zamierza wysłać Abla do Warszawy, nie wdawałby się on w coś tak bezsensownego. Nie macie się czego bać. Może więc dałabyś się zaprosić, jako mój gość, na ceremonię otwarcia przez kandydata na prezydenta nowego hotelu w Los Angeles?

– Czy Richard również może zostać zaproszony?

– Znasz odpowiedź na to pytanie, Florentyno.

– Gramy dalej, George? – zagadnął Richard, zmieniając temat.

– Nie, dziękuję. Zwycięzcę poznaję na pierwszy rzut oka. – Wyjął portfel z wewnętrznej kieszeni marynarki i wręczył Richardowi jedenaście dolarów. – Ale nadal uważam, że wygraną zawdzięczasz szczęściu, Richard.

XVI

Nancy Ching bardzo dobrze się spisywała podczas nieobecności pryncypałki. Florentyna jednak po powrocie ze szpitala umieściła synka w łóżeczku na zapleczu sklepu i z radością wróciła do pracy. Wysyłając pannie Tredgold pierwsze wspólne fotografie z dzieckiem, napisała, że pragnie sama zajmować się małym, póki nie będzie musiała rozejrzeć się za kimś do pomocy. „Ale nie łudzę się, że znajdę gdzieś na świecie kogoś takiego jak pani" – dodała na końcu.

W ciągu pierwszych dwóch lat małżeństwa zarówno ona, jak i Richard koncentrowali się na pracy zawodowej. Gdy Florentyna dorobiła się drugiego sklepu, Richard wspiął się w banku o kolejny szczebel.

Florentyna wolałaby poświęcać więcej czasu na śledzenie trendów mody niż na codzienne finanse, ale nie chciała, żeby Richard co wieczór po powrocie z banku ślęczał nad księgami rachunkowymi. Dzieliła się swoimi śmiałymi pomysłami na przyszłość z Nancy, która odnosiła się trochę sceptycznie do tak dużych zamówień odzieży w małych rozmiarach.

– To dobre dla mnie – uśmiechała się filigranowa Chinka – ale nie dla większości Amerykanek.

– Nie zgadzam się. Małe będzie piękne i musimy pierwsze wyczuć nowy trend. Jeśli Amerykanki uwierzą, że nadchodzi moda na szczupłą sylwetkę, nastąpi taka rewolucja, że nawet ty będziesz wtedy za gruba.

Nancy się roześmiała.

– Lepiej, żebyś się nie myliła, skoro złożyłaś tyle zamówień na czwórki i szóstki.

Od czasu odwiedzin George'a ani Richard, ani Florentyna nie poruszali drażliwych kwestii rodzinnych, gdyż oboje stracili nadzieję na pojednanie. Rozmawiali od czasu do czasu z matkami, a Richard otrzymywał wprawdzie listy od sióstr, ale nie został zaproszony na ślub Victorii, co sprawiło mu szczególną przykrość. Ta sytuacja trwałaby w nieskończoność, gdyby nie dwa wydarzenia. Pierwszego nie sposób było uniknąć, drugie zaś wynikło stąd, że telefon odebrała nie ta osoba, co trzeba.

Pierwsze wiązało się z otwarciem w Los Angeles nowego hotelu Baron. Florentyna śledziła jego budowę z dużym zainteresowaniem, przygotowując się do uruchomienia trzeciego sklepu. Hotel został ukończony we wrześniu 1960 roku i Florentyna poświęciła jedno popołudnie, żeby zobaczyć, jak senator John Kennedy dokonuje uroczystego otwarcia. Stała z tyłu za tłumem ludzi, którzy przyszli na spotkanie z kandydatem na prezydenta, i obserwowała ojca. Odniosła wrażenie, że się znacznie postarzał, ponadto sporo przytył. Sądząc po otaczających go osobistościach, miał teraz rozległe znajomości wśród demokratów. Zastanawiała się, czy jeśli Kennedy wygra wybory, ojciec „dostąpi zaszczytu służenia mu". Florentynie podobała się doskonała mowa powitalna wygłoszona przez Abla, ale wręcz urzekł ją młody kandydat na prezydenta, który w jej oczach uosabiał nową Amerykę. Po wysłuchaniu jego przemówienia z całą żarliwością zapragnęła, żeby John Kennedy został prezydentem. Wywarł na niej takie wrażenie, że postanowiła nie skąpić czasu ani pieniędzy na jego kampanię wyborczą, choć przypuszczała, że ojciec przekazał na ten cel kwotę znacznie przekraczającą jej możliwości. Za to Richard pozostał niewzruszonym poplecznikiem Partii Republikańskiej i Nixona.

– Niewątpliwie pamiętasz, co powiedział Eisenhower, kiedy zagadnięto go o twego idola? – zakpiła sobie Florentyna.

– Z pewnością coś niepochlebnego.

– Jakiś dziennikarz zapytał go: „W jakich ważniejszych decyzjach partycypował wiceprezydent?"

– I co na to Ike?

– „Jeśli da mi pan tydzień czasu, to może przypomnę sobie choć jedną".

W pozostałych tygodniach kampanii wyborczej Florentyna spędzała każdą wolną chwilę na adresowaniu kopert i odpowiadaniu na telefony w kwaterze partii w San Francisco. Inaczej niż w trakcie ostatnich i przedostatnich wyborów, była przeświadczona, że tego kandydata Partii Demokratycznej może poprzeć z całkowitym zaufaniem. Rozstrzygająca debata telewizyjna między obydwoma kandydatami rozbudziła w niej ambicje polityczne, niemal zupełnie pogrzebane z winy Henry'ego Osborne'a. Charyzmat Kennedy'ego i jego wizjonerstwo polityczne wprost olśniewały i Florentyna nie rozumiała, że ktoś, kto śledził kampanię wyborczą, mógł w ogóle głosować na republikanów. Richard zwrócił jej uwagę, że charyzmat i atrakcyjny wygląd zewnętrzny nie zastąpią przyszłej polityki i przeszłych osiągnięć, choćby nawet przysłaniał je nieco ciemny zarost kandydata.

Richard z Florentyną siedzieli przez całą noc przed telewizorem, śledząc wyniki wyborów. Niespodzianki, zwroty i nieoczekiwane porażki następowały po sobie aż do Kalifornii, gdzie okazało się, że Kennedy wygrał najmniejszą przewagą głosów w historii wyborów prezydenckich w Ameryce. Florentyna wpadła w euforię, natomiast Richard twierdził, że Kennedy nigdy by nie zwyciężył, gdyby nie burmistrz Daley i ta cała historia z zaginięciem urn wyborczych.

– Czy głosowałbyś na demokratów, Richard, gdybym to ja ubiegała się o urząd?

– To by zależało od twojego programu. Jestem bankierem i nie kieruję się sentymentami.

– Czy wiesz, niesentymentalny bankierze, że chcę założyć czwarty sklep?

– Co? – spytał zaskoczony Richard.

– Trafia mi się okazja w San Diego, budynek do wydzierżawienia tylko na dwa lata, ale z możliwością odnowienia umowy.

– Za ile?

– Trzydzieści tysięcy dolarów.

– Jesteś pomylona, Jessie. Cały twój tegoroczny zysk pójdzie na rozwój.

– Skoro o rozwoju mowa, to znowu spodziewam się dziecka.

Kiedy trzydziesty piąty prezydent Stanów Zjednoczonych wygłaszał mowę inauguracyjną, Florentyna z Richardem oglądali uroczystość w telewizji, w swoim mieszkaniu nad sklepem.

„Niechaj z tego miejsca popłynie wieść, jednako do przyjaciół i wrogów, że odtąd przejmie pochodnię nowe pokolenie Amerykanów, urodzonych w tym stuleciu, zahartowanych przez wojnę, doświadczonych przez trudny i gorzki pokój".

Florentyna nie mogła oderwać oczu od człowieka, który porwał za sobą tak wielu ludzi. Kiedy prezydent Kennedy zakończył swoją mowę słowami: „Nie pytaj, co kraj może uczynić dla ciebie, pytaj, co ty możesz dla niego uczynić", Florentyna widziała, jak wszyscy wstają i wiwatują, i spontanicznie dołączyła do tłumów widocznych w telewizorze. Zastanawiała się, ilu ludzi w Ameryce oklaskuje prezydenta jak ona, w swoich domach. Odwróciła się do Richarda.

– Nieźle, jak na demokratę – skonstatował, uświadamiając sobie, że też klaszcze.

Florentyna uśmiechnęła się.

– Myślisz, że jest tam mój ojciec?

– Bez wątpienia.

– Więc nic nie mówmy, żeby nie zapeszyć, i czekajmy na nominację.

George napisał następnego dnia i potwierdził, że Abel był w Waszyngtonie na uroczystości. Zakończył list słowami: „Twój ojciec jest przekonany, że pojedzie do Warszawy, a ja jestem tak samo pewny, że jeśli otrzyma to stanowisko, wówczas łatwiej będzie go nakłonić do spotkania z Richardem".

– Popatrz, jakim przyjacielem okazał się George – powiedziała Florentyna.

– I Abla, i naszym – rzekł w zadumie Richard.

Florentyna co dzień sprawdzała nowe nominacje, ogłaszane przez sekretarza prasowego, Pierre'a Salingera. Ale o ambasadorze w Polsce nie było ani słowa.

XVII

Florentyna wreszcie zobaczyła nazwisko ojca w gazecie, a raczej samo rzuciło się jej w oczy; nagłówek biegł przez całą szerokość pierwszej strony:

BARON Z CHICAGO W WIĘZIENIU

Florentyna czytała artykuł niepewna, czy nie śni.

Nowy Jork. Abel Rosnovski, właściciel międzynarodowej sieci hoteli, znany jako Baron z Chicago, został aresztowany dziś o godzinie ósmej trzydzieści rano w mieszkaniu przy Wschodniej Pięćdziesiątej Siódmej Ulicy przez agentów FBI. Poprzedniego wieczoru powrócił z Turcji, gdzie dokonał otwarcia swojego najnowszego hotelu w Istambule. Rosnovski został oskarżony przez FBI o wręczanie łapówek i korumpowanie urzędników państwowych w czternastu różnych stanach. FBI chce również przesłuchać eks-kongresmana Henry'ego Osborne'a, nie widzianego w Chicago od dwóch tygodni.

Obrońca Rosnovskiego, adwokat H. Trafford Jilks, wydał oświadczenie, w którym zaprzeczył oskarżeniom i dodał, iż jego klient jest gotów złożyć szczegółowe wyjaśnienie, które całkowicie oczyści go z zarzutów. Ro-

snovski został zwolniony za kaucją wysokości dziesię-
ciu tysięcy dolarów.

Artykuł w dalszym ciągu podawał, że od pewnego czasu w Waszyngtonie krążyły pogłoski, iż Biały Dom zamierzał powierzyć Rosnovskiemu stanowisko ambasadora w Polsce.

Tej nocy Florentyna nie zmrużyła oka, dręczona myślami, jak mogło do tego dojść i jak ojciec musi całą sprawę przeżywać. Doszła do wniosku, że Henry musiał mieć z tym coś wspólnego i postanowiła śledzić wszelkie informacje podawane w prasie. Richard usiłował ją pocieszyć mówiąc, że tylko niewielu biznesmenów nie ucieka się w jakimś momencie do drobnego przekupstwa.

Na trzy dni przed terminem rozprawy Departament Sprawiedliwości odnalazł Henry'ego Osborne'a w Nowym Orleanie. Został aresztowany, postawiony w stan oskarżenia i nakłoniony, żeby zeznawał przeciw Ablowi jako świadek oskarżenia. FBI zwróciło się do sędziego Prescotta z żądaniem odroczenia rozprawy w celu przesłuchania eks-kongresmana Osborne'a w sprawie zawartości teczki z dokumentami dotyczącymi Rosnovskiego, która dostała się ostatnio w ich ręce. Sędzia Prescott uwzględnił wniosek, odraczając rozprawę o cztery tygodnie, aby umożliwić FBI zgromadzenie materiału dowodowego.

Dziennikarze niebawem odkryli, że Osborne, aby pokryć wielkie długi, sprzedał prywatnej firmie detektywistycznej w Chicago dossier, które kompletował w ciągu ponad dziesięciu lat zasiadania w radzie nadzorczej Grupy Barona. Jak dokumenty trafiły do FBI, pozostawało tajemnicą.

Florentyna bała się, że w sytuacji, gdy Henry Osborne wystąpi jako główny świadek oskarżenia, jej ojciec może otrzymać wyrok długoletniego więzienia. Po następnej bezsennej nocy Richard poradził jej, żeby nawiązała kontakt z ojcem. Florentyna posłuchała go i napisała do ojca długi list, w którym starała się dodać mu otuchy i zapewniała, że wierzy w jego niewinność. Już miała zakleić kopertę, ale wpierw podeszła do biurka, wzięła ulubioną fotografię synka i włożyła ją do listu.

Na cztery godziny przed rozprawą strażnik, który przyniósł śniadanie do celi, stwierdził, że Henry Osborne nie żyje. Powiesił się, wykorzystując do tego celu swój krawat w barwach Uniwersytetu Harvarda.

– Dlaczego Henry popełnił samobójstwo? – spytała Florentyna matkę, do której zatelefonowała tego przedpołudnia.

– Och, to całkiem zrozumiałe – odparła Zofia. – Henry sądził, że prywatny detektyw, który spłacił jego długi, kupuje dossier tylko po to, żeby szantażować twojego ojca.

– A jaki był prawdziwy powód? – dopytywała się Florentyna.

– Dokumenty zostały kupione przez anonimowego nabywcę w Chicago dla Williama Kane'a, który przekazał je następnie FBI.

Na myśl o Williamie Kane'ie Florentynę ogarniała nienawiść, i nie mogła nic poradzić na to, że mimowolnie przenosi owo uczucie na Richarda. Oczywiste było jednak, że Richard, tak jak ona, potępia postępek swego ojca, o czym przekonała się przypadkowo, wysłuchawszy jego telefonicznej rozmowy z matką.

– Ostro potraktowałeś matkę – zauważyła Florentyna, kiedy w końcu Richard odłożył słuchawkę.

– Racja. Moja biedna matka obrywa teraz z obu stron.

– To jeszcze nie jest ostatni akt dramatu – powiedziała Florentyna. – Od kiedy tylko pamiętam, ojciec marzył, żeby znaleźć się w Warszawie. Teraz do końca życia nie przebaczy twojemu ojcu.

Kiedy rozpoczął się proces, Florentyna zapoznawała się z jego przebiegiem, telefonując do matki co wieczór po jej powrocie z sądu. Wysłuchując relacji matki, nie zawsze była przekonana, że obie pragną takiego samego wyniku.

– Sytuacja twojego ojca zaczyna się polepszać – powiedziała Zofia w połowie tygodnia.

– Skąd masz tę pewność? – spytała Florentyna.

– Od kiedy FBI straciło koronnego świadka, niektórych zarzutów nie sposób dowieść. Z wypowiedzi obrońcy wynika, że Henry Osborne to łgający Pinokio, któremu nos wydłużył się do samej ziemi.

– Czy to znaczy, że tatusia uniewinnią?

– Nie przypuszczam, ale w sądzie się mówi, że ostatecznie FBI będzie musiało pójść na jakiś układ z twoim ojcem.

– Jakiego rodzaju?

– Otóż, jeśli twój ojciec przyzna się do popełnienia drobnych wykroczeń, wówczas oni odstąpią od głównych zarzutów.

– Czy uda mu się wykręcić grzywną? – zapytała z niepokojem Florentyna.

– Jeśli będzie miał szczęście. Ale sędzia Prescott jest twardym człowiekiem i niewykluczone, że pośle go do więzienia.

– Miejmy nadzieję, że skończy się na grzywnie.

Odpowiedziało jej milczenie.

„Baron z Chicago skazany na sześć miesięcy więzienia z zawieszeniem". Florentyna usłyszała głos spikera w radio, jadąc samochodem po Richarda do banku. O mało co nie wpadła na buicka z przodu i szybko zjechała na pas z zakazem parkowania, żeby wysłuchać dalszego ciągu wiadomości.

„FBI wycofało wszystkie główne zarzuty o przekupstwo wobec Abla Rosnovskiego zwanego Baronem z Chicago, a oskarżony przyznał się do dwóch drobnych wykroczeń sprowadzających się do próby wpłynięcia na urzędnika państwowego w sposób niezgodny z prawem. Zwolniono ławę przysięgłych. Sędzia Prescott wygłosił przemowę, w której powiedział: „Prawo do prowadzenia interesów nie upoważnia nikogo do zjednywania sobie urzędników państwowych niecnymi sposobami. Przekupstwo jest przestępstwem, tym bardziej, kiedy dopuszcza się go człowiek inteligentny i mający właściwe rozeznanie, który nie musi się zniżać do takich środków. W innych krajach – dodał sędzia – łapownictwo jest być może codzienną praktyką, ale nie w Stanach Zjednoczonych". Sędzia Prescott wymierzył Rosnovskiemu karę sześciu miesięcy więzienia z zawieszeniem i grzywnę wysokości dwudziestu pięciu tysięcy dolarów. Dalszy ciąg wiadomości: Prezydent Kennedy zgodził się towarzyszyć wiceprezydentowi do Dallas jesienią..."

Florentyna wyłączyła radio i usłyszała, że ktoś stuka w boczną szybę. Opuściła ją.

– Czy pani wie, że tu obowiązuje zakaz postoju?

– Tak – odparła Florentyna.

– Niestety, będzie to panią kosztowało dziesięć dolarów.

– Dwadzieścia pięć tysięcy dolarów i wyrok sześciu miesięcy więzienia z zawieszeniem. Mogło być gorzej – powiedział George w samochodzie w drodze do hotelu Baron.

– Nie zapominaj, że straciłem szansę wyjazdu do Polski – rzekł Abel. – Ale to już należy do przeszłości. Kup te dwa procent udziałów banku Lestera od Parfitta, nawet gdyby to miało kosztować milion. Wtedy będę miał w ręku osiem procent, powołam się na artykuł siódmy statutu banku i raz na zawsze rozprawię się z Williamem Kane'em na oczach jego własnej rady nadzorczej.

George ze smutkiem pokiwał głową.

Kilka dni później Departament Stanu ogłosił, że następnym ambasadorem amerykańskim w Warszawie zostanie John Moors Cabot.

18. Córka marnotrawna

XVIII

Rankiem następnego dnia po ogłoszeniu wyroku przez sędziego Prescotta rozegrało się drugie wydarzenie. W sklepie zadzwonił aparat podłączony do telefonu mieszkalnego, a ponieważ Nancy zdejmowała właśnie z wystawy lekkie stroje letnie i na ich miejsce umieszczała nową kolekcję jesienną, słuchawkę podniosła Florentyna.

– Och, myślałam, że zastanę pana Kane'a – odezwał się kobiecy głos, który zdawał się dobiegać z daleka.

– Nie, przykro mi, ale pojechał już do banku. Czy chciałaby pani zostawić wiadomość? Przy telefonie Florentyna Kane.

W słuchawce zapanowała cisza, a po chwili głos powiedział:

– Mówi Katherine Kane. Proszę, nie odkładaj słuchawki.

– Dlaczego miałabym to robić? – spytała Florentyna. Ugięły się pod nią nogi i opadła na krzesło stojące nieopodal.

– Bo musisz mnie nienawidzić, moja droga, za co wcale cię nie potępiam – powiedziała szybko matka Richarda.

274

– Nie, wcale pani nie nienawidzę. Czy Richard ma do pani zadzwonić, kiedy wróci do domu?

– O, nie. Mój mąż nie wie, że utrzymuję z nim kontakt. Byłby bardzo zły, gdyby się dowiedział. Nie, zresztą to od ciebie będzie zależało, czy spełni się moje pragnienie.

– Ode mnie?

– Tak, moja droga. Bardzo bym chciała was odwiedzić i zobaczyć mojego wnuka – jeśli mi pozwolisz.

– Bardzo chętnie – powiedziała Florentyna, niepewna, czy zabrzmiało to dostatecznie zachęcająco.

– Och, jak to miło z twojej strony. Mój mąż wybiera się za trzy tygodnie na konferencję do Meksyku i mogłabym wówczas przylecieć samolotem w piątek. W poniedziałek z samego rana musiałabym być z powrotem.

Kiedy Richard usłyszał tę nowinę, skierował się wprost do lodówki. Florentyna podążyła za nim, zaintrygowana. Uśmiechnęła się, kiedy zerwał banderolę z butelki z szampanem Krug, którą mieli od Claude'a, i zaczął nalewać do kieliszków.

Trzy tygodnie później Florentyna pojechała z Richardem na lotnisko, aby powitać jego matkę.

– Ależ pani jest piękna! – wyrwało się Florentynie, kiedy zobaczyła elegancką, szczupłą damę, na której nie widać było ani śladu znużenia po sześciogodzinnej podróży samolotem. – Ja z moją ciążą czuję się przy pani okropnie zaniedbana.

– Czego ty się spodziewałaś, kochanie? Ludojada z czerwonymi rogami i długim czarnym ogonem?

Florentyna roześmiała się, a Katherine Kane objęła ją ramieniem i powędrowały razem, chwilowo zapominając o Richardzie.

Richard był uszczęśliwiony widząc, jak prędko się zaprzyjaźniły. Kiedy Katherine zobaczyła swojego pierwszego wnuka, zareagowała jak każda babcia w takiej sytuacji.

– Tak bym chciała, żeby dziadek mógł go zobaczyć – powiedziała. – Obawiam się jednak, że teraz jest taki moment, kiedy nie zgodzi się nawet o tym mówić.

– Czy może wiesz coś więcej niż my o tym, co się dzieje między ojcem Florentyny a moim? – zagadnął Richard.

– Nie sądzę. Twój ojciec nie zgodził się, aby jego bank udzielił poparcia finansowego Davisowi Leroyowi, kiedy zbankrutowała jego grupa hotelowa, i w związku z tym ojciec Florentyny obwinia mojego męża o samobójstwo, jakie popełnił pan Leroy. Cały ten nieszczęsny incydent zostałby zapomniany, gdyby na scenę nie wkroczył Henry Osborne. – Westchnęła. – Modlę się do Boga, żeby to się skończyło jeszcze za mojego życia.

– Boję się, że jeden z nich musi umrzeć, nim drugi odzyska rozum – powiedział Richard. – Obydwaj są tak diablo zawzięci.

Spędzili we czwórkę wspaniały weekend, mimo że wnuk Kate przez cały czas zajmował się rzucaniem zabawek na podłogę. Kiedy odwozili Katherine na lotnisko w niedzielę wieczorem, zgodziła się odwiedzić ich znów, gdy mąż wyjedzie w podróż służbową. Na pożegnanie Katherine powiedziała Florentynie:

– Gdybyś tylko mogła spotkać się z moim mężem, od razu by zrozumiał, dlaczego Richard się w tobie zakochał.

Kiedy ostatni raz odwróciła się, żeby pomachać im na pożegnanie, jej wnuk powiedział „tata" – jedyne słowo, jakie umiał wymówić. Katherine Kane roześmiała się.

– Jakimiż mężczyźni są szowinistami. To było również pierwsze słowo Richarda. Czy ktoś ci kiedyś powiedział, jakie było twoje, Florentyno?

Annabel przyszła z krzykiem na świat kilka tygodni później i Richard z Florentyną mogli pod koniec roku świętować podwójnie, gdy okazało się, że Florentyna przysporzyła także rodzinie dziewiętnaście tysięcy sto siedemdziesiąt cztery dolary zysku. Richard postanowił upamiętnić tę okazję i przeznaczył drobną część owej sumy na wpisowe do golfowego Klubu Olimpijskiego.

Richard miał teraz więcej obowiązków w dziale zagranicznym swego banku i zaczął przychodzić do domu o godzinę później. Florentyna doszła do wniosku, że czas już zatrudnić nianię do dzieci i samej skoncentrować się na pracy w sklepach. Zdawała sobie sprawę, że nigdy nie zdoła znaleźć nikogo podobnego do panny Tredgold, ale Bella poleciła jej czarną dziewczynę, która skończyła szkołę średnią rok wcześniej, lecz miała trudności ze znalezieniem pracy. Chłopiec od razu, ledwo zobaczył Carol, zarzucił jej rączki na szyję. Uświadomiło to Florentynie, że uprzedzeń dzieci uczą się od rodziców.

XIX

– Nie mogę w to uwierzyć – powiedziała Florentyna. – Nigdy nie myślałam, że to może się stać. Cudowna wiadomość! Ale co sprawiło, że zmienił zdanie?

– Czas nie stoi w miejscu – głos Katherine Kane przebijał się przez trzaski w słuchawce – i on się boi, że jeśli nie dojdą szybko do porozumienia z Richardem, odejdzie z banku na emeryturę, nie zostawiając syna w radzie nadzorczej. Uważa też, że człowiekiem, który najprawdopodobniej zajmie jego miejsce, jest Jake Thomas, a ponieważ ma tylko dwa lata więcej od Richarda, z pewnością nie będzie chciał, aby młodszy Kane znalazł się w radzie.

– Szkoda, że Richarda nie ma w domu, bo od razu przekazałabym mu nowinę, ale teraz, kiedy awansował na szefa działu zagranicznego, rzadko wraca do domu przed siódmą. Ogromnie się ucieszy! Postaram się nie pokazać po sobie, jaką mam tremę przed spotkaniem z panem Kane'em – powiedziała Florentyna.

– Na pewno on ma większą. Ale nie martw się kochanie, on już szykuje tuczonego cielca na powrót swojego marnotrawnego syna. Czy miałaś jakąś wiadomość od swojego ojca od czasu naszej ostatniej rozmowy?

– Niestety, nie. Obawiam się, że nigdy nie będzie tuczonego cielca na powitanie marnotrawnej córki.

– Nie trać nadziei. Może stanie się coś takiego, że przejrzy na oczy. Zastanowimy się nad tym wspólnie, kiedy przyjedziecie do Nowego Jorku.

– Chciałabym wierzyć, że pojednanie z tatusiem będzie możliwe, ale już prawie w to zwątpiłam.

– No cóż, cieszmy się, że chociaż jeden z ojców się opamiętał – westchnęła Katherine. – Przylecę, żeby się z wami zobaczyć i omówić wszystkie szczegóły.

– Kiedy?

– Będę mogła się wyrwać na ten weekend.

Kiedy Richard wrócił wieczorem do domu, bardzo się ucieszył dobrą wiadomością i gdy tylko skończył czytać synkowi następny rozdział „Kubusia Puchatka", usiadł wygodnie i wysłuchał relacji Florentyny z rozmowy telefonicznej z jego matką.

– Moglibyśmy pojechać do Nowego Jorku gdzieś w listopadzie – powiedział, gdy skończyła.

– Nie wiem, czy będę mogła tak długo czekać.

– Czekałaś ponad trzy lata.

– Tak, ale to co innego.

– Zawsze byś chciała, żeby wszystko zdarzało się wczoraj, Jessie. À propos, zapoznałem się z twoim projektem otwarcia nowego sklepu w San Diego.

– I?

– W zasadzie pomysł jest sensowny i aprobuję go.

– To ci dopiero! I co dalej? Nigdy nie sądziłam, że usłyszę takie słowa z pańskich ust, panie Kane.

– Poczekaj, Jessie. Jeśli twój program ekspansji nie zyskał mojego pełnego poparcia, to dlatego, że nie rozumiem jednego: dlaczego uważasz za konieczne zatrudnić własnego projektanta?

– Wyjaśnienie jest proste – odparła Florentyna. – Chociaż mamy pięć sklepów, wydatki na zakup odzieży pochłaniają aż czterdzieści procent obrotów. Gdyby ktoś mi projektował moją własną odzież, odniosłabym dwie oczywiste korzyści. Po pierwsze, mogłabym obniżyć koszty bezpośrednie i po drugie, nieustannie reklamowalibyśmy własne wyroby.

– Jest również pewien duży minus – zauważył Richard.

– Jaki?

– Nie byłoby żadnej marży do zatrzymania w przypadku zwrotu towaru po dziewięćdziesięciu dniach, gdyby był on naszą własnością.

– Owszem – zgodziła się Florentyna. – Ale w miarę rozwoju firmy ten problem traciłby na znaczeniu. A w dodatku, gdybym znalazła dobrego projektanta, to stroje z naszym znakiem firmowym byłyby również sprzedawane przez konkurencję.

– Czy wielu projektantom się to udało?

– W przypadku Pierre'a Cardina projektant stał się sławniejszy niż sklep.

– Znalezienie kogoś takiego nie będzie łatwe.

– Czyż nie znalazłam ciebie, panie Kane?

– Nie, Jessie. To ja znalazłem ciebie.

Florentyna uśmiechnęła się.

– Dwójka dzieci, szósty sklep i niebawem zaproszenie, żebyś zasiadł w radzie nadzorczej Lestera. A najważniejsze, że będę miała szansę spotkania twojego ojca. Czy można chcieć czegoś więcej?

– Poczekaj, jeszcze do tego spotkania nie doszło.

– Typowy bankier. Bez względu na prognozę spodziewa się, że po południu spadnie deszcz.

Annabel zaczęła płakać.

– Widzisz? – powiedział Richard. – Twoja córka znowu zaczyna.

– Dlaczego moja córka ma same wady, a twój syn same zalety?

Mimo pragnienia Florentyny, aby udać się do Nowego Jorku natychmiast po powrocie Kate na Wschodnie Wybrzeże, nie pozwolił jej na to nawał obowiązków: była pochłonięta przygotowaniami do otwarcia nowego sklepu w San Diego, doglądała pięciu pozostałych, rozglądała się za dobrym projektantem mody i mimo wszystko usiłowała spełniać powinności matki. W miarę jak przybliżał się termin wyjazdu do Nowego Jorku, ogarniała ją coraz większa trema. Dobrała starannie swoją garderobę i kupiła kilka nowych ubranek dla dzieci. Nabyła nawet koszulę w delikatne czerwone prążki dla Richarda, wątpiła jednak, by chciał ją wkładać poza weekendami. Nie spała po nocach z niepokoju, że ojciec Richarda może jej nie zaakceptować, ale Richard wciąż wracał do słów Katherine: „On ma jeszcze większą tremę".

Aby uczcić otwarcie szóstego sklepu i zbliżające się pojednanie z ojcem, Richard zabrał Florentynę do War Memorial Opera House na „Dziadka do orzechów" w wykonaniu włoskiego baletu. Richard nie interesował się specjalnie baletem, ale z zaskocze-

281

niem zauważył, że Florentyna kręci się niespokojnie podczas przedstawienia. Gdy w czasie przerwy zapaliły się światła, spytał, co jej doskwiera.

– Od ponad godziny pali mnie ciekawość, kto projektował te bajeczne kostiumy. – Florentyna zaczęła kartkować program.

– Dla mnie one są szokujące – rzekł Richard.

– Bo ty nie masz wyczucia koloru – powiedziała Florentyna. Znalazła, czego szukała, i zaczęła odczytywać odpowiednie fragmenty. – Nazywa się Gianni di Ferranti. W jego biografii piszą, że urodził się w Mediolanie w 1931 roku i że to jest jego pierwsze tournée z Państwową Włoską Grupą Baletową po ukończeniu Instytutu Sztuki Współczesnej we Florencji. Ciekawe, czy zdecydowałby się opuścić balet i pracować dla mnie.

– Ja, na jego miejscu, mając bliższe informacje o firmie, bym tego nie zrobił – powiedział Richard cokolwiek niestosownie.

– Może on jest większym ryzykantem niż ty, kochanie.

– Albo szaleńcem. W końcu to Włoch.

– No cóż, jest tylko jeden sposób, żeby się o tym przekonać – powiedziała wstając Florentyna.

– Mianowicie?

– Pójść za kulisy.

– Ale w ten sposób stracisz drugą część przedstawienia.

– To nie druga część przedstawienia może zmienić całe moje życie – stwierdziła Florentyna i skierowała się do przejścia między fotelami.

Richard wyszedł razem z nią z budynku, który okrążyli z zewnątrz, znajdując wejście dla artystów. Młody strażnik otworzył okienko.

– Czy mogę państwu w czymś pomóc? – zapytał takim tonem, jakby zupełnie nie miał na to ochoty.

– Tak – powiedziała pewnym głosem Florentyna. – Jestem umówiona z panem Giannim di Ferranti.

Richard spojrzał z przyganą na żonę.

– Jak się pani nazywa? – spytał strażnik, podnosząc słuchawkę telefonu.

– Florentyna Kane.

– Strażnik powtórzył nazwisko do mikrofonu, wysłuchał odpowiedzi, po czym odwiesił słuchawkę.

– On mówi, że nigdy o pani nie słyszał.

Florentynę na moment zbiło to z tropu, ale Richard wyjął portfel i położył strażnikowi przed nosem banknot dwudziestodolarowy.

– Może słyszał o mnie – powiedział.

– Lepiej państwo sami sprawdźcie – odparł strażnik, od niechcenia biorąc banknot. – Prosto, potem korytarzem w prawo, drugie drzwi na lewo – dodał i zatrzasnął okienko.

Richard poprowadził Florentynę przez drzwi.

– Większość biznesmenów ucieka się w jakimś momencie do drobnego przekupstwa – zakpiła.

– Jesteś zła, bo twoje kłamstwo zawiodło? – odciął się Richard.

Kiedy znaleźli się przed drzwiami, Florentyna energicznie zapukała i zerknęła do środka.

Wysoki, ciemnowłosy Włoch siedział w rogu pokoju i zajadał widelcem spaghetti. Florentyna przyglądała mu się z zachwytem. Miał na sobie dobrze leżące dżinsy i błękitny blezer, a pod nim sportową koszulę. Jednakże najbardziej rzuciły się jej w oczy jego długie palce artysty. Gdy zobaczył Florentynę, podniósł się z wdziękiem.

– Gianni – zaczęła z wylaniem – jakiż to zaszczyt...

– On jest w ubikacji – poinformował młody człowiek z wyraźnym, miękkim włoskim akcentem.

Richard głupio się uśmiechnął, na co Florentyna trąciła go boleśnie w kostkę. Właśnie miała coś powiedzieć, kiedy drzwi się otworzyły i do pokoju wszedł niski mężczyzna, prawie łysy, chociaż z informacji zawartych w programie wynikało, że nie ma jeszcze nawet trzydziestu lat. Nosił pięknie skrojone rzeczy, ale jego sylwetka zdradzała nadmierne upodobanie do makaronu, czego nie można było powiedzieć o przyjacielu.

– Co to za ludzie, Valerio?

– Florentyna Kane – odezwała się Florentyna, nim młody człowiek zdążył coś powiedzieć. – A to mój mąż, Richard.

– Czego pani chce? – zapytał, nie patrząc na nią i zajmując miejsce naprzeciwko swego towarzysza.

– Zaproponować panu, aby został pan moim projektantem.

– Co? Znowu? – powiedział, wyrzucając ręce w górę.

Florentyna głęboko odetchnęła.

– Kto jeszcze z panem rozmawiał?

– W Nowym Jorku Yves Saint Laurent, w Los Angeles Pierre Cardin, w Chicago Balmain. Czy mam dalej wymieniać?

– Ale czy oni proponowali panu udział w zyskach?

Jakich zyskach? – chciał zapytać Richard, ale przypomniał sobie uderzenie w kostkę.

– Ja już mam sześć sklepów i planujemy otwarcie następnych sześciu – spontanicznie mówiła

Florentyna. Miała nadzieję, że Gianni di Ferranti nie zauważył, jak wysoko uniosły się brwi Richarda przy jej słowach.

– Obroty wyniosą miliony w ciągu paru lat – ciągnęła.

– Saint Laurent już w tej chwili ma takie obroty – zauważył di Ferranti, nadal nie racząc się obrócić do niej twarzą.

– Tak, ale ile oni panu zaproponowali?

– Dwadzieścia pięć tysięcy dolarów rocznie i jeden procent zysku.

– Ja proponuję panu dwadzieścia tysięcy i pięć procent.

Włoch machnął lekceważąco ręką.

– Dwadzieścia pięć tysięcy dolarów i dziesięć procent – powiedziała. Włoch zaśmiał się, wstał z krzesła i otworzył drzwi przed Florentyną i Richardem. Florentyna nawet nie ruszyła się z miejsca.

– Pani jest jedną z tych osób, które spodziewają się, że Zefirelli zaprojektuje im następny sklep, a sam Luigi Ferpozzi będzie pełnił funkcję honorowego doradcy. Nie liczę bynajmniej na to, że pani wie, o kim mowa.

– Luigi – powiedziała wyniosłym tonem Florentyna – jest moim serdecznym przyjacielem.

Włoch wziął się pod boki i ryknął śmiechem.

– Wy, Amerykanie, wszyscy jesteście tacy sami. Teraz pewno pani powie, że projektuje pani szaty papieżowi.

Richard do pewnego stopnia mu współczuł.

– Wpadła pani we własne sidła, signora. Ferpozzi był na spektaklu w Los Angeles w zeszłym tygodniu i rozmawiał ze mną szczegółowo na temat mojej twórczości. No, wreszcie znalazłem sposób, żeby się pani pozbyć. – Di Ferranti zostawił otwarte drzwi, podszedł do telefonu stojącego na toaletce i w milczeniu wykręcił numer z kierunkowym 213.

Wszyscy czekali, aż ktoś z tamtej strony podniesie słuchawkę. W końcu Florentyna usłyszała głos, który zabrzmiał jej znajomo.

– Luigi? – spytał di Ferranti. – Tu Gianni. Jest u mnie Amerykanka o nazwisku Kane, która twierdzi, że się z tobą przyjaźni. – Słuchał przez chwilę, a jego uśmiech stawał się coraz szerszy. Zwrócił się do Florentyny. – On mówi, że nie zna nikogo o nazwisku Kane i że może właściwszym dla pani miejscem byłoby Alcatraz.

– Nie, nie przepadam za Alcatraz – powiedziała Florentyna. – Ale proszę mu powiedzieć, że on sądzi, że to mój ojciec je zbudował.

Gianni di Ferranti powtórzył przez telefon słowa Florentyny. Słuchając odpowiedzi, zrobił zdziwioną minę. Wreszcie spojrzał na Florentynę. – Luigi mówi, żebym poczęstował panią filiżanką herbaty, ale pod warunkiem, że przyniesie pani własny dzbanek.

Dopiero po dwóch lunchach, jednej kolacji z Richardem i jednej z bankierami Florentyny oraz po wypłaceniu zaliczki wystarczającej na przenosiny Gianniego i jego przyjaciela Valeria z Mediolanu do nowego lokum w San Francisco, udało się jej przekonać młodego Włocha, żeby został jej stałym projektantem. Florentyna była pewna, że jest to moment przełomowy, na który od dawna czekała. W ferworze nakłaniania Gianniego całkiem jej wyleciało z głowy, że tylko sześć dni dzieli ich od wyjazdu do Nowego Jorku i spotkania z ojcem Richarda.

Florentyna i Richard jedli śniadanie tego ponie-działkowego poranka, kiedy on nagle tak zbladł, że zlękła się, czy nie zemdleje.

– Co się stało, kochanie?

Wskazał jej pierwszą stronę „Wall Street Journal", jakby nie mógł wydobyć z siebie głosu. Prze-czytała sucho sformułowane oświadczenie i bez słowa zwróciła gazetę mężowi. Przeczytał tekst jeszcze raz powoli, żeby się upewnić, czy w pełni go zrozumiał. Zwięzłość i siła tych słów były ogłu-szające. „William Lowell Kane, dyrektor general-ny i prezes banku Lestera, złożył rezygnację po piątkowym posiedzeniu rady nadzorczej".

Richard wiedział, że w mieście rozniosą się naj-różniejsze pogłoski i że będzie się podejrzewać naj-gorsze w związku z tak nagłym odejściem bez poda-nia jakiejkolwiek przyczyny, czy bodaj wzmianki o złym stanie zdrowia, tym bardziej że jedyny syn Williama Kane'a, bankier, nie został zaproszony na jego miejsce w radzie nadzorczej. Richard objął Florentynę i przycisnął ją mocno do piersi.

– Czy to znaczy, że nasza podróż do Nowego Jorku będzie odwołana?

– Nie, jeśli nie stoi za tym twój ojciec.

– To nie może się stać, to się nie stanie. Nie po tych wszystkich latach oczekiwania.

Zadzwonił telefon i Richard przechylił się, żeby podnieść słuchawkę, nie wypuszczając z objęć Flo-rentyny.

– Halo?

– Richard, mówi matka. Cały czas próbowałam wyrwać się z domu. Czy znasz już wiadomość?

– Tak, właśnie przeczytałem „Wall Street Journal". Co, na litość boską, skłoniło ojca do rezygnacji?

– Nie znam sprawy szczegółowo, ale o ile się orientuję, pan Rosnovski od dziesięciu lat miał sześć procent udziałów banku i z jakichś powodów potrzebował jeszcze tylko dwu procent, żeby zmusić twojego ojca do rezygnacji ze stanowiska.

– I powołać się na artykuł siódmy.

– Tak, istotnie. Ale nadal nie rozumiem, co to znaczy.

– Otóż ojciec wprowadził tę klauzulę do statutu, żeby uchronić się przed utratą kontroli nad bankiem. Uważał ją za niezawodne zabezpieczenie, gdyż tylko ktoś, kto byłby w posiadaniu ośmiu lub więcej procent udziałów, mógłby mu zagrozić. Nigdy nie przypuszczał, by ktokolwiek spoza rodziny zdołał tyle ich zgromadzić w jednym ręku. Ojciec nigdy by nie zrezygnował ze swoich pięćdziesięciu jeden procent udziałów banku Kane'a i Cabota, żeby zostać prezesem banku Lestera, gdyby sądził, że ktoś z zewnątrz będzie mógł zmusić go do ustąpienia.

– Ale to nadal nie wyjaśnia, dlaczego musiał zrezygnować.

– Przypuszczam, że ojciec Florentyny w jakiś sposób zdobył pozostałe dwa procent. To by mu dało takie same uprawnienia, jakie ma ojciec, i sprawiłoby, że życie ojca jako prezesa banku stałoby się nieznośne.

– Ale dlaczego? – Richard teraz pojął, że ojciec nawet Kate nie wtajemniczał w to, co działo się w banku. – Jeśli dobrze pamiętam postanowienia artykułu siódmego, jedno z nich zakłada, że osoba mająca osiem procent udziałów może blokować do trzech miesięcy wszelkie transakcje prowadzone przez bank. Z rewizji ksiąg wiem, że pan Rosnovski ma sześć procent udziałów. Sądzę, że pozostałe dwa nabył od Petera Parfitta.

– Nie, nie od niego – powiedziała Kate. – Wiem, że twój ojciec zdołał nakłonić do ich nabycia swego starego przyjaciela, zresztą za znaczną cenę. Nic dziwnego, że ostatnio był odprężony i patrzył z ufnością w przyszłość.

– Zatem największą zagadką jest to, od kogo pan Rosnovski mógł kupić te dwa procent. Nikt z członków rady nadzorczej nie rozstałby się ze swoimi udziałami, chyba że...

– Trzy minuty już się skończyły, psze pani.

– Skąd dzwonisz, matko?

– Z automatu telefonicznego. Twój ojciec zabronił nam wszystkim w ogóle się z tobą kontaktować i za nic nie chce widzieć Florentyny.

– Ale to nie ma z nią nic wspólnego, ona jest...

– Przykro mi, ale trzy minuty już się skończyły, psze pani.

– Ja zapłacę za rozmowę, panienko.

– Żałuję, psze pana, ale już rozłączyłam.

Richard niechętnie odłożył słuchawkę.

Florentyna podniosła oczy.

– Czy możesz mi wybaczyć, kochany, że mam ojca, który się dopuścił czegoś tak strasznego? Wiem, że nigdy mu nie przebaczę.

– Nigdy nie osądzaj ludzi z góry, Jessie – powiedział Richard, głaszcząc jej włosy. – Podejrzewam, że jeśli kiedyś odkryjemy całą prawdę, okaże się, że wina rozkłada się równo po obu stronach. A teraz, młoda damo, masz na głowie dwoje dzieci i sześć sklepów, a na mnie z pewnością czekają w banku poirytowani klienci. Zapomnij o tym wydarzeniu, gdyż jestem pewien, że najgorsze już za nami.

Florentyna nadal kurczowo tuliła się do męża, wdzięczna za jego krzepiące słowa, nawet jeśli w nie nie wierzyła.

Abel przeczytał informację o rezygnacji Williama Kane'a w „Wall Street Journal" tego samego dnia. Podniósł słuchawkę telefonu, wykręcił numer banku Lestera i poprosił o połączenie z nowym prezesem. Po kilku sekundach zgłosił się Jake Thomas.

– Dzień dobry panu, panie Rosnovski – powiedział.

– Dzień dobry. Dzwonię tylko, żeby potwierdzić, że dziś rano przekażę panu imiennie moje ośmioprocentowe udziały banku Lestera za dwa miliony dolarów.

– Dziękuję panu, panie Rosnovski. To bardzo wspaniałomyślnie z pańskiej strony.

– Nie musi mi pan dziękować, panie prezesie. Na tyle przecież się umówiliśmy, kiedy odstępował mi pan swoje dwa procent.

Florentyna uświadomiła sobie, że upłynie wiele czasu, nim zdoła przyjść do siebie po ciosie, jaki zadał jej ojciec. Dziwiła się, jak to możliwe, że zarazem kocha go i nienawidzi. Usiłowała się skoncentrować na swojej szybko się rozwijającej sieci sklepów i zapomnieć o tym, że nigdy go więcej nie zobaczy.

Inny cios, już nie osobisty, ale tak samo bolesny dla Florentyny, spadł na nią 22 listopada 1963 roku. Richard zatelefonował do niej z banku, czego nigdy dotychczas nie robił, żeby ją zawiadomić, że w Dallas strzelano do prezydenta i pierwsze doniesienia mówią, iż najprawdopodobniej umrze.

XX

Włoski projektant Gianni di Ferranti, nowa zdobycz Florentyny, wystąpił z pomysłem umieszczania dwu małych, splecionych ze sobą literek „F" na kołnierzu lub rąbku spódnicy wszystkich jej wyrobów. Wyglądało to bardzo efektownie i podnosiło reputację firmy. Wprawdzie Gianni nie ukrywał, że powtórzył chwyt Yvesa Saint Laurenta, niemniej jednak rezultat był doskonały.

Florentyna znalazła czas, aby polecieć do Los Angeles w celu obejrzenia nieruchomości wystawionej na sprzedaż w Beverly Hills, na Rodeo Drive. Po powrocie powiedziała Richardowi, że planuje otwarcie kolejnej „Florentyny". Odparł na to, że dopiero po przeprowadzeniu dokładnej kalkulacji będzie mógł jej doradzić, czy przyjąć tę ofertę, ma jednak tak wiele pracy w banku, że prawdopodobnie zajmie się tym dopiero za kilka dni.

Nie pierwszy raz Florentyna czuła, że przydałby się jej wspólnik lub przynajmniej doradca finansowy, zwłaszcza teraz, gdy Richard był tak zapracowany. Chętnie by mu zaproponowała, aby przyłączył się do niej, ale nie śmiała wyjść z taką sugestią.

– Musisz dać ogłoszenie w „Chronicle" i zobaczyć, ile otrzymasz odpowiedzi – radził Richard. – Pomogę ci wyselekcjonować kandydatów, a potem możemy razem przeprowadzić z nimi rozmowy.

Florentyna postąpiła, jak mówił, i w ciągu paru dni napłynęły sterty listów od bankierów, prawników i księgowych, wszystkich bardzo zainteresowanych oferowanym stanowiskiem. Richard pomagał Florentynie odsiewać kandydatów. W połowie pracy zatrzymał się nad jakimś szczególnym listem i powiedział:

– Jestem pomylony.

– Wiem, najdroższy. Właśnie dlatego cię poślubiłam.

– Wyrzuciliśmy w błoto czterysta dolarów.

– Dlaczego? Byłeś przecież przekonany, że to ogłoszenie się opłaci.

Richard podał jej list, który czytał.

– Wydaje mi się wysoko wykwalifikowany – zauważyła Florentyna po przeczytaniu. – Pracuje w Bank of America, więc powinieneś wiedzieć, czy będzie się nadawał na dyrektora finansów w mojej firmie.

– Zdecydowanie tak. Ale jak myślisz, kto zajmie jego stanowisko w banku, jeśli odejdzie do ciebie?

– Nie mam pojęcia.

– Hm, ponieważ jest moim zwierzchnikiem, więc to mogę być ja – powiedział Richard.

Florentyna zaczęła się gromko śmiać.

– I pomyśleć, że nie miałam odwagi tobie tego zaproponować. Jednak uważam, że opłaciło się wydać te czterysta dolarów – wspólniku.

Richard Kane opuścił Bank of America cztery tygodnie później i został równorzędnym wspólnikiem z pięćdziesięcioma procentami udziałów w firmie swojej żony – Florentyna Inc. w San Francisco, Los Angeles i San Diego, oraz jej dyrektorem finansowym.

Nadeszły kolejne wybory. Florentyna nie angażowała się w kampanię przedwyborczą, gdyż miała bardzo dużo pracy w swojej szybko rozwijającej się firmie. Przyznała się Richardowi, że nie ma zaufania do Johnsona i pogardza Goldwaterem. Richard umieścił na ich samochodzie hasło wyborcze: „Au+H$_2$0 na prezydenta". Florentyna natychmiast je zdarła.

Zgodzili się, że nie będą więcej rozmawiać na ten temat, ale Florentyna nie skrywała swej radości, gdy demokraci odnieśli w listopadzie przytłaczające zwycięstwo.

W ciągu następnego roku dzieci rosły jeszcze prędzej niż przedsiębiorstwo, a na piąte urodziny syna otworzyli dwa następne sklepy – w Chicago i w Bostonie. Richard z rezerwą odnosił się do tempa, w jakim powstawały nowe sklepy, ale rozmach Florentyny nie słabł ani na moment. Tylu nowych klientów chciało nosić odzież projektowaną przez Gianniego di Ferranti, że Florentyna większość czasu spędzała na przeczesywaniu miast, poszukując najlepszych lokalizacji dla nowych salonów mody.

Do 1966 roku tylko jedno ważne miasto w Ameryce nie mogło się pochlubić sklepem Florentyny. Zdawała sobie dobrze sprawę, że mogą upłynąć lata, nim znajdzie się wolne miejsce na jedynej odpowiedniej ulicy w Nowym Jorku.

XXI

– Jesteś starym, upartym osłem, Ablu.

– Wiem, ale przeszłości już nie da się cofnąć.

– Rób sobie, co chcesz, ale ja za nic w świecie nie odrzucę tego zaproszenia.

Abel wyjrzał ze swego łóżka. Prawie wcale nie opuszczał apartamentu na ostatnim piętrze od czasu ostrego ataku grypy przed sześcioma miesiącami. Odkąd wrócił z długiej podróży do Polski, właściwie tylko przez George'a kontaktował się ze światem zewnętrznym. Wiedział, że jego najstarszy przyjaciel ma rację, i musiał przyznać, że pokusa jest wielka. Ciekaw był, czy Kane pójdzie. Złapał się na tym, że tego pragnie, ale wątpił, by tamten się zdecydował. Ten człowiek był tak samo uparty jak on sam...

George głośno wyraził myśl Abla:

– Założyłbym się, że William Kane tam będzie.

Abel nie zareagował na te słowa.

– Czy masz już końcowy raport z Warszawy?

– Tak – powiedział ostro George, zły, że Abel zmienił temat. – Wszystkie umowy są już podpisane, a John Gronowski okazał się bardzo pomocny.

John Gronowski, pierwszy amerykański ambasador polskiego pochodzenia w Warszawie, pomyślał Abel. Nigdy nie przebolęję...

– Twój zeszłoroczny wyjazd do Polski przyniósł ci wszystko, czego mogłeś zapragnąć. Doczekasz otwarcia hotelu Baron w Warszawie.

– Zawsze marzyłem o tym, żeby to Florentyna dokonała jego otwarcia – powiedział cicho Abel.

– Więc zaproś ją, a nie czekaj, żebym się nad tobą użalał. Jedyne, co musisz zrobić, to uznać istnienie Richarda. I nawet ty nie możesz przymykać oczu na fakt, że ich małżeństwo jest sukcesem, gdyż inaczej nie byłoby nad kominkiem tego. – George spojrzał na drugą stronę pokoju. Oparty o wazon stał tam kartonik z nie przyjętym zaproszeniem.

Kiedy Florentyna Kane otwierała swój nowy butik przy Piątej Alei, zjawił się tam, jak można było sądzić, cały Nowy Jork. Florentyna w zielonej sukni, specjalnie dla niej projektowanej, ze słynną już podwójną literką „F" na stójce stała u wejścia do sklepu i witała każdego z gości lampką szampana. Katherine Kane w towarzystwie córki Lucy przybyła jako jedna z pierwszych. Niebawem nadciągnęły tłumy ludzi, których Florentyna albo znała bardzo dobrze, albo nigdy przedtem nie widziała na oczy. George Novak pojawił się trochę później i uradował Florentynę swoją prośbą – żeby przedstawiła go paniom Kane.

– Czy pan Rosnovski przyjdzie później? – niewinnie spytała Lucy.

– Obawiam się, że w ogóle nie przyjdzie – odparł George. – Powiedziałem mu, że jest starym, upartym osłem, skoro odmawia sobie tak miłego przyjęcia. Czy pan Kane też tutaj jest?

– Nie, ostatnio mąż nie najlepiej się czuje i rzadko wychodzi z domu – powiedziała Kate, a następnie zwierzyła się George'owi z nowiny, która ogromnie go ucieszyła.

– Jak się czuje ojciec? – szepnęła Florentyna George'owi do ucha.

– Niedobrze. Zostawiłem go w łóżku w jego apartamencie na ostatnim piętrze. Może kiedy usłyszy, że dziś wieczorem będziesz...

– Może – powiedziała Florentyna. Ujęła pod rękę Kate i przedstawiła ją Zofii. Przez moment obie starsze panie milczały. Potem Zofia przemówiła:

– To cudownie nareszcie panią poznać. Czy jest z panią pani mąż?

Pomieszczenia tak były wypełnione gośćmi, że prawie nie można było się ruszać, a kaskady śmiechu i gwar rozmów nie pozwalały wątpić w sukces przyjęcia z okazji otwarcia sklepu; Florentyna jednak myślała tylko o jednym – o kolacji, na którą wybierała się tego wieczoru.

Na rogu Pięćdziesiątej Szóstej Ulicy zgromadził się tłum ciekawskich, a ruch na Piątej Alei prawie zamarł: mężczyźni i kobiety, młodzi i starzy, zaglądali do środka przez ogromne okna wystawowe z walcowanego szkła.

Po drugiej stronie ulicy stał w bramie mężczyzna. Ubrany był w czarny płaszcz, miał kapelusz nasunięty głęboko na oczy i szalik wokół szyi. Wieczór był zimny i po Piątej Alei hulał wiatr. Nie jest to pogoda dla starszych panów, pomyślał i zastanowił się, czy mimo wszystko nie zrobił głupstwa, wychodząc z cieplutkiego łóżka na ten chłód. Uparł się jednak, że musi na własne oczy zobaczyć otwarcie sklepu. Bawiąc się bransoletą, którą nosił na ręku, przypomniał sobie nowy testament, jaki sporządził; nie zapisał w nim swego rodowego klejnotu córce, jak kiedyś obiecał.

Uśmiechał się patrząc, jak młodzi ludzie wchodzą i wychodzą z pięknego sklepu. Przez szybę wystawową rozpoznał swoją byłą żonę rozmawiającą z George'em, potem zaś zobaczył Florentynę i łza spłynęła mu po pomarszczonym policzku. Była jeszcze piękniejsza, niż ją pamiętał. Chciał przekroczyć ulicę, która ich dzieliła, i powiedzieć: „George miał rację. Za długo byłem starym, głupim osłem. Czy możesz mi przebaczyć?" Ale zamiast to zrobić, stał w miejscu, jakby nogi wrosły mu w ziemię. U boku córki ujrzał młodego mężczyznę: o arystokratycznym wyglądzie, wysokiego, pewnego siebie. To mógł być tylko syn Williama Kane'a. Świetny chłopak, mówił o nim George. Jak to on się wyraził? Że jest siłą Florentyny. Abel zastanawiał się, czy Richard go nienawidzi, i lękał się, że tak. Stary człowiek postawił kołnierz, rzucił ostatnie spojrzenie na ukochaną córkę i odwrócił się, aby ruszyć w drogę powrotną do hotelu Baron.

Oddalając się od sklepu, zauważył innego mężczyznę wolno podążającego chodnikiem. Był wyższy od Abla, ale chód miał tak samo niepewny. Ich oczy się spotkały, ale tylko na moment, a kiedy się mijali, wyższy mężczyzna uchylił kapelusza. Abel odwzajemnił gest uszanowania i obaj, bez słowa, poszli dalej, każdy w swoją stronę.

– Dzięki Bogu, wszyscy już poszli – odetchnęła Florentyna. – Akurat starczy czasu na kąpiel i przebranie się do kolacji.

Katherine Kane ucałowała ją i powiedziała:

– Do zobaczenia za godzinę.

Florentyna zamknęła na klucz frontowe drzwi sklepu i, trzymając dzieci mocno za rączki, ruszyła w stronę hotelu Pierre. Pierwszy raz od dzieciństwa zatrzymała się w Nowym Jorku w innym hotelu niż Baron.

– To kolejny dzień triumfu, kochanie – powiedział Richard.

– Ciekawe, co powiesz wieczorem?

– Och, Jessie, przestań gderać. Ojciec straci dla ciebie głowę.

– Tyle czasu na to czekałam.

Richard przepuścił Florentynę przodem w wejściu do hotelu, potem podszedł do niej i wziął w objęcia.

– Dziesięć straconych lat – powiedział – ale teraz mamy możność powetować je sobie. – Poprowadził rodzinę do windy. – Dopilnuję, żeby dzieci się umyły i ubrały, a ty weź tę swoją wymarzoną kąpiel.

Florentyna leżała w wannie i myślała o tym, jak potoczy się wieczór. Od chwili, kiedy Kate Kane powiedziała jej, że ojciec Richarda pragnie ich wszystkich zobaczyć, trawił ją lęk, żeby znów się nie rozmyślił; ale teraz od spotkania dzieliła ich tylko jedna godzina. Zastanawiała się, czy Richarda nękały podobne złe przeczucia. Wyszła z wanny, wytarła się, sięgnęła po swoje ulubione perfumy Joy i użyła ich odrobinę, a następnie włożyła długą niebieską suknię, specjalnie wybraną na tę okazję. Kate mówiła jej, że ulubionym kolorem jej męża jest niebieski. Przejrzała biżuterię w poszukiwaniu czegoś bezpretensjonalnego i wsunęła na palec staroświecki pierścionek, przed wielu laty ofiarowany ojcu przez jego dobroczyńcę. Kiedy była już gotowa, obejrzała się krytycznie w lustrze: trzydziestotrzyletnia kobieta, nie dość młoda, żeby nosić minispódniczkę, za młoda, żeby się nosić jak elegancka dama.

Z sąsiedniego pokoju wszedł Richard.

– Zachwycająco wyglądasz – oznajmił. – Staruszek pokocha cię od pierwszego wejrzenia. – Florentyna uśmiechnęła się i zajęła się czesaniem dzieci. Richard tymczasem się przebierał. Ich syn, teraz siedmioletni, miał na sobie swój pierwszy w życiu garnitur i wyglądał bardzo dorośle. Annabel była ubrana w czerwoną sukieneczkę z białą lamówką; najnowsza moda mini jej nie stwarzała żadnych problemów.

– Myślę, że wszyscy jesteśmy gotowi – powiedziała Florentyna na widok przebranego Richarda. Nie wierzyła własnym oczom: mąż miał na sobie koszulę w czerwone prążki.

Szofer otworzył im drzwi wynajętego lincolna i Florentyna z dziećmi usiadła z tyłu. Richard zajął miejsce z przodu. Florentyna milczała, kiedy samochód wolno sunął zatłoczonymi ulicami Nowego Jorku. Richard przechylił się do tyłu i dotknął jej ręki. Lincoln zatrzymał się na Sześćdziesiątej Ósmej Ulicy przed niedużym, eleganckim domem o fasadzie z czerwono-brązowego piaskowca.

– Pamiętajcie, dzieci, macie być bardzo grzeczne – powiedziała Florentyna.

– Tak, mamusiu – odpowiedziały unisono, wcale nie przerażone tym, że nareszcie zobaczą jednego z dziadków.

Jeszcze zanim wysiedli z samochodu, starszy mężczyzna w żakiecie otworzył drzwi domu i lekko im się skłonił.

– Dobry wieczór pani – powiedział. – I jak miło znowu widzieć pana, panie Richardzie.

Kate czekała na nich w hallu. Oczy Florentyny przyciągnął od razu olejny portret pięknej kobiety, która siedziała w fotelu obitym wiśniową skórą, z rękoma splecionymi na łonie.

– To babka Richarda – wyjaśniła Kate. – Nie znałam jej, ale na tym portrecie widać, dlaczego uważano ją za jedną z najpiękniejszych kobiet owego czasu.

Florentyna nadal nie odrywała wzroku od portretu.

– Czy coś się stało, kochanie? – spytała Kate.

– Pierścionek – z trudem wyszeptała Florentyna.

– Tak, jest piękny, nieprawda? – Kate podniosła rękę, prezentując pierścionek z brylantem okolonym szafirami. – William dał mi go z okazji oświadczyn.

– Nie, ten na portrecie – powiedziała Florentyna.

– Ach! Ten antyczny? Tak, cudowny. Był w rodzinie od wielu pokoleń, ale obawiam się, że jakiś czas temu zniknął. Kiedy wspomniałam o tym Williamowi, powiedział, że nie ma pojęcia, co się z nim stało.

Florentyna uniosła prawą rękę i Kate z niedowierzaniem zobaczyła na jej palcu staroświecki pierścionek. Obie spojrzały na portret – nie ulegało wątpliwości, że to ten sam.

– To był prezent z okazji mojego chrztu – powiedziała Florentyna. – Tylko że ja nigdy nie wiedziałam, kto mi go ofiarował.

– O mój Boże – odezwał się Richard. – Nigdy nie przyszło mi do głowy, że...

Do hallu wpadła pokojówka.

– Przepraszam, ale powiedziałam panu Kane,

300

że wszyscy już są. Poprosił, żeby pan Richard z żoną zechcieli przyjść sami na górę.

– Idźcie – przynagliła Kate. – Za parę minut dołączę do was z dziećmi. Florentyna wzięła męża pod rękę i wstąpiła razem z nim na schody, nerwowo obracając palcami antyczny pierścionek. Weszli do pokoju. William Lowell Kane siedział przed kominkiem w fotelu obitym wiśniową skórą. Cóż to za dystyngowany mężczyzna – pomyślała Florentyna, po raz pierwszy uprzytamniając sobie, jak jej mąż będzie wyglądał w starszym wieku.

– Ojcze – przemówił Richard. – Pozwól, że ci przedstawię moją żonę. Florentyna postąpiła do przodu i spojrzała na łagodnie uśmiechnięte oblicze Williama Kane'a.

Richard czekał na reakcję ojca, ale Florentyna wiedziała, że starszy pan już nigdy nie powie do niej słowa.

XXII

Abel podniósł słuchawkę stojącego przy łóżku telefonu.

– Niech George tu przyjdzie – polecił – i pomoże mi się ubrać. – Przeczytał list jeszcze raz. Wprost nie mógł uwierzyć, że to William Kane był człowiekiem, który kiedyś udzielił mu poparcia finansowego.

Kiedy nadszedł George, Abel nic nie powiedział. Po prostu podał mu list. George powoli go przeczytał.

– O Boże! – jęknął.

– Muszę iść na pogrzeb.

George i Abel przybyli do kościoła Trójcy Świętej w Bostonie parę minut po rozpoczęciu nabożeństwa. Stanęli z tyłu, za ostatnim rzędem pełnych namaszczenia uczestników pogrzebu. Richard i Florentyna stali po obu bokach Kate. Stawiło się trzech senatorów, pięciu kongresmanów, dwu biskupów, prawie wszyscy prezesi największych banków oraz wydawca „Wall Street Journal". Obecny był także prezes i wszyscy członkowie rady nadzorczej banku Lestera.

– Czy myślisz, że oni mi wybaczą? – spytał Abel.

George nie odpowiedział.

– Pójdziesz się z nimi zobaczyć?

– Tak, oczywiście.

– Dziękuję, George. Życzyłbym sobie, aby William Kane też miał tak oddanego przyjaciela.

Abel siedział wyprostowany w łóżku i co chwilę spoglądał ku drzwiom. Kiedy wreszcie się otworzyły, z trudem rozpoznał w stojącej w nich pięknej pani swoją dawną „maleńką dziewczynkę". Uśmiechnął się tym swoim buńczucznym uśmiechem, spoglądając ponad półokrągłymi szkłami. George został przy drzwiach, a Florentyna przypadła do łóżka i zarzuciła ojcu ręce na szyję – ten uścisk, choć tak czuły, nie mógł nadrobić dziesięciu zmarnowanych lat, jak powiedział jej Abel.

– Tyle mamy do omówienia – ciągnął. – Chicago, Polska, polityka, sklepy... Ale przede wszystkim Richard. Czy on kiedyś uwierzy, że do wczoraj nie wiedziałem, że to jego ojciec był moim protektorem?

– Tak, tatusiu, bo on sam się o tym dowiedział dzień przed tobą i nadal nie jesteśmy pewni, w jaki sposób to odkryłeś.

– Dzięki listowi od adwokatów First National Bank z Chicago, którym polecono, żeby nie informowali mnie wcześniej niż po śmierci Kane'a. Jakimż byłem głupcem – dodał Abel. – Czy Richard zechce się ze mną zobaczyć? – spytał słabym, drżącym głosem.

– On tak bardzo chce cię poznać, razem z dziećmi czeka na dole.

– Wezwijcie ich zaraz – zażądał Abel głośniej. George uśmiechnął się i zniknął.

– A czy ty nadal chcesz zostać prezydentem? – zapytał Abel.

– Prezydentem?

– Tak, Stanów Zjednoczonych. Bo jeśli tak, to ja dobrze pamiętam moją obietnicę. Aż do konwencji nominacyjnej, choćbym nawet miał sprzedać ostatnią koszulę.

Florentyna uśmiechnęła się, ale nic nie powiedziała.

Po kilku minutach rozległo się pukanie do drzwi. Abel usiłował się podnieść na powitanie Richarda i dzieci. Richard, głowa rodziny Kane'ów, podszedł do łóżka i wymienił mocny uścisk dłoni z teściem.

– Dzień dobry panu – powiedział. – To zaszczyt pana poznać.

Abel nie mógł wydobyć z siebie słowa, więc Florentyna przedstawiła mu Annabel i wnuka.

– A jak ty masz na imię? – zapytał stary człowiek.

– William Abel Kane.

Abel uścisnął rękę chłopca.

– Jestem dumny, że moje imię zostało połączone z imieniem twojego drugiego dziadka... Nawet sobie nie wyobrażasz – zwrócił się Abel do Richarda – jak bolesna jest dla mnie sprawa twojego ojca. O niczym nie miałem pojęcia. Tyle błędów w ciągu tych wszystkich lat. Nigdy, nawet przez moment, nie przyszło mi do głowy, że twój ojciec mógł być moim dobroczyńcą. Bóg jeden wie, jak bardzo chciałbym móc osobiście mu podziękować.

– On by zrozumiał – powiedział Richard. – Ale w umowie o rodzinnym funduszu powierniczym znajdowała się klauzula, która nie pozwalała mu na ujawnienie tożsamości ze względu na możliwość konfliktu interesów zawodowych i prywatnych. Ojciec nigdy nawet by nie dopuścił myśli o odstępstwie od jakiejś zasady. Właśnie dlatego jego klienci zawierzali mu oszczędności całego życia.

– Nawet gdyby kosztowało go to śmierć? – spytała Florentyna.

– Ja byłem tak samo zatwardziały – zauważył Abel.

– Co się stało, to się nie odstanie – rzekł Richard. – Nikt z nas nie mógł przewidzieć, że Henry Osborne wkroczy w nasze losy.

– Wiesz, twój ojciec i ja spotkaliśmy się w dniu jego śmierci – powiedział Abel.

Florentyna i Richard spojrzeli na niego z niedowierzaniem.

– A tak – zapewnił ich. – Minęliśmy się na Piątej Alei. Przyszedł, żeby zobaczyć otwarcie waszego nowego sklepu. Na mój widok uchylił kapelusza. To bardzo wiele, naprawdę bardzo wiele.

Niebawem zaczęli gawędzić o szczęśliwszych czasach; trochę się śmiali, dużo płakali.

– Musisz nam wybaczyć, Richardzie – rzekł Abel. – Polacy to sentymentalna nacja.

– Wiem, moje dzieci są na pół Polakami.

– Czy dacie się zaprosić dziś wieczór na kolację?

– Naturalnie – odparł Richard.

– Czy ucztowałeś kiedy prawdziwie po polsku, mój chłopcze?

– W każde Boże Narodzenie przez ostatnie dziesięć lat – odparł Richard.

Abel roześmiał się, a potem mówił o przyszłości i o tym, jak widzi dalszy rozwój Grupy. – Powinniśmy mieć „Florentynę" w każdym z naszych hoteli – powiedział córce. Zgodziła się z nim.

Abel poprosił Florentynę jeszcze tylko o jedno: żeby wraz z Richardem towarzyszyła mu w podróży do Warszawy, gdzie za dziewięć miesięcy miało się odbyć uroczyste otwarcie najnowszego hotelu Baron. Richard zapewnił go, że będą tam oboje.

Podczas następnych miesięcy Abel zbliżył się od nowa z córką i prędko zaczął darzyć szacunkiem Richarda. George wcale się nie mylił co do tego chłopca – Abel nie mógł sobie darować, że był tak uparty.

Zwierzył się Richardowi, że pragnie, aby Florentyna nigdy nie zapomniała ich wspólnego pobytu w Polsce. Abel zwrócił się do córki z prośbą, żeby to ona dokonała uroczystego otwarcia warszawskiego hotelu Baron, ona jednak upierała się, że tylko prezes Grupy może to uczynić, chociaż niepokoiła się stanem zdrowia ojca.

Co tydzień Florentyna sprawdzała z ojcem, jak przebiega budowa nowego hotelu. Kiedy termin otwarcia był już bliski, Abel zaczął ćwiczyć w jej obecności przemówienie inauguracyjne.

Do Warszawy pojechali całą rodziną. Przeprowadzili dokładną inspekcję tego pierwszego hotelu w zachodnim stylu wzniesionego za Żelazną Kurtyną, żeby się upewnić, iż wszystko tam jest tak, jak zapowiadał Abel.

Ceremonia otwarcia odbyła się w rozległym ogrodzie przed hotelem. Na wstępie zabrał głos i powitał gości polski minister turystyki. Poprosił prezesa Grupy Barona o powiedzenie paru zdań i dokonanie otwarcia hotelu.

Przemówienie Abla zostało wygłoszone co do litery, tak jak je napisał, a na zakończenie tysiące gości zgromadzonych na trawnikach powstało i rozległy się owacyjne brawa.

Minister turystyki wręczył prezesowi Grupy Barona wielkie nożyce.

Florentyna przecięła wstęgę opasującą wejście do hotelu i oznajmiła:

– Ogłaszam, że hotel Baron w Warszawie został otwarty.

Florentyna pojechała do Słonimia, aby rozsypać prochy ojca w miejscu jego urodzenia. Stojąc na ziemi przodków, tam gdzie przyszedł na świat baron Rosnovski, złożyła ślubowanie, że nigdy nie zapomni, skąd się wywodzi jej ród.

Richard starał się ją pocieszyć, jak mógł. W krótkim czasie, kiedy miał do czynienia z jej ojcem, rozpoznał u niego wiele wartościowych cech, odziedziczonych przez córkę.

Florentyna uświadomiła sobie, że nigdy nie przebolcje, iż pogodzili się ze sobą zaledwie na kilka miesięcy przed jego śmiercią. Tyle miała Ablowi do powiedzenia i tyle mogłaby się od niego dowiedzieć. Bezustannie dziękowała George'owi za czas, jaki zdążyła z ojcem spędzić, wiedząc, że ta strata była dla niego równie bolesna. Ostatni baron Rosnovski wrócił na zawsze do swej ziemi ojczystej, a jego jedynaczka i najstarszy przyjaciel odjechali do Ameryki.

Teraźniejszość

1968-1982

XXIII

Nominacja Florentyny Kane na stanowisko prezesa Grupy Barona została potwierdzona po jej powrocie z Warszawy na posiedzeniu rady nadzorczej.
Na początek Richard poradził, aby przenieść główną siedzibę firmy z San Francisco do Nowego Jorku. Kilka dni później wrócili do San Francisco, do
małego domku w Nob Hill, z którym mieli się niebawem pożegnać. Następne cztery tygodnie spędzili w Kalifornii, przygotowując się do przeprowadzki, przy czym powierzyli nadzór nad działalnością
firmy na Zachodnim Wybrzeżu jednemu ze starszych stażem dyrektorów, a kierowanie dwoma
sklepami w San Francisco – Nancy Ching. Przy po-
żegnaniu z Bellą i Claude'em Florentyna zapewniła swoich najbliższych przyjaciół, że będzie regularnie ich odwiedzać.

– Odjeżdżasz tak nagle, jak przyjechałaś – powiedziała Bella.

Florentyna po raz drugi widziała wtedy przyja-
ciółkę płaczącą.

Kiedy już urządzili się w Nowym Jorku, Richard poradził, żeby sklepy uczynić przedsiębior-
stwem filialnym Grupy Barona ze względów podat-

311

kowych. Florentyna przyjęła tę sugestię i mianowała George'a Novaka – w dniu jego sześćdziesiątych piątych urodzin – dożywotnim prezesem, z pensją, którą nawet Abel uznałby za nadzwyczaj wysoką. Florentyna została prezesem rady nadzorczej grupy, Richard zaś naczelnym dyrektorem.

Richard znalazł dla rodziny okazały dom przy Wschodniej Sześćdziesiątej Czwartej Ulicy. W trakcie jego remontu mieszkali nadal na czterdziestym pierwszym piętrze nowojorskiego hotelu Baron. Williama zapisano do renomowanej szkoły Buckleya, do której uczęszczał kiedyś jego ojciec, Annabel zaś do Spence'a. Carol zastanawiała się, czy nie czas rozejrzeć się za inną pracą, ale gdy tylko o tym wspomniała, Annabel wybuchnęła płaczem.

Florentyna starała się jak najwięcej nauczyć od George'a o kierowaniu Grupą Barona. Pod koniec pierwszego roku jej prezesury wątpliwości George'a, czy córka chrzestna będzie miała dostatecznie silną rękę, żeby zarządzać takim kolosem, zostały całkowicie rozproszone; zaimponowała mu zwłaszcza twarda postawa, jaką zajęła wobec kwestii wynagrodzenia pracowników hoteli Baron na Południu, popierając żądania tych, którzy domagali się równej płacy niezależnie od koloru skóry.

– Odziedziczyła geniusz ojca – rzekł George do Richarda. – Brak jej tylko doświadczenia.

– To przyjdzie z czasem – stwierdził Richard.

Na koniec pierwszego roku prezesury Florentyny Richard sporządził wyczerpujące sprawozdanie, które zostało przedstawione na posiedzeniu rady nadzorczej. Grupa osiągnęła zysk wysokości ponad dwudziestu siedmiu milionów dolarów mimo podjętych na szeroką skalę inwestycji budowlanych oraz spadku kursu dolara spowodowanego eskalacją wojny w Wietnamie. Następnie Richard zaprezentował członkom rady nadzorczej koncepcję dalekosiężnego programu plasowania kapitału w latach siedemdziesiątych. Zakończył swoje wystąpienie sugestią, że tego rodzaju operacje powinny zostać powierzone bankowi.

– Zgadzam się – powiedziała Florentyna – ale ja nadal liczę na ciebie jako bankiera.

– Nie przypominaj mi – odrzekł Richard. – Przy obecnie osiąganych przez nas obrotach, dających wpływy w ponad pięćdziesięciu różnych walutach, i przy należnościach, jakie uiszczamy rozlicznym instytucjom finansowym, które zatrudniamy, nadszedł chyba czas, aby mieć własny bank.

– Czy w dzisiejszych czasach kupno banku nie jest prawie niemożliwe? – spytała Florentyna. – Tak samo jak spełnienie wszystkich warunków wymaganych przepisami, żeby otrzymać zgodę na jego prowadzenie?

– Owszem, ale my mamy osiem procent udziałów banku Lestera i wiemy, jakie problemy stworzyło to mojemu ojcu. Obróćmy to teraz na naszą korzyść. Chciałbym zaproponować radzie...

Następnego dnia Richard napisał do Jake'a Thomasa, prezesa rady nadzorczej banku Lestera, żądając spotkania w cztery oczy. List, jaki otrzymał w odpowiedzi, był nadzwyczaj ostrożny, prawie wrogi. Ich sekretarki uzgodniły termin i miejsce spotkania.

Kiedy Richard wkroczył do gabinetu prezesa, Jake Thomas podniósł się zza biurka i wskazał mu krzesło, po czym znów usiadł w fotelu, który ojciec Richarda zajmował przez ponad dwadzieścia lat. Szafy nie były tak szczelnie wypełnione książkami jak poprzednio, a kwiaty tak świeże, jak z dawnych czasów pamiętał to Richard. Prezes przywitał go oficjalnie i krótko, ale Richarda to nie onieśmieliło, gdyż wiedział, że to on występuje z pozycji siły. Nie wdawał się bynajmniej w żadne wstępne uprzejmości.

– Proszę pana, uważam, że nadszedł czas, bym zajął należne mi miejsce w radzie nadzorczej banku, jako że posiadam osiem procent jego udziałów i obecnie mieszkam w Nowym Jorku.

Już z pierwszych słów Jake'a Thomasa jasno wynikało, że odgadł zamiary Richarda.

– Sądzę, że w zwykłych okolicznościach pomysł byłby dobry, panie Kane, ale ponieważ całkiem niedawno ostatnie wolne miejsce w radzie zostało zajęte, proponuję, aby pan zastanowił się nad sprzedażą swoich udziałów.

Dokładnie takiej odpowiedzi spodziewał się Richard.

– W żadnym wypadku nie wyzbędę się udziałów, stanowiących własność rodzinną, panie Thomas. Mój ojciec stworzył z tego banku jedną z najbardziej szanowanych instytucji finansowych w Ameryce i zamierzam mieć wpływ na jej przyszłość.

– To szkoda, panie Kane, gdyż jak pan zapewne wie, pański ojciec odszedł z tego banku w nie najszczęśliwszych okolicznościach i jestem pewien, że moglibyśmy zaoferować panu godziwą cenę za pańskie udziały.

– Czy równie godziwą jak ta, jaką mój teść zaoferował panu za pańskie? – spytał Richard.

Policzki Jake' a Thomasa okryły się ceglastą czerwienią.

– Widzę – powiedział – że pan tu przyszedł wyłącznie w celach destrukcyjnych.

– Nie raz się przekonałem, panie Thomas, że aby budować, trzeba wpierw to i owo zburzyć.

– Nie sądzę, żeby pan miał tyle atutów, aby zatrząść tą budowlą – odparował prezes.

– Nikt nie wie lepiej niż pan, że dwa procent całkowicie do tego celu wystarczy – rzekł Richard.

– Nie widzę sensu przedłużania tej rozmowy, panie Kane.

– Jak na razie, zgadzam się z panem, ale może pan być pewny, że zostanie podjęta na nowo w niezbyt odległej przyszłości – powiedział Richard.

Podniósł się, aby odejść. Jake Thomas nie uścisnął jego wyciągniętej ręki.

– Skoro on zajął takie stanowisko, musimy wypowiedzieć wojnę – orzekła Florentyna.

– Odważne słowa – powiedział Richard. – Jednak zanim wykonamy następny ruch, chciałbym się porozumieć ze starym adwokatem mojego ojca, Thaddeusem Cohenem. To jest człowiek, który wie dosłownie wszystko o banku Lestera. Może jeśli połączymy naszą wiedzę, uda się nam coś wymyślić.

Florentyna przyznała mu rację.

– George opowiedział mi kiedyś, co zamierzał zrobić mój ojciec, gdyby nie udało mu się usunąć twego ojca, nawet mając osiem procent udziałów.

Richard przysłuchiwał jej się uważnie, gdy wykładała mu plan Abla.

– Czy myślisz, że nam mógłby się powieść?

– Możemy spróbować, ale to ryzyko jak diabli.

– Jedyne, czego musimy się bać, to sam strach – powiedziała Florentyna.

– Jessie, kiedy ty wreszcie zrozumiesz, że F.D.R. był politykiem, nie bankierem?

Richard spędził prawie całe cztery następne dni na naradach z Thaddeusem Cohenem w jego kancelarii adwokackiej Cohen, Cohen, Yablons i Cohen.

– Jedyną osobą, która teraz posiada osiem procent udziałów banku Lestera, jest pan – zapewnił on Richarda zza swojego biurka. – Nawet Jake Thomas ma tylko dwa procent. Gdyby pański ojciec wiedział, że Thomas nie jest w stanie zatrzymać udziałów Abla Rosnovskiego dłużej niż parę dni, mógłby go zdemaskować i zachować swoje stanowisko. – Stary prawnik odchylił się do tyłu i splótł obie dłonie na łysej czaszce.

– Teraz, gdy to wiem, zwycięstwo będzie jeszcze słodsze – rzekł Richard. – Czy zna pan nazwiska wszystkich udziałowców?

– Nadal mam spis wszystkich zarejestrowanych akcjonariuszy z czasów, kiedy pański ojciec kierował bankiem. Ale teraz może się on okazać nieużyteczny, gdyż z pewnością się zdezaktualizował. Chyba nie muszę przypominać osobie z pańskim doświadczeniem, że zgodnie z przepisami stanowymi może pan zażądać, aby przedstawiono panu do wglądu aktualną listę udziałowców.

– Wyobrażam sobie, jak długo Thomas by z tym zwlekał.

– Przypuszczam, że do Bożego Narodzenia – rzekł Thaddeus Cohen, pozwalając sobie na blady uśmieszek.

316

– A co, pańskim zdaniem, by się stało, gdybym zwołał nadzwyczajne zgromadzenie i ujawnił, że Jake Thomas sprzedał własne udziały, żeby usunąć mego ojca z rady nadzorczej?

– To by panu niewiele dało poza wprawieniem paru osób w zakłopotanie, a Jake Thomas już by się postarał, aby zgromadzenie odbyło się w niedogodnym dniu i frekwencja była niska. Poza tym niewątpliwie uzyskałby pięćdziesiąt jeden procent głosów oddanych per procura przeciwko każdemu wnioskowi uchwały, jaki by pan zgłosił. Na domiar złego, jak podejrzewam, Thomas wykorzystałby tę okazję do publicznego prania brudów, żeby jeszcze bardziej zhańbić pańskiego ojca. Nie, myślę, że pani Kane wystąpiła z najlepszym pomysłem i, jeśli wolno mi powiedzieć, charakteryzuje się on brawurą typową dla jej ojca.

– A gdyby się nie powiódł?

– Nie jestem hazardzistą, ale zawsze postawiłbym na tandem Kane-Rosnovski przeciwko Jake'owi Thomasowi.

– Gdybym się zdecydował, to kiedy powinniśmy przystąpić do operacji? – spytał Richard.

– Pierwszego kwietnia – odparł Thaddeus Cohen bez wahania.

– Dlaczego akurat wtedy?

– Bo niedługo potem należy składać zeznania podatkowe, stąd pewność, że wielu ludzi będzie potrzebować gotówki.

Richard jeszcze raz przeanalizował wspólnie z Thaddeusem Cohenem cały plan ze wszystkimi szczegółami, a wieczorem zrelacjonował go Florentynie.

– Ile moglibyśmy stracić, gdybyśmy przegrali? – brzmiało jej pierwsze pytanie.

– W przybliżeniu?

– W przybliżeniu.

– Trzydzieści siedem milionów dolarów.

– Ciężka sprawa.

– W rzeczywistości nie stracilibyśmy tych pieniędzy, ale cały nasz kapitał byłby zamrożony w akcjach banku Lestera, co by naraziło grupę na ograniczenia w operowaniu gotówką, gdyby się nam nie udało przejąć kontroli nad bankiem.

– Jakie mamy zdaniem Cohena szanse sukcesu?

– Więcej niż pięćdziesiąt procent. Mój ojciec nigdy by nie zaryzykował w takiej sytuacji.

– Ale mój tak – powiedziała Florentyna. – On zawsze uważał, że szklanka jest w połowie pełna, nigdy że pusta.

– Thaddeus Cohen się nie mylił.

– Co do czego?

– Co do ciebie. Uprzedził mnie, że jeśli jesteś choć trochę podobna do ojca, to powinienem szykować się do walki.

W ciągu następnych trzech miesięcy Richard spędzał większość czasu na naradach z księgowymi, prawnikami i doradcami podatkowymi, którzy do 15 marca przygotowali mu całą dokumentację. Tego popołudnia zarezerwował miejsce na finansowych kolumnach wszystkich ważniejszych gazet w Ameryce w dniu 1 kwietnia, informując działy ogłoszeń, że tekst zostanie doręczony przez posłańca dwadzieścia cztery godziny przed opublikowaniem. Nie mógł oprzeć się refleksji, że to Prima Aprilis, i zastanawiał się, czy to on, czy Jake Thomas zostanie wystrychnięty na dudka. Przez ostatnie dwa tygodnie Richard z Thaddeusem Cohenem wciąż od nowa analizowali plan, aby się upewnić, że niczego nie przeoczyli i że szczegóły operacji „Żyłowanie" pozostaną znane tylko trzem osobom.

Rankiem 1 kwietnia Richard siedział w swoim biurze i czytał całostronicowe ogłoszenie w „Wall Street Journal":

Grupa Barona ogłasza, że oferuje czternaście dolarów za każdą akcję banku Lestera. Aktualna wartość rynkowa akcji banku wynosi jedenaście i ćwierć dolara. Osoby zainteresowane tą ofertą powinny się skontaktować ze swoim maklerem lub zwrócić się o podanie szczegółowych informacji bezpośrednio do Robina Oakleya w Chase Manhattan Bank, Chase Manhattan Plaza 1, Nowy Jork, N.Y. 10005. Oferta jest aktualna do 15 lipca.

W artykule na sąsiedniej stronie Vermont Royster napisał, że ta śmiała próba przejęcia banku Lestera ma najpewniej poparcie finansowe Chase Manhattan, który otrzyma jako zabezpieczenie udziały Grupy Barona. Komentator przewidywał, że jeśli operacja się powiedzie, nowym prezesem niewątpliwie zostanie Richard Kane, którego ojciec piastował to stanowisko przez ponad dwadzieścia lat. Gdyby jednak próba przejęcia zakończyła się fiaskiem, wówczas Grupa Barona przez kilka lat może się borykać z ostrymi ograniczeniami w operowaniu gotówką ze swoich rezerw, gdyż zostanie obarczona mniejszościowymi udziałami bez możliwości rzeczywistego sterowania bankiem. Sam Richard nie umiałby lepiej ocenić sytuacji.

Florentyna zadzwoniła do biura Richarda, żeby pogratulować mężowi sposobu, w jaki przeprowadził operację.

– Jak Napoleon – powiedziała – pamiętałeś, że pierwszą zasadą wojny jest zaskoczenie.

– Miejmy tylko nadzieję, że Jake Thomas nie okaże się moim Waterloo.

– Jest pan niepoprawnym pesymistą, panie Kane. Pamiętaj, że Thomas prawdopodobnie siedzi w tej chwili w najbliższej męskiej toalecie i że on nie ma żadnej tajemnej broni, a tym masz.

– Ja mam? – zdziwił się Richard.

– Tak. Mnie. – Telefon brzęknął i natychmiast zadzwonił ponownie.

– Pan Thomas z banku Lestera chce z panem mówić.

Ciekawe, czy on ma tam telefon w męskiej toalecie, pomyślał Richard.

– Proszę łączyć – powiedział, pierwszy raz uświadamiając sobie choć w niewielkim stopniu, czym musiała być konfrontacja między jego ojcem i Ablem Rosnovskim.

– Panie Kane, wydaje mi się, że powinniśmy się zastanowić, czy nie dałoby się uzgodnić naszych stanowisk. Może zachowałem się ze zbytnią rezerwą, nie godząc się na natychmiastowe przyjęcie pana do rady nadzorczej.

– Nie interesuje mnie już miejsce w radzie nadzorczej, proszę pana.

– Nie? Ale sądziłem, że...

– Nie. Teraz zadowoli mnie tylko prezesura.

– Pan sobie zdaje sprawę, że jeśli do piętnastego lipca nie zdobędzie pan pięćdziesięciu jeden procent udziałów, my możemy wprowadzić natychmiastowe zmiany w alokacji akcji na okaziciela i udziałów z prawem głosu, co obniży wartość udziałów, jakie pan już posiada? Pragnę też dodać, że członkowie rady nadzorczej mają łącznie czterdzieści procent udziałów banku Lestera i że zamierzam dzisiaj wysłać wszystkim udziałowcom telegramy z zaleceniem, aby zignorowali pańską ofertę. Z chwilą, kiedy uzyskam pozostałe jedenaście procent, pan straci małą fortunę.

– Jest to ryzyko, jakie chętnie podejmę – rzekł Richard.

– No cóż, skoro takie jest pańskie stanowisko, Kane, zwołam nadzwyczajne walne zgromadzenie w dniu dwudziestym trzecim lipca. Jeśli do tej pory nie zgromadzi pan swoich pięćdziesięciu jeden procent, osobiście dopilnuję, aby trzymał się pan z dala od naszego banku, póki ja jestem prezesem. – Z nagła ton Thomasa zmienił się z groźnego na przymilny. – Może teraz zechce pan jednak zmienić swoje stanowisko?

– Kiedy wychodziłem z pańskiego biura, wyraźnie panu powiedziałem, o co mi chodzi. Nic od tamtej pory się nie zmieniło. – Richard położył słuchawkę, otworzył swój kalendarz na stronie, na której figurowała data 23 lipca, zaznaczył ją kreską, po czym w poprzek napisał: „Walne zgromadzenie, bank Lestera" i postawił wielki znak zapytania. Tego popołudnia otrzymał telegram Jake'a Thomasa wysłany do wszystkich udziałowców.

Codziennie rano Richard sprawdzał, z jakim oddźwiękiem spotyka się ogłoszenie, telefonując do Thaddeusa Cohena i do Chase Manhattan. Pod koniec pierwszego tygodnia uzyskał trzydzieści jeden procent udziałów, co z jego ośmioma procentami dawało trzydzieści dziewięć. Jeśli Thomas rzeczywiście zaczął wyścig z czterdziestoma procentami w garści, finisz mógł być ostry.

Dwa dni później Richard otrzymał szczegółowo uargumentowany list Jake'a Thomasa do wszystkich udziałowców, w którym Thomas zdecydowanie odradzał branie pod uwagę oferty Grupy Barona. Ostatnie zdanie listu brzmiało: „Powierzylibyście swoje interesy towarzystwu, które jeszcze do niedawna kierowane było przez człowieka sądzonego za łapownictwo i przekupstwo". Richarda ten osobisty atak na Abla napełnił odrazą. Nigdy też jeszcze nie widział, aby coś tak dotknęło do żywego Florentynę.

– Załatwimy go, prawda? – spytała, zwijając dłoń w pięść.

– To nie będzie łatwe. Wiem, że członkowie rady nadzorczej Lestera i osoby z nim zaprzyjaźnione łącznie mają ponad czterdzieści procent, tak więc walka rozegra się o pozostałe dziewiętnaście procent i to ona zadecyduje o zwycięstwie.

Do końca miesiąca Jake Thomas nie kontaktował się więcej z Richardem, który zaczął się martwić, czy milczenie to nie oznacza, iż tamten zdobył już pięćdziesiąt jeden procent udziałów. Zaledwie na osiem tygodni przed walnym zgromadzeniem z kolei Richard przeczytał przy śniadaniu całostronicowe ogłoszenie, wskutek czego tętno podskoczyło mu do stu dwudziestu uderzeń na minutę. Na trzydziestej siódmej stronie „Wall Street Journal" Jake Thomas zamieścił ogłoszenie w imieniu banku Lestera. Oferował w nim na sprzedaż dwa miliony autoryzowanych, ale nie będących do tej pory do sprzedania udziałów na rzecz nowo utworzonego funduszu emerytalnego dla pracowników banku.

W wywiadzie z głównym reporterem gazety Thomas przedstawił owo zamierzenie jako ważny krok w doskonaleniu pracowniczego systemu udziału w zyskach i zapowiedział, że ufundowanie dodatkowych dochodów dla przyszłych emerytów stanie się modelem dla bankowej społeczności w Ameryce i nie tylko.

Richard, co niezwykłe, zaklął wstając od stołu i podszedł do telefonu, nie bacząc na to, że kawa mu stygnie.

– Coś ty powiedział? – spytała Florentyna.

– Sukinsyn – powtórzył i podał jej gazetę. Czytała ogłoszenie, podczas gdy Richard wykręcał numer.

– Co to znaczy?

– Że nawet jeśli zdobędziemy pięćdziesiąt jeden procent obecnych udziałów, wyemitowanie przez Thomasa dwu milionów autoryzowanych nowych akcji, które na pewno będą sprzedawane wyłącznie instytucjom, uniemożliwi nam pokonanie tego łobuza dwudziestego trzeciego lipca.

– Czy to jest zgodne z prawem? – chciała wiedzieć Florentyna.

– Właśnie zamierzam o to spytać.

Thaddeus Cohen od razu udzielił mu odpowiedzi.

– To jest zgodne z prawem, chyba że uda się panu nakłonić sędziego, żeby ich powstrzymał. Przygotowuję stosowne dokumenty, ale uprzedzam pana, że jeśli nie uzyskamy teraz wstępnego zakazu sądowego, nigdy nie zostanie pan prezesem rady nadzorczej Lestera.

W ciągu następnych dwudziestu czterech godzin Richard biegał od adwokatów do sądu i z powrotem. Złożył trzy urzędowe oświadczenia pod

przysięgą, po czym w sali skarg prywatnych prze-
prowadzono sprawę o wydanie zakazu sądowego.
Następnie odbyła się w trybie przyspieszonym nad-
zwyczajna rozprawa apelacyjna przed trzyosobo-
wym składem sędziowskim, który, po trwających
cały dzień naradach, przy dwu głosach za i jednym
przeciw wydał werdykt nakazujący wstrzymanie
oferty sprzedaży akcji do następnego dnia po nadzwyczajnym walnym zgromadzeniu. Richard wygrał bitwę, ale nie wojnę; kiedy nazajutrz rano
przyszedł do biura, stwierdził, że nadal ma tylko
czterdzieści sześć procent udziałów banku Lestera.

– Jake Thomas musi mieć resztę – powiedziała
Florentyna zrezygnowanym tonem.

– Nie przypuszczam – rzekł Richard.

– Dlaczego? – spytała.

– Bo nie bawiłby się w to całe pozorowane
przedsięwzięcie z akcjami na cele funduszu emerytalnego, gdyby już zgromadził pięćdziesiąt jeden procent.

– Pan myśli logicznie, panie Kane.

– On w istocie jest przekonany – rzekł Richard
– że to my mamy już pięćdziesiąt jeden procent.
Gdzie więc podziewa się te brakujące pięć?

W ciągu ostatnich paru dni czerwca Richarda
trzeba było powstrzymywać, żeby nie dzwonił co
godzina do Chase Manhattan z pytaniem, czy napłynęły jakieś nowe akcje. W dniu 15 lipca Richard miał czterdzieści dziewięć procent udziałów
i gnębiła go świadomość, że dokładnie za osiem
dni Jake Thomas będzie mógł wyemitować nowe
udziały z prawem głosu, co w praktyce uniemożliwi mu w przyszłości uzyskanie kontroli nad bankiem Lestera. Ponadto, ze względu na konieczność

324

przepływu gotówki, warunkującego sprawne funkcjonowanie Grupy Barona, będzie musiał natychmiast rzucić na rynek po niskich cenach część udziałów Lestera – ze znaczną stratą, naturalnie, jak to przewidywał Jake Thomas. Złapał się na tym, że od czasu do czasu mruczy pod nosem: „Dwa procent, jeszcze zaledwie dwa procent".

Został tylko tydzień i Richard nie był w stanie skoncentrować się na dotyczących hoteli nowych przepisach przeciwpożarowych, które oczekiwały na zatwierdzenie w Kongresie. Wtedy zadzwoniła Mary Preston.

– Nie znam żadnej Mary Preston – powiedział Richard sekretarce.

– Ona mówi, że pan ją znał jako Mary Bigelow.

Richard uśmiechnął się, ciekaw, czego Mary może chcieć. Nie widział jej od czasu opuszczenia Harvardu. Podniósł słuchawkę.

– Mary, co za niespodzianka. Czy może dzwonisz tylko, żeby się poskarżyć na złą obsługę w którymś z naszych hoteli?

– Nie, żadnych skarg, chociaż kiedyś spędziliśmy noc w hotelu Baron, jeśli twoja pamięć sięga tak daleko.

– Jakże mógłbym zapomnieć – powiedział, wcale sobie nie przypominając.

– Dzwonię, żeby zasięgnąć twojej rady. Lata temu mój stryjeczny dziadek Alan Lloyd zostawił mi trzy procent udziałów Lestera. W zeszłym tygodniu dostałam list od pana Jake'a Thomasa z prośbą o przekazanie ich w depozyt radzie nadzorczej banku i nieodsprzedawanie ich tobie.

Richard wstrzymał oddech i usłyszał, jak łomocze mu serce.

– Jesteś tam, Richard?

– Tak, Mary. Po prostu zastanawiałem się. Chodzi o to, że...

– Nie wygłaszaj długiej przemowy, Richard. Może po prostu przyjechałbyś z żoną na Florydę do mnie i mego męża i coś nam doradził?

– Florentyna nie wróci przed niedzielą z San Francisco...

– To wpadnij sam. Wiem, że Max bardzo chętnie cię pozna.

– Pozwól, że sprawdzę, czy uda mi się przełożyć parę spraw, i zadzwonię do ciebie za godzinę.

Richard zatelefonował do Florentyny, która poradziła mu, żeby rzucił wszystko i jechał sam.

– W poniedziałek rano będziemy mogli pożegnać się z Jake'iem Thomasem raz na zawsze.

Następnie Richard podzielił się nowiną z Thaddeusem Cohenem, który bardzo się ucieszył.

– Na mojej liście udziały figurują pod nazwiskiem Alana Lloyda.

– Obecnie zapisane są na nazwisko pani Maxowej Prestonowej.

– Jak ją zwał, tak ją zwał. Niech pan po nie jedzie.

Richard poleciał na Florydę w sobotę po południu. Na lotnisku w West Palm Beach czekał na niego samochód z szoferem, który zawiózł go do Prestonów. Kiedy Richard zobaczył dom, w którym mieszkała Mary, pomyślał, że może wypełniłaby go z trudem rodzina z dwadzieściorgiem dzieci. Okazała rezydencja znajdowała się na krańcu pola golfowego nieopodal Intracoastal Waterway. Od wrót Lion Lodge jechało się tam samochodem jeszcze sześć minut. Do domu wiodły wspaniałe schody składające się z czterdziestu stopni. Na najwyższym stała Mary i czekała, aby go powitać. Ubrana była w doskonale skrojony strój do konnej jazdy. Blond włosy nadal miała rozpuszczone do ramion. Kiedy Richard patrzył na nią z dołu, przypomniał sobie, dlaczego mu się spodobała blisko piętnaście lat wcześniej.

Lokaj porwał neseser Richarda z jego nocną bielizną i przyborami toaletowymi i powiódł go do sypialni, w której śmiało mogłaby się odbyć pomniejsza konferencja. Z boku na łóżku znajdował się strój do konnej jazdy.

Przed kolacją Mary i Richard jeździli konno wokół posiadłości i chociaż nigdzie nie było śladu Maxa, Mary oznajmiła, że oczekuje go o siódmej. Richard był zadowolony, że Mary nie puszcza konia w cwał. Od dawna nie galopował i wiedział, że rano będzie do niczego. Po powrocie do domu wziął kąpiel i przebrał się w ciemny garnitur, po czym zszedł do salonu parę minut po siódmej. Lokaj nalał mu sherry. Mary wpłynęła do salonu w wykwintnej wieczorowej sukni odsłaniającej ramiona, a lokaj podał jej bez słowa podwójną whisky.

– Przykro mi, Richard, ale właśnie telefonował Max i powiedział, że musi zostać w Dallas. Wróci dopiero jutro po południu. Będzie bardzo rozczarowany, że cię nie spotka. – Zanim Richard zdołał cokolwiek wtrącić, dodała: – Chodź, zjemy kolację i wyjaśnisz mi, dlaczego Grupie Barona potrzebne są moje udziały.

Richard zaczął opowiadać całą historię od czasu, kiedy jego ojciec przejął rodzinny bank z rąk jej dziadka. Tak był przejęty, że przy pierwszych dwóch daniach niemal nie zauważył, co je.

– A więc dzięki moim trzem procentom – skomentowała Mary – bank bezpiecznie wróci do rodziny Kane'ów?

– Tak – powiedział Richard. – Nadal brakuje pięciu procent, ale ponieważ mamy już czterdzieści dziewięć, możesz przeważyć szalę na naszą korzyść.

– To bardzo proste – oznajmiła Mary, kiedy spożyli suflet. – Porozmawiam z moim maklerem w poniedziałek i załatwię wszystko. A teraz na to konto napijmy się brandy w bibliotece.

– Nawet nie wiesz, jak bardzo mi pomożesz – powiedział Richard, wstając z krzesła i podążając za swoją gospodynią długim korytarzem.

Biblioteka rozmiarami i liczbą miejsc do siedzenia przypominała halę do gry w koszykówkę. Mary nalała Richardowi filiżankę kawy, a lokaj kieliszek Hine'a. Powiedziała lokajowi, że już więcej nie będzie go tego wieczoru potrzebować, i usiadła obok Richarda na sofie.

– Całkiem jak dawniej – westchnęła, przysuwając się bliżej.

Richard przyznał jej rację, wyrwany z marzeń o tym, jak zostaje prezesem banku Lestera. Rozkoszował się brandy i nie zwrócił uwagi, kiedy położyła mu głowę na ramieniu. Nalała mu drugi kieliszek i oparła rękę na jego nodze, czego nie mógł już nie zauważyć. Skosztował koniaku. Nagle, bez żadnego ostrzeżenia, Mary zarzuciła mu ramiona na szyję i pocałowała w usta. Kiedy wreszcie go puściła, zaśmiał się i zauważył:

– Całkiem jak dawniej. – Wstał i nalał sobie pełną filiżankę kawy. – Co zatrzymało Maxa w Dallas? – spytał.

– Instalacje naftowe – odparła Mary znudzonym tonem. Richard został przy kominku.

W ciągu następnej godziny dowiedział się wszystkiego o rurociągach naftowych i prawie niczego o Maksie. Kiedy zegar wybił dwunastą, zasugerował, że pora iść spać. Mary nic nie powiedziała, podniosła się z miejsca i odprowadziła go na górę do jego pokoju. Odeszła, zanim zdążył pocałować ją na dobranoc.

Trudno mu było zasnąć, gdyż z jednej strony był upojony radością, że otrzyma od Mary trzy procent udziałów Lestera, z drugiej zaś absorbowały go myśli o tym, jak przejąć bank, nie zakłócając jego funkcjonowania. Zdawał sobie sprawę, że nawet jako eks-prezes Jake Thomas nadal będzie bruździł, i zastanawiał się właśnie, w jaki sposób zdoła powściągnąć jego gniew po przegranej rozgrywce o bank, kiedy nagle usłyszał cichy szczęk przy drzwiach sypialni. Spojrzał w tę stronę i zobaczył, jak obraca się gałka klamki i wolno otwierają się drzwi. Zarysowała się w nich sylwetka Mary w różowym, przejrzystym negliżu.

– Czy już śpisz?

Richard leżał bez ruchu, zastanawiając się, czy może udawać, że śpi. Obawiał się jednak, że mogła dostrzec, jak się poruszył, więc powiedział sennym głosem:

– Nie. – Z rozbawieniem pomyślał, że na leżąco nieporęcznie będzie mu kontynuować z Mary rozmowę o jej mężu.

Mary podeszła cichutko do łóżka i usiadła na skraju.

– Czy czegoś ci potrzeba?

– Dobrego snu – odparł Richard.

– Są na to dwa sposoby – powiedziała Mary, pochylając się do przodu i głaszcząc go po karku. – Możesz wziąć pastylkę nasenną albo mnie.

– To świetny pomysł, ale właśnie wziąłem pastylkę nasenną – wymamrotał zaspanym głosem Richard.

– Zdaje się, że nie odniosła pożądanego skutku, może więc spróbujmy drugiego lekarstwa? – rzekła Mary. Zdjęła przejrzysty negliż przez głowę, pozwalając mu opaść na podłogę. Następnie już bez słowa wśliznęła się pod okrycie, mocno przyciskając się do Richarda. Poczuł dotyk jędrnego ciała kobiety, która była wysportowana i nie rodziła dzieci.

– Do diabła, żałuję, że wziąłem tę pastylkę – powiedział. – Szkoda, że nie mogę zostać chociaż jeszcze jedną noc.

Mary zaczęła całować Richarda w kark; jej ręka powędrowała w dół jego pleców i zatrzymała się między udami.

Chryste – pomyślał Richard – to ponad moje siły. Jestem tylko człowiekiem. W tym momencie trzasnęły drzwi. Mary odrzuciła pościel, złapała swoją koszulkę i czmychnęła z pokoju jak złodziej spłoszony nagle zapalonym w hallu światłem. Richard z powrotem naciągnął na siebie prześcieradło i usiłował – na próżno – pochwycić sens dobiegającej z dołu przytłumionej rozmowy. Przez resztę nocy spał bardzo niespokojnie.

Kiedy rano zszedł na śniadanie, Mary rozmawiała ze starszym panem, który musiał być kiedyś bardzo przystojny.

Mężczyzna wstał i podał Richardowi rękę.

– Jestem Max Preston – przedstawił się. – Nie sądziłem, że zdążę się z panem zobaczyć w czasie tego weekendu, ale załatwiłem swoje sprawy wcześniej i udało mi się złapać ostatni samolot z Dallas. Nie mógłbym pozwolić, aby wyjechał pan stąd nie zakosztowawszy prawdziwej południowej gościnności. – Przy śniadaniu Richard i Max rozmawiali o trudnej sytuacji na Wall Street. Byli pochłonięci rozważaniem skutków nowej polityki podatkowej Nixona, kiedy kamerdyner oznajmił, że szofer czeka, aby zawieźć pana Kane'a na lotnisko.

Prestonowie odprowadzili gościa na dół, po czterdziestu stopniach schodów, do auta. Richard pocałował Mary w policzek, podziękował jej za wszystko, co dla niego zrobiła, i serdecznie uścisnął dłoń Maxa.

– Mam nadzieję, że się jeszcze zobaczymy – powiedział Max.

– Świetny pomysł. Proszę zadzwonić, kiedy będzie pan w Nowym Jorku.

Mary uśmiechnęła się łagodnie.

Rolls-royce ruszył dostojnie długą alejką, a Mary i Max pomachali Richardowi na pożegnanie. Gdy samolot wystartował, Richard poczuł ogromną ulgę. Stewardesa podała mu koktajl i Richard zaczął układać plan zajęć na poniedziałek. Był bardzo rad, kiedy zastał Florentynę w domu.

– Mamy udziały w kieszeni – oznajmił z triumfem, a przy kolacji opowiedział jej wszystko ze szczegółami. Tuż przed północą zasnęli na sofie przy kominku, Florentyna z ręką na nodze Richarda.

Rankiem następnego dnia Richard zadzwonił do Jake'a Thomasa, aby go powiadomić, że jest w posiadaniu pięćdziesięciu jeden procent udziałów.

Usłyszał w słuchawce, jak tamten zaczerpnął powietrza.

– Gdy tylko mój adwokat otrzyma certyfikaty akcji, zjawię się w banku i ustalimy sposób przeprowadzenia operacji przejęcia pakietu większościowego.

– Oczywiście – odpowiedział Jake z rezygnacją. – Czy mogę zapytać, od kogo kupił pan te dwa procent udziałów?

– Może pan. Od starej przyjaciółki, Mary Preston.

Po drugiej stronie przewodu zapadło na chwilę milczenie.

– Chyba nie małżonki pana Maxa Prestona z Florydy?

– Tak, od niej – powiedział Richard z triumfem.

– Wobec tego może się pan do nas nie fatygować. Przed miesiącem pani Preston zdeponowała u nas swój trzyprocentowy udział w banku Lestera i od jakiegoś już czasu certyfikaty znajdują się w naszym posiadaniu. – Telefon rozłączył się. Tym razem to Richard musiał zaczerpnąć powietrza.

Kiedy powiedział Florentynie o nowym obrocie spraw, zdobyła się tylko na konkluzję:

– Powinieneś był przespać się z tym babsztylem. Jake Thomas na pewno by to zrobił.

– A czy ty przespałabyś się w podobnej sytuacji ze Scottem Forbesem?

– O Boże, nigdy, panie Kane.

– No widzisz, Jessie.

Richard znów spędził bezsenną noc, głowiąc się, w jaki sposób mógłby jeszcze zdobyć brakujące dwa procent udziałów. Było oczywiste, że obie strony miały po czterdzieści dziewięć procent.

Thaddeus Cohen z góry radził mu pogodzić się z rzeczywistością i wycisnąć jak najwięcej gotówki za udziały, które już posiadał. Może powinien wziąć przykład z Abla i rzucić na rynek duży pakiet akcji w przeddzień walnego zgromadzenia akcjonariuszy. Z głową pękającą od bezużytecznych pomysłów Richard przewracał się niespokojnie z boku na bok. Kiedy próbował wreszcie zasnąć, nagle przebudziła się Florentyna.

– Śpisz? – zapytała szeptem.

– Nie. Cały czas myślę, jak zdobyć te dwa procent.

– Ja też. Czy przypominasz sobie, jak twoja matka mówiła kiedyś, że ktoś kupił w imieniu twojego ojca dwa procent udziałów od niejakiego Petera Parfitta, aby nie dostały się one memu tacie?

– Tak, pamiętam – odparł Richard.

– A może ten człowiek nic nie wie o naszej ofercie?

– Moja droga, oferta ukazała się we wszystkich gazetach w Ameryce.

– O Beatlesach też wszyscy piszą, a nie każdy o nich wie.

– Nie zaszkodzi spróbować – powiedział Richard i podniósł słuchawkę stojącego koło łóżka telefonu.

– Do kogo dzwonisz? Do Beatlesów?

– Nie, do matki.

– O czwartej nad ranem? Nie możesz jej budzić w środku nocy.

– Mogę i muszę.

– Gdybym wiedziała, że tak postąpisz, nic bym ci nie powiedziała.

– Kochanie, stracisz przeze mnie trzydzieści

siedem milionów dolarów, jeśli nie wymyślimy czegoś w ciągu najbliższych dwóch i pół dnia, a właściciel tak potrzebnych nam akcji może mieszkać na przykład w Australii.

– Słuszna uwaga, panie Kane.

Richard wykręcił numer i czekał. W słuchawce odezwał się zaspany głos.

– Mama?

– Tak, Richard. Która to godzina?

– Czwarta rano. Przepraszam, że cię obudziłem, mamo, ale tylko ty możesz mi pomóc. Słuchaj uważnie. Mówiłaś kiedyś, że jakiś znajomy ojca kupił od Petera Parfitta dwa procent udziałów w banku Lestera, aby nie dostały się w ręce ojca Florentyny. Pamiętasz może, kto to był?

Na chwilę w słuchawce zapadła cisza.

– Chyba tak. Daj mi pomyśleć. Tak, już wiem. To był stary przyjaciel twego ojca, bankier z Anglii, razem studiowali na Harvardzie. Zaraz sobie przypomnę jego nazwisko. – Richard wstrzymał oddech. Florentyna usiadła na łóżku.

– Dudley, Colin Dudley, prezes... o Boże, nie pamiętam czego.

– Nieważne, mamo. Ten trop mi wystarczy. Postaraj się zasnąć.

– Co za wzruszająca synowska troskliwość – powiedziała Kate Kane, odkładając słuchawkę.

– Co dalej, Richard?

– Nie martw się, rób śniadanie.

Florentyna pocałowała go w czoło i wyszła z sypialni.

Richard podniósł słuchawkę.

– Z centralą międzynarodową proszę. Która godzina jest teraz w Londynie?

– Siedem po dziewiątej.

Richard przekartkował szybko notes z prywatnymi telefonami.

– Proszę mnie połączyć z numerem zero jeden siedemset trzydzieści pięć siedemdziesiąt dwa dwadzieścia siedem.

Czekał spokojnie. W słuchawce odezwał się głos.

– Bank of America.

– Proszę połączyć mnie z panem Jonathanem Colemanem.

Znów chwila wyczekiwania.

– Jonathan Coleman. Słucham.

– Dzień dobry, Jonathanie. Tu Richard Kane.

– Miło cię słyszeć, Richard. Co tam znowu kombinujesz?

– Potrzebuję pilnie pewnej informacji. Czy wiesz może, któremu bankowi prezesuje Colin Dudley?

– Chwileczkę. Zajrzę do „Rocznika bankierskiego". – Richard słyszał szelest przerzucanych stronic. – Robert Fraser i Spółka – brzmiała odpowiedź. – Z tym, że teraz to już jest sir Colin Dudley.

– Jaki jest jego numer telefonu?

– Czterysta dziewięćdziesiąt trzy trzydzieści dwa jedenaście.

– Dzięki, Jonathanie. Zadzwonię, kiedy będę w Londynie.

Richard zapisał numer w rogu koperty i ponownie wykręcił numer centrali międzynarodowej. Do sypialni weszła Florentyna.

– Jak ci idzie?

– Zaraz będę go miał. Proszę Londyn, czterysta dziewięćdziesiąt trzy trzydzieści dwa jedenaście. –

Florentyna przysiadła na brzegu łóżka, podczas gdy Richard czekał na połączenie.

– Robert Fraser i Spółka...

– Chciałbym rozmawiać z sir Colinem Dudleyem.

– Czy można wiedzieć, kto przy aparacie?

– Richard Kane z Grupy Barona w Nowym Jorku.

– Jedną chwileczkę, proszę pana.

Richard czekał cierpliwie.

– Tu Dudley. Dzień dobry panu.

– Dzień dobry, sir Colinie. Nazywam się Richard Kane. Zdaje się, że znał pan mojego ojca?

– Oczywiście. Studiowaliśmy razem na Harvardzie. Twój stary to był równy gość. Z przykrością dowiedziałem się o jego śmierci. Pisałem wtedy do twojej matki. Skąd dzwonisz?

– Z Nowego Jorku.

– Ależ wy tam wcześnie wstajecie w tej Ameryce. W czym mogę ci pomóc?

– Czy nadal jest pan w posiadaniu dwóch procent udziałów w banku Lestera? – Richard wstrzymał oddech.

– Owszem. Kosztowały mnie krocie. Ale nie żałuję. Twój ojciec w swoim czasie wyświadczył mi parę grzeczności.

– Sir Colinie, czy byłby pan skłonny sprzedać mi te udziały?

– Jeśli dałbyś mi dobrą cenę, czemu nie?

– Jaką cenę uznałby pan za dobrą?

Na dłuższą chwilę zapadła cisza.

– Osiemset tysięcy dolarów.

– Zgoda – powiedział Richard bez wahania – lecz muszę mieć możność odebrania ich jutro, i raczej nie skorzystam z kuriera. Czy jeśli zapłacę przekazem bankowym, zdąży pan uporać się ze wszystkimi formalnościami do chwili mego przyjazdu?

– Bez kłopotu, drogi chłopcze – Dudley nie zamierzał robić trudności. – Wyślę po ciebie na lotnisko samochód; będzie do twej dyspozycji na czas pobytu w Londynie.

– Dziękuję panu, sir Colinie.

– Możesz sobie darować „sira", młodzieńcze. Jestem już w wieku, kiedy człowiek woli, aby zwracano się do niego po imieniu. Daj tylko znać, o której przylatujesz, a wszystko będzie gotowe.

– Dziękuję... Colinie.

Richard odłożył słuchawkę.

– Chyba jeszcze nie wstajesz? – spytała Florentyna.

– Oczywiście, że wstaję. I tak bym już nie zasnął. Co z moim śniadaniem?

O szóstej Richard miał już rezerwację na lot o dziewiętnastej piętnaście z lotniska Kennedy'ego. Zarezerwował sobie też miejsce w samolocie odlatującym o jedenastej rano następnego dnia i przylatującym do Nowego Jorku o trzynastej trzydzieści pięć, co pozostawiało mu całą dobę do rozpoczęcia zebrania akcjonariuszy wyznaczonego na środę o drugiej.

– Trochę kiepsko stoimy z czasem, prawda? – powiedziała Florentyna. – Ale wszystko pójdzie dobrze, wierzę w ciebie. Aha, byłabym zapomniała: William liczy, że przywieziesz mu model czerwonego londyńskiego autobusu.

– Masz okropny zwyczaj podejmowania w moim imieniu poważnych zobowiązań, Florentyno. Dyrektorowanie w twojej firmie to ciężki kawałek chleba.

– Wiem, najdroższy. I pomyśleć, że spotyka cię to tylko dlatego, że sypiasz z jej prezeską.

O szóstej Richard siedział już przy swoim dyrektorskim biurku i wypisywał zlecenie przekazania teleksem na adres: Robert Fraser i S-ka, Albemarle Street, Londyn W.1. kwoty ośmiuset tysięcy dolarów. Wiedział, że pieniądze znajdą się w banku sir Colina Dudleya na długo zanim on sam się tam zjawi. O szóstej trzydzieści kazał się zawieźć na lotnisko i zgłosił się do odprawy. Jego boeing 747 wystartował punktualnie i o dziesiątej wieczorem wylądował na londyńskim lotnisku Heathrow. Sir Colin Dudley dotrzymał słowa. Na Richarda czekał samochód, który zawiózł go do hotelu Baron. Umieszczono go w Apartamencie Davisa Leroya. Apartament Prezydencki, wyjaśnił dyrektor, zajęty jest już przez pana Jaggera. Pozostali członkowie jego grupy rozlokowali się na ósmym piętrze.

– Chyba nigdy nie słyszałem o tej grupie? Czym oni się zajmują?

– Śpiewaniem, proszę pana.

Kiedy zgłosił się w recepcji, czekała tam na niego wiadomość od sir Colina, który zaproponował, aby spotkali się w jego banku nazajutrz o dziewiątej rano.

Richard zjadł kolację w swoim apartamencie, po czym zatelefonował do Florentyny, aby – przed snem – zdać jej relację z przebiegu wydarzeń.

– Niech pan się dobrze spisze, panie Kane. Nasz los jest w pana rękach.

Richard obudził się o siódmej, spakował i zszedł na śniadanie. Jego ojciec zanudzał zawsze wszystkich opowiadając, jakie to w Londynie podają wspaniałe wędzone śledzie. Richard zamówił je więc z ciekawości. Kiedy przełknął ostatni kawałek ryby, uznał, że jest tak smaczna, iż teraz on latami będzie zanudzał swojego syna opowieścią o śledziach. Po śniadaniu, mając jeszcze godzinę do otwarcia banku, spacerował po Hyde Parku. Cudowna zieleń, wspaniałe klomby dziewiczo świeżych róż. Nie mógł się powstrzymać przed porównaniem piękna tego miejsca z Central Parkiem. Przypomniał sobie też, że Londyn ma jeszcze pięć innych królewskich parków podobnej wielkości.

Z wybiciem dziewiątej wszedł głównym wejściem do banku Robert Fraser i S-ka przy Albemarle Street, zaledwie kilkaset jardów od Barona. Sekretarka wprowadziła go do gabinetu sir Colina Dudleya.

– Czułem, że zjawisz się punktualnie, przyjacielu, wszystko jest więc już przygotowane. Przypomniało mi się, jak zastałem kiedyś twego ojca siedzącego na progu koło butelek z mlekiem. Tego dnia nie mieliśmy mleka do kawy.

Richard roześmiał się.

– Pieniądze nadeszły wczoraj jeszcze przed zamknięciem banku, tak więc dziś pozostaje mi już tylko przepisać na ciebie w obecności świadka certyfikaty akcji. – Sir Colin nacisnął guzik. – Czy mogę cię prosić, Margaret? – Osobista sekretarka sir Colina przyglądała się, jak prezes jednego banku podpisuje certyfikaty akcji, dzięki którym ich odbiorca będzie mógł zostać prezesem innego banku.

Richard sprawdził, czy wszystko jest w porządku, złożył starannie podpisy w odpowiednich miejscach umowy, po czym otrzymał pokwitowanie na osiemset tysięcy dolarów.

– No cóż, przyjacielu, mam nadzieję, że trud, jaki sobie zadałeś, zjawiając się tu osobiście, opłaci ci się i zostaniesz prezesem banku Lestera.

Richard spojrzał zaskoczony na starszego łysego dżentelmena o posturze wojskowego, z siwym sumiastym wąsem.

– Nie przypuszczałem, że wiesz o...

– Wy, Amerykanie, wyobrażacie sobie, że my tu wszyscy pogrążeni jesteśmy w głębokim letargu. No, a teraz zmykaj, musisz złapać samolot o jedenastej. Zdążysz wtedy bez trudu na zebranie akcjonariuszy. Niewielu moich klientów płaci tak rychło. No i przekaż pozdrowienia waszemu chłopcu z Księżyca.

– Co proszę? – zdziwił się Richard.

– Wysłaliście na Księżyc człowieka.

– Coś podobnego!

– No, może niezupełnie, ale z pewnością jest to następny cel NASA.

Richard roześmiał się i jeszcze raz podziękował sir Colinowi. Ruszył raźnym krokiem w kierunku hotelu Baron, nucąc pod nosem jakąś melodię. Czuł, jakby to jego posadzono na Księżycu. Bagaż zostawił u portiera, tak więc wymeldowanie się z hotelu nie zajęło mu wiele czasu, a szofer sir Colina odwiózł go na Heathrow. W terminalu numer trzy zjawił się wystarczająco wcześnie, aby spokojnie przejść odprawę na rejs o jedenastej. Będzie z powrotem w Nowym Jorku, mając w zapasie całą dobę. Gdyby jego ojciec musiał przeprowadzić taką transakcję, zanim został prezesem, potrzebowałby na to co najmniej dwóch tygodni.

340

Richard siedział w poczekalni dla pasażerów pierwszej klasy ze szklaneczką martini w ręku i pogrążony był w lekturze „Timesa", który pisał o czwartym już zwycięstwie Roda Lavera na Wimbledonie. Mógł więc nie zauważyć coraz niżej opadającej za oknem mgły. Trzydzieści minut później poinformowano pasażerów, że wszystkie odloty będą nieco opóźnione. Godzinę później zapowiedziano wreszcie odlot jego samolotu, ale idąc po płycie lotniska, Richard widział, jak mgła gęstnieje z minuty na minutę. Usiadł w swoim fotelu, zapiął pas i zabrał się do czytania „Time'a" z ubiegłego tygodnia, starając się nie patrzeć w okienko. Czekał, aż poczuje, że samolot rusza. Nixon, przeczytał, awansował do stopnia generała pierwsze w historii Stanów Zjednoczonych kobiety: pułkownik Elizabeth Hoisington i pułkownik Anne Mae Hays; niewątpliwie pierwsze posunięcie Nixona, które spotka się z aprobatą Florentyny.

– Z przykrością informujemy, że z powodu mgły start naszego samolotu zostaje odwołany do chwili ogłoszenia następnego komunikatu. – Przez kabinę pierwszej klasy przeszedł szmer niezadowolenia. – Prosimy państwa o przejście z powrotem do terminalu, gdzie otrzymają państwo kupony na lunch oraz informacje o terminie odlotu. Linie Pan Am przepraszają za opóźnienie i wyrażają nadzieję, że nie przysporzy to państwu poważniejszych kłopotów.

Richard uśmiechnął się mimo woli. Wróciwszy do terminalu, obszedł stanowiska odpraw innych linii, aby sprawdzić, czyj samolot wystartuje jako pierwszy. Okazało się, że będzie to maszyna linii Air Canada, lecąca do Montrealu. Wiedząc, że samolot

Pan Am jest dwudziesty siódmy w kolejce, Richard zarezerwował sobie miejsce na rejs Air Canada. Następnie poinformował się o połączeniach Montreal – Nowy Jork. Samoloty odlatywały co dwie godziny, a lot trwał nieco ponad godzinę. Richard co pół godziny naprzykrzał się pracownikom linii Pan Am i Air Canada, ale wciąż otrzymywał tę samą grzeczną odpowiedź: „ Przykro nam, ale dopóki mgła nie opadnie, nie możemy nic zrobić".

O drugiej zatelefonował do Florentyny, aby powiadomić ją o opóźnieniu.

– Słabo się pan spisuje, panie Kane. A propos, czy pamiętałeś o czerwonym autobusie dla Williama?

– Psiakrew. Zupełnie zapomniałem.

– Ma pan dziś zły dzień, panie Kane. Może by tak jeszcze spróbować w sklepie bezcłowym?

Richard znalazł stoisko, w którym sprzedawano londyńskie autobusy różnej wielkości. Wybrał duży model z plastiku i zapłacił resztką angielskich pieniędzy. Zadowolony z zakupu, postanowił skorzystać z kuponu na posiłek. Zjadł najgorszy w swym życiu lotniskowy lunch: cieniutki kawałek wołowiny wielkości jednego cala kwadratowego, zwodniczo opisany w karcie jako „befsztyczek", w towarzystwie dwóch zwiędłych listków sałaty. Spojrzał na zegarek. Była już trzecia. Potem usiłował czytać „Kochanicę Francuza", ale cały czas tak nerwowo nasłuchiwał komunikatów, że po dwu godzinach był dopiero na czwartej stronie.

O siódmej, po kilkakrotnym obejściu terminalu numer trzy, pomyślał, że wkrótce będzie tak późno, iż samoloty nie będą mogły startować, niezależnie od warunków atmosferycznych. Złowieszczy głos z megafonu zapowiedział, że za chwilę zostanie ogłoszony ważny komunikat. Richard stał nieruchomo jak posąg, wsłuchując się w płynące z głośnika słowa. „Z przykrością informujemy, że do jutra rano zostają odwołane wszystkie odloty z wyjątkiem rejsu 006 linii Iran Air do Dżiddy oraz rejsu 009 linii Air Canada do Montrealu". Uratowała go zdolność przewidywania: wiedział, że miejsca na rejs Air Canada zostaną teraz wykupione w ciągu paru minut. Znów usiadł w poczekalni dla pasażerów pierwszej klasy. Odlot wciąż się opóźniał, w końcu jednak parę minut po ósmej wywołano rejs 009 do Montrealu. Kiedy tuż po dziewiątej boeing 747 wystartował, Richard miał ochotę wydać okrzyk triumfu. Odtąd co parę minut spoglądał na zegarek. Podróż upłynęła bez zakłóceń – jeśli nie liczyć okropnych posiłków – i wreszcie, tuż przed jedenastą, samolot wylądował w Montrealu.

Richard rzucił się ku kontuarowi American Airlines, gdzie dowiedział się, że ostatni samolot do Nowego Jorku odleciał przed paroma minutami. Zaklął głośno.

– Niewielkie zmartwienie, proszę pana, ma pan samolot jutro o dziesiątej dwadzieścia pięć.

– O której ląduje w Nowym Jorku?

– O jedenastej trzydzieści.

– Dwie i pół godziny w zapasie – powiedział do siebie Richard. – Trochę mało. Czy możliwe byłoby wynajęcie prywatnego samolotu? Urzędnik spojrzał na zegarek. – O tak późnej porze niestety nie, proszę pana.

Richard uderzył dłonią w kontuar. Dokonał rezerwacji, wziął pokój w hotelu Baron na lotnisku i zatelefonował do Florentyny.

- Skąd dzwonisz? - zapytała.
- Z Barona na lotnisku w Montrealu.
- Robi się coraz zabawniej.
Richard opowiedział jej, co się stało.
- Biedaku. A czy pamiętałeś o czerwonym londyńskim autobusie?
- Tak. I nie wypuszczam go z rąk ani na chwilę. Ale mój bagaż został w samolocie Pan Am.
- A certyfikaty?
- Trzymam je w teczce, z którą się nie rozstaję.
- Doskonale, panie Kane. Wyślę po pana na lotnisko samochód. Cohen i ja będziemy na zebraniu akcjonariuszy w banku Lestera z naszymi czterdziestoma dziewięcioma procentami. Jeśli dowieziesz tamte dwa procent, to jutro o tej porze pan Jake Thomas przejdzie na zasiłek dla bezrobotnych.
- Podziwiam twoją zimną krew, Florentyno.
- Jak dotąd nigdy mnie nie zawiodłeś. Śpij dobrze.

Richard nie spał dobrze. W terminalu American Airlines zjawił się na parę godzin przed czasem. Odlot trochę się opóźnił, ale kapitan zapewnił, że na lotnisku Kennedy'ego wyląduje zgodnie z planem. Richard nie miał bagażu i był pewien, że przybędzie na zebranie z co najmniej półgodzinnym zapasem. Po raz pierwszy w ciągu ostatniej doby odprężył się nieco; zaczął nawet robić notatki do swego pierwszego wystąpienia w charakterze prezesa rady nadzorczej banku Lestera.

Kiedy boeing 707 znalazł się nad Nowym Jorkiem i zaczął zataczać nad miastem szerokie koło, Richard jak na dłoni zobaczył przez okienko Wall Street i budynek, w którym powinien znaleźć się nie później niż za dwie godziny. Ze złością uderzał pięścią w kolano. W końcu samolot zniżył lot, ale zaraz znów zaczął krążyć w powietrzu.

– Tu kapitan James McEwen. Przepraszam za opóźnienie, ale z powodu zatoru w powietrzu musimy czekać w kolejce. Wygląda na to, że ląduje kilka opóźnionych samolotów z Londynu.

Richard zastanawiał się, czy przypadkiem samolot linii Pan Am z Heathrow nie wyląduje przed nim.

Pięć, dziesięć, piętnaście minut. Richard zerknął do porządku dziennego zebrania akcjonariuszy. Punkt pierwszy: wniosek o odrzucenie oferty przejęcia banku przez Grupę Barona. Punkt drugi: sprawa emisji nowych akcji z prawem głosu. Jeśli Richard i Florentyna nie zdołają udowodnić, że są w posiadaniu pięćdziesięciu jeden procent, to Jake Thomas zamknie zebranie w kilka minut po jego otwarciu. Samolot zaczął schodzić do lądowania i o dwunastej dwadzieścia siedem jego koła dotknęły ziemi. Richard pognał pędem przez terminal, wyprzedził swego szofera, który ruszył za nim na parking, gdzie Richard znów spojrzał na zegarek. Została mu godzina i dwadzieścia minut. Bez trudu zdąży na zebranie akcjonariuszy.

– Daj gazu – rzucił do szofera.

– Dobrze, proszę pana – powiedział szofer, zjeżdżając na lewy pas autostrady Van Wyck. Kilka minut później Richard usłyszał policyjną syrenę. Policjant na motocyklu wyprzedził ich i ruchem ręki polecił zjechać na pobocze; zaparkował swoją maszynę i wolnym krokiem ruszył ku Richardowi, który zdążył wyskoczyć już z auta. Richard próbował tłumaczyć, że to sprawa życia i śmierci.

– Wszyscy tak mówią – powiedział policjant. – Albo że żona rodzi. – Richard pozostawił szofera na pastwę policjanta, a sam próbował zatrzymać taksówkę. Niestety wszystkie jechały z pasażerami. Po szesnastu minutach policjant pozwolił im jechać dalej. Było dwadzieścia dziewięć po pierwszej, kiedy po przejechaniu mostu Brooklyńskiego znaleźli się na FDR Drive. Richard widział w oddali drapacze chmur na Wall Street, ale na całej trasie panował ogromny tłok. Kiedy przebili się do Wall Street, była za sześć druga. Richard nie wytrzymał nerwowo. Wyskoczył z auta i z teczką pod jedną pachą, a czerwonym londyńskim autobusem pod drugą, pokonał ostatnie trzy przecznice, lawirując między niespiesznie poruszającymi się przechodniami i trąbiącymi niecierpliwie taksówkami. Kiedy znalazł się na skwerku Bowling Green, zegar na kościele Św.Trójcy wybił drugą. Wbiegając po stopniach do banku Lestera, Richard miał jeszcze nadzieję, że zegar się śpieszy. Nagle uzmysłowił sobie, że nie wie, gdzie dokładnie odbywa się zebranie.

– Pięćdziesiąte pierwsze, proszę pana – poinformował go portier. Winda obsługująca piętra od trzydziestego do sześćdziesiątego pełna była urzędników wracających z przerwy na lunch. Zatrzymała się siedem razy, zanim w końcu stanęła na pięćdziesiątym pierwszym piętrze. Richard wypadł z windy i pobiegł korytarzem za czerwonymi strzałkami wskazującymi drogę do sali, gdzie odbywało się zebranie. Kiedy wszedł do zatłoczonej sali, kilka głów odwróciło się w jego stronę. Co najmniej pięciuset akcjonariuszy słuchało uważnie słów prezesa rady nadzorczej, ale tylko on jeden, Richard, cały zlany był potem. Przywitał go widok pewnego siebie Jake'a Thomasa, który przesłał mu z podium porozumiewawczy uśmiech. Richard zrozumiał, że przegrał wyścig. Florentyna siedziała w pierwszym rzędzie ze spuszczoną głową. Usiadł z tyłu sali i słuchał słów prezesa Thomasa.

– Mogę państwa zapewnić, że dzisiejsza decyzja została podjęta w najlepiej pojętym interesie banku. Wobec sytuacji, w jakiej znalazła się rada nadzorcza, moja prośba chyba nikogo nie zdziwiła. Bank Lestera nadal będzie spełniał swoją tradycyjną rolę jako jedna z ważniejszych amerykańskich instytucji finansowych. Punkt drugi – ciągnął dalej Jake Thomas. Richard poczuł ucisk w dołku. – Występując po raz ostatni w roli prezesa rady nadzorczej banku Lestera pragnę zaproponować na nowego prezesa pana Richarda Kane'a.

Richard nie wierzył własnym uszom. Drobna starsza pani z pierwszego rzędu wstała i powiedziała, że popiera wniosek, gdyż uważa, że ojciec pana Kane'a był jednym z najświetniejszych prezesów w historii banku Lestera. Zebrani skwitowali jej słowa oklaskami.

– Dziękuję – powiedział Jake Thomas. – Kto jest za przyjęciem wniosku? – Richard ujrzał przed sobą las wzniesionych rąk.

– Kto jest przeciw? – Jake Thomas omiótł wzrokiem salę. – Dziękuję, wniosek został przyjęty jednogłośnie. A teraz mam zaszczyt prosić o zabranie głosu naszego nowego prezesa, pana Richarda Kane'a. Bardzo prosimy. – Richard zmierzał ku podium, a ludzie wstawali i bili brawo. Przechodząc koło Florentyny, wręczył jej czerwony autobus.

– Coś niecoś udało ci się jednak załatwić w Londynie – zdążyła mu szepnąć.

Oszołomiony wszedł na podwyższenie. Jake Thomas uścisnął mu serdecznie rękę, po czym usiadł na skraju rzędu foteli.

– Na razie mogę państwu powiedzieć tylko tyle – zaczął Richard – że moim pragnieniem jest, aby bank Lestera kontynuował tradycje kultywowane przez mego ojca, i że dołożę starań, aby tak właśnie się działo. – Nie wiedząc, co jeszcze mógłby dodać, uśmiechnął się i powiedział: – Dziękuję państwu za przybycie i do zobaczenia na dorocznym zebraniu akcjonariuszy. – Znów rozległy się oklaski i ludzie zaczęli się rozchodzić, wymieniając uwagi.

Gdy tylko udało im się umknąć tym, którzy chcieli pogratulować Richardowi albo udzielić mu dobrych rad, Florentyna zaprowadziła go do gabinetu prezesa rady nadzorczej. Richard przyglądał się chwilę wiszącemu nad kominkiem portretowi ojca, po czym odwrócił się ku Florentynie.

– Jak zdołałaś tego dokonać, Jessie?

– Zwyczajnie. Przypomniałam sobie dobrą radę mojej guwernantki, panny Tredgold. Bądź zapobiegliwa, radziła mi, miej zawsze w zanadrzu plan rezerwowy, na wypadek, gdyby zawiódł pierwszy. Kiedy zadzwoniłeś z Montrealu, zaczęłam się lękać, że a nuż nie zdążysz na zebranie. Zadzwoniłam więc do Thaddeusa Cohena, wyłożyłam mu swój plan rezerwowy, a on przygotował rano odpowiednie dokumenty.

– Jakie dokumenty? – zapytał Richard.

– Cierpliwości, panie dyrektorze. Wydaje mi się, że mój sukces daje mi prawo do podelektowania się nieco moją opowieścią.

Richard musiał uzbroić się w cierpliwość.

– Kiedy miałam w ręku ten ważny dokument, zatelefonowałam do Jake'a Thomasa i poprosiłam o spotkanie na dwadzieścia minut przed rozpoczęciem zebrania. Gdybyś zjawił się na czas, odwołałabym tę konfrontację z Thomasem; ale się nie zjawiłeś.

– Ale na czym polegał...

– Mój ojciec, który miał swój rozum, mawiał, że skunks zawsze pozostanie skunksem; i miał rację. Na spotkaniu poinformowałam Thomasa, że jesteśmy w posiadaniu pięćdziesięciu jeden procent udziałów Lestera. Nie wierzył mi, dopóki nie wymieniłam nazwiska sir Colina Dudleya. Wtedy zbladł jak ściana. Położyłam cały pakiet certyfikatów na stole i zanim przyszło mu do głowy je sprawdzić, powiedziałam, że jeśli do godziny drugiej sprzeda mi swoje dwa procent, zapłacę mu pełną cenę piętnastu dolarów za akcję. Dodałam, iż musi też podpisać zobowiązanie, że złoży rezygnację ze stanowiska prezesa i nie będzie w przyszłości próbował ingerować w interesy banku. Na wszelki wypadek zażądałam, choć nie umieściłam tego w pisemnej umowie, by ciebie zaproponował na stanowisko prezesa.

– Na Boga, Florentyno, masz odwagi za dziesięciu mężczyzn.

– Nie, za jedną kobietę.

Richard roześmiał się.

– Co na to Thomas?

– Zapytał, co zrobię, jeśli odmówi. Jeśli pan odmówi, powiedziałam, wyrzucimy pana z hukiem bez odprawy za utratę stanowiska. Uzmysłowiłam mu też, że będzie musiał sprzedać swoje akcje po cenie rynkowej, gdyż my, będąc w posiadaniu pięćdziesięciu jeden procent udziałów, pozbawimy go jakiegokolwiek wpływu na przyszłe losy banku Lestera.

– I co on na to?

– Podpisał z miejsca, nie pytając nawet o zdanie innych członków rady nadzorczej.

– Genialne zagranie, Jessie. Tak pod względem koncepcji, jak i wykonania.

– Dziękuję panu, panie Kane. Mam nadzieję, że jako prezes nie będzie pan ganiał po świecie, mitrężąc czas na lotniskach i spóźniając się na zebrania, aby potem jako jedyną zdobycz przywieźć model czerwonego londyńskiego autobusu. Przy okazji: czy pamiętałeś o prezencie dla Annabel?

Richard zrobił zakłopotaną minę. Florentyna schyliła się i podała mu torbę z napisem F.A.O. Schwarz. Richard wyjął z niej pudełko z wizerunkiem maszyny do pisania dla dzieci. Na spodzie pudełka widniał napis „Made in England".

– Ma pan dziś zły dzień, panie prezesie. À propos, Neil Armstrong wrócił szybciej. Może powinniśmy wziąć go do rady nadzorczej?

Rankiem następnego dnia Richard przeczytał w „Wall Street Journal" artykuł Vermonta Roystera:

Pan Richard Kane dokonał, jak się wydaje, bezkrwawego zamachu na stanowisko prezesa rady nadzorczej banku Lestera. Na nadzwyczajnym zebraniu akcjonariuszy obyło się bez głosowania. Kandydaturę pana Kane'a zgłosił ustępujący prezes, pan Jake Thomas, i została ona przyjęta przez aklamację.

Wielu spośród obecnych na zebraniu akcjonariuszy wskazywało na kryteria moralne i tradycje kultywowane przez śp. Williama Lowella Kane'a, ojca obecnego prezesa. Na giełdzie nowojorskiej akcje banku Lestera podskoczyły dziś o dwa punkty".

– Więcej nie usłyszymy już o Jake'u Thomasie – powiedziała Florentyna.

XXIV

Do owego pamiętnego poranka Richard nie słyszał nigdy o majorze Abanjo. Podobnie zresztą jak wszyscy Amerykanie, z wyjątkiem tych, którzy interesowali się w szczególny sposób sytuacją wewnętrzną w Nambawe, najmniejszym państewku Afryki Środkowej. Niemniej jednak to major Abanjo sprawił, że Richard spóźnił się na najważniejsze tego dnia spotkanie – przyjęcie z okazji jedenastych urodzin swego jedynaka.

Kiedy Richard znalazł się w swoim mieszkaniu przy Sześćdziesiątej Czwartej Ulicy, natychmiast zapomniał o majorze Abanjo. A to za sprawą Annabel, która parę minut wcześniej wylała na rękę Williama filiżankę gorącej herbaty, aby w ten sposób zwrócić na siebie uwagę. Nie wiedziała, że był to wrzątek. Carol zajęta była w tym czasie przybieraniem urodzinowego tortu. Kiedy William zaczął wrzeszczeć, o Annabel znów zapomniano, a resztę dzieci trzeba było odesłać do domu. Potem wrzeszczała również Annabel, kiedy Richard przerzucił ją sobie przez kolano i wymierzył sześć solidnych klapsów swoim pantoflem. Potem położono oboje do łóżek: Annabel za karę, Williamowi zaś zaaplikowano dwie aspiryny i okład z lodu, aby mógł zasnąć. Jedenaście świeczek – plus jedna za najbliższy rok – wypaliły się do samego przybrania na torcie, który pozostał nie tknięty na stole w jadalni.

– Boję się, że Williamowi zostanie do końca życia blizna na prawej ręce – powiedziała Florentyna, upewniwszy się, że chłopiec w końcu zasnął.

– Ale zniósł ból jak prawdziwy mężczyzna.

– Nie zgadzam się z tobą – powiedziała Florentyna. – Wcale się nie skarżył.

– Prawdopodobnie nie doszłoby do całej historii, gdybym się nie spóźnił – powiedział Richard, ignorując komentarz Florentyny. – Cholerny major Abanjo.

– Kto to jest major Abanjo? – zapytała Florentyna.

– Młody oficer odpowiedzialny za dzisiejszy zamach stanu w Nambawe.

– W jaki sposób jakieś afrykańskie państewko mogło sprawić, że spóźniłeś się na urodzinowe przyjęcie Williama?

– Otóż to afrykańskie państewko zaciągnęło w 1966 roku za pośrednictwem banku Lestera pożyczkę na pięć lat na sumę trzystu milionów dolarów. A za trzy miesiące przypada termin jej zwrotu.

– Grozi nam strata trzystu milionów dolarów? – Florentyna oniemiała ze zdumienia.

– Nie, nie – uspokoił ją Richard. – My realizowaliśmy tylko piętnaście procent pożyczki, pozostałych osiemdziesiąt pięć procent wzięło na siebie trzydzieści siedem innych banków.

– Czy potrafimy udźwignąć stratę czterdziestu pięciu milionów dolarów?

– Tak, dopóki możemy liczyć na przyjaźń Grupy

Barona. – Richard uśmiechnął się do żony. – Trzyletnie zyski poszły w błoto, nie mówiąc o utracie reputacji Lestera w oczach pozostałych trzydziestu siedmiu banków, i oczywiście nieuniknionym spadku naszych notowań na jutrzejszej giełdzie.

Akcje banku Lestera spadły następnego dnia bardziej, niż to przewidywał Richard, a to z dwóch przyczyn. Nowy samozwańczy prezydent Nambawe, generał Abanjo, zapowiedział, że nie zamierza honorować zobowiązań poprzedniego rządu zaciągniętych wobec jakichkolwiek „faszystowskich reżimów", w tym Ameryki, Wielkiej Brytanii, Francji, Niemiec i Japonii. Richard zastanawiał się, ilu sowieckich bankierów wsiada w tej chwili do samolotów odlatujących do Afryki Środkowej.

Druga przyczyna stała się oczywista, kiedy do Richarda zadzwonił reporter „Wall Street Journal" z prośbą o skomentowanie zamachu stanu w Nambawe.

– Naprawdę nie mam nic do powiedzenia – stwierdził Richard, starając się, aby zabrzmiało to tak, jak gdyby cała awantura była dla niego błahostką. – Jestem pewien, że wszystko wyjaśni się w ciągu paru najbliższych dni. W końcu jest to tylko jedna z wielu pożyczek, jakich udziela nasz bank.

– Pan Jake Thomas chyba by się z panem nie zgodził – powiedział dziennikarz.

– Rozmawiał pan z panem Thomasem? – zapytał Richard z niedowierzaniem.

– Tak, zadzwonił dziś rano do redakcji i w prywatnej rozmowie z naszym wydawcą dał niedwuznacznie do zrozumienia, że byłby zdziwiony, gdyby bank Lestera wytrzymał takie obciążenie dla swoich finansów.

– Nie mam nic do powiedzenia – uciął rozmowę Richard i odłożył słuchawkę. Na prośbę Richarda Florentyna zwołała posiedzenie rady nadzorczej Grupy Barona, aby zapewnić bankowi Lestera odpowiednie wsparcie finansowe, które pozwoliłoby mu przetrwać gwałtowny spadek notowań jego akcji. Ku ich zaskoczeniu George miał wątpliwości, czy Grupa Barona powinna angażować się w kłopoty banku Lestera. Powiedział im, że nie podobało mu się, kiedy udziały grupy wykorzystano jako zabezpieczenie operacji przejęcia banku.

– Wtedy nic nie mówiłem, ale tym razem nie mam zamiaru siedzieć cicho – powiedział, opierając obie dłonie na stole w sali posiedzeń rady nadzorczej. – Abel nigdy nie aprobował ratowania złego interesu kosztem dobrego, niezależnie od zaangażowania osobistego. Mawiał, że łatwo obiecywać gruszki na wierzbie i wydawać pieniądze, których się jeszcze nie zarobiło. Czy zdajecie sobie sprawę, że możemy zbankrutować i tu, i tam?

– Suma, o jaką chodzi, nie jest znacząca dla Grupy Barona – powiedział Richard.

– Abel zawsze powtarzał, że z każdą stratą wiąże się dziesięć razy więcej kłopotów niż z zyskiem – powiedział George. – Ile jeszcze macie takich państw-dłużników, gdzie może dojść do przewrotu, kiedy my tu sobie smacznie śpimy?

– Poza obszarem EWG tylko Iran; szach wziął pożyczkę w wysokości dwustu milionów dolarów, ale i w tym wypadku jesteśmy jedynie głównym bankiem z zobowiązaniem na sumę trzydziestu milionów, a Iran nigdy nie spóźnił się z płaceniem odsetek o więcej niż godzinę.

354

– Kiedy upływa termin płatności? – zapytał George.

Richard przewertował leżącą przed nim opasłą teczkę, znalazł to, czego szukał, i przejechał palcem w dół kolumny liczb. Zachowanie George'a drażniło go, ale był rad, że dobrze się przygotował na ewentualność takiego badania.

– Dziewiętnastego czerwca 1978 roku.

– Żądałbym gwarancji, że bank nie sprolonguje pożyczki, kiedy nadejdzie termin płatności – powiedział George stanowczym głosem.

– Co? – zaperzył się Richard. – Szach jest firmą równie solidną jak Bank of England...

– Który ostatnio okazał się wcale nie tak solidny.

Richard zdenerwował się i miał właśnie odpowiedzieć George'owi, kiedy do rozmowy wtrąciła się Florentyna.

– Chwileczkę, Richard. Powiedz mi, George: czy jeśli bank Lestera zobowiąże się nie odraczać Iranowi spłaty pożyczki przypadającej w 1978 roku i obieca nie angażować się więcej w pożyczki dla Trzeciego Świata, to zgodzisz się, aby Grupa Barona reasekurowała nam tę afrykańską pożyczkę na czterdzieści pięć milionów?

– Nie. Musielibyście dostarczyć mi mocniejszych argumentów.

– Na przykład jakich? – zapytał Richard.

– Nie musisz podnosić głosu. Wciąż jeszcze jestem prezesem Grupy Barona i poświęciłem trzydzieści lat życia, aby stała się tym, czym jest. Nie chciałbym na koniec zobaczyć, jak w ciągu trzydziestu minut mój wysiłek zostaje zmarnowany.

– Przepraszam – powiedział Richard. – Od czterech dni prawie nie spałem. Co chciałbyś jeszcze wiedzieć, George?

– Czy poza pożyczką dla szacha bank Lestera jest zaangażowany w jakieś inne pożyczki powyżej dziesięciu milionów dolarów?

– Nie – powiedział Richard. – Większość pożyczek państwowych obsługują takie banki jak Chase Manhattan czy Chemical; na nas przypada maleńki procent zasadniczej sumy kredytu. Najwidoczniej Jake Thomas uważał, że Nambawe, państwo bogate w miedź i mangan, jest takim pewniakiem, jaki trafia się w życiu tylko raz.

– Przekonaliśmy się na własnej skórze, że pan Thomas jest omylny – powiedział George. – Dobrze. A ilu udzieliliście pożyczek powyżej pięciu milionów dolarów?

– Dwóch – powiedział Richard. – Jedna to gwarantowana przez rząd pożyczka na siedem milionów dla australijskiej firmy General Electricity, druga – dla ICI w Londynie. Obie na okresy pięcioletnie ze sztywnymi terminami spłaty i obie, jak dotąd, spłacane są terminowo.

– Gdyby więc Grupa Barona odpisała wam tych czterdzieści pięć milionów, ile czasu potrzebowałby bank Lestera na odrobienie straty?

– To zależałoby od tego, jakiego oprocentowania zażądałby pożyczkodawca i jaki byłby termin spłaty.

– Piętnaście procent na pięć lat.

– Piętnaście procent – powtórzył Richard, zaszokowany.

– Grupa Barona nie jest instytucją charytatywną i dopóki ja jestem prezesem, nie będziemy się zajmować wspieraniem podupadających banków. Jesteśmy

hotelarzami i od trzydziestu lat utrzymujemy siedem-
nastoprocentową stopę zysku. Czy gdybyśmy ci poży-
czyli tych czterdzieści pięć milionów na piętnaście
procent, byłbyś w stanie spłacić nas w pięć lat?

Richard wahał się. Zanim odpowiedział, zanotował jakieś liczby w leżącym przed nim notatniku i zajrzał do teczki z dokumentami.

– Tak. Jestem pewien, że moglibyśmy spłacić
was co do grosza, nawet zakładając, że kontrakt
afrykański trzeba będzie spisać na straty w całości – powiedział cicho.

– Myślę, że to właśnie trzeba założyć – powiedział George. – Mam informacje, że były szef państwa, król Erobo, uciekł do Londynu, zainstalował
się u Claridge'a i przymierza się do kupna domu
przy Chelsea Square. Wygląda na to, że odłożył sobie w Szwajcarii trochę grosza. Chyba tylko szach
ma go tam więcej. Na pewno nie będzie się spie-
szył z powrotem do kraju; zresztą wcale bym mu się
nie dziwił. – Richard próbował się uśmiechać, słuchając wywodów George'a, który ciągnął dalej: –
Zakładając, że rewidenci księgowi grupy potwier-
dzą wszystko, co mi tu powiedziałeś, zgadzam się
zapewnić pokrycie dla tej afrykańskiej pożyczki
na wspomnianych warunkach – i życzę ci powodzenia, Richard. Zdradzę ci też drobny sekret: Abel
nie cierpiał Jake'a Thomasa równie mocno jak ty,
co zresztą przechyliło szalę na twoją korzyść. Wy-
baczcie teraz, ale jestem umówiony na lunch z Con-
radem Hiltonem, człowiekiem, który w ciągu ostatnich trzydziestu lat nie spóźnił się ani razu.

Kiedy George zamknął za sobą drzwi, Richard
odwrócił się do Florentyny. – Chryste Panie, po
czyjej właściwie on jest stronie?

– Po naszej – powiedziała Florentyna. – Rozumiem teraz, dlaczego ojciec bez wahania powierzył mu prowadzenie interesów grupy, kiedy poszedł walczyć z Niemcami.

Po zamieszczonej następnego dnia w „Wall Street Journal" informacji, że Grupa Barona reasekurowała pożyczki udzielone przez bank Lestera, akcje banku znów poszły w górę. Dla Richarda zaś zaczęło się, jak to sam określił, pięć lat ciężkiej harówki.

– Co zamierzasz zrobić w sprawie Jake'a Thomasa? – spytała Florentyna.

– Zignoruję go – odparł Richard. – Czas pracuje na moją korzyść. Żaden bank w Nowym Jorku nie zatrudni go, kiedy rozejdzie się fama, że Thomas, kiedy tylko nie może dogadać się z byłymi pracodawcami, zaraz leci z tym do prasy.

– Ale jak ludzie się o tym dowiedzą?

– Moja droga, jeśli wie o tym „Wall Street Journal", to tak, jakby wiedział cały Nowy Jork.

Richard nie mylił się; nie minął tydzień, a usłyszał historię Jake'a Thomasa z ust dyrektora Bankers Trust podczas wspólnego lunchu. Dyrektor dodał jeszcze:

– Ten człowiek złamał podstawową zasadę obowiązującą w branży. Teraz może mieć trudności nawet z otworzeniem rachunku bieżącego.

William wydobrzał po oparzeniu o wiele szybciej, niż Florentyna się spodziewała, i kilka dni później wrócił do szkoły z blizną zbyt małą, aby mogła zrobić wrażenie na kolegach. Przez pierwszych parę dni po wypadku Annabel odwracała oczy od blizny Williama i wyglądała na rzeczywiście skruszoną.

– Myślisz, że mi wybaczył, mamo? – zapytała Florentynę.

– Oczywiście, moje dziecko. William jest podobny do tatusia, na drugi dzień nie pamięta już o sprzeczce.

Florentyna uznała, że pora na lustrację hoteli Grupy Barona w Europie. Przygotowano dla niej w najdrobniejszych szczegółach trasę obejmującą Rzym, Paryż, Madryt, Lizbonę, Berlin, Amsterdam, Sztokholm i Londyn, a nawet Warszawę. W limuzynie odwożącej ją na lotnisko powiedziała Richardowi, że powierza George'owi pieczę nad interesami Grupy Barona z większą niż kiedykolwiek ufnością. Zgodził się z nią i przypomniał, że odkąd się poznali, nigdy jeszcze nie rozstawali się na dłużej niż trzy tygodnie.

– Jakoś to przeżyjesz, najdroższy.

– Będę za tobą tęsknił, Jessie.

– Nie bądź sentymentalny. Dobrze wiesz, że muszę tak tyrać już do końca życia, po to, aby mój mąż mógł zadawać szyku jako prezes nowojorskiego banku.

– Kocham cię – powiedział Richard.

– Ja też cię kocham. Co nie zmienia faktu, że nadal jesteś mi winien piętnaście milionów pięćdziesiąt sześć dolarów.

– Skąd się wzięło tych pięćdziesiąt sześć dolarów?

– Z czasów San Francisco. Pożyczyłam ci je jeszcze zanim się pobraliśmy.

– Powiedziałaś, że to twój posag.

– Nie, to ty tak powiedziałeś. Ja mówiłam, że to pożyczka. Jak wrócę, muszę się poradzić George'a, w jaki sposób powinieneś mi ją spłacić. Myślę, że

359

mogę śmiało żądać piętnastu procent za każdy rok, do spłaty w ciągu pięciu lat, co oznaczałoby, że jest mi pan winien około czterystu dolarów, panie Kane. – Florentyna nachyliła się ku mężowi i pocałowała go na pożegnanie.

Szofer odwiózł go do Nowego Jorku. Już z biura Richard zadzwonił do Cartiera w Londynie. Złożył bardzo konkretne zamówienie i zażądał, aby zrealizowano je w ciągu osiemnastu dni.

Przyszła pora na przygotowanie dorocznego sprawozdania bankowego. Czerwone cyferki odnoszące się do afrykańskiej pożyczki doprowadzały Richarda do szaleństwa. Gdyby nie one, bank wykazałby pokaźne zyski; prysła nadzieja, że w pierwszym roku prezesury osiągnie lepsze wyniki niż Jake Thomas. W pamięci akcjonariuszy ten rok – w porównaniu z 1970 – pozostanie rokiem druzgocącej klęski.

Richard śledził uważnie trasę Florentyny i starał się złapać ją telefonicznie choćby raz w kolejnych stolicach. Na ogół była zadowolona z wyników lustracji i choć chętnie zmieniłaby to i owo, musiała przyznać, że zagraniczni dyrektorzy Grupy dobrze zarządzali hotelami w Europie. Jeśli wydatki przekraczały normę, to winne temu były jedynie wygórowane ambicje architektoniczne Florentyny. Kiedy zadzwoniła z Paryża, Richard powiedział jej, że William uzyskał z matematyki pierwszą lokatę w klasie i mogą mieć pewność, że ich syn zostanie przyjęty do gimnazjum św. Pawła, oraz że od incydentu z wrzątkiem Annabel przykłada się bardziej do nauki i udało jej się wywindować nieco w górę z ostatniego miejsca w klasie. Ta właśnie nowina ucieszyła ją najbardziej.

– Gdzie masz następny postój? – zapytał Richard.

– W Londynie.

– Świetnie. Mam wrażenie, że wiem o kimś, kogo chętnie odwiedzisz – powiedział Richard wesoło i poszedł spać w lepszym niż w ostatnich dniach nastroju.

Ponownie usłyszał głos Florentyny wcześniej, niż się tego spodziewał. Około szóstej nad ranem następnego dnia pogrążony był w głębokim śnie. Śniło mu się, że pojedynkuje się na pistolety z generałem Abanjo; nacisnął spust i broń wypaliła. W tym momencie zadzwonił telefon. Obudził się z myślą, że zaraz usłyszy ostatnie słowa generała Abanjo.

– Kocham cię.

– Słucham?

– Kocham cię.

– Jessie, czy wiesz która godzina?

– Parę minut po dwunastej.

– W Nowym Jorku jest osiem po szóstej.

– Chciałam ci tylko powiedzieć, że bardzo podoba mi się ta broszka z brylantami.

Richard uśmiechnął się.

– Przypnę ją sobie idąc na lunch z sir Colinem i lady Dudley. Muszę już kończyć, bo zjawią się tu lada moment, aby zabrać mnie do „Mirabelle". Zadzwonię jutro... to znaczy dla ciebie to będzie dzisiaj.

– Zbzikowałaś.

– Przy okazji, może cię to zainteresuje: właśnie nadają południowy dziennik i jakiś reporter mówi o zamordowaniu generała Abanjo w wyniku kontrzamachu, i że stary król wraca jutro triumfalnie do kraju.

– Co takiego?

– Nadają właśnie wywiad z królem, zacytuję ci jego słowa: „Nasz rząd zamierza honorować wszelkie długi zaciągnięte u naszych zachodnich przyjaciół".

– Co takiego? – Richard nie wierzył własnym uszom.

– Teraz, kiedy znów włożył koronę, wygląda całkiem sympatycznie. Dobranoc panu, panie Kane. Miłych snów.

Kiedy Richard skakał z radości na swoim łóżku, zapukano do drzwi Florentyny i do apartamentu weszli po chwili sir Colin i lady Dudley.

– Czy jest pani gotowa, młoda damo? – zapytał sir Colin.

– Naturalnie, sir Colinie.

– Wygląda pani na bardzo zadowoloną. Niewątpliwie powrót króla Erobo na tron sprawił, że na pani policzkach rozkwitły znów rumieńce.

– Jest pan jak zawsze dobrze poinformowany, sir Colinie, ale nie to jest przyczyną – powiedziała Florentyna, spoglądając na leżący przed nią na stoliku bilecik ze słowami:

Mam nadzieję, że ten drobiazg wystarczy jako zabezpieczenie sumy pięćdziesięciu sześciu dolarów plus odsetki, jaką jestem Pani winien. R. Kane.

– Ma pani śliczną broszkę – powiedziała lady Dudley. – To jest chyba osiołek? Czy kryje się za tym jakieś przesłanie?

– Bardzo wyraźne, lady Dudley. Ofiarodawca mówi w ten sposób, że zamierza głosować ponownie na Nixona.

– Musi mu się więc pani zrewanżować spinkami z wizerunkiem słonia – powiedział sir Colin.

– Richard słusznie uważa, że nie należy nie doceniać Brytyjczyków – powiedziała Florentyna.

Po lunchu Florentyna zatelefonowała do szkoły, gdzie pracowała panna Tredgold. Sekretarka połączyła ją z pokojem nauczycielskim. Okazało się, że panna Tredgold słyszała już o generale Abanjo, jednak bardziej interesowały ją wieści o Williamie i Annabel. Następnie Florentyna postanowiła skontaktować się z Sotheby's – ale już osobiście. Zjawiwszy się tam, poprosiła o rozmowę z jednym z kierowników działu.

– Może upłynąć wiele lat, zanim tak rzadki przedmiot trafi pod młotek – powiedział rzeczoznawca domu aukcyjnego.

– Wiem – odparła Florentyna. – Ale proszę mnie zawiadomić, gdy tylko coś takiego się pokaże.

– Z przyjemnością, proszę pani – powiedział ekspert, zapisując nazwisko i adres Florentyny.

Wróciwszy trzy tygodnie później do Nowego Jorku, Florentyna zabrała się do wprowadzania zmian, które sobie obmyśliła podczas podróży po Europie. Dzięki swej energii, przezorności George'a i geniuszowi Gianniego di Ferranti Florentyna mogła się wykazać na koniec roku 1972 wzrostem zysków. Również Richard, dzięki temu, że król Erobo dotrzymał słowa, mógł się pochwalić sporymi dochodami.

Wieczorem, w dniu kiedy odbyło się doroczne zebranie akcjonariuszy, Richard, Florentyna i George wybrali się na uroczystą kolację. Choć George przeszedł już oficjalnie na emeryturę po ukończeniu sześćdziesięciu pięciu lat, nadal zjawiał się każdego ranka o ósmej w swoim biurze. Już następnego dnia po przyjęciu pożegnalnym dla emeryta wszyscy w hotelu Baron zrozumieli, że było ono przedwczesne. Florentyna uzmysłowiła sobie, jak bardzo osamotniony czuje się George po utracie większości swych rówieśników i jak bardzo musiał być przywiązany do jej ojca. Nigdy nie nalegała, aby zwolnił tempo, wiedząc, że nie miałoby to sensu, i była bardzo szczęśliwa, kiedy George zabierał Annabel i Williama na spacer. Dzieci nazywały go dziadkiem, co bardzo go wzruszało, a im gwarantowało po dużej porcji lodów.

Florentyna sądziła, że wie, ile George uczynił dla grupy, ale tak naprawdę przekonała się o tym dopiero wtedy, gdy nie dało się już dłużej odkładać jego rzeczywistego przejścia w stan spoczynku. George umarł spokojnie we śnie w październiku 1972 roku. Wszystko, co miał, zapisał Polskiemu Czerwonemu Krzyżowi. W krótkim liście zwracał się do Richarda, aby zechciał być wykonawcą jego ostatniej woli.

Richard spełnił życzenia George'a co do joty, pojechał nawet z Florentyną do Warszawy, aby ustalić z prezesem Polskiego Czerwonego Krzyża możliwie najkorzystniejszy sposób spożytkowania darowizny. Kiedy wrócili z Warszawy, Florentyna rozesłała do dyrektorów wszystkich hoteli Grupy Barona okólnik polecający, aby odtąd najlepsze pokoje w hotelu nie nazywały się już Apartamentem Prezydenckim, lecz Apartamentem George'a Novaka.

Kiedy Richard obudził się rano następnego dnia po powrocie z Warszawy, Florentyna, która czekała niecierpliwie, aż mąż otworzy oczy, powiedziała mu, że choć George nauczył ją tak wiele za życia, to przecież i po śmierci zdołał jej coś przekazać.

– Co masz na myśli?

– George zapisał wszystko, co miał, na cele charytatywne, ale nigdy nie wspomniał ani słowem, że mój ojciec nie bawił się w dobroczyńcę, jeśli nie liczyć sporadycznych datków na jakieś polskie cele czy kampanie polityczne. Ja nie jestem lepsza i gdybyś nie umieścił w swoim dorocznym sprawozdaniu finansowym przypisu o ulgach podatkowych z tytułu darowizn na cele dobroczynne, nigdy bym się nad tym dłużej nie zastanawiała.

– Nie sądzę, abyś rozważała jakieś plany pośmiertne, powiedz mi więc, o co właściwie chodzi?

– Chciałabym, abyśmy ustanowili fundację dla upamiętnienia naszych ojców. Scementujmy nasze rodziny. Zróbmy to, czego oni nie zdołali dokonać za życia.

Richard usiadł w łóżku i spoglądał na żonę, która wstała i zmierzając ku łazience mówiła dalej:

– Grupa Barona przekazywałaby fundacji co roku milion dolarów – powiedziała.

– Ta zaś wydawałaby pieniądze jedynie z zysków, bez naruszania kapitału – wtrącił Richard.

Florentyna zamknęła drzwi do łazienki, co dało mu parę chwil na rozważenie propozycji. Wciąż potrafiła zaskakiwać go swym śmiałym, pełnym rozmachu podejściem do każdego nowego przedsięwzięcia, nawet jeśli – jak podejrzewał – nie zastanawiała się specjalnie, kto miałby czymś takim zarządzać na co dzień. Uśmiechnął się do siebie, kiedy drzwi do łazienki znów się otwarły.

– Dochód z fundacji moglibyśmy przeznaczyć

na pomoc dla imigrantów w pierwszym pokoleniu, którzy nie mają szans na otrzymanie przyzwoitego wykształcenia.

– I na stypendia dla wybitnie uzdolnionych dzieci z różnych środowisk – powiedział Richard, wstając z łóżka.

– Doskonały pomysł, panie Kane. Możliwe, że czasem ta sama osoba będzie się kwalifikować do obu rodzajów pomocy.

– Tak byłoby w przypadku twego ojca – powiedział Richard, znikając w łazience.

Mimo iż Thaddeus Cohen był już na emeryturze, uparł się, aby to jemu powierzono opracowanie statutu fundacji, który uwzględniałby życzenia obojga Kane'ów. Zajęło mu to miesiąc. Kiedy ogłoszono ustanowienie fundacji, prasa w całym kraju przyjęła ten fakt jako jeszcze jeden przykład, że Richard i Florentyna Kane to ludzie, którzy umieją łączyć śmiałą oryginalność ze zdrowym rozsądkiem.

Reporter z chicagowskiego dziennika „Sun Times" zadzwonił do Thaddeusa Cohena z pytaniem, skąd wzięła się nazwa fundacji. Cohen wyjaśnił, że po bitwie pod Remagen pułkownik Rosnovski uratował życie kapitanowi Kane'owi.

– Nie wiedziałem, że spotkali się na wojnie – powiedział młody dziennikarz.

– Oni również – odparł Cohen. – Wyszło to na jaw dopiero po ich śmierci.

– Fascynująca historia. Czy może mi pan powiedzieć, kto będzie pierwszym zarządcą Fundacji Remagen?

– Profesor Luigi Ferpozzi.

W następnym roku, w którym Richard stał się na Wall Street znaczącą postacią, a Florentyna objęła hotele Grupy Barona na Bliskim Wschodzie i w Afryce, zarówno bank Lestera jak i grupa osiągnęły rekordowe zyski. Kiedy Florentyna przybyła do Nambawe, król Erobo wydał na jej cześć bankiet, ale choć przyrzekła wybudować w stolicy jego kraju hotel, nie dała się wciągnąć w rozmowę na temat tego, dlaczego bank Lestera nie partycypuje w udzielonej królowi przez Zachód pożyczce.

Pierwszy rok nauki u św. Pawła William ukończył z dobrymi wynikami; w matematyce był równie mocny jak kiedyś jego ojciec. Ponieważ uczył ich ten sam nauczyciel, ani ojciec, ani syn nie chcieli, aby ich porównywano. Annabel nie robiła takich postępów jak William, choć jej nauczycielka musiała przyznać, że nastąpiła pewna poprawa, mimo iż mała zakochała się w Bobie Dylanie.

– Któż to taki? – zapytała Florentyna.

– Nie wiem – odparł Richard. – Powiedziano mi tylko tyle, że jest dla Annabel tym, kim dwadzieścia pięć lat temu był dla ciebie Sinatra.

Rozpoczynając szósty rok prezesowania Grupie Barona, Florentyna stwierdziła, że stanęła w miejscu. Richard wciąż znajdywał dla siebie jakieś nowe wyzwania, a Gianni di Ferranti doskonale radził sobie z zarządzaniem siecią sklepów; czasem pytał ją tylko, komu wysłać czek. Interesy grupy szły doskonale, zespół współpracowników Florentyny działał tak sprawnie, że nikt się specjalnie nie przejął, kiedy pewnego ranka Florentyna nie zjawiła się w biurze.

Wieczorem tamtego dnia, gdy Richard siedział w swym ulubionym fotelu obitym wiśniową skórą

i czytał „Zabójstwo za miliard dolarów", Florentyna pomyślała głośno:

— Nudzę się.

Richard nie zareagował.

— Powinnam coś zrobić ze swoim życiem. Nie
wystarcza mi już kontynuowanie sukcesu mego ojca — dodała.

Richard uśmiechnął się, lecz nie przerwał lektury.

XXV

– Zgadnij, kto mówi? Do trzech razy sztuka.

– Czy mogę liczyć na wskazówkę? – zapytała Florentyna, zła, że zna skądś ten głos, ale nie wie skąd.

– Przystojny, inteligentny, sławny.

– Paul Newman.

– Zimno.

– Robert Redford.

– Jeszcze zimniej. Ostatnia szansa.

– Proszę o jeszcze jedną wskazówkę.

– Noga z francuskiego, niewiele lepszy z angielskiego i wciąż zakochany w tobie.

– Edward. Edward Winchester. Głos z zamierzchłej przeszłości, choć chyba wcale się nie zmieniłeś.

– Wiele bym dał, żeby to była prawda. Stuknął mi czwarty krzyżyk. Obawiam się, że ciebie czeka to w przyszłym roku.

– Jak to możliwe, skoro w tym roku skończyłam dopiero dwadzieścia cztery?

– Co? Znowu?

– To proste. Od piętnastu lat przechowuję swą cielesną powłokę w zamrażarce.

– Z lektury prasy wychodzi mi coś innego: że wciąż się rozwijasz.

– A co u ciebie?

– Jestem wspólnikiem w firmie adwokackiej w Chicago. Winston i Strawn.

– Ożeniłeś się?

– Nie. Postanowiłem poczekać na ciebie.

Florentyna roześmiała się.

– Długo się namyślałeś z tymi oświadczynami; muszę cię jednak uprzedzić, że od piętnastu lat jestem mężatką, mam czternastoletniego syna i dwunastoletnią córkę.

– Dobrze więc, nie oświadczę ci się. Ale chciałbym się z tobą spotkać. Sprawa prywatna.

– Prywatna? To brzmi intrygująco.

– Czy zjadłabyś ze mną lunch, gdybym przyleciał do Nowego Jorku w przyszłym tygodniu?

– Z przyjemnością. – Florentyna przerzuciła kartki swego terminarza. – Może być wtorek?

– Może być wtorek. W restauracji „Cztery pory roku" o pierwszej, jeśli ci odpowiada.

– Doskonale.

Florentyna odłożyła słuchawkę i zagłębiła się w fotelu. Poza kartkami na święta Bożego Narodzenia i okazjonalnym listem, od szesnastu lat nie miała z Edwardem żadnego kontaktu. Podeszła do lustra i przyjrzała się sobie. Wokół oczu i ust zaczęły pojawiać się leciutkie zmarszczki. Stanęła bokiem, aby upewnić się, czy nadal ma smukłą figurę. Nie czuła się staro. Nie da się zaprzeczyć, że ma córkę, za którą oglądają się już na ulicy młodzi mężczyźni, i kilkunastoletniego syna, który ją przerósł. To niesprawiedliwe. Richard nie wygląda na swoich czterdzieści lat; kilka srebrnych kosmyków na skroniach i włosy może odrobinę rzadsze niż kiedyś, ale sylwetka tak samo szczupła i wysportowana jak w dniu, kiedy się poznali. Podziwiała go, że wciąż znajdował czas, aby dwa razy w tygodniu grać w Klubie Harvardczyków w squasha, a w czasie weekendów nie zapominał o swej wiolonczeli. Telefon od Edwarda sprawił, że po raz pierwszy uzmysłowiła sobie, iż jest osobą w średnim wieku; okropieństwo! Jeszcze trochę, a zacznie myśleć o śmierci. Przed rokiem zmarł Thaddeus Cohen. Tylko jej matka i Kate Kane pozostały z tamtego pokolenia.

Florentyna zrobiła skłon i spróbowała dotknąć stóp, ale jej się to nie udało; aby podnieść się na duchu, wróciła do miesięcznych sprawozdań finansowych Grupy Barona. Hotel w Londynie wciąż nie potrafił na siebie zarobić, mimo że stał na jednej z najlepszych parceli przy Mayfair. W dziwny sposób Anglicy umieli łączyć wygórowane żądania płacowe z wysokim bezrobociem i równoczesnym brakiem rąk do pracy. W Rijadzie z powodu kradzieży trzeba było wymienić prawie całe kierownictwo, a w Polsce rząd wciąż nie zezwalał na wywóz wymienialnej waluty. Lecz mimo tych drobnych kłopotów, z którymi jej ludzie umieli sobie radzić, interesy szły dobrze.

Florentyna zapewniała Richarda, że zyski Grupy Barona w 1974 roku przekroczą czterdzieści jeden milionów dolarów, podczas gdy bank Lestera w najlepszym razie zarobi siedemnaście. Richard przepowiedział kiedyś, że do roku 1974 dochody banku przewyższą zyski Grupy Barona, i Florentyna przypomniała mu to teraz z udawaną wzgardą, choć wiedziała, że Richard rzadko mylił się w swoich finansowych prognozach.

Rozmyślała o Edwardzie, kiedy zadzwonił telefon. Gianni di Ferranti chciał wiedzieć, czy nie miałaby ochoty zobaczyć jego nowej kolekcji przygotowanej na pokaz w Paryżu; tym sposobem kolega z ławy szkolnej przestał zaprzątać jej myśli aż do wtorkowego spotkania.

Florentyna zjawiła się w „Czterech porach roku" parę minut po pierwszej ubrana w jedną z nowych kreacji Gianniego: suknię długości midi w kolorze butelkowej zieleni i wdzianko bez rękawów. Była ciekawa, czy pozna Edwarda. Ujrzała go na szczycie szerokich schodów, mając cichą nadzieję, że czas obszedł się z nią równie łagodnie.

– Edwardzie! – zawołała. – Nic się nie zmieniłeś. – On się roześmiał. – Ani trochę – żartowała Florentyna. – Zawsze lubiłam szpakowatych mężczyzn, a z odrobiną nadwagi jest ci nawet do twarzy. Tak właśnie powinien wyglądać wybitny prawnik z mojego rodzinnego miasta.

Pocałował ją w oba policzki jak francuski generał, a ona wsunęła mu rękę pod ramię i ruszyli za kierownikiem sali, który poprowadził ich do stolika. Czekała na nich butelka szampana.

– Szampan. Jak miło. Co zamierzamy uczcić, Edwardzie?

– Po prostu nasze spotkanie po tylu latach. – Edward zauważył, że się zamyśliła. – Coś nie tak, Florentyno? – zagadnął.

– Nie, nie. Przypomniało mi się, jak siedziałam na podłodze w naszej szkole i płakałam, kiedy wyrwałeś ramię Franklinowi D. Rooseveltowi, a potem wylałeś mu na głowę niebieski atrament.

– Należało ci się. Strasznie się wszystkim przechwalałaś. F.D.R. ucierpiał niezasłużenie. Biedny miś. Masz go jeszcze?

– O, tak. Mieszka sobie w sypialni mojej córki, a ponieważ zdołał zachować do dziś drugie ramię i obie nogi, muszę przyznać, że Annabel obchodzi się z młodymi mężczyznami znacznie lepiej niż ja.

Edward roześmiał się.

– Zamówimy coś? Tyle jest rzeczy, o których chciałbym z tobą porozmawiać. Miło było śledzić w telewizji twoją karierę, ale chciałbym się przekonać, czy bardzo się zmieniłaś.

Florentyna zamówiła łososia i sałatkę z warzyw, a Edward wybrał żeberka „wyborne" ze szparagami.

– Jestem zaintrygowana...

– Czym? – zapytał Edward.

– Tym, że wziętemu adwokatowi z Chicago chciało się przylecieć do Nowego Jorku na lunch z hotelarką.

– Nie przyjechałem tu jako adwokat i nie zamierzam rozmawiać z tobą o hotelach. Przybywam jako skarbnik Partii Demokratycznej z okręgu Cook.

– W zeszłym roku dałam na chicagowskich demokratów sto tysięcy – powiedziała Florentyna. – I musisz wiedzieć, że Richard zasilił taką samą sumą kasę nowojorskich republikanów.

– Nie chcę twoich pieniędzy, Florentyno, choć wiem, że wspomagałaś demokratów z dziewiątego okręgu przy każdych wyborach. Chcę ciebie.

– To coś zupełnie nowego – Florentyna uśmiechnęła się szeroko. – Dawno już nie odezwał się tak do mnie żaden mężczyzna... Wiesz, ostatnimi laty byłam tak zapracowana, że ledwie znajdowałam czas, aby głosować, a co dopiero angażować się w politykę. Poza tym, od czasu Watergate nie cierpię Nixona, a Agnew jeszcze bardziej. Ponieważ Muskie był bez szans, został mi tylko McGovern, który nie budzi we mnie entuzjazmu.

– Ale z pewnością...

– Poza tym mam na głowie męża, dwójkę dzieci i firmę szacowaną na dwieście milionów.

– A jakie masz plany na najbliższych dwadzieścia lat?

Florentyna uśmiechnęła się do siebie. – Dobić do miliarda.

– Inaczej mówiąc, chcesz kręcić się w kółko. Co do McGoverna i Nixona, zgadzam się z tobą – jeden za dobry, drugi zbyt nikczemny. A na horyzoncie nie widzę nikogo frapującego.

– I dlatego chcesz, abym startowała w wyborach prezydenckich w siedemdziesiątym szóstym?

– Nie. Chciałbym, abyś kandydowała do Kongresu jako przedstawicielka dziewiątego okręgu Illinois.

Florentyna upuściła widelec.

– Wiem doskonale, jak wygląda życie kongresmana. Osiemnastogodzinny dzień pracy, czterdzieści dwa i pół tysiąca dolarów rocznie, żadnego życia rodzinnego i użeranie się z własnymi wyborcami, którzy mogą sobie na tobie używać, ile wlezie. A co najgorsze, musiałabym zamieszkać w dziewiątym okręgu Illinois.

– Z tym nie byłoby tak źle. Masz tam swój hotel. Zresztą byłby to tylko etap pośredni.

– Na drodze do?

– Do Senatu.

– A wtedy mógłby mi wymyślać cały stan.

– A potem do Białego Domu.

– Kiedy to już cały świat by mi urągał. Słuchaj, Edwardzie, nie jestem już w naszej szkole i nie

374

rozdwoję się, tak aby jedna Florentyna mogła zarządzać hotelami...

– ...a druga spłacała swój dług wobec społeczeństwa.

– To był strzał z grubej rury, Edwardzie.

– Tak, rzeczywiście. Przepraszam cię, Florentyno, ale zawsze uważałem, tak jak i ty kiedyś, że mogłabyś odegrać jakąś rolę w polityce kraju, i myślę, że nadeszła odpowiednia po temu pora, zwłaszcza że – jak widzę – wcale się nie zmieniłaś.

– Ale ja od lat nie angażowałam się w politykę nawet w skali lokalnej, nie mówiąc o ogólnokrajowej.

– Wiesz równie dobrze jak ja, że większość kongresmanów nie dorównuje ci ani doświadczeniem, ani inteligencją. Zresztą to samo można powiedzieć o większości prezydentów.

– Pochlebiasz mi, Edwardzie, ale mnie nie przekonujesz.

– No cóż, powiem ci tylko, że moi przyjaciele z Chicago uważają, iż powinnaś wrócić w rodzinne strony i kandydować w dziewiątym okręgu.

– Na dawne miejsce Henry'ego Osborne'a?

– Tak. Demokrata, który odzyskał dla nas w pięćdziesiątym czwartym mandat po Osborne'ie, odchodzi na emeryturę w trakcie tej sesji i burmistrz Daley potrzebuje silnego kandydata, który poradzi sobie z rywalem z Partii Republikańskiej.

– I tym kandydatem ma być kobieta polskiego pochodzenia?

– Kobieta, która według tygodnika „Time" cieszy się w kraju największą popularnością po Jackie Kennedy i Margaret Mead.

– Oszalałeś, Edwardzie. Co komu z tego przyjdzie?

– Myślę, że przyjdzie, i to tobie. Poświęć mi jeden dzień, przyjedź do Chicago i spotkaj się z ludźmi, którzy cię potrzebują. Powiedz im własnymi słowami, jak widzisz przyszłość tego kraju. Zrób to dla mnie, proszę.

– Dobrze, przemyślę to sobie i zadzwonię do ciebie za parę dni. Ale zobaczysz: Richard powie, że zbikowałam.

Tym razem Florentyna pomyliła się. Owego dnia Richard wrócił z Bostonu późną nocą. Rano przy śniadaniu powiedział jej, że mówiła przez sen.

– O czym?

Richard spojrzał na Florentynę.

– O czymś, z czym od dawna się liczyłem.

– To znaczy?

– Pytałaś sama siebie, czy podołasz nowym obowiązkom.

Florentyna milczała.

– Dlaczego Edwardowi tak zależało na tym lunchu?

– Chce, abym wróciła do Chicago i kandydowała do Kongresu.

– A, więc to o to chodziło. No cóż, myślę, że powinnaś poważnie się zastanowić nad tą propozycją, Jessie. Wciąż narzekasz, że inteligentne kobiety nie biorą się do polityki. I biadasz, że ludzie sprawujący funkcje publiczne nie mają wystarczających kompetencji. Zamiast narzekać, możesz teraz sama pokazać, co potrafisz.

– Ale kto dopilnuje interesów Grupy Barona?

– Rockefellerowie jakoś sobie poradzili, kiedy Nelson został gubernatorem; Kane'owie z pewnością też sobie poradzą. W każdym razie grupa zatrudnia teraz dwadzieścia siedem tysięcy osób, ufam więc, że znajdziemy dziesięciu mężczyzn, którzy zdołają cię zastąpić.

– Dziękuję panu, panie Kane. Ale jak my będziemy żyć: ja w Illinois, a ty w Nowym Jorku?

– Można to łatwo rozwiązać. Na weekendy będę przylatywał do Chicago. W środy wieczorem ty będziesz latać do Nowego Jorku, a teraz, kiedy Carol zgodziła się zostać na stałe, dzieci nie będą czuły się opuszczone. Jeśli wejdziesz do Kongresu, będę przylatywał do Waszyngtonu w środę wieczorem.

– Coś mi się wydaje, że pan to sobie już dawno wszystko obmyślił, panie Kane.

Tydzień później Florentyna poleciała do Chicago, gdzie na lotnisku O'Hare czekał na nią Edward. Lało jak z cebra i wiał tak porywisty wiatr, że Edward, trzymając mocno w obu rękach wielki parasol, nie bardzo mógł ją uchronić przed zacinającym deszczem.

– Wiem już, dlaczego tak tęskniłam za Chicago – powiedziała zmarznięta i przemoknięta Florentyna, wsiadając do auta. W drodze do centrum Edward powiedział jej krótko, z kim ma się spotkać.

– Są to wszystko szeregowi działacze partii, wierna jej ostoja, którzy znają cię tylko z gazet i telewizji. Będą zdziwieni, że tak jak oni wszyscy masz dwie ręce, dwie nogi i głowę.

– Ilu osób spodziewasz się na spotkaniu?

– Około sześćdziesięciu. Gdyby zjawiło się siedemdziesiąt, byłoby to czymś nadzwyczajnym.

– I chodzi ci tylko o to, abym spotkała się z nimi i powiedziała im w kilku słowach, co myślę o stanie państwa?

377

– Tak.

– A potem mogę wracać do domu?

– Skoro tak sobie życzysz.

Samochód zatrzymał się przed siedzibą demokratów okręgu Cook przy Randolph Street, gdzie Florentynę powitała dobroduszna, tęga kobieta, która zaprowadziła ich do głównej sali. Florentyna zdumiała się widząc, że sala wypełniona jest po brzegi; ludzie stali nawet pod ścianami. Kiedy weszła, rozległy się oklaski.

– Mówiłeś, że będzie tylko parę osób – szepnęła do Edwarda.

– Jestem równie zaskoczony jak ty. Spodziewałem się siedemdziesięciu, a nie ponad trzystu osób.

Kiedy przedstawiono ją członkom komisji kandydackiej, a potem poprowadzono na podium, Florentyna poczuła, że ogarnia ją trema. Siedziała obok Edwarda świadoma panującego w sali chłodu i pełnych nadziei oczu wpatrujących się w nią ludzi; w niewielkim tylko stopniu korzystali z przywilejów, które dla niej były czymś naturalnym. Jakże inna była ta sala od pokoju posiedzeń jej rady nadzorczej, w której zasiadali panowie w garniturach od Braci Brooks, mający zwyczaj picia przed kolacją martini. Po raz pierwszy w życiu wstydziła się swego bogactwa i miała nadzieję, że go nie widać.

Edward podniósł się ze swego miejsca na środku podium.

– Proszę państwa, mamy zaszczyt przedstawić państwu kobietę, która zaskarbiła sobie szacunek i podziw Amerykanów. Zbudowała jedno z największych imperiów finansowych na świecie i my-

378

ślę, że stać ją dzisiaj na zrobienie równie wielkiej kariery w polityce. Mam nadzieję, że początkiem tej kariery będzie dzisiejszy wieczór. Proszę państwa, pani Florentyna Kane!

Florentyna wstała podekscytowana. Żałowała, że nie poświęciła więcej czasu na przygotowanie mowy.

– Dziękuję za miłe słowa powitania. Cudownie jest wrócić w rodzinne strony. Jest mi ogromnie miło, że aż tak wiele osób zechciało przyjść na spotkanie ze mną w ten zimny, deszczowy wieczór.

Podobnie jak państwo, ja również zawiodłam się na naszych politycznych przywódcach. Wierzę w silną Amerykę i gdybym miała szansę sprawdzenia się w polityce, przyjęłabym za swe motto słowa, które przed trzydziestu laty wypowiedział w tym mieście Franklin D. Roosevelt: „Nie ma szczytniejszego powołania nad służbę publiczną".

Mój ojciec przybył do Chicago jako emigrant z Polski i tylko w Ameryce mógł osiągnąć to, co osiągnął. Każdy z nas musi odegrać przypadającą mu rolę w kształtowaniu losów państwa, które jest nam drogie. Będę zawsze pamiętać, że zechcieliście rozważyć moją kandydaturę. Zapewniam państwa, że zanim podejmę ostateczną decyzję, głęboko ją jeszcze przemyślę. Nie przyjechałam z gotową, długą przemową, gdyż wolałabym odpowiadać na pytania dotyczące ważnych dla państwa kwestii.

Kiedy usiadła, trzysta par rąk zaczęło jej bić gorące brawa. Gdy sala ucichła, Florentyna zaczęła odpowiadać na pytania dotyczące spraw tak różnych, jak bombardowanie Kambodży, legalizacja aborcji, Watergate czy kryzys energetyczny. Pierwszy raz brała udział w konferencji, nie mając pod ręką żadnych danych ani liczb i sama była zdziwiona, jak zdecydowane ma poglądy w tak wielu kwestiach. Kiedy godzinę później odpowiedziała na ostatnie pytanie, wszyscy wstali i zaczęli skandować: Kane do Kongresu! Przestali dopiero, gdy zeszła z podium. Był to jeden z tych rzadkich w jej życiu momentów, kiedy nie wiedziała, co robić dalej. Edward pośpieszył jej z pomocą.

– Wiedziałem, że się im spodobasz – powiedział, najwyraźniej zachwycony.

– Ależ ja byłam beznadziejna – Florentyna starała się przekrzyczeć wrzawę.

– Ciekaw więc jestem, jaka jesteś, kiedy jesteś dobra.

Sprowadził ją z podium wśród napierającego tłumu. Jakiś blady mężczyzna na wózku inwalidzkim zdołał dotknąć jej ramienia. Florentyna odwróciła się.

– To jest Sam – przedstawił go Edward. – Sam Hendrick. Stracił obie nogi w Wietnamie.

– Chyba mnie pani nie pamięta – powiedział mężczyzna – ale kiedyś w tej sali zaklejaliśmy razem koperty podczas kampanii na rzecz Stevensona. Jeśli zgodzi się pani kandydować, moja żona i ja będziemy pracować dzień i noc, aby pani wygrała. Myśmy tu w Chicago zawsze wierzyli, że pani wróci i będzie nas reprezentować. – Stojąca za wózkiem żona przytaknęła mu z uśmiechem.

– Dziękuję państwu. – Florentyna odwróciła się i chciała ruszyć ku wyjściu, ale drogę zagrodziły jej wyciągnięte dłonie sympatyków. Przy drzwiach znów ją ktoś zatrzymał. Tym razem była to dziewczyna w wieku około dwudziestu pięciu lat, która powiedziała:

– Mieszkałam w dawnym pani pokoju w Radcliffe i tak jak pani słuchałam prezydenta Kennedy'ego na Placu Wojskowym. Ameryce przydałby się drugi Kennedy. Dlaczego nie miałaby to być kobieta?

Florentyna wpatrywała się w młodą twarz, z której emanowała energia i stanowczość.

– Skończyłam studia i pracuję w Chicago – mówiła dalej dziewczyna – ale mogę sprawić, że w dniu, w którym zdecyduje się pani kandydować, tysiąc studentów w Illinois wyjdzie na ulice i postara się, aby pani wygrała.

Florentyna, choć chciała, nie dosłyszała jej nazwiska, gdyż tłum uniósł ją dalej. W końcu Edwardowi udało się wyrwać ją z ciżby i wepchnąć do czekającego samochodu, który zawiózł ich z powrotem na lotnisko. Przez całą drogę Florentyna milczała. Kiedy przyjechali na lotnisko O'Hare, czarny szofer wyskoczył z auta i otworzył jej drzwi. Florentyna podziękowała.

– To dla mnie przyjemność, proszę pani. Chciałbym pani podziękować za to, że stanęła pani w obronie moich braci na Południu. Nie zapomnimy nigdy, że patronowała pani naszej walce o równe płace i że wszystkie hotele w kraju musiały pójść za pani przykładem. Chciałbym móc głosować na panią.

– Jeszcze raz dziękuję. – Florentyna uśmiechnęła się.

Edward odprowadził ją do terminalu, a potem do bramki.

– Zdążyłaś bez trudu. Dziękuję ci, że przyleciałaś, Florentyno. Daj mi znać, jak tylko podejmiesz decyzję – powiedział i dodał: – Jeśli uznasz, że nie możesz przyjąć nominacji, nie będę miał do ciebie żalu. – Pocałował ją lekko w policzek i odszedł.

W drodze powrotnej Florentyna rozmyślała w samotności o wydarzeniach tego wieczoru, o tym, że zupełnie nie spodziewała się tak gorącego przyjęcia. Żałowała, że ojciec nie mógł jej widzieć w takiej chwili.

Stewardesa zapytała, czy życzy sobie coś do picia.

– Nie, dziękuję.

– A może ma pani jakieś szczególne życzenie, pani Kane?

Florentyna podniosła wzrok zdziwiona, że dziewczyna zna jej nazwisko.

– Pracowałam kiedyś w jednym z pani hoteli.

– W którym? – zapytała Florentyna.

– W Baronie w Detroit. Stewardesy zawsze najchętniej zatrzymują się w hotelach Baron. Gdyby Ameryką rządzono tak, jak pani zarządza swoimi hotelami, nie mielibyśmy dziś takich kłopotów – powiedziała stewardesa i oddaliła się przejściem między fotelami.

Florentyna wzięła do ręki numer „Newsweeka". Przyjrzała się twarzom Ehrlichmana, Haldemana i Deana w artykule pod nagłówkiem „Jak daleko sięga Watergate?" i zamknęła pismo. Na okładce była podobizna Nixona i podpis: „Kiedy powiedziano prezydentowi?"

Trochę po północy była z powrotem na Wschodniej Sześćdziesiątej Czwartej Ulicy. Richard czekał na nią, siedząc przy kominku w swoim fotelu obitym wiśniową skórą. Wstał, aby się przywitać.

– I co, chcą, abyś kandydowała do Białego Domu?

– Nie, ale może chciałbyś zostać mężem kongresmanki?

Następnego dnia zadzwoniła do Edwarda. – Jestem gotowa kandydować do Kongresu z listy Partii Demokratycznej – powiedziała.

– Dziękuję ci, Florentyno. Powinienem wyrazić pełniej, co czuję, ale na razie raz jeszcze dziękuję.

– Czy możesz zdradzić, kto byłby waszym kandydatem, gdybym odmówiła?

– Namawiano mnie, abym sam spróbował. Ale powiedziałem, że mam kogoś lepszego. Tym razem jestem pewien, że będziesz słuchać moich dobrych rad, nawet jeśli zostaniesz prezydentem.

– Nie zostałam nawet starościną klasy.

– Ja dostąpiłem tego zaszczytu, ale i tak w końcu służę tobie.

– Od czego zaczynamy, panie doradco?

– Prawybory będą w marcu, powinnaś więc zarezerwować sobie wszystkie weekendy do jesieni.

– Już to zrobiłam, począwszy od najbliższego. Czy możesz mi powiedzieć, kto to jest ta młoda absolwentka Radcliffe, która zaczepiła mnie przy drzwiach i mówiła o Kennedym?

– Janet Brown. Mimo młodego wieku jedna z najlepszych pracownic w miejskim Wydziale Służb Socjalnych.

– Masz może jej numer telefonu?

W ciągu tego tygodnia Florentyna poinformowała radę nadzorczą Grupy Barona o swojej decyzji. Rada mianowała Richarda wiceprezesem i wybrała dwóch nowych członków.

383

Zadzwoniła też do Janet Brown i zaproponowała jej etat doradcy politycznego; ucieszyła się, kiedy Janet bez wahania przyjęła propozycję. Potem dobrała sobie jeszcze dwóch sekretarzy, wyłącznie do pracy politycznej, a na koniec zadzwoniła do Chicago i poleciła, aby nie wynajmowano pokoi na trzydziestym siódmym piętrze, gdyż musi mieć je do swej dyspozycji przez co najmniej rok.

– Traktujemy sprawę poważnie, Florentyno? – spytał Richard wieczorem.

– Owszem. Gdyż będę musiała się zdrowo napracować, abyś mógł zostać Pierwszym Dżentelmenem.

XXVI

– Czy spodziewasz się silnej opozycji?

– Nie na tyle, aby to miało znaczenie – powiedział Edward. – Może jednego albo dwóch kontrkandydatów. Ale ponieważ masz pełne poparcie komisji kandydackiej, prawdziwą walkę trzeba będzie stoczyć dopiero z republikanami.

– Czy wiemy, kto może zostać ich kandydatem?

– Jeszcze nie. Moi szpiedzy donoszą mi, że albo Ray Buck, którego popiera chyba członek ustępujący, albo Stewart Lyle, radny miejski od ośmiu lat. Obaj wiedzą, jak prowadzi się kampanię wyborczą, ale to nas na razie nie obchodzi. Mając tak mało czasu, musimy się skoncentrować na prawyborach Partii Demokratycznej.

– Ilu według ciebie ludzi będzie głosować w prawyborach? – spytała Florentyna.

– Nie potrafię ci tego powiedzieć. Wiemy tylko, że zarejestrowanych jest mniej więcej pięćdziesiąt tysięcy członków Partii Demokratycznej i że frekwencja w wyborach waha się od czterdziestu pięciu do pięćdziesięciu procent. Dawałoby to w sumie około siedemdziesięciu – osiemdziesięciu tysięcy.

Edward rozpostarł przed Florentyną duży plan Chicago.

– Granice naszego okręgu wyborczego zaznaczone są czerwoną linią i biegną od Chicago Avenue na południu do granicy Evanston na północy oraz od Ravenswood i Szosy Zachodniej na zachodzie do jeziora na wschodzie.

– Okręg nie zmienił się od czasów Henry'ego Osborne'a – powiedziała Florentyna – powinnam więc szybko wszystko sobie przypomnieć.

– Miejmy nadzieję, gdyż teraz naszym głównym zadaniem będzie dotrzeć poprzez prasę, telewizję, reklamę i publiczne wystąpienia do możliwie największej liczby demokratów z informacją na ten temat. Otwierając gazetę, włączając radio czy telewizor ludzie muszą stale natykać się na Florentynę Kane. Wyborcy muszą wszędzie czuć twoją obecność, mieć wrażenie, że tylko oni cię obchodzą. Od dziś do dziewiętnastego marca nie może odbyć się w Chicago żadne ważne wydarzenie bez twojego udziału.

– Zgadzam się z tobą – powiedziała Florentyna. – Przygotowałam już swoją kwaterę główną w chicagowskim Baronie, który mój przewidujący ojciec wzniósł w samym centrum naszego okręgu. Zamierzam spędzać tam wszystkie weekendy, wolne zaś dni w ciągu tygodnia w domu, z rodziną. Od czego mam zacząć?

– Na najbliższy poniedziałek zwołałem konferencję prasową w siedzibie demokratów. Krótkie przemówienie, następnie odpowiedzi na pytania, a potem podamy kawę, abyś mogła poznać osobiście tych wszystkich, którzy się liczą. Ponieważ lubisz szybką, zaimprowizowaną wymianę myśli, spotkanie z prasą powinno ci sprawić frajdę.

– Masz dla mnie jakieś szczególne rady?

– Nie. Po prostu bądź sobą.

– Obyś nie pożałował swych słów.

Przewidywania Edwarda sprawdziły się. Po krótkim wstępnym oświadczeniu Florentyna została zasypana lawiną pytań. Kiedy kolejni dziennikarze podnosili się z miejsc, Edward półgębkiem rzucał Florentynie ich nazwiska.

Pierwsze pytanie zadał Mike Royko z chicagowskiej „Daily News".

– Dlaczego pani, nowojorska milionerka, uznała za stosowne kandydować w dziewiątym okręgu Illinois?

– Ściśle biorąc – powiedziała Florentyna, która odpowiadała na pytania stojąc – nie jestem milionerką nowojorską. Urodziłam się tutaj, w szpitalu św. Łukasza, a wychowałam na Rigg Street. Mój ojciec przybył do tego kraju mając jedynie to, co na sobie, a stworzył Grupę Barona tu właśnie, w dziewiątym okręgu. Uważam, że musimy zawsze walczyć o to, aby każdy przybysz, czy to z Polski, czy z Wietnamu, który znajdzie się na amerykańskiej ziemi, miał szansę osiągnąć sukces, jaki był udziałem mojego ojca.

Edward wskazał ręką na następnego dziennikarza.

– Czy uważa pani, że ubiegając się o publiczne stanowisko ma pani, jako kobieta, mniejsze szanse?

– Być może osobie ograniczonej albo słabo zorientowanej należałoby odpowiedzieć twierdząco, ale nie inteligentnemu wyborcy, który wyzbył się zwietrzałych uprzedzeń. Czy dzisiaj, będąc świadkiem wypadku drogowego, ktokolwiek z państwa zdziwiłby się widząc, że na miejscu wypadku zjawiła się lekarka, a nie lekarz? Myślę, że wkrótce kwestia płci stanie się równie nieistotna jak kwestia religii. Zdawałoby się, że upłynęło sto lat od czasu, kiedy ludzie pytali Johna Kennedy'ego, czy nie uważa, iż urząd prezydenta nie będzie już tym samym co dawniej, skoro obejmie go katolik. Zauważyłam, że obecnie, w przypadku Teda Kennedy'ego, tej kwestii nikt nie porusza. W innych krajach kobiety pełnią – czy pełniły – najwyższe urzędy, na przykład Golda Meir w Izraelu czy Indira Gandhi w Indiach. To smutne, że dwustutrzydziestomilionowy naród nie ma w swoim stuosobowym senacie ani jednej kobiety, a wśród czterystu trzydziestu czterech kongresmanów jest ich tylko szesnaście.

– Co na to pani mąż, że w jego rodzinie to pani chodzi w spodniach? – padło pytanie poza kolejnością. Tu i ówdzie rozległy się śmiechy i Florentyna czekała, aż sala całkiem się uciszy.

– Jest zbyt inteligentny i pewny siebie, aby przychodziły mu do głowy tak niedorzeczne pytania.

– Co myśli pani o Watergate?

– Jest to smutny epizod w politycznej historii Ameryki, z którym szybko się uporamy, ale o którym nigdy nie zapomnimy.

– Czy uważa pani, że prezydent Nixon powinien ustąpić z urzędu?

– To decyzja natury moralnej, którą prezydent musi podjąć sam.

– Czy na jego miejscu ustąpiłaby pani?

– Ja nie musiałabym włamywać się do hoteli. Mam ich już sto czterdzieści trzy. – Wybuch śmiechu, a potem oklaski, dodały Florentynie trochę pewności siebie.

– Czy uważa pani, że prezydent powinien zostać postawiony w stan oskarżenia?

– O tym musi zadecydować Kongres na podstawie dowodów badanych przez Komisję Prawną, w tym taśm z Białego Domu, jeśli prezydent Nixon w ogóle je udostępni. Jednakże podanie się do dymisji prokuratora generalnego Elliota Richardsona, człowieka wielkiej prawości, powinno dać społeczeństwu do myślenia.

– Jakie jest pani stanowisko w kwestii aborcji?

– Nie dam się złapać w pułapkę, jak senator Mason, który w ubiegłym tygodniu zagadnięty o to samo odpowiedział: „Panowie, to jest pytanie poniżej pasa". Florentyna odczekała, aż śmiech na sali ucichnie, po czym powiedziała poważniejszym już tonem: – Z urodzenia i wychowania jestem katoliczką, tak więc w kwestii ochrony życia poczętego mam jednoznaczne poglądy. Jednakże uważam, że są sytuacje, kiedy konieczne, a nawet moralnie słuszne jest dopuszczenie możliwości przeprowadzenia takiego zabiegu przez uprawnionego lekarza.

– Kiedy byłoby to dopuszczalne według pani?

– Niewątpliwie w przypadku gwałtu, a także wtedy, gdy zagrożone jest życie matki.

– Czy nie jest to sprzeczne z nauką pani Kościoła?

– Owszem, ale zawsze opowiadałam się za rozdziałem Kościoła i państwa. Każdy, kto ubiega się o urząd publiczny, musi czasem zająć stanowisko, które nie wszystkim i nie zawsze się spodoba. Myślę, że nie umiałabym wyrazić tego lepiej, niż

uczynił to Edmund Burke mówiąc: „Twój przedsta-
wiciel winien ci jest nie tylko swą pilność, lecz
także zdolność osądu, a jeśli nagina się do twej
własnej opinii, to zamiast służyć, zdradza cię".

Edward wyczuł niefortunność tej ostatniej wypowiedzi Florentyny i zerwał się z krzesła.

– No cóż, sądzę, że pora teraz na kawę, przy
której będzie okazja poznać osobiście panią Florentynę Kane, choć myślę, że zdążyli się już państwo zorientować, dlaczego uważamy, że jest ona
odpowiednią osobą, aby reprezentować dziewiąty
okręg w Kongresie.

Przez następną godzinę Florentyna znów zasy-
pywana była gradem pytań, politycznych i osobistych, których część – gdyby zadano je prywatnie
w domowym zaciszu – uznałaby za niestosowne,
ale zaczynała już rozumieć, że nie można być osobą publiczną i zarazem mieć prywatne poglądy.
Kiedy wyszedł ostatni dziennikarz, opadła wyczerpana na fotel; przez cały ten czas nie zdążyła nawet wypić filiżanki kawy.

– Byłaś wspaniała – powiedziała Janet Brown. –
Chyba zgodzi się pan ze mną? – zwróciła się do
Edwarda.

Edward uśmiechnął się.

– Dobra – tak, ale nie wspaniała. Lecz to moja
wina, bo nie uzmysłowiłem ci, Florentyno, że ubieganie się o publiczny urząd to nie to samo, co pre-
zesowanie własnej radzie nadzorczej.

– O co ci chodzi? – zapytała Florentyna zaskoczona.

– Niektórzy dziennikarze mają w ręku ogromną władzę, trafiają codziennie poprzez swoje artykuły do setek tysięcy ludzi. Chcieliby powiedzieć

390

swym czytelnikom, że znają cię osobiście. A ty kilka razy zachowałaś się z trochę za dużą rezerwą, wobec faceta z „Tribune" zaś byłaś wręcz niegrzeczna.

– Masz na myśli tego, który pytał, kto u mnie w domu chodzi w spodniach?

– Tak.

– A co miałam mu odpowiedzieć?

– Mogłaś obrócić to w żart.

– Kiedy to nie było wcale śmieszne, Edwardzie, i to on był niegrzeczny.

– Możliwe, ale to nie on chce dostać się do Kongresu, lecz ty. Więc może mówić, co chce. I nie zapominaj, że jego stałą kolumnę czyta codziennie w Chicago ponad pół miliona ludzi, w tym większość wyborców z dziewiątego okręgu.

– Chcesz więc, abym się kompromitowała?

– Nie, chcę, żebyś wygrała. Kiedy zasiądziesz w Izbie Reprezentantów, będziesz mogła dowieść ludziom, że słusznie zrobili, głosując na ciebie. Ale na razie jesteś wielką niewiadomą i wiele rzeczy przemawia przeciwko tobie. Jesteś kobietą, jesteś Polką i jesteś milionerką. Ta kombinacja wywoła u większości zwykłych ludzi mnóstwo uprzedzeń i zawiści. Możesz przezwyciężyć te uprzedzenia, będąc zawsze pogodną, uprzejmą i nieobojętną wobec tych, którzy nie są równie jak ty uprzywilejowani.

– To raczej ty powinieneś kandydować, a nie ja, Edwardzie.

Edward pokręcił głową.

– Wiem, że jesteś właściwą osobą, ale widzę teraz, że trochę potrwa, zanim przystosujesz się do nowej sytuacji. Dzięki Bogu byłaś zawsze pojętną uczennicą. À propos, nie żebym się nie zgadzał z twoimi odczuciami, które tak dobitnie wyraziłaś, ale ponieważ lubisz cytować dawnych mężów stanu, pamiętaj, co powiedział kiedyś Adams Jeffersonowi: „Nie można stracić głosów z powodu mowy, której się nie wygłosiło".

Raz jeszcze okazało się, że Edward miał słuszność: relacje, jakie ukazały się nazajutrz w prasie, nie były dla Florentyny zbyt przychylne, a reporter z „Tribune" nazwał ją najgorszego gatunku politycznym hochsztaplerem, jakiego miał pecha spotkać na swym dziennikarskim szlaku: czyżby w Chicago nie było odpowiedniego kandydata? Jeśli tak jest, to po raz pierwszy będzie musiał namawiać czytelników, aby głosowali na republikanów. Florentyna była zaszokowana, ale szybko oswoiła się z faktem, że czasami dziennikarze są bardziej przewrażliwieni na swoim punkcie niż politycy. Pięć dni w tygodniu spędzała teraz w Chicago, spotykając się z ludźmi, rozmawiając z prasą, występując w telewizji, zbierając fundusze na kampanię. Potem, kiedy tylko widziała się z Richardem, zdawała mu z wszystkiego sprawę. Nawet Edward zaczął już wierzyć, że szala przechyla się na stronę Florentyny, kiedy dosięgnął ich pierwszy cios.

– Ralph Brooks? Któż to jest u licha ten Brooks?

– Tutejszy adwokat, bardzo bystry i z dużymi ambicjami. Myślałem zawsze, że przymierza się do stanowiska stanowego prokuratora generalnego, skąd dopiero wystartuje do Kongresu, ale widocznie się myliłem. Ciekawe, kto go nakłonił.

– Czy to groźny przeciwnik?

– Niewątpliwie. Jest stąd, ukończył Uniwersytet Chicagowski, a potem studiował prawo w Yale.

– W jakim jest wieku?

– Pod czterdziestkę.

– I oczywiście przystojny.

– Bardzo – powiedział Edward. – Kiedy broni w sądzie, wszystkie ławniczki chcą, aby wygrał. Jeśli to tylko możliwe, staram się unikać spraw, w których on broni.

– Czy ten boski Apollo ma jakąś piętę achillesową?

– Naturalnie. Każdy prawnik praktykujący w tym mieście musi mieć paru wrogów, poza tym jestem pewien, że burmistrz Daley nie wpadnie w zachwyt, że Ralph Brooks staje w szranki, gdyż będzie rywalem jego syna.

– Co według ciebie powinnam zrobić?

– Nic – odparł Edward. – Na pytania o niego odpowiadaj tradycyjną formułką: mamy demokrację, niech zwycięży najlepszy – albo najlepsza.

– Zostawił sobie tylko pięć tygodni do prawyborów.

– Czasami jest to tylko sprytne zagranie taktyczne: Brooks liczy na to, że zabraknie ci impetu. Jedyny dla nas z tego pożytek jest taki, że Brooks nie pozwoli naszym ludziom popaść w samozadowolenie. Zrozumieją, że tu trzeba walczyć, co będzie niezłą zaprawą do konfrontacji z republikanami.

Florentyna poczuła się trochę pewniej, widząc ufność Edwarda, choć później zwierzył się on Janet Brown, że walka będzie ostra jak diabli. W ciągu następnych pięciu tygodni Florentyna przekonała się na własnej skórze, jak ostra. Gdzie tylko się pojawiła, okazywało się, że Ralph Brooks był tam chwilę przed nią. Za każdym razem, gdy wypowiedziała się dla prasy w jakiejś ważnej kwestii, okazywało się, że Brooks uczynił to samo wieczorem poprzedniego dnia. Ale w miarę przybliżania się terminu prawyborów nauczyła się grać w tę samą grę – i pokonała go. Jednakże w momencie, kiedy akurat sondaże wykazały jej przewagę, Brooks wyszedł asem, którego Florentyna się nie spodziewała; o szczegółach dowiedziała się z pierwszej strony chicagowskiej „Tribune".

BROOKS WZYWA KANE DO PUBLICZNEJ DEBATY – krzyczał nagłówek. Wiedziała, że Brooks ze swoim nabytym w sądach doświadczeniem i wprawą w przygważdżaniu oponenta krzyżowym ogniem pytań będzie na pewno groźnym przeciwnikiem. W parę minut po ukazaniu się gazety rozdzwoniły się telefony w kwaterze głównej Florentyny. Przedstawiciele prasy zarzucili ją pytaniami: czy podejmie wyzwanie? Czy unika Brooksa? Czy nie uważa, że mieszkańcom Chicago należy się taka debata? Janet powstrzymywała napór prasy, podczas gdy Florentyna naradzała się pośpiesznie z Edwardem. W ciągu trzech minut zredagowała oświadczenie, które Janet odczytywała potem wszystkim zainteresowanym:

„Pani Florentyna Kane z przyjemnością przyjmuje zaproszenie pana Ralpha Brooksa do publicznej debaty i cieszy się na to spotkanie".

W tych dniach Edward wyznaczył człowieka, który wspólnie z szefem kampanii wyborczej Brooksa miał ustalić czas i miejsce debaty.

Uzgodniono, że odbędzie się ona w ostatni czwartek przed prawyborami; na miejsce debaty wybrano Żydowski Ośrodek Społeczny im. Bernarda Horwicha na West Touhy. Kiedy lokalna stacja telewizyjna należąca do CBS zgodziła się transmitować ich pojedynek, kandydaci zrozumieli, że wynik tej konfrontacji może zadecydować o wygranej w prawyborach. Florentyna spędziła wiele dni na przygotowywaniu swojej przemowy i ćwiczyła się w odpowiadaniu na pytania, którymi atakowali ją Edward, Janet i Richard. Przypomniało jej to pannę Tredgold i ich wspólne przygotowania do konkursu o stypendium Woolsona.

W wieczór debaty zajęte były wszystkie miejsca w sali Żydowskiego Ośrodka Społecznego. Ludzie stali z tyłu pod ścianą, niektórzy siedzieli na okiennych parapetach. Richard przyleciał specjalnie z Nowego Jorku, a Florentyna była na miejscu pół godziny przed czasem. Poddała się zwyczajnej przy takich okazjach torturze telewizyjnego makijażu, a Richard znalazł sobie przez ten czas wolne krzesło w pierwszym rzędzie.

Kiedy weszła na salę i zajęła miejsce na scenie, powitały ją gorące oklaski. Chwilę później zjawił się Ralph Brooks, witany równie hałaśliwie. Idąc ku scenie przygładził sobie włosy wystudiowanym gestem. Żadna kobieta, nie wyłączając Florentyny, nie mogła oderwać od niego wzroku. Przewodniczący Komisji Kongresowej Dziewiątego Okręgu przywitał ich, po czym odprowadził na chwilę na bok, aby przypomnieć, że najpierw każde z nich ma wygłosić mowę wstępną, po której będą odpowiadać na pytania. Następnie będą proszeni o złożenie oświadczeń końcowych. Oboje skinęli głowami; przewodniczący powtórzył tylko to, co ich przedstawiciele uzgodnili już wiele dni wcześniej. Potem wyjął z kieszeni nową półdolarówkę i Florentyna spojrzała na podobiznę Kennedy'ego. Moneta zawirowała, puszczona w ruch obrotowy przez przewodniczącego. Florentyna postawiła na Kennedy'ego i nie zawiodła się.

– Będę mówić jako druga – zadecydowała bez wahania.

Bez słowa wrócili na scenę. Florentyna zajęła miejsce po prawej stronie Edwarda, a Ralph Brooks usiadł po lewej. O ósmej prowadzący debatę uderzył młotkiem w pulpit i poprosił o ciszę.

– Jako pierwszy zwróci się do państwa pan Brooks, potem pani Kane. Następnie oboje będą odpowiadać na pytania państwa.

Ralph Brooks wstał i Florentyna przyjrzała się temu wysokiemu, przystojnemu mężczyźnie. Musiała przyznać, że gdyby jakiś reżyser szukał odtwórcy roli prezydenta, wybrałby Ralpha Brooksa. Kiedy zaś zaczął mówić, zrozumiała, że trudno byłoby wyobrazić sobie groźniejszego rywala. Brooks był swobodny i pewny siebie; mówił jak rasowy polityk, bez zbędnych frazesów.

– Szanowni państwo, drodzy przyjaciele! – zaczął. – Staję dziś przed wami jako człowiek stąd, od zawsze związany z tym miastem. Mój pradziad urodził się w Chicago, a rodzina Brooksów od czterech pokoleń prowadzi kancelarię adwokacką przy la Salle Street, służąc z oddaniem społeczności tego miasta. Proponuję swoją osobę jako waszego kandydata do Kongresu w przekonaniu, że każdą społeczność powinni reprezentować ludzie głęboko w niej zakorzenieni. Nie dysponuję ogromnym majątkiem jak moja rywalka, mogę jednak zaofiarować w zamian swe oddanie i troskę o dobro tego okręgu, co, przyznacie chyba państwo, jest cenniejsze niż pieniądze. – Rozległy się burzliwe brawa, choć jak zauważyła Florentyna, część osób nie przyłączyła się do nich. – Jeśli idzie o takie kwestie, jak zapobieganie przestępczości, mieszkania, komunikacja i zdrowie, to od kilku już lat, występując przed chicagowskimi sądami, zawsze mam na uwadze dobro naszej społeczności. A teraz chciałbym móc pilnować waszych interesów w Izbie Reprezentantów.

Florentyna wsłuchiwała się uważnie w każde starannie wyartykułowane zdanie i kiedy Brooks usiadł, nie była wcale zdziwiona, że sala nagrodziła go długotrwałą owacją. Edward podniósł się, aby przedstawić Florentynę. Gdy to zrobił, wstała i... miała ochotę uciec. Richard uśmiechnął się do niej z pierwszego rzędu i Florentyna odzyskała pewność siebie.

– Mój ojciec przybył do Ameryki przed ponad pięćdziesięciu laty – zaczęła – uciekając najpierw przed Niemcami, potem przed Rosjanami. Po ukończeniu szkół w Nowym Jorku przeniósł się do Chicago i tu właśnie, w dziewiątym okręgu, utworzył Grupę Barona, sieć hoteli, której mam zaszczyt być prezesem, zatrudniającą dziś we wszystkich stanach dwadzieścia siedem tysięcy osób. Kiedy ojciec był u szczytu swej kariery, raz jeszcze poszedł bić się z Niemcami i wrócił do Ameryki z Brązową Gwiazdą. Urodziłam się w tym mieście i chodziłam do gimnazjum znajdującego się niecałą milę stąd, a zdobyte w Chicago wykształcenie pozwoliło mi pójść dalej, na uniwersytet. Teraz wracam w swoje strony, aby reprezentować interesy ludzi, dzięki którym moje amerykańskie marzenie mogło się spełnić.

Jej słowa wywołały burzę oklasków, ale, jak zauważyła, i tym razem część osób pozostała obojętna.

– Ufam, że bogate urodzenie nie zagrodzi mi dostępu do urzędu publicznego. Gdyby to miało dyskwalifikować człowieka, nie piastowaliby go ani Jefferson, ani Roosevelt, ani Kennedy. Ufam, że nie przeszkodzi mi i to, że mój ojciec był imigrantem. Gdyby bowiem to miało stanowić utrudnienie, to w chicagowskim ratuszu nie urzędowałby nigdy jeden z najlepszych burmistrzów tego miasta, Anton Cermak. Gdyby zaś przeszkodą miała być moja płeć, to wraz ze mną należałoby wyeliminować połowę ludności tego kraju. – Te słowa porwały całą salę. Florentyna zaczerpnęła tchu.

– Nie zamierzam nikogo przepraszać za to, że jestem córką imigranta, że jestem zamożna i że jestem kobietą, ani też za to, że chcę reprezentować mieszkańców Chicago w Kongresie Stanów Zjednoczonych Ameryki (ogłuszająca owacja). Jeśli nie będzie mi dane reprezentować was, udzielę poparcia panu Brooksowi. Jeśli jednak dostąpię tego zaszczytu i zostanę waszą kandydatką, możecie być pewni, że zajmę się problemami miasta z tym oddaniem i tą energią, która pozwoliła mojemu przedsiębiorstwu stać się jedną z najlepszych sieci hoteli na świecie.

Florentyna usiadła wśród burzliwych oklasków i spojrzała na męża, który uśmiechnął się do niej. Po raz pierwszy tego wieczoru odprężyła się. Przyglądała się zebranym; niektórzy nawet wstali, aby bić jej brawo, choć domyślała się, że są to w większości ludzie z jej sztabu wyborczego. Spojrzała na zegarek: była ósma dwadzieścia osiem. Doskonale wyliczyła czas. Za chwilę miał zacząć się telewizyjny program „Pośmiejmy się", a na dziewiątym chicagowskie „Czarne Sokoły" rozpoczynały już chyba rozgrzewkę. Przez następnych parę minut telewidzowie będą przełączać kanały. Zmarszczone czoło Ralpha Brooksa zdradzało, że on również jest tego świadom.

Po pytaniach – obyło się bez niespodzianek – i oświadczeniach końcowych, Florentyna i Richard opuścili salę, otoczeni przez sympatyków Florentyny, i wrócili do hotelu Baron. W napięciu czekali, aż pikolak przyniesie im pierwsze wydania dzienników. Werdykt był w sumie przychylny dla Florentyny. Nawet „Tribune" stwierdzała, że walka była wyrównana.

Przez ostatnie trzy dni przed prawyborami Florentyna dwoiła się i troiła; późnym wieczorem pokonywała na piechotę całą trasę Parady św. Patryka, i padając dosłownie ze zmęczenia, zanurzała się w gorącej kąpieli. Rano Richard budził ją filiżanką gorącej kawy, po czym Florentyna od nowa zaczynała tę szaloną karuzelę.

– Nareszcie nadszedł ten wielki dzień – powiedział Richard.

– Całe szczęście – odparła Florentyna. – Następnym razem moje nogi już by tego chyba nie wytrzymały.

– Nic się nie bój. Dziś wieczór wszystko się rozstrzygnie – uspokoił ją Richard zza egzemplarza „Tribune".

Florentyna wstała i włożyła skromny niebieski kostium z niemnącego materiału; choć ona sama pod koniec każdego dnia czuła się wymięta. Na stopy włożyła pantofle, które panna Tredgold określiłaby jako praktyczne; na przedwyborczym szlaku zdarła już dwie pary podobnych. Po śniadaniu udała się wraz z Richardem do pobliskiej szkoły. Oddała głos na Florentynę Kane. Było to dziwne uczucie. Richard, jako republikanin zarejestrowany w Nowym Jorku, został na zewnątrz.

Przy frekwencji wyższej, niż przewidywał Edward, na Florentynę Kane głosowało 49 312 wyborców; na Ralpha Brooksa – 42 972 osoby.

Florentyna Kane wygrała swoje pierwsze wybory.

Kandydatem Grand Old Party okazał się Stewart Lyle, który był łatwiejszym przeciwnikiem niż Ralph Brooks. Był republikaninem w starym stylu, zawsze uroczym i uprzejmym, który nie uznawał konfrontacji na płaszczyźnie osobistej. Florentyna polubiła go od pierwszego z nim spotkania i nie wątpiła, że reprezentowałby okręg z oddaniem, ale kiedy w sierpniu Nixon ustąpił, a Ford ułaskawił byłego prezydenta, demokraci byli skazani na wygraną.

Florentyna znalazła się wśród tych, którzy na tym skorzystali. Wygrała w dziewiątym okręgu Illinois, pokonując kandydata republikanów większością ponad dwudziestu siedmiu tysięcy głosów. Richard pogratulował jej jako pierwszy.

– Jestem z ciebie ogromnie dumny, kochanie – powiedział, uśmiechając się filuternie. – Wiesz, Mark Twain też by był.

– Dlaczego akurat Mark Twain? – zapytała zdziwiona.

– Ponieważ to on powiedział kiedyś: „Załóżmy, że jesteś idiotą i załóżmy, że jesteś kongresmanem. Do diabła, znowu się powtarzam".

XXVII

William i Annabel spędzili święta Bożego Narodzenia z rodzicami w domu Kane'ów na Cape Cod. Obecność dzieci sprawiła Florentynie wielką radość; dzięki nim odzyskała w pełni siły witalne.

Piętnastoletni prawie William myślał już o Harvardzie i całe popołudnia spędzał nad książkami do matematyki, z których nawet Richard niewiele rozumiał. Annabel przez większą część ferii tkwiła przyklejona do słuchawki telefonu, prowadząc ze szkolnymi przyjaciółkami zamiejscowe rozmowy o chłopcach, aż w końcu Richard musiał jej przypomnieć, na czym zarabia Bell Telephone Company. Florentyna czytała „Centennial Mitchenera" i – nakłaniana przez Annabel – słuchała, jak Roberta Flack śpiewa wciąż od nowa i na cały głos przebój „Zabija mnie po cichu swą piosenką". W końcu Richard miał tak dość tej płyty, że ubłagał Annabel, aby puściła coś innego. Zrobiła to i wtedy Richard po raz pierwszy usłyszał popularny wówczas przebój, który – był tego pewien – nie znudzi mu się do końca życia. Annabel nie rozumiała, dlaczego mama uśmiecha się do słów piosenki, która najwyraźniej urzekła ojca.

Wróć do domu, Jessie; w łóżku stygnie
wygnieciony przez ciebie dołek.
Smutno mi, Jessie...

Kiedy przerwa świąteczna dobiegła końca, Florentyna wróciła z Richardem samolotem do Nowego Jorku. Dopiero po spędzeniu całego tygodnia nad raportami finansowymi Grupy Barona i na rozmowach z kierownikami poszczególnych wydziałów mogła sobie powiedzieć, że nadrobiła zaległości.

W ciągu tego roku ukończono budowę nowych hoteli w Brisbane i Johannesburgu oraz odnawianie starych w Nashville i Cleveland. Pod nieobecność Florentyny Richard przyhamował trochę tempo planowego rozwoju firmy, ale zdołał zwiększyć zyski, osiągając na koniec 1974 roku rekordowy dochód w wysokości czterdziestu pięciu milionów dolarów. Również bank Lestera nie dawał Florentynie powodów do narzekań: było oczywiste, że w rubryce „ma" wykaże w tym roku ogromny przyrost dochodów.

Jedyne, co martwiło Florentynę, to to, że po raz pierwszy Richard zaczął wyglądać na swoje lata. Na czole i wokół oczu pojawiły mu się zmarszczki, które były niewątpliwie rezultatem życia w ustawicznym i silnym napięciu. Kiedy wyrzucała mu, że się zapracowuje (zaniedbywał nawet wiolonczelę), Richard droczył się z nią mówiąc, że trzeba się sporo natyrać, jeśli chce się być Pierwszym Dżentelmenem.

Na początku stycznia kongresmanka Kane poleciała do Waszyngtonu. W grudniu wysłała do stolicy Janet Brown, aby pokierowała jej biurem kongresowym po przejęciu go od poprzednika

Florentyny. Kiedy Florentyna dołączyła do Janet, wszystko było już przygotowane, łącznie z apartamentem George'a Novaka w waszyngtońskim Baronie. W ciągu ostatnich sześciu miesięcy Janet okazała się wręcz niezastąpiona i w dniu otwarcia pierwszej sesji Kongresu dziewięćdziesiątej czwartej kadencji Florentyna była przygotowana jak należy. Janet rozdysponowała sumę 227 270 dolarów, jaką otrzymywał rocznie każdy członek Izby na prowadzenie swego biura. Podeszła do tego z wielką starannością, kładąc nacisk na kompetencje kandydatów, nie zważając natomiast na wiek. Zatrudniła dla Florentyny osobistą sekretarkę, pannę Louise Drummond, asystenta do spraw ustawodawstwa, sekretarza prasowego, czterech referentów legislacyjnych, których zadaniem było opracowywanie przedmiotowych zagadnień oraz zajmowanie się pocztą, dwie dodatkowe urzędniczki i recepcjonistkę. Ponadto w swoim biurze okręgowym Florentyna pozostawiła trzech referentów do spraw opieki społecznej pod kierownictwem zdolnego terenowego przedstawiciela partii, Polaka z pochodzenia.

Florentynie przydzielono pokoje na szóstym piętrze Gmachu Longworth, środkowego, najstarszego z budynków Izby Reprezentantów. Janet powiedziała jej, że w przeszłości pomieszczenia te zajmował Lyndon Johnson, John Lindsay i Pete McCloskey.

– „Nic nie słyszeć, nic nie widzieć, nic nie mówić" – skomentowała.

Nowe biuro Florentyny znajdowało się zaledwie dwieście jardów od Kapitolu, toteż jeśli pogoda była niełaskawa albo jeśli chciała uniknąć spotkania ze stadami wścibskich turystów, zawsze mogła dostać się do Izby, korzystając z malutkiej kolejki podziemnej.

Gabinet Florentyny mieścił się w średniej wielkości pokoju, zagraconym masywnymi meblami „kongresowymi" w brązowym kolorze: drewnianym biurkiem, dużą skórzaną sofą, kilkoma ciemnymi, niewygodnymi fotelami i dwiema przeszklonymi szafami; łatwo było poznać, że poprzednim lokatorem był tu mężczyzna.

Florentyna zaraz wstawiła do biblioteczki swoje książki: „Kodeks Stanów Zjednoczonych", „Regulamin Izby", „Zbiór Przejrzanych Ustaw Illinois z Przypisami Hurda" i sześciotomową biografię Lincolna pióra Carla Sandburga, jedno z jej ulubionych dzieł, choć prezydent należał do innej partii. Potem na odrapanych kremowych ścianach powiesiła kilka wybranych przez siebie akwarel, aby zakryć dziury po gwoździach zostawione przez poprzedniego lokatora. Na biurku ustawiła rodzinne zdjęcie zrobione przed frontonem ich pierwszego sklepu w San Francisco, a kiedy się dowiedziała, że każdy członek Kongresu jest upoważniony do otrzymywania roślin z Ogrodu Botanicznego, poleciła Janet, aby zażądała możliwie największego ich przydziału i co poniedziałek ustawiała świeże kwiaty na jej biurku.

Poprosiła ją też, aby gabinet recepcyjny urządziła w stylu, który byłby zarówno przytulny jak i elegancki; absolutnie nie zgadzała się na zawieszenie gdziekolwiek choćby jednego jej portretu. Florentynie nie podobał się zwyczaj większości jej kolegów zapełniania pomieszczeń recepcyjnych rekwizytami zaświadczającymi o ich świetności.

Niechętnie zgodziła się na umieszczenie za biurkiem flagi Illinois i flagi Stanów Zjednoczonych.

Po południu, przed inauguracyjną sesją Kongresu, wydała przyjęcie dla rodziny i organizatorów jej kampanii. Richard i Kate przylecieli z dziećmi. Z Chicago przybył Edward z jej matką i ojcem O'Reilly. Florentyna wysłała prawie sto zaproszeń do przyjaciół i sympatyków w całym kraju i ku jej zaskoczeniu zjawiło się ponad siedemdziesiąt osób.

W czasie przyjęcia wzięła Edwarda na bok i zaproponowała mu miejsce w radzie nadzorczej Grupy Barona; odurzony szampanem przyjął propozycję i natychmiast zapomniał o całej sprawie do chwili, gdy otrzymał list od Richarda, w którym potwierdzał on nominację, dodając, że teraz, gdy Florentyna musi skoncentrować się na karierze politycznej, możliwość oparcia się na opinii dwóch członków rady będzie dla niej bardzo cenna.

Kiedy tej nocy położyli się na kolejnym w ich życiu ogromnym królewskim łożu w hotelu Baron, Richard raz jeszcze powiedział Florentynie, jak bardzo jest z niej dumny.

– Nie dokonałabym tego bez pańskiego poparcia, panie Kane.

– Nie sugerowałem wcale, że cię popierałem, Jessie, aczkolwiek niechętnie muszę przyznać, że twoje zwycięstwo sprawiło mi wielką radość. A teraz, zanim zgaszę światło, muszę się jeszcze zapoznać z prognostykami dotyczącymi europejskich przedsięwzięć grupy.

– Naprawdę, Richard, mógłbyś trochę pofolgować.

– Nie mogę, kochanie. Żadne z nas nie może. Dlatego właśnie tak sobie odpowiadamy.

– Więc ja ci odpowiadam?

– Prawdę mówiąc, nie. Gdybym mógł to wszystko odkręcić, ożeniłbym się z Maisie i zaoszczędził sobie wydatku na kilka par rękawiczek.

– Mój Boże, ciekawe, co też porabia nasza Maisie.

– Wciąż jest u Bloomingdale'a. Straciwszy nadzieję, że mnie uwiedzie, wyszła za mąż za jakiegoś komiwojażera, tak więc jestem skazany na ciebie. Pozwolisz, że zabiorę się wreszcie do tych sprawozdań?

Wyjęła mu z ręki dokumenty i rzuciła na podłogę.

– Nie, kochanie.

Kiedy rozpoczęła się inauguracyjna sesja Kongresu dziewięćdziesiątej czwartej kadencji, przewodniczący Izby Reprezentantów, Carl Albert, ubrany ponuro w ciemny garnitur, zajął miejsce na podwyższeniu i uderzył młotkiem w pulpit, spoglądając w dół na półkoliste rzędy obitych zieloną skórą foteli, w których zasiadali kongresmani. Florentyna odwróciła głowę i uśmiechnęła się do Richarda i całej rodziny usadowionej na galerii. Kiedy rozejrzała się wkoło po swoich kolegach, nie mogła oprzeć się myśli, że stanowią oni najgorzej ubraną grupę ludzi, z jaką zetknęła się w całym swym życiu. Jej kostium z jasnoczerwonej wełny, o modnej wówczas długości midi, musiał wyróżniać się siłą samego kontrastu.

Przewodniczący Izby poprosił kapelana, wielebnego Edwarda Latcha, o udzielenie Izbie błogosławieństwa. Potem mowy inauguracyjne wygłosili przywódcy obu partii, a po nich przewodniczący.

Pan Albert przypomniał kongresmanom, że powinni przemawiać krótko i nie hałasować za bardzo, kiedy na podium stają ich koledzy. Po czym odroczył posiedzenie do następnego dnia i wszyscy rozeszli się na liczne tego wieczoru przyjęcia z okazji inauguracji.

– Czy na tym będzie polegać twoja praca, mamusiu? – zapytała Annabel. Florentyna roześmiała się. – Nie, kochanie, to było tylko posiedzenie inauguracyjne; prawdziwa praca zacznie się od jutra.

Nazajutrz nawet Florentyna była zaskoczona: jej poczta zawierała sto sześćdziesiąt jeden przesyłek, w tym dwa stare numery chicagowskich dzienników, sześć listów zaczynających się słowami: „Szanowna Koleżanko" od kongresmanów, których jeszcze nie znała, czternaście zaproszeń na przyjęcia od stowarzyszeń zawodowych, siedem listów od różnych lobby, kilka próśb o wystąpienie na zebraniu – niektóre spoza Chicago i Waszyngtonu, ponad trzydzieści listów od wyborców, dwie prośby o umieszczenie na stałej liście adresatów, piętnaście życiorysów od pełnych nadziei poszukiwaczy pracy i zawiadomienie od Carla Alberta, że została przyjęta do Komisji Preliminarzowej oraz Komisji do Spraw Drobnej Przedsiębiorczości.

Z pocztą można sobie było poradzić, gorzej było z telefonami; nieustannie domagano się najróżniejszych rzeczy: od fotografii Florentyny po wywiady dla prasy. Waszyngtońscy korespondenci dzienników chicagowskich dzwonili bez przerwy, ale zgłaszały się również miejscowe gazety, które zawsze interesowały się nowymi kobietami w Kongresie, zwłaszcza, jeśli nie przypominały one zapaśników w stylu wolnym. Florentyna szybko przyswoiła sobie nazwiska, które powinna znać, takie jak Maxine Cheshire i Betty Beale, a także David Broder i Joe Alsop. Jeszcze przed końcem kwietnia zamieszczono z nią wywiad na pierwszej stronie „Washington Post" w stałej rubryce „Styl"; pisał też o niej „Washington Magazine" w rubryce „Nowe gwiazdy na Kapitolińskim Wzgórzu". Odrzucała wciąż ponawiane zaproszenie do wystąpienia w programie „Panorama" i zaczęła się zastanawiać, gdzie przebiega rozsądna granica między zabieganiem o popularność, co mogłoby ewentualnie ułatwić przeforsowanie jakiejś sprawy w Kongresie, a oddaniem się na pastwę mass mediów.

W ciągu tych pierwszych tygodni Florentyna miała wrażenie, jakby bardzo szybko biegła, tkwiąc równocześnie w tym samym miejscu. Poczytywała sobie za zaszczyt, że kongresmani z Illinois zaproponowali ją na wakujące stanowisko we wpływowej Komisji Preliminarzowej – po raz pierwszy uhonorowano w ten sposób nowicjuszkę – ale przekonała się, że nic nie dzieje się przypadkowo, kiedy przeczytała skreślone odręcznie przez burmistrza Daleya jedno zdanie: „Jest Pani moją dłużniczką".

Ten nowy świat fascynował Florentynę, ale kiedy przemierzała korytarze, szukając swoich komisji, kiedy pędziła do podziemnej kolejki do Kapitolu, aby wziąć udział w głosowaniu, kiedy spotykała się z członkami swego lobby, studiowała materiały i podpisywała setki listów, czuła się, jakby wróciła do szkoły. Coraz bardziej pociągała ją myśl sprawienia sobie maszynki do podpisów.

Pewien starszy kolega, demokrata z Chicago, podsunął jej pomysł, by co dwa miesiące wysyłała swoim stu osiemdziesięciu tysiącom wyborców własny biuletyn.

– Pamiętaj, że choć może się komuś wydać, że chcesz wytapetować tą makulaturą cały dziewiąty okręg, to są tylko trzy rzeczy, które zapewnią ci ponowny wybór: biuletyny, biuletyny i jeszcze raz biuletyny.

Poradził jej też, aby wyznaczyła dwoje ludzi ze swego biura w Chicago do gromadzenia wszystkich wycinków z prasy lokalnej na temat mieszkańców jej okręgu wyborczego. Wyborcy zaczęli otrzymywać listy gratulacyjne z okazji ślubu, narodzin dziecka, osiągnięć na niwie społecznej – a odkąd prawo głosowania uzyskały osiemnastolatki, nawet z okazji zwycięstwa w turnieju koszykówki. Tam, gdzie to było stosowne, Florentyna dodawała od siebie parę słów po polsku, dziękując w duchu matce, że nie we wszystkim ulegała ojcu.

Z pomocą Janet, która zawsze przychodziła do biura wcześniej niż ona, a wychodziła po niej, Florentyna uporała się w końcu z robotą papierkową i kiedy czwartego lipca Kongres udawał się na wakacje, mogła powiedzieć, że prawie całkowicie panuje nad sytuacją. Nie zabierała jeszcze głosu i niewiele się wypowiadała w komisjach. Sandra Read, kongresmanka z Nowego Jorku, radziła jej, aby przez pierwszych sześć miesięcy tylko się przysłuchiwała, przez następnych sześć myślała, a w ciągu kolejnych sześciu tylko od czasu do czasu zabierała głos.

– A co mam robić przez ostatnie sześć miesięcy? – zapytała Florentyna.

– Zabiegać o ponowny wybór – brzmiała odpowiedź.

W czasie weekendów Florentyna zabawiała Richarda opowieściami o tym, jak biurokracja trwoni pieniądze podatnika i jak zwariowany jest mechanizm działania amerykańskiej demokracji.

– Myślałem, że wybrano cię, abyś to zmieniła – powiedział Richard, spoglądając z góry na żonę, która siedziała przed nim po turecku na podłodze.

– Żeby cokolwiek zmienić, trzeba by dwudziestu lat. Czy wiesz, że komisje decydują w sprawach, gdzie w grę wchodzą miliony dolarów, ale połowa członków komisji nie ma bladego pojęcia o przedmiocie głosowania, a druga połowa nie raczy się nawet osobiście pofatygować i głosuje per procura?

– Będziesz więc musiała zostać przewodniczącą takiej komisji i dopilnować, aby jej członkowie odrabiali lekcje i nie wagarowali.

– To niemożliwe.

– Niby dlaczego? – zapytał Richard, składając w końcu poranną gazetę.

– Przewodniczącym zostaje członek z najdłuższym stażem w komisji i nie jest ważne, kiedy człowiek osiąga szczyt swoich intelektualnych możliwości. Jeśli ktoś zasiada w komisji dłużej niż ty, automatycznie dostaje to stanowisko. W tej chwili na dwadzieścia dwie komisje przypada trzech przewodniczących powyżej siedemdziesiątki i trzynastu powyżej sześćdziesiątki. Czyli tylko sześciu ma mniej niż sześćdziesiąt lat. Wyliczyłam sobie, że zostanę przewodniczącą Komisji Preliminarzowej w dniu swoich sześćdziesiątych ósmych urodzin, po dwudziestu ośmiu latach zasiadania w Kongresie. O ile oczywiście wygram w tym czasie w trzynastu kolejnych wyborach, bo jeśli prze-

gram choć raz, będę musiała zaczynać od początku. Już po kilku tygodniach zrozumiałam, dlaczego tak wiele południowych stanów wybiera do
Kongresu żółtodziobów poniżej trzydziestki. Gdybyśmy zarządzali Grupą Barona tak, jak zarządza
sobą Kongres, już dawno byśmy zbankrutowali.

Florentyna zaczęła powoli oswajać się z myślą,
że upłynie wiele lat, zanim zdoła wspiąć się na
szczyt kongresowej drabiny, i że będzie to mozol-
na, długotrwała harówka, zwana w środowisku
„odsiadką". „Poddaj się prądowi, a dopłyniesz" –
tak ujął to szef komisji. Postanowiła, że jeśli w jej
przypadku ma być inaczej, to będzie musiała zre-
kompensować sobie niedogodność pozycji nowi-
cjuszki, wygrywając swoją kobiecość.

Okazja po temu nadarzyła się zupełnie nieocze-
kiwanie. Florentyna nie zabierała głosu przez
pierwszych sześć miesięcy, choć wysiadywała godzinami, przysłuchując się debatom i ucząc się od
tych, którzy umieli należycie wykorzystać przysłu-
gujący im limit czasu. Kiedy wybitny republikanin,
Robert C.L.Buchanan, zapowiedział zgłoszenie an-
tyaborcyjnej poprawki do projektu ustawy o funduszach na obronę, Florentyna uznała, że nadszedł
czas na jej mowę dziewiczą. Zwróciła się na piśmie
do przewodniczącego Izby o pozwolenie na wystąpienie przeciwko wnioskowi Buchanana. W pełnym
kurtuazji liście przewodniczący przypomniał jej, że
może mówić tylko pięć minut, i życzył powodzenia.

Buchanan wygłosił płomienną mowę do milczą-
cej Izby, wykorzystując swoje pięć minut w sposób
godny rasowego kongresmana. Wydał się jej wyjąt-
kowym kołtunem i jeszcze gdy przemawiał, dodała
do swego starannie przygotowanego wystąpienia

kilka uwag. Kiedy usiadł, głosu udzielono Sandrze Read, która rozprawiła się zdecydowanie z propozycją poprawki mimo głośnych komentarzy padających cały czas z sali. Trzeci mówca nie wniósł niczego nowego do debaty, powtarzając słowa Buchanana po to tylko, aby odnotowano jego wystąpienie w protokole i aby napisały o nim gazety jego okręgu. Przewodniczący Izby udzielił następnie głosu „wielce czcigodnej posłance z Illinois". Florentyna wstała nieco stremowana i, idąc ku mównicy w ogrodzonej części Izby, starała się ukryć drżenie rąk.

– Panie przewodniczący, pragnę przeprosić Wysoką Izbę, że moje pierwsze wystąpienie dotyczy kwestii kontrowersyjnej, lecz nie mogę poprzeć projektu poprawki z kilku powodów. – Florentyna zaczęła od przedstawienia sytuacji matki pragnącej kontynuować karierę zawodową. Następnie wykazała, dlaczego Kongres nie powinien przyjąć projektu poprawki. Zdawała sobie sprawę, że jest zdenerwowana i mówi wyjątkowo, jak na nią, niezbornie. Wkrótce spostrzegła, że Buchanan i republikanin, który przemawiał przed nią, rozgadali się w najlepsze, dając przykład innym kongresmanom; jeszcze inni opuścili swe miejsca, aby pogawędzić z kolegami. Wkrótce zapanował taki hałas, że Florentyna ledwie słyszała swój głos. Przestała mówić nagle, w środku zdania, i czekała w milczeniu.

Przewodniczący walnął młotkiem i zapytał Florentynę, czy odstępuje komuś swój czas.

Florentyna odwróciła się ku Carlowi Albertowi i powiedziała:

– Nie, panie przewodniczący, i nie zamierzam mówić dalej.

– Ale czcigodna koleżanka przerwała w pół zdania.

– Istotnie, panie przewodniczący, ale okazuje się, że w tej dostojnej Izbie są osoby, które wolą delektować się brzmieniem własnego głosu niż słuchać, co mówią inni. – Buchanan wstał, aby zaprotestować, ale przewodniczący uderzył parę razy młotkiem na znak, że to nie jego kolej. Wybuchła wrzawa i kongresmani, którzy do tej chwili nie zauważali jej istnienia, teraz przyglądali się Florentynie.

Nie ruszała się z mównicy, podczas gdy przewodniczący walił uparcie młotkiem w stół. Kiedy zgiełk ucichł, Florentyna zaczęła mówić dalej:

– Wiem już, panie przewodniczący, że aby tu cokolwiek przeprowadzić, trzeba na to paru lat, ale nie sądziłam, że tyle samo lat może zająć nauka dobrych manier nakazujących wysłuchanie drugiej strony.

Raz jeszcze rozpętało się piekło, ale Florentyna trwała w milczeniu na mównicy. Drżała teraz od stóp do głów. W końcu przewodniczący przywołał Izbę do porządku.

– Uwaga czcigodnej koleżanki wydaje się słuszna – powiedział, spoglądając na dwóch winowajców, wyraźnie zmieszanych. – Niejednokrotnie zwracałem uwagę Wysokiej Izby na ten zły obyczaj. Doczekaliśmy się oto, że nowa członkini Izby musiała wytknąć nam nasze nieuprzejme zachowanie. A teraz prosimy czcigodną przedstawicielkę Illinois o kontynuowanie wystąpienia.

Florentyna sprawdziła w notatkach, do którego punktu doszła. Sala zastygła w milczącym oczekiwaniu. Już miała mówić dalej, kiedy poczuła na ramieniu czyjąś dłoń. Odwróciła głowę i ujrzała uśmiechniętą twarz Sandry Read.

– Wracaj na miejsce. Pokonałaś ich wszystkich. Jeśli będziesz mówić dalej, zepsujesz cały efekt. Jak tylko wstanie kolejny mówca, opuść natychmiast salę. – Florentyna skinęła głową, po czym, zrzekłszy się reszty przysługującego jej czasu, wróciła na miejsce.

Przewodniczący Izby udzielił głosu następnemu mówcy i Florentyna skierowała się wraz z Sandrą ku wyjściu usytuowanemu w galerii przewodniczącego. Przy drzwiach Sandra pożegnała ją słowami:

– Dobra robota. Teraz wszystko zależy od ciebie.

Florentyna zrozumiała, co Sandra miała ma myśli, dopiero wtedy, gdy znalazła się w hallu, gdzie otoczyli ją reporterzy.

– Czy mogłaby pani wyjść na zewnątrz? – zapytał ją dziennikarz z CBS. Florentyna podążyła za nim, aby stawić czoło kamerom telewizyjnym, reporterom i fleszom.

– Czy uważa pani, że Kongres zachowuje się haniebnie?

– Czy pani stanowisko pomoże zwolennikom zasady swobodnego wyboru?

– Jakie proponowałaby pani zmiany proceduralne?

– Czy zaplanowała pani sobie cały ten efekt?

Zasypano Florentynę gradem pytań i jeszcze tego wieczoru zadzwonił do niej z gratulacjami senator Mike Mansfield, przywódca demokratycznej większości w senacie, a Barbara Walters zaprosiła ją do swego programu „Dzisiaj".

414

Czytając wersję wydarzeń przedstawioną następnego dnia w „Washington Post" można było odnieść wrażenie, że Florentyna wypowiedziała w pojedynkę wojnę całemu Kongresowi. Richard przeczytał jej przez telefon podpis pod zdjęciem w „New York Timesie": „Dzielna kobieta w Kongresie", a po paru godzinach było jasne, że kongresmanka Kane stała się sławna z dnia na dzień za przyczyną przemowy, której NIE wygłosiła. Phyllis Mills, przedstawicielka Pensylwanii, radziła Florentynie nazajutrz, aby ostrożnie dobrała temat następnego wystąpienia, gdyż republikanie będą tylko czekać na okazję do rozprawienia się z nią.

– Może powinnam odejść teraz, kiedy wygrywam – powiedziała Florentyna.

Kiedy wrzawa przycichła, a liczba otrzymywanych listów spadła z tysiąca przesyłek tygodniowo do normalnej liczby około trzystu, Florentyna zabrała się do wypracowania sobie solidnej reputacji. W Chicago jej akcje rosły, o czym mogła przekonać się osobiście podczas składanych tam co dwa tygodnie wizyt. Wyborcy zaczęli wierzyć, że Florentyna rzeczywiście może wpływać na bieg wydarzeń. Niepokoiło ją to, gdyż zdawała sobie sprawę, jak niewielkie jest pole manewru polityka pragnącego wyjść poza ustalone granice. Uważała jednak, że na gruncie lokalnym może pomóc ludziom, którzy często czują się po prostu obezwładnieni przez system biurokratyczny. Postanowiła zatrudnić w swym biurze w Chicago jeszcze jedną osobę, która zajęłaby się dodatkowo sprawami socjalnymi.

Richard był ogromnie rad, że to nowe powołanie daje Florentynie tyle satysfakcji, i starał się

415

jak tylko mógł odciążyć ją w zawiadywaniu codziennymi sprawami Grupy Barona. Edward Winchester okazał się bardzo pomocny, przejmując część jej obowiązków, zarówno w Nowym Jorku, jak i w Chicago. W Chicago Edward stał się dosyć wpływową osobą w zasnutych tytoniowym dymem biurach burmistrza Daleya, który po wyborach prezydenckich w 1972 roku zaczął dostrzegać potrzebę dopływu młodych polityków w nowym stylu. Jego tradycyjni zwolennicy też jakby pogodzili się z perspektywą politycznej kariery Florentyny. Richard cenił sobie udział Edwarda w radzie nadzorczej i rozważał zaproponowanie mu miejsca także w radzie banku Lestera.

Minął zaledwie rok, odkąd Florentyna zasiadła w Kongresie, a już zaczęła się żalić Richardowi, że wkrótce znów będzie musiała rozpocząć kampanię przedwyborczą.

– Co za zwariowany system, który deleguje człowieka do Izby tylko na dwa lata; ledwie oswoisz się z tym miejscem, a już musisz myśleć o nowych nalepkach na zderzaki.

– Jak byś to zmieniła? – zapytał Richard.

– Senatorzy są w lepszej sytuacji, gdyż stają do wyborów tylko co sześć lat, przedłużyłabym więc kadencję w Kongresie do co najmniej czterech lat.

Kiedy te same żale wylała przed Edwardem w Chicago, przyznał jej rację, ale zauważył, że ona sama nie musi obawiać się ani kandydata demokratów, ani republikanów.

– A Ralph Brooks?

– Odkąd się ożenił, ostrzy sobie zęby na stanowisko prokuratora stanowego. Prawdopodobnie jego żona, ze względu na środowisko, z jakiego się wywodzi, nie chce, aby bawił się w politykę w Waszyngtonie.

– Nie wierz w to – powiedziała Florentyna. – Zobaczysz, że on wróci.

We wrześniu Florentyna poleciała do Nowego Jorku i razem z Richardem odwiozła Williama do Concord w New Hampshire, gdzie miał zacząć naukę w piątej klasie gimnazjum św. Pawła. Do samochodu zapakowano więcej sprzętu stereofonicznego, płyt Rolling Stonesów i sportowego ekwipunku niż książek. Annabel była teraz w pierwszej klasie gimnazjum Madeira, ale jak dotąd nie zdradzała chęci pójścia – śladem matki – do Radcliffe.

Florentyna była niepocieszona, gdyż Annabel zdawała się interesować wyłącznie chłopcami i prywatkami. Podczas wakacji ani razu nie wspomniała o swych postępach w szkole i nie zajrzała do książki. Unikała towarzystwa brata, a nawet kiedy w rozmowie padło jego imię, zaraz zmieniała temat. Z każdym dniem stawało się coraz bardziej oczywiste, że jest zazdrosna o sukcesy Williama.

Carol robiła wszystko, aby ją czymś zająć, ale dwukrotnie Annabel nie posłuchała ojca, a raz wróciła z randki spóźniona o kilka godzin.

Florentyna odetchnęła z ulgą, kiedy nadszedł czas powrotu do szkoły, gdyż postanowiła sobie, że nie będzie reagować przesadnie na wakacyjne wyskoki córki. Miała tylko nadzieję, że są one czymś normalnym w okresie dojrzewania, który przechodziła właśnie Annabel.

Walka o przetrwanie w świecie mężczyzn nie była dla Florentyny niczym nowym i swój drugi rok w Kongresie zaczynała ze znacznie już większą ufnością. Życie w Baronie – w porównaniu ze światem polityki – dawało jej pewne poczucie bezpieczeństwa. W końcu była prezesem Grupy Barona; no i zawsze mogła liczyć na Richarda. Edward inteligentnie zauważył, że dzięki konieczności staczania cięższych bojów niż te, jakie wiódłby na jej miejscu mężczyzna, będzie nieźle przygotowana do zmagań z przyszłymi rywalami. Kiedy Richard zapytał ją, ilu spośród jej kolegów z Kongresu mogłoby zasiąść w radzie nadzorczej Grupy Barona, Florentyna musiała przyznać, że bardzo niewielu.

Drugi rok był dla niej o wiele przyjemniejszy niż pierwszy; odniosła też sporo sukcesów. W styczniu przeforsowała poprawkę do uchwały zwalniającej od opodatkowania publikacje naukowe w nakładzie poniżej dziesięciu tysięcy egzemplarzy. W kwietniu wystąpiła przeciwko kilku punktom w projekcie budżetu przedstawionym przez Reagana. W maju otrzymała wraz z Richardem zaproszenie do Białego Domu na przyjęcie z udziałem królowej Elżbiety II. Ale najwięcej radości dawało jej w tym roku poczucie, że nareszcie ma rzeczywisty wpływ na sprawy dotyczące bezpośrednio życia ludzi z jej okręgu.

Z zaproszeń natomiast najbardziej ucieszyło ją to, które otrzymała od sekretarza do spraw transportu, Williama Colemana, na uroczystość powitania w porcie nowojorskim żaglowców wpływających tam z okazji obchodów Dwóchsetlecia. Przypomniało jej to, że Ameryka ma również historię, z której może być dumna.

W sumie był to dla Florentyny rok pamiętny, a jedynym smutnym wydarzeniem była śmierć matki, która od wielu miesięcy cierpiała na zaburzenia układu oddechowego. Od roku Zofia nie brała udziału w życiu chicagowskiej socjety; wycofała się akurat w chwili, gdy stała się postacią dominującą w prasowych kronikach towarzyskich. Jeszcze w 1968 roku, kiedy sprowadziła do Wietrznego Miasta pokaz odkrywczego Saint Laurenta, powiedziała Florentynie: „Ta nowa moda nie jest korzystna dla kobiet w moim wieku". Potem rzadko już bywała na poważnych imprezach dobroczynnych, a jej nazwisko przestało się pojawiać na kredowym papierze używanym przy takich okazjach. Była szczęśliwa, kiedy mogła w nieskończoność słuchać opowieści o swoich wnukach, i nie skąpiła matczynych rad Florentynie, która nauczyła się je cenić.

Florentyna pragnęła dla matki cichego pogrzebu. Stojąc nad grobem pomiędzy synem a córką i słuchając słów ojca O'Reilly'ego, uświadomiła sobie, że nie może dłużej liczyć na prywatność, nawet w obliczu śmierci. Kiedy opuszczano trumnę, zaczęły błyskać flesze aparatów; przestały dopiero, gdy ziemia przykryła całkowicie drewnianą trumnę ze szczątkami ostatniej Rosnovskiej.

W tygodniach poprzedzających wybory prezydenckie Florentyna większą część czasu spędzała w Chicago, pozostawiwszy biuro waszyngtońskie pod pieczą Janet. Kiedy kongresman Wayne Hayes ujawnił, że jednej ze swoich sekretarek wypłaca roczną pensję w wysokości czternastu tysięcy dolarów, choć nie potrafi ona wystukać jednego słowa na maszynie czy przyjąć telefonu, Janet i Louise poprosiły o podwyżkę.

– Tak, ale panna Ray świadczy panu Hayesowi usługi, których jak dotąd nasze biuro nie potrzebuje – powiedziała Florentyna.

– Ale w naszym biurze sytuacja wygląda na odwrót – zauważyła Louise.

– Co chcesz przez to powiedzieć? – zapytała Florentyna.

– Wciąż jesteśmy nagabywane przez kongresmanów, którym się wydaje, że stanowimy coś w rodzaju premii dla członków Izby.

– Ile miałaś takich propozycji? – spytała Florentyna.

– Kilkadziesiąt.

– A ile przyjęłaś?

– Trzy – powiedziała Louise z szerokim uśmiechem.

– A ilu przystawiało się do ciebie? – Florentyna zwróciła się ku Janet.

– Trzech – powiedziała Janet.

– Ilu uszczęśliwiłaś?

– Trzech – odparła Janet.

Kiedy już przestały się śmiać, Florentyna powiedziała:

– No cóż, być może Joan Mondale miała rację. To, co demokraci robią ze swymi sekretarkami, republikanie robią ze swym krajem. Dostajecie obie podwyżkę.

Edward nie mylił się co do jej wyboru. Jako kandydatka demokratów Florentyna nie miała konkurenta, a prawybory do dziewiątego okręgu wygrała niemalże walkowerem. Stewart Lyle, który znów kandydował z ramienia republikanów, przyznał jej się w sekrecie, że jego szanse są niewielkie. Wszędzie pełno było plakatów nawołujących: „Wybierz znów Florentynę Kane".

Florentyna spodziewała się, że nowa sesja Kongresu odbędzie się za rządów prezydenta-demokraty. Republikanie wybrali na swego kandydata Jerry'ego Forda po jego zaciętej walce z gubernatorem Reaganem, demokraci zaś postawili na Jimmy'ego Cartera, człowieka, o którym do prawyborów w New Hampshire Florentyna niewiele słyszała.

Walka, jaką Ford stoczył z Reaganem w prawyborach, nie wzmocniła bynajmniej pozycji prezydenta, a Amerykanie wciąż jeszcze pamiętali mu, że ułaskawił Nixona. W sensie fizycznym Ford sprawiał wrażenie człowieka, który nie potrafi się ustrzec śmiesznych niezręczności, takich jak grzmotnięcie czołem w drzwi helikoptera czy upadek ze schodków przy wysiadaniu z samolotu. A w czasie jego telewizyjnego pojedynku z Carterem Florentyna doznała wstrząsu, słysząc sugestię Forda, jakoby Wschodnia Europa nie znajdowała się pod sowiecką dominacją. „Powiedz to Polakom" – syknęła oburzona ku małemu ekranowi.

Kandydat demokratów miał też swoją porcję potknięć, ale w sumie, stwierdził Richard, wizerunek Cartera jako polityka antywaszyngtońskiego i chrześcijanina-ewangelika pozwoli mu, z niewielką przewagą, pokonać Forda, którego obciążają powiązania z Nixonem.

– To dlaczego ja wygrałam znaczną większością głosów? – chciała wiedzieć Florentyna.

– Ponieważ wielu republikanów głosowało na ciebie, ale nie poparło Cartera.

– Czy ty również?

– Skorzystam tu z Piątej Poprawki do Konstytucji.

XXVIII

Na uroczystość inauguracji Richard włożył elegancki ciemny garnitur, ale był niepocieszony, że prezydent-elekt nie życzył sobie, aby mężczyźni przybyli we frakach. Rodzina Kane'ów wysłuchała mowy nowego prezydenta, której co prawda brak było charyzmy Kennedy'ego czy mądrości Roosevelta, ale która prostotą swej chrześcijańskiej uczciwości doskonale współgrała z ówczesnymi nastrojami w społeczeństwie. Ameryce potrzebny był w Białym Domu przyzwoity i skromny człowiek i wszyscy życzyli Carterowi powodzenia. Eks-prezydent Ford siedział po jego lewej stronie; eks-prezydent Nixon był wymownie nieobecny. Florentyna pomyślała sobie, że ton rządów administracji Cartera wyznaczały te oto słowa:

– Nie przymierzam się do jakiegoś nowego marzenia, raczej namawiałbym do odnowienia wiary w dawne marzenie Amerykanów. Przekonaliśmy się, że „więcej" niekoniecznie znaczy „lepiej"; że nawet nasz wielki naród nie jest nieograniczony w swoich możliwościach, że nie na wszystkie pytania możemy sobie odpowiedzieć i nie wszystkie problemy rozwiązać.

Tłumy w Waszyngtonie były zachwycone, kiedy nowy prezydent, Pierwsza Dama i ich córka Amy, trzymając się za ręce, ruszyli Pennsylvania Avenue w kierunku Białego Domu, i było oczywiste, że ochrona jest zupełnie nie przygotowana na takie odstępstwo od tradycji.

– Tancerz ruszył – powiedział jeden z ochroniarzy do mikrofonu krótkofalówki. – Niech Bóg ma nas w swojej opiece, jeśli czekają nas cztery lata takich spontanicznych gestów.

Tego wieczoru Kane'owie wzięli udział w jednym z siedmiu „festynów ludowych" – jak nazwał je Carter – zorganizowanych dla upamiętnienia inauguracji. Florentyna miała na sobie nową kreację projektu Gianniego di Ferranti: przetykaną delikatną złotą nitką białą suknię, która tak zwracała uwagę fotoreporterów, że flesze aparatów nie przestawały migać ani na chwilę. Podczas „festynu" Kane'owie zostali przedstawieni prezydentowi, który wydał się Florentynie równie nieśmiały w osobistym kontakcie, jak wtedy, gdy występował publicznie.

Kiedy Florentyna zajęła swoje miejsce w Izbie w dniu inauguracyjnego posiedzenia Kongresu dziewięćdziesiątej piątej kadencji, miała wrażenie, jak gdyby znów się znalazła w szkole: wszyscy klepali się po plecach, podawali sobie ręce, ściskali się i informowali głośno nawzajem o tym, co porabiali w czasie letniej przerwy.

– Cieszę się, że przeszłaś drugi raz.

– Ciężką miałaś kampanię?

– Nie wyobrażaj sobie, że teraz, kiedy burmistrz Daley nie żyje, sama wybierzesz sobie komisję.

– Jak ci się podobało przemówienie Cartera?

Nowy przewodniczący, Tip O'Neill, zajął miejsce na środku podium, uderzył w stół młotkiem, poprosił o ciszę i cała zabawa zaczęła się od nowa.

Florentyna awansowała o dwa szczeble w Komisji Preliminarzowej – jeden z członków przeszedł na emeryturę, drugi przepadł w wyborach. Znała już mechanizm funkcjonowania komisji, ale obawiała się, że upłynie wiele lat i odbędą się niejedne wybory, zanim zdoła zdziałać coś istotnego dla spraw, które leżą jej na sercu. Richard poddał jej myśl, aby skoncentrowała się na dziedzinie, która mogłaby przysporzyć jej więcej społecznego uznania, i Florentyna wahała się między aborcją a reformą systemu podatkowego. Richard odradzał nadmierne utożsamianie się z kwestią aborcji i przypomniał, że jej koledzy z Izby nazywają Elizabeth Holtzman „bezdzietnym kongresmanem". Florentyna w zasadzie zgodziła się z nim, ale wciąż nie mogła się zdecydować. Tymczasem życie samo podsunęło jej rozwiązanie.

Izba debatowała nad projektem ustawy o funduszach na obronę i Florentyna przysłuchiwała się beznamiętnej dyskusji kongresmanów dotyczącej wielomiliardowych wydatków na cele wojskowe. Nie zasiadała w Podkomisji do Spraw Budżetu Obrony, w której Robert C.L.Buchanan zajmował z ramienia republikanów wysokie stanowisko, ale interesowały ją jego poglądy. Buchanan przypomniał Izbie niedawne stwierdzenie sekretarza obrony Browna, że obecnie Rosjanie są w stanie zniszczyć amerykańskie satelity krążące w kosmosie. Następnie zażądał, aby nowy prezydent przeznaczył więcej pieniędzy na obronę kosztem innych dziedzin. Florentyna wciąż uważała Buchanana za konserwatywnego głupca najgorszego gatunku i w przypływie złości postanowiła rzucić mu wyzwanie. Wszyscy pamiętali ich ostatnią potyczkę i wiedzieli, że Buchanan będzie musiał wysłuchać jej zdania.

– Czy kongresman Buchanan gotów jest udzielić odpowiedzi na pytanie?

– Jestem do dyspozycji mojej czcigodnej koleżanki z Illinois.

– Bardzo dziękuję za tę uprzejmość czcigodnemu kongresmanowi Buchananowi, którego chciałabym zapytać, skąd miałyby pochodzić pieniądze na te imponujące plany wojskowe?

Buchanan podniósł się wolno ze swego miejsca. Ubrany był w trzyczęściowy tweedowy garnitur, a na siwej głowie miał po prawej stronie idealnie równy przedziałek. Przestępował z nogi na nogę jak kawalerzysta w mroźny dzień wojskowej parady.

– Te „imponujące plany", jak je czcigodna posłanka nazywa, to nic innego jak plany, za którymi opowiedziała się moja komisja, a jeśli się nie mylę, większość stanowią w niej członkowie partii, którą reprezentuje czcigodna posłanka z Illinois. – Słowa Buchanana wywołały na sali wesołość. Florentyna wstała jeszcze raz, i Buchanan znów natychmiast zgodził się jej odpowiedzieć.

– Czcigodny kongresman z Tennessee nie odpowiedział mi jeszcze, skąd zamierza wziąć pieniądze na ten cel: czy odbierze je szkolnictwu, szpitalom czy może opiece społecznej?

W sali zapadła cisza.

– Nie zabrałbym ich nikomu, ale czcigodna koleżanka z Illinois powinna zrozumieć, że jeśli nie

425

będzie dosyć pieniędzy na obronę, to możemy nie potrzebować ich już ani na szkoły, ani na szpitale, ani na opiekę społeczną.

Buchanan podniósł leżący przed nim dokument i podał Izbie dokładną wysokość wydatków na wszystkie wymienione przez Florentynę dziedziny według ubiegłorocznego budżetu. Wynikało z nich, że wydatki na obronę, liczone w cenach realnych, spadły najbardziej.

– To właśnie dzięki takim członkom Izby, jak czcigodna posłanka z Illinois, którzy zamiast mówić o faktach, prezentują nam swoje mgliste przekonanie o nadmiernych wydatkach na obronę, przywódcy na Kremlu zacierają radośnie dłonie, a reputacja Izby doznaje uszczerbku. Podobny sposób myślenia, wynikający z niedoinformowania, związał ręce prezydentowi Rooseveltowi i sprawił, że tak późno uzmysłowiliśmy sobie zagrożenie ze strony Hitlera.

Słysząc aplauz dla Buchanana płynący z obu stron, Florentyna zaczęła żałować, że zjawiła się tego popołudnia w Izbie. Kiedy skończył, opuściła salę obrad i wróciła szybko do swojego biura.

– Janet, potrzebne mi będą wszystkie sprawozdania Podkomisji do Spraw Budżetu Obrony dotyczące wydatków na obronę w ostatnich dziesięciu latach. Ściągnij też zaraz naszych referentów legislacyjnych – powiedziała, zanim zdążyła dojść do swojego biurka.

– Tak, proszę pani – powiedziała Janet nieco zdziwiona, gdyż w ciągu tych trzech lat, odkąd znała Florentynę, nie interesowała się ona kwestiami obrony. Współpracownicy zjawiali się kolejno, po czym zasiedli na sofie Florentyny.

– W ciągu najbliższych miesięcy zamierzam się skoncentrować na sprawach obrony. Chcę, abyście przejrzeli raporty Podkomisji z ostatnich dziesięciu lat, zaznaczając wszystkie istotne fragmenty. Zależy mi na realistycznej ocenie potencjału militarnego Ameryki w sytuacji, gdyby zaistniała konieczność odparcia ataku ze strony Sowietów. – Czterej współpracownicy pilnie notowali jej słowa w notesach.

– Chcę mieć wszystkie ważniejsze materiały na ten temat, w tym także oceny zespołów A i B z CIA. Chcę także być informowana pokrótce o treści wszelkich odczytów czy seminariów organizowanych w Waszyngtonie, dotyczących obronności i pokrewnych dziedzin. W każdy piątek wieczorem muszę mieć na biurku komplet komentarzy z „Washington Post","New York Timesa", „Newsweeka" i „Time'u". Nikt nie może nigdzie zacytować materiału, z którym ja nie miałam sposobności wcześniej się zapoznać.

Referenci byli zaskoczeni nie mniej niż Janet, gdyż od ponad dwóch lat zajmowali się drobną przedsiębiorczością i reformą systemu podatkowego. W najbliższych miesiącach nie będą mieć wielu wolnych weekendów. Gdy wyszli, Florentyna podniosła słuchawkę telefonu i wybrała pięć cyfr. Kiedy odezwała się sekretarka, poprosiła, aby umówiła ją na spotkanie z przywódcą większości parlamentarnej.

– Naturalnie, proszę pani. Poproszę pana Chadwicka, aby zadzwonił do pani jeszcze dzisiaj.

Nazajutrz o dziesiątej rano wprowadzono ją do gabinetu przywódcy większości parlamentarnej.

– Mark, chciałabym wejść do Podkomisji do Spraw Budżetu Obrony.

– To nie takie proste, Florentyno.

– Wiem, Mark, ale to moja pierwsza od trzech lat prośba, z jaką się do ciebie zwracam.

– W tej podkomisji jest tylko jeden wakat, a tylu kongresmanów wierci mi z jego powodu dziurę w brzuchu, że chyba prześwituję już na wylot. Niemniej jednak rozpatrzę twoją prośbę z należytą uwagą. – Zapisał coś w leżącym przed nim notatniku. – Przy okazji, Florentyno: Liga Wyborczyń z mojego okręgu organizuje wkrótce doroczne zgromadzenie i panie poprosiły mnie o wygłoszenie głównego referatu w pierwszym dniu obrad. Wiem, jaką cieszysz się u nich popularnością, i pomyślałem sobie, że mogłabyś przylecieć do nas i wygłosić mowę inauguracyjną.

– Rozpatrzę twoją propozycję z należytą uwagą, Mark – powiedziała Florentyna z uśmiechem.

Dwa dni potem otrzymała z biura przewodniczącego Izby zawiadomienie o nominacji na młodszego członka Podkomisji do Spraw Budżetu Obrony. Trzy tygodnie później poleciała do Teksasu i oznajmiła członkiniom Ligi Wyborczyń, że dzięki takim kongresmanom jak Mark Chadwick kobiety nie muszą obawiać się o przyszłość Ameryki. Nagrodzono ją brawami, a oblicze Marka Chadwicka, stojącego z jedną ręką założoną do tyłu, rozjaśnił szeroki uśmiech.

Na letnie wakacje cała rodzina pojechała do Kalifornii. Pierwszych dziesięć dni spędzili w San Francisco z Bellą i jej rodziną w ich nowym domu położonym wyżej na stoku wzgórza, skąd roztaczał się już widok na zatokę.

Claude został pełnoprawnym wspólnikiem w kancelarii adwokackiej, a Bella awansowała na wicedyrektorkę szkoły. Richard skonstatował, że jeśli ich przyjaciele cokolwiek się zmienili od ostatniego spotkania, to tylko o tyle, że Claude nieco schudł, a Bella trochę przytyła.

Wakacje byłyby całkiem udane, gdyby nie to, że Annabel ciągle im się gdzieś wymykała. Bella, ściskając mocno kijek do hokeja, dała Florentynie wyraźnie do zrozumienia, w jaki sposób poradziłaby sobie z dziewczyną.

Florentyna zabiegała o harmonię między obu rodzinami, ale konflikt stał się nieunikniony, kiedy Bella przyłapała na poddaszu Annabel na paleniu marihuany i zapytała ją, co też najlepszego robi.

– Pilnuj swojego nosa – odpowiedziała jej Annabel i zaciągnęła się jeszcze raz.

Kiedy Florentyna rozgniewała się na Annabel, ta odpowiedziała, że gdyby więcej zajmowała się własną córką niż swymi wyborcami, to wtedy więcej mogłaby od niej oczekiwać.

Richard, dowiedziawszy się o wydarzeniu, kazał Annabel spakować walizki i odwiózł ją na Wschodnie Wybrzeże, a Florentyna z Williamem udali się na resztę wakacji do Los Angeles.

Florentyna dręczyła się tym wszystkim. Dwa razy dziennie dzwoniła do Richarda, wypytując go, jak sprawuje się Annabel. Wróciła z Williamem do domu tydzień wcześniej, niż planowali.

We wrześniu William rozpoczął pierwszy rok studiów na Harvardzie. Zainstalował się na ostatnim piętrze Kolegium Graya na dziedzińcu i w ten sposób szóste już pokolenie rodziny Kane'ów zaczęło kształcić się na tej uczelni. Annabel wróciła do Madeiry, gdzie nie robiła dużych postępów, mimo iż większość weekendów spędzała teraz w Waszyngtonie pod czujnym okiem rodziców.

Wszystkie wolne chwile w czasie następnej sesji Kongresu Florentyna spędzała na zapoznawaniu się z dokumentami i publikacjami z dziedziny wojskowości, które podsuwali jej współpracownicy. Zgłębiała problemy, z jakimi musiał uporać się jej kraj, aby zapewnić sobie bezpieczeństwo. Czytała opracowania ekspertów, rozmawiała z podsekretarzami z Departamentu Obrony i studiowała ważniejsze traktaty podpisane przez Stany Zjednoczone z państwami sojuszniczymi NATO. Złożyła wizytę w kwaterze głównej Strategicznych Sił Powietrznych, objechała amerykańskie bazy w Europie i na Dalekim Wschodzie, obserwowała manewry w Północnej Karolinie i Kalifornii, spędziła nawet weekend na pokładzie zanurzonego atomowego okrętu podwodnego. Spotykała się z admirałami i generałami, rozmawiała też z szeregowcami i podoficerami, ale ani razu nie zabrała głosu w Izbie, zadając jedynie pytania podczas przesłuchań w podkomisji, kiedy często z zaskoczeniem konstatowała, że najdroższa broń nie zawsze jest najskuteczniejsza. Zaczęła zdawać sobie sprawę, że wojsko ma jeszcze wiele do zrobienia, jeśli idzie o gotowość bojową, której nie miało okazji wypróbować w pełni od czasu kryzysu kubańskiego. Po roku rozmów i studiów doszła do wniosku, że to Buchanan miał rację, a ona była głupia. Wobec otwarcie agresywnej postawy Związku Sowieckiego Ameryce nie pozostawało nic innego, jak zwiększyć wydatki na obronę. Sama się dziwiła, jak ta nowa dziedzina ją wciągnęła, a o tym, jak bardzo zmieniły się jej własne poglądy, przekonała się, kiedy jeden z kongresmanów nazwał ją „jastrzębiem".

Przestudiowała całą dokumentację systemu pocisków strategicznych M-X, przekazaną do zaopiniowania przez Komisję Służb Zbrojnych. Kiedy tylko w kalendarzu obrad pojawiła się tak zwana poprawka Simona, zalecająca wstrzymanie realizacji systemu M-X, Florentyna poprosiła przewodniczącego Izby, Gallowaya, o zapisanie jej do dyskusji.

Uważnie przysłuchiwała się argumentom kongresmanów za i przeciwko poprawce. Robert Buchanan wygłosił starannie przygotowaną mowę przeciw. Gdy usiadł, Florentyna zdziwiła się, bo przewodniczący wywołał jako następne jej nazwisko. Wstała przed salą wypełnioną do ostatniego miejsca. Kongresman Buchanan powiedział wystarczająco głośno, aby usłyszeli go inni:

– Zaraz poznamy opinię eksperta. – Jeden czy dwóch republikanów siedzących koło niego roześmiało się, gdy Florentyna zbliżała się do podium. Położyła swoje notatki na pulpicie mównicy.

– Panie przewodniczący, pragnę zabrać głos jako zdeklarowana zwolenniczka wprowadzenia systemu pocisków strategicznych M-X. Ameryka nie może dłużej zwlekać z działaniami na rzecz obronności kraju tylko dlatego, że grupa kongresmanów chce mieć więcej czasu na lekturę stosownych dokumentów. Materiały są do wglądu już od ponad roku. Członkowie Kongresu nie musieli wcale kończyć kursu szybkiego czytania, aby zdążyć z odrobieniem lekcji. Prawda jest taka, że proponowana poprawka to zwykła gra na zwłokę tych członków

Izby, którzy są przeciwko systemowi pocisków strategicznych M-X. Potępiam ich strusią politykę czekania z głową w piasku do chwili, gdy Rosjanie pierwsi zadadzą cios. Czyżby panowie ci nie rozumieli, że Ameryka również musi mieć zdolność zadania takiego ciosu?

Opowiadam się za systemem okrętów podwodnych „Polaris", ale nie możemy ulokować całego naszego potencjału nuklearnego na morzu, zwłaszcza że wywiad marynarki wojennej donosi, iż Rosjanie dysponują okrętem podwodnym poruszającym się z prędkością czterdziestu węzłów, który może pozostawać w zanurzeniu przez cztery lata – cztery lata, panie przewodniczący – bez zawijania do bazy. Argument, że system pocisków strategicznych M-X najbardziej będzie zagrażał mieszkańcom Newady i Utah, jest nieprawdziwy. Teren, na którym byłyby rozlokowane pociski, jest własnością rządu i w tej chwili zamieszkuje go tysiąc dziewięćset osiemdziesiąt owiec i trzysta siedemdziesiąt krów. Uważam, że w kwestii bezpieczeństwa obywatele tego kraju powinni być informowani bez nadmiernej czułostkowości. Wybrali nas, abyśmy realizowali plany długofalowe, a nie rozprawiali bez końca, podczas gdy zagrożenie dla bezpieczeństwa kraju rośnie z minuty na minutę. Niektórzy członkowie Kongresu chcieliby, aby Amerykanie uwierzyli, że Neron to był taki facet, który urządził dobroczynny koncert skrzypcowy na benefis straży pożarnej.

Kiedy śmiech ucichł, Florentyna zmieniła ton na nadzwyczaj poważny.

– Czyżby czcigodni członkowie Izby zapomnieli już, że w roku 1935 zakłady Forda zatrudniały więcej ludzi, niż wynosił stan amerykańskich sił zbrojnych? Czyżbyśmy już nie pamiętali, że mieliśmy wówczas mniejszą armię niż Czechosłowacja, kraj deptany najpierw przez niemiecki, a potem sowiecki but? Mieliśmy marynarkę wojenną o połowę mniejszą od floty Francji, kraju poniżanego przez Niemców, podczas gdyśmy się temu biernie przyglądali, i lotnictwo, którego nawet Hollywood nie kwapiło się angażować do filmów wojennych. Kiedy Hitler nam zagroził, w pierwszej chwili nie mieliśmy oręża, którym moglibyśmy mu pomachać przed nosem. Musimy mieć dziś pewność, że taka sytuacja się nie powtórzy.

Naród amerykański nie widział nigdy wroga na plażach Kalifornii ani na portowych nabrzeżach Nowego Jorku, ale to wcale nie znaczy, że wróg nie istnieje. Jeszcze w 1950 roku Związek Sowiecki miał tyle samo samolotów bojowych, co Stany Zjednoczone, cztery razy więcej wojska i trzydzieści razy więcej dywizji pancernych niż my. Nie możemy nigdy więcej dopuścić do tak niekorzystnego układu sił. Modlę się też, aby nasz wielki naród już nigdy nie doświadczył koszmaru, jakim był dla nas Wietnam, i abyśmy doczekali czasów, kiedy Amerykanie nie będą więcej ginąć na polach bitew. Ale wrogowie Ameryki cały czas muszą wiedzieć, że na agresję odpowiemy siłą. Jak orzeł unoszący się nad naszym sztandarem, będziemy zawsze gotowi do obrony naszych przyjaciół i chronienia swoich obywateli.

Tu i ówdzie na sali odezwały się brawa.

– Każdemu, kto mi powie, że wydatki na obronę są zbyt duże, poradzę, aby przyjrzał się krajom za Żelazną Kurtyną i przekonał się, że nie ma ceny zbyt wysokiej za wolność i demokrację, wartości będące dla nas chlebem powszednim. Za Żelazną Kurtyną znalazły się Wschodnie Niemcy, Czechosłowacja, Węgry i Polska, a Afganistan i Jugosławia pilnują swych granic z lękiem, że kurtyna ta może zostać przesunięta jeszcze dalej, sięgając być może aż Bliskiego Wschodu. Potem Sowieci nie spoczną, dopóki nie zawładną całym światem. – Zapadła tak głęboka cisza, że mówiąc dalej, Florentyna zniżyła głos. – Wiele narodów w historii odgrywało rolę obrońców wolnego świata. Ta powinność przypadła dzisiaj przywódcom naszej społeczności. Zadbajmy o to, aby nasze wnuki nie wypomniały nam kiedyś, że uchyliliśmy się od obowiązku w zamian za tanią popularność. Zagwarantujmy Ameryce wolność, ponosząc pewne ofiary dziś, tak aby w przyszłości żaden Amerykanin nie mógł powiedzieć, że w obliczu zagrożenia uchyliliśmy się od spełnienia swej powinności. Sprawmy, aby w tej Izbie nie pojawił się ani nowy Neron, ani grajek, ani pożar; aby wróg nie odniósł tu zwycięstwa.

Cała sala biła jej brawa, ale Florentyna jeszcze nie zbierała się do odejścia. Przewodniczący, waląc młotkiem, próbował uciszyć zgromadzenie. Kiedy znów zapadła cisza, Florentyna zaczęła mówić niemalże szeptem:

– Nie dopuśćmy, aby młodzi Amerykanie musieli składać znów daninę krwi; nie poddawajmy się niebezpiecznej iluzji, że możemy utrzymać pokój na świecie, nie ponosząc wydatków na obronę przeciw agresji. Pewna swego własnego bezpieczeństwa Ameryka może wywierać pozytywny wpływ na innych, nie budząc strachu, i bez uciekania się do przemocy być ostoją wolnego świata. Panie przewodniczący, zgłaszam sprzeciw wobec „poprawki Simona" jako propozycji chybionej, gorzej nawet: nieodpowiedzialnej.

Florentyna wróciła na miejsce i została natychmiast otoczona wianuszkiem kolegów z obu partii, którzy gratulowali jej przemówienia. Nazajutrz jeszcze szczodrzej obsypała ją pochwałami prasa, a w wieczornych serwisach informacyjnych wszystkie stacje telewizyjne pokazywały fragmenty jej wystąpienia. Florentyna była zaszokowana łatwością, z jaką uznano ją za eksperta w dziedzinie obrony. Dwa dzienniki widziały w niej nawet przyszłego wiceprezydenta.

Znów zaczęła dostawać ponad tysiąc listów tygodniowo, ale trzy korespondencje poruszyły ją szczególnie. Pierwszą było zaproszenie na obiad od schorowanego Huberta Humphreya. Przyjęła je, ale, jak inni adresaci, nie stawiła się. Potem był list od Roberta Buchanana, który napisał zwyczajnie swym zamaszystym charakterem pisma: „Wyrazy najwyższego szacunku".

Trzecim z tych listów był nagryzmolony anonim z Ohio:

Ty komunistyczna małpo! Myślisz tylko o tym, jak wykończyć Amerykę przez podejmowanie nierealnych militarnych zobowiązań. Dla takich jak ty nawet komora gazowa byłaby zbyt łagodną karą. Powinnaś wisieć razem z tym bubkiem Fordem i ciotowatym Carterem. Wracaj lepiej do garów, tam twoje miejsce, ty dziwko.

– Co można odpowiedzieć na coś takiego? – spytała wstrząśnięta Janet.

– Nic, Janet. Wobec tego rodzaju ślepych uprzedzeń nawet twoje giętkie pióro niewiele zdziała. Cieszmy się, że dziewięćdziesiąt dziewięć procent listów nadsyłają rozsądni ludzie, którzy pragną podzielić się swymi opiniami. Ale przyznam, że gdybym znała jego adres, pierwszy raz w życiu odpowiedziałabym komuś „pocałuj mnie w dupę".

Po tym gorącym tygodniu, kiedy telefony w jej biurze dosłownie się urywały, Florentyna spędziła spokojny weekend z Richardem. Przyjechał William z Harvardu, który zaraz pokazał matce karykaturę z „Boston Globe" przedstawiającą Florentynę jako bohaterkę o orlej głowie dającą prztyczka w nos niedźwiedziowi. Annabel zadzwoniła ze szkoły, że na ten weekend nie przyjedzie do domu.

W sobotę Florentyna grała z synem w tenisa i wystarczyło jej parę minut, aby się przekonać, w jak dobrej formie jest on, a w jak kiepskiej ona. Nie ma się co oszukiwać – pomyślała – od spacerowania po polu golfowym nie nabiera się kondycji. Widziała wyraźnie, że William ją oszczędza. Z ulgą usłyszała, że nie może zagrać z nią drugiego seta, bo ma wieczorem randkę. Florentyna skreśliła parę słów do Janet, każąc jej zamówić w firmie Hammacher Schlemmer rower do suchej zaprawy.

Przy kolacji Richard powiedział Florentynie, że chce postawić Barona w Madrycie i zamierza wysłać tam Edwarda, aby wybrał lokalizację.

– Dlaczego Edwarda?

– Prosił mnie o to. Prawie cały swój czas poświęca teraz interesom grupy, wynajął nawet mieszkanie w Nowym Jorku.

– A co z jego praktyką adwokacką?

– Został konsultantem firmy, w której pracował, i powiada, że skoro ty mogłaś obrać nową karierę po czterdziestce, to i on może spróbować. Od śmierci Daleya powtarza, że udowadnianie, iż zasługujesz na miejsce w Kongresie, nie jest już zajęciem na pełny etat. Wydaje się szczęśliwy jak chłopiec, którego zamknięto w sklepie ze słodyczami. Ogromnie odciążył mnie w pracy. Jest jedynym znanym mi człowiekiem, który pracuje równie ciężko jak ty.

– Jakże dobrym przyjacielem okazał się Edward.

– Tak, zgadzam się z tobą. Oczywiście zdajesz sobie sprawę, że on się w tobie kocha?

– Że co? – spytała zdumiona Florentyna.

– Nie chcę przez to powiedzieć, że chciałby wpychać ci się do łóżka, choć wcale bym mu się nie dziwił. Nie, on cię po prostu uwielbia, ale nikomu by się do tego nie przyznał, choć tylko ślepy by nie zauważył.

– Ale ja nigdy...

– Oczywiście, że nie. Czy myślisz, że zaproponowałbym mu miejsce w radzie nadzorczej banku, gdybym myślał, że mógłby mi odebrać żonę?

– Wolałabym, żeby znalazł sobie żonę.

– On się nie ożeni, dopóki ty jesteś w pobliżu, Jessie. Powinnaś się cieszyć, że masz dwóch facetów, którzy cię uwielbiają.

Kiedy Florentyna wróciła z weekendu do Waszyngtonu, przywitał ją stos zaproszeń, które napływały coraz szerszym strumieniem. Poradziła się Edwarda, co ma z nimi zrobić.

– Wybierz z pięć, sześć najkorzystniejszych, takich, dzięki którym będziesz mogła dotrzeć do możliwie najszerszego audytorium; na pozostałe odpowiedz, że nawał zajęć nie pozwala ci ich na razie przyjąć. Odmawiając, nie zapomnij jednak dodać paru odręcznie skreślonych słów w tonie bardziej osobistym. Kiedyś, gdy będziesz zabiegać o głosy nie tylko z dziewiątego okręgu Illinois, dla niektórych ludzi taki list będzie jedynym ogniwem łączącym ich z tobą i może zadecydować, czy cię poprą, czy nie.

– Jakiś ty mądry, staruszku.

– Nie zapominaj, moja droga, że jestem o rok starszy od ciebie.

Florentyna posłuchała rady Edwarda i co wieczór poświęcała dwie godziny na załatwianie korespondencji, jaka napłynęła po jej wystąpieniu na temat obronności. Nim zdążyła odpowiedzieć na wszystkie listy, minęło pięć tygodni, a w tym czasie liczba nadchodzących przesyłek wróciła do normy. Przyjęła propozycje wygłoszenia odczytów w Princeton i na Uniwersytecie Kalifornijskim w Berkeley. Przemawiała też do kadetów West Point i marynarzy w Annapolis i miała być gościem Maxa Clevelanda na lunchu w Waszyngtonie, który wydawano na cześć weteranów wojny w Wietnamie. Wszędzie przedstawiano ją jako jeden z najwyższych w Ameryce autorytetów w dziedzinie obrony. Tematyka ta tak Florentynę pochłaniała i fascynowała, że przerażała ją świadomość, jak słabo jest w niej zorientowana; tym pilniej więc studiowała te sprawy. Udawało się jej jakoś być na bieżąco ze sprawami własnego okręgu, ale w miarę, jak stawała się coraz bardziej postacią publiczną, coraz więcej obowiązków musiała składać na barki swych współpracowników.

Zatrudniła na swój koszt jeszcze dwie osoby w biurze waszyngtońskim i jedną w Chicago. Wydawała teraz z własnej kieszeni ponad sto tysięcy dolarów rocznie. Richard nazwał to reinwestowaniem w Amerykę.

XXIX

– Czy to coś bardzo pilnego? – zapytała Florentyna, zerkając na biurko zawalone poranną korespondencją. Kongres dziewięćdziesiątej piątej kadencji kończył swoją działalność i umysły jego członków bardziej zaprzątały sprawy związane z ponownym wyborem niż prace legislacyjne w Waszyngtonie. Na tym etapie sesji personel kongresmanów więcej czasu poświęcał okręgom wyborczym niż sprawom ogólnokrajowym. Florentynie nie podobał się system, który z chwilą zbliżania się nowych wyborów z uczciwych normalnie ludzi czynił hipokrytów.

– Chciałabym zwrócić twoją uwagę na trzy sprawy – powiedziała Janet swym rzeczowym jak zwykle tonem. – Pierwsza: wskaźnik twojej frekwencji w głosowaniach nie jest imponujący: z osiemdziesięciu dziewięciu procent w poprzedniej sesji spadł do siedemdziesięciu jeden i twoi przeciwnicy z pewnością wykorzystają ten fakt twierdząc, że tracisz zainteresowanie dla swojej pracy i trzeba cię zastąpić kimś innym.

– Ale ja nie brałam udziału w głosowaniu dlatego, że odwiedzałam bazy wojskowe i często udzielałam się w innych stanach. Co mam robić, jeśli co drugi kongresman chce, abym przemawiała w jego okręgu?

– Ja o tym wiem – powiedziała Janet – ale nie możesz oczekiwać, że wyborcy w Chicago będą zadowoleni z tego, że przemawiasz w Princeton czy Kalifornii, kiedy powinnaś być w Waszyngtonie. Rozsądnie byłoby nie przyjmować do następnej sesji zaproszeń od kolegów i sympatyków, i postarać się odzyskać w ciągu tych paru ostatnich tygodni wskaźnik powyżej osiemdziesięciu procent.

– Musisz mi o tym codziennie przypominać, Janet. Sprawa numer dwa?

– Ralph Brooks został wybrany na stanowisko prokuratora stanowego w Chicago, więc przez jakiś czas nie będzie ci zawadzał.

– Zobaczymy – powiedziała Florentyna, zapisując w notesie, że ma pamiętać o wysłaniu Brooksowi listu gratulacyjnego. Janet położyła przed nią chicagowską „Tribune". Z gazety spoglądali na Florentynę państwo Brooksowie. Pod fotografią widniał podpis: „Nowy prokurator stanowy na koncercie urządzonym na benefis Chicagowskiej Orkiestry Symfonicznej".

– Ten nie przepuści żadnej okazji – zauważyła Florentyna. – Na pewno miałby zawsze osiemdziesięcioprocentowy wskaźnik poparcia w Izbie. Trzecia sprawa?

– O dziesiątej masz spotkanie z Donem Shortem.

– Donem Shortem?

– Dyrektorem Aerospace Plan, Research and Development Inc. – powiedziała Janet. – Zgodziłaś się go przyjąć, gdyż jego firma dostała zamówienie rządowe na budowę systemu radarowego wykrywania nieprzyjacielskich pocisków rakietowych. Starają się teraz o to nowe zamówienie dla marynarki wojennej, aby móc instalować swój sprzęt na amerykańskich okrętach bojowych.

– Już sobie przypominam – powiedziała Florentyna. – Ktoś napisał na ten temat ciekawą rozprawę. Mogłabyś mi ją odszukać?

Janet podała jej dużą brązową kopertę.

– Myślę, że znajdziesz tu wszystko, czego szukasz.

Florentyna uśmiechnęła się i przewertowała pospiesznie materiały.

– A tak, teraz sobie przypominam. Będę miała parę trudnych pytań do pana Shorta.

Zanim zabrała się do lektury materiałów, przez godzinę dyktowała listy. Kiedy zjawił się pan Short, miała już dla niego gotowe pytania.

– To dla mnie wielki zaszczyt poznać członkinię Kongresu – powiedział Don Short, wyciągając rękę do powitania, kiedy z uderzeniem dziesiątej Janet wprowadzała go do pokoju Florentyny. – Ludzie z Aerospace widzą w pani ostatnią nadzieję wolnego świata.

Nieczęsto zdarzało się Florentynie, że czuła niechęć do kogoś od pierwszej chwili, ale Don Short był właśnie jednym z tych rzadkich przypadków. Niewysoki, z potężną nadwagą, był pięćdziesięciokilkuletnim, prawie całkiem łysym mężczyzną, z kilkoma zaledwie pasemkami starannie zaczesanych czarnych włosów. Ubrany był w kraciasty garnitur i miał z sobą brązową, skórzaną teczkę od Gucciego. Dopóki nie zyskała sobie opinii jastrzębicy, nigdy nie składali jej wizyt osobnicy pokroju

Dona Shorta, gdyż nie uważano jej za osobę, o której poparcie warto zabiegać. Ale odkąd zasiadła w Podkomisji do Spraw Budżetu Obrony, otrzymywała wciąż zaproszenia na kolacje, darmowe wycieczki, przysyłano jej nawet podarki w rodzaju wykonanego z brązu modelu samolotu F-15 czy zatopione w plastiku grudki manganu.

Przyjmowała tylko zaproszenia mające związek ze sprawami, nad którymi akurat pracowała, i – z wyjątkiem modelu concorde – odsyłała z uprzejmym podziękowaniem wszystkie podarunki. Statuetkę concorde trzymała na biurku, dając do zrozumienia, że jest za doskonałością, niezależnie od kraju, który jej hołduje. Słyszała, że na biurku Margaret Thatcher w Izbie Gmin stoi replika Apolla 11, i była pewna, że znajduje się tam z tego samego powodu.

Janet zostawiła ich samych i Florentyna wskazała gościowi wygodny fotel.

Don Short założył nogę na nogę, ukazując Florentynie fragment nie owłosionej skóry w miejscu, gdzie nogawka spodni nie zdołała spotkać się ze skarpetką.

– Ma pani ładne biuro. Czy to pani dzieci? – zapytał, wskazując kluchowatym palcem na stojące na biurku fotografie.

– Tak – odpowiedziała Florentyna.

– Śliczne dzieciaki, po mamusi – zaśmiał się nerwowo.

– Zdaje się, że chciał pan porozmawiać ze mną o XR-108?

– Zgadza się, ale proszę mówić mi Don. Uważamy, że jest to akurat ten rodzaj sprzętu, bez którego marynarka nie może się obejść. XR-108 potrafi wykryć i zidentyfikować pocisk wroga na odległość ponad dziesięciu tysięcy mil. Jeśli zamontujemy XR-y na wszystkich lotniskowcach, Sowieci nigdy nie odważą się zaatakować Ameryki, gdyż Ameryka będzie cały czas na pełnym morzu, czuwając nad spokojnym snem swych obywateli. – Pan Short zamilkł, jakby w oczekiwaniu na oklaski. – Poza tym sprzęt mojej firmy pozwala na sfotografowanie wszystkich sowieckich wyrzutni pocisków rakietowych – ciągnął dalej – przesyłając drogą radiową obraz na ekrany monitorów w Pokoju Operacyjnym w Białym Domu. Sowieci nie ukryją się przed nami nawet w wychodku. – Pan Short znów się roześmiał.

– Zapoznałam się dokładnie z możliwościami XR-108, proszę pana, i zadaję sobie pytanie, dlaczego Boeing może zaoferować w zasadzie taki sam sprzęt w cenie odpowiadającej siedemdziesięciu dwóm procentom waszej ceny.

– Nasz sprzęt jest znacznie nowocześniejszy, proszę pani, poza tym sprawdziliśmy się już jako dostawcy amerykańskiej armii.

– Pańska firma nie wywiązała się w terminie z dostawy stacji monitoringowych dla wojska i przedstawiła rachunek przewyższający o siedemnaście procent cenę podaną w ofercie. Mówiąc konkretnie, o dwadzieścia trzy miliony dolarów. – Florentyna ani razu nie zajrzała do swych notatek.

Don Short zaczął oblizywać wargi.

– No cóż, inflacja dotknęła nas wszystkich, nie oszczędziła też przemysłu lotniczego. Gdyby znalazła pani trochę czasu, aby spotkać się z członkami zarządu naszej firmy, być może wyjaśnilibyśmy sobie pewne problemy. Moglibyśmy zorganizować nawet jakiś bankiecik.

– Rzadko bywam na bankietach, proszę pana. Zawsze uważałam, że jedyną osobą, która coś z nich ma, jest maître d'hôtel.

Don Short znów się roześmiał.

– Nie, nie, proszę pani. Miałem na myśli bankiet na pani cześć, na przykład dla pięciuset osób, po pięćdziesiąt dolarów od głowy, dla zasilenia pani funduszu wyborczego, czy na jakiś inny odpowiadający pani cel – dodał prawie szeptem.

Florentyna miała właśnie wyrzucić go za drzwi, kiedy weszła sekretarka z kawą. Zanim Louise znów zniknęła, Florentyna zdążyła ochłonąć i podjąć decyzję.

– Na jakiej zasadzie się to odbywa? – zapytała.

– No więc tak: moja firma chętnie pomaga swoim przyjaciołom. Z pewnością pani wydatki w związku z kampanią będą niemałe. Zorganizujemy więc bankiet, aby zdobyć dla pani trochę gotówki, a czy wszyscy goście się zjawią, czy niektórzy przyślą tylko te pięćdziesiąt dolarów – to któż to może wiedzieć?

– Ma pan rację, któż to może wiedzieć.

– Mogę więc się tym zająć?

– A dlaczego by nie?

– Wiedziałem, że się dogadamy.

Weszła Janet, aby odprowadzić go do wyjścia. Florentyna z trudem zdobyła się na uśmiech, kiedy Don Short podał jej swoją wilgotną dłoń.

– Odezwę się, Florentyno – powiedział wychodząc.

– Dzięki.

Kiedy tylko drzwi się zamknęły, odezwały się dzwonki wzywające kongresmanów do głosowania. Florentyna spojrzała na zegar, na którym migały maleńkie białe żaróweczki, informując ją, że ma pięć minut na dotarcie do sali posiedzeń.

– No, tym razem się załapię – powiedziała do siebie i pobiegła ku windzie dla kongresmanów. Zjechawszy do podziemia, wskoczyła do kolejki kursującej pomiędzy gmachem Longworth a Kapitolem i zajęła miejsce obok Boba Buchanana.

– Jak będziesz głosować? – zapytał ją.

– O Boże – powiedziała Florentyna. – Ja nawet nie wiem, za czym albo przeciw czemu mamy głosować.

Jej myśli wciąż jeszcze zaprzątał Don Short i sprawa bankietu.

– Proste. Chodzi o przesunięcie wieku emerytalnego z sześćdziesięciu pięciu na siedemdziesiąt lat, i jestem pewien, że tym razem będziemy głosować tak samo.

– To jest spisek, którego celem jest zatrzymanie w Kongresie takich staruszków jak ty i niedopuszczenie, żebym stanęła na czele jakiejś komisji.

– Poczekaj, aż skończysz sześćdziesiąt pięć lat, Florentyno. Wtedy może spojrzysz na to innym okiem.

Kolejka zatrzymała się w podziemiu Kapitolu i dwoje członków Izby Reprezentantów wjechało windą na górę do sali posiedzeń. Florentyna odczuwała satysfakcję, że ten zatwardziały republikański konserwatysta traktuje ją teraz jak pełnoprawnego członka kongresowej społeczności. Kiedy znaleźli się w sali posiedzeń, oparli się o mosiężną barierkę i czekali, aż zostaną wywołane ich nazwiska.

– Nigdy nie lubiłem stać po waszej stronie sali – powiedział. – Po tylu latach w Kongresie wciąż jeszcze czuję się w takiej sytuacji nieswojo.

– Czasem miewam ludzkie odruchy, Bob, zdradzę ci więc pewien sekret: mój mąż głosował na Forda.

– Ten twój mąż to mądry facet – zaśmiał się Buchanan.

– A twoja żona głosowała może na Cartera?

Starszy pan nagle posmutniał.

– Zmarła w zeszłym roku – powiedział.

– Bardzo cię przepraszam, Bob. Nie miałam o tym pojęcia.

– Oczywiście, moja droga, nie przejmuj się. Ale ciesz się swoją rodziną, kiedy tylko masz okazję, bo nie zawsze możesz z nią być, a jak się sam przekonałem, Kongres jest marnym substytutem życia rodzinnego, choćby ci się zdawało, że odnosisz tu wielkie sukcesy. Wywołują nazwiska na „B", zostawię cię więc z twymi myślami... W przyszłości będę stawał po tej stronie ław z większą już przyjemnością.

Florentyna uśmiechnęła się na wspomnienie, że przecież ten ich wzajemny szacunek zrodził się z początkowej wzajemnej nieufności. Cieszyło ją, że partyjne różnice, tak brutalnie eksponowane podczas kampanii wyborczej, w warunkach codziennej pracy stały się zupełnie nieistotne. Chwilę później wywoływano nazwiska na „K". Po odbiciu swej karty w maszynie do głosowania Florentyna wróciła do biura i zadzwoniła do Billa Pearsona, przewodniczącego większości parlamentarnej, prosząc go o rozmowę.

– Czy to pilne?

– Bardzo, Bill.

– Na pewno chcesz, abym wciągnął cię do Komisji Spraw Zagranicznych?

– Nie, chodzi o coś znacznie ważniejszego.

– W takim razie przychodź zaraz.

Bill Pearson pykał swoją fajkę, słuchając opowieści Florentyny o tym, co wydarzyło się tego ranka w jej biurze.

– Wiemy, że tego rodzaju przypadki są nagminne, ale rzadko udaje nam się cokolwiek udowodnić. Pan Short nastręcza nam chyba świetną okazję złapania kogoś na gorącym uczynku. Pójdź z nimi na ten układ, Florentyno, i informuj mnie na bieżąco. Jak tylko wręczą ci jakieś pieniądze, rzucimy im się do gardła, a jeśli w końcu i tak nie uda się nam niczego udowodnić, to może przynajmniej sprawimy, że inni kongresmani dobrze się zastanowią, zanim dadzą się uwikłać w podobne machinacje.

W czasie weekendu Florentyna opowiedziała Richardowi o Donie Shorcie, ale mąż nie okazał zdziwienia.

– To oczywiste. Niektórzy kongresmani muszą wyżyć z gołej pensji, tak więc nie zawsze potrafią oprzeć się pokusie zainkasowania odrobiny gotówki, zwłaszcza jeśli ubiegają się o ponowny wybór i czują, że mogą przegrać, a nie mają w zapasie innego zajęcia.

– W takim razie dlaczego pan Short upatrzył sobie właśnie mnie?

– To również łatwo wytłumaczyć. W banku otrzymuję kilka takich propozycji rocznie. Ludzie oferujący łapówki na ogół uważają, że nikt nie przepuści okazji zarobienia paru dolarów za plecami Wuja Sama, bo oni sami tak by właśnie zrobili. Zdziwiłabyś się, jak wielu milionerów gotowych byłoby sprzedać własną matkę za dziesięć tysięcy dolarów w gotówce.

W ciągu tygodnia zadzwonił Don Short z informacją, że bankiet odbędzie się w hotelu Mayflower. Spodziewa się około pięciuset gości. Florentyna podziękowała mu, a potem przez wewnętrzny telefon poleciła Louise odnotować datę w terminarzu spotkań.

Niewiele brakowało, a z powodu natłoku obowiązków w Kongresie i wyjazdów poza granice stanu w ciągu następnych paru tygodni Florentyna nie zjawiłaby się na bankiecie. Udzielała akurat z mównicy poparcia swemu koledze, który zgłosił poprawkę do ustawy o drobnej przedsiębiorczości, kiedy do sali posiedzeń wpadła Janet.

– Czyżbyś zapomniała o bankiecie Aerospace Plan?

– Bynajmniej; ale to dopiero w przyszłym tygodniu.

– Jeśli zajrzysz do swego terminarza, przekonasz się, że to dzisiaj i że powinnaś tam być za dwadzieścia minut – powiedziała Janet. – I nie zapominaj, że czeka na ciebie pięćset osób.

Florentyna przeprosiła kolegę i, opuściwszy pośpiesznie salę posiedzeń, pobiegła do garażu w Gmachu Longworth.

Wjechała w waszyngtońską noc, znacznie przekraczając dopuszczalną prędkość. Z Connecticut Avenue skręciła w De Salles Street, zostawiła samochód na parkingu i poszła pieszo do bocznego wejścia hotelu Mayflower. Spóźniła się parę minut, była rozkojarzona. Don Short, wbity w obcisły frak, czekał na nią w hallu. W tym momencie uświadomiła sobie, że nie zdążyła się przebrać; miała nadzieję, że jej sukienka nie jest zbyt skromna jak na taką okazję.

– Wynajęliśmy odpowiednie pomieszczenie – mówił, prowadząc ją do windy.

– Nie wiedziałam, że Mayflower ma salę bankietową mogącą pomieścić pięćset osób – powiedziała, kiedy drzwi windy zasunęły się.

Don Short roześmiał się.

– Pani to ma poczucie humoru – powiedział, wprowadzając ją do pokoju, w którym – gdyby go zapełnić do ostatka – zmieściłoby się ze dwadzieścia osób, i przedstawił wszystkim po kolei gościom, co nie zabrało mu dużo czasu, gdyż w pokoju było ich tylko czternaścioro.

Podczas kolacji musiała słuchać frywolnych opowiastek Dona Shorta i jego przechwałek o sukcesach Aerospace Plan. Obawiała się, że może eksplodować, zanim kolacja dobiegnie końca. Wreszcie jednak Don Short podniósł się ze swego miejsca, zadzwonił łyżeczką o pusty kieliszek i wygłosił przyprawiający o mdłości pean na cześć swej bliskiej przyjaciółki, Florentyny Kane. Jego przemowę nagrodzono brawami na tyle głośnymi, na ile głośne mogły być oklaski czternastu osób. Florentyna podziękowała zebranym w kilku słowach i ulotniła się parę minut po jedenastej, wdzięczna losowi choć za to, że kuchnia w Mayflower jest zawsze doskonała. Don Short odprowadził ją na parking, a kiedy wsiadła do samochodu, wręczył jej kopertę.

– Przykro mi, że tak niewielu zjawiło się gości, ale ci, którzy nie mogli przyjść, przysłali jednak po pięćdziesiąt dolarów. – Uśmiechnął się szeroko, zatrzaskując drzwi samochodu.

Wróciwszy do hotelu rozerwała kopertę, aby zbadać jej zawartość; był tam czek na dwadzieścia cztery tysiące trzysta dolarów, do wypłaty w gotówce.

Następnego dnia rano zrelacjonowała całą rzecz Billowi Pearsonowi i wręczyła mu kopertę.

– Dzięki niemu – powiedział Bill machając czekiem – rozpętamy piekło. – Zadowolony, włożył cenny papierek do szuflady biurka i przekręcił klucz. Florentyna pojechała do domu na weekend z poczuciem, że dobrze odegrała swoją rolę. Nawet Richard jej pogratulował.

– Choć i nam przydałoby się trochę gotówki – dorzucił.

– Co chcesz przez to powiedzieć? – zapytała.

– Myślę, że w tym roku zyski grupy będą znacznie niższe.

– Na Boga, dlaczego?

– Z powodu szeregu decyzji finansowych prezydenta Cartera, które zaszkodzą naszym hotelom, ale – o ironio – przysłużą się bankowi. Mamy dziś piętnastoprocentową inflację, podczas gdy oprocentowanie kredytów wynosi szesnaście procent. Myślę, że podróże służbowe, wliczane w koszty prowadzenia interesów, jako pierwsze padną ofiarą oszczędnościowych cięć w firmach, które dojdą do wniosku, że jednak telefon jest tańszy. Nie zapełnimy wszystkich pokoi i trzeba będzie w końcu podnieść ceny, co sprawi, że biznesmeni jeszcze bardziej ograniczą podróże w interesach. Co gorsza, podskoczyły bardzo ceny żywności, podczas gdy płace nie nadążają za inflacją.

– Inne przedsiębiorstwa hotelowe staną wobec dokładnie takich samych problemów.

– Tak, ale okazało się, że moja decyzja przeniesienia biur firmy z nowojorskiego Barona na Park

Avenue będzie kosztować nas więcej, niż zakładałem. Miło mieć na papierze firmowym adres Park Avenue numer czterysta, ale za te pieniądze można było wybudować na Południu dwa hotele.

– Ale dzięki twojej decyzji zwolniły się trzy piętra w nowojorskim Baronie i mogliśmy urządzić tam nowe sale recepcyjne.

– Mimo to hotel zarobił tylko dwa miliony, podczas gdy cała nieruchomość warta jest czterdzieści.

– Ale przecież w centrum Nowego Jorku musi być Baron. Nie wyobrażam sobie, że moglibyśmy sprzedać nasz najbardziej reprezentacyjny hotel.

– Dopóki nie przynosi strat.

– Tu chodzi o naszą renomę...

– Dla twojego ojca ważniejsza od renomy była zawsze rentowność.

– Co więc proponujesz?

– Zamówię u McKinseya i S-ki szczegółową analizę finansów grupy. Za trzy miesiące przedstawią nam wstępną ocenę, a jeśli sobie tego zażyczymy, w ciągu dwunastu miesięcy dostarczą nam pełny raport. Rozmawiałem już z przedstawicielem McKinseya, panem Michaelem Hoganem, który przygotowuje dla nas ofertę.

– Ale to są najlepsi konsultanci w dziedzinie zarządzania. Zatrudniając ich, jeszcze bardziej zwiększymy swoje koszty.

– Tak, to będzie kosztować. Ale nie zdziwiłbym się, gdybyśmy na dłuższą metę zaoszczędzili dzięki nim sporą sumę. Pamiętaj, że nowoczesne hotele na całym świecie obsługują dziś zupełnie inną klientelę niż ta, dla której budował swoje hotele twój ojciec. Chcę mieć pewność, że nie popełniamy jakiegoś oczywistego błędu.

– Ale czy tego nie powinniśmy się dowiedzieć od swoich własnych dyrektorów?

– Kiedy ludzie McKinseya wzięli pod lupę Bloomingdale'a – powiedział Richard – zalecili zmianę usytuowania siedemnastu stoisk, które od lat stały w tym samym miejscu. Niby nic wielkiego, ale w następnym roku zyski wzrosły o dwadzieścia jeden procent; a przecież żaden z kierowników Bloomingdale'a nie uważał, aby konieczne były jakieś zmiany. Być może u nas jest podobnie, ale o tym nie wiemy.

– Psiakrew. Zupełnie straciłam rozeznanie w tych sprawach.

– Nie martw się, moja droga Jessie. Niczego nie postanowimy bez twojej aprobaty.

– A jak się miewa bank?

– To zabawne, ale jeszcze nigdy od Wielkiego Kryzysu bank Lestera nie zarabiał tak wiele na pożyczkach i z tytułu oprocentowania przekroczonych kont. Moja decyzja, aby lokować w złocie, kiedy Carter wygrał wybory, sowicie się opłaciła. Jeśli zostanie wybrany ponownie, znów dokupię złota. Jeśli w Białym Domu zasiądzie Reagan, następnego dnia sprzedam cały zapas kruszcu. Dopóki dostajesz tych swoich pięćdziesiąt siedem i pół tysiąca jako członek Kongresu, mogę spać spokojnie wiedząc, że w razie czego mamy na życie. Czy powiedziałaś Edwardowi o Donie Shorcie i jego dwudziestu czterech tysiącach dolarów?

– Dwudziestu czterech tysiącach trzystu. Nie, dawno z nim nie rozmawiałam, a kiedy już się spotykamy, to jego interesuje tylko jedno: zarządzanie siecią hoteli.

– Zaprosiłem go na doroczne posiedzenie rady

nadzorczej Lestera. Może uda mi się zainteresować go bankiem.

– I wnet poprowadzi cały ten interes.

– Tak właśnie to sobie zaplanowałem na czas, kiedy zostanę Pierwszym Dżentelmenem.

Kiedy Florentyna wróciła do Waszyngtonu, była zdziwiona, że nie czeka na nią żadna wiadomość od Billa Pearsona. Jego sekretarka powiedziała, że szef jest w Kalifornii, gdzie prowadzi swoją kampanię wyborczą, co przypomniało Florentynie o bliskim już terminie wyborów. Janet zwróciła jej słusznie uwagę na fakt, że Kongres jakby przysnął w oczekiwaniu na sesję w następnej kadencji i że dobrze byłoby, aby Florentyna spędzała teraz więcej czasu w Chicago.

W czwartek zadzwonił z Kalifornii Bill Pearson i powiedział Florentynie, że rozmawiał z przywódcą republikanów i przewodniczącym Podkomisji do Spraw Budżetu Obrony i obaj byli zdania, że poruszenie tej sprawy przed wyborami przyniosłoby więcej kłopotów niż korzyści. Poprosił ją więc, aby nie ujawniała otrzymania pieniędzy, gdyż zaszkodziłoby to prowadzonemu przez niego dochodzeniu.

Florentyna zupełnie się z nim nie zgadzała i rozważała nawet, czy nie pójść z tą sprawą do starszych rangą członków komisji, ale kiedy zadzwoniła do Edwarda, on odradził jej to posunięcie twierdząc, że biuro *whipa*[1] na pewno jest lepiej zorientowane w kwestii łapówek niż ona i mo-

---

[1] Whip (bicz) - funkcjonariusz partyjny, którego zadaniem jest pilnowanie dyscypliny wśród członków (przyp. tłum.)

głoby odnieść wrażenie, że Florentyna działa za ich plecami. Zgodziła się, aczkolwiek niechętnie, poczekać do zakończenia wyborów.

Dzięki ciągłym przypomnieniom Janet Florentyna zdołała zaliczyć do końca sesji ponad osiemdziesiąt procent głosowań, odrzucając wszelkie zaproszenia spoza granic Waszyngtonu, jakie trafiały na jej biurko, a podejrzewała, że o wiele więcej było takich, których Janet w ogóle jej nie przekazywała. Kiedy Kongres zawiesił swoją działalność, Florentyna wróciła do Chicago, aby przygotować się do kolejnych wyborów.

Ze zdziwieniem zauważyła, że znaczną część swego czasu spędza w kwaterze głównej Partii Demokratycznej okręgu Cook przy Randolph Street. Choć pierwsze dwa lata prezydentury Cartera nie spełniły oczekiwań amerykańskich wyborców, było rzeczą powszechnie wiadomą, że miejscowi republikanie mają trudności z namówieniem kogokolwiek do zmierzenia się z Florentyną. Aby się nie nudziła, sztab wyborczy starał się możliwie jak najczęściej organizować jej wystąpienia na rzecz innych stanowych kandydatów Partii Demokratycznej.

W końcu Stewart Lyle zgodził się kandydować jeszcze raz, ale przedtem oświadczył swojemu komitetowi wyborczemu, że nie zamierza tłuc się dniami i nocami po całym okręgu ani też wydać z własnej kieszeni choćby centa. Grand Old Party nie była zachwycona, kiedy w prywatnej rozmowie – zapominając, że podczas kampanii wyborczej nie ma czegoś takiego jak prywatna wypowiedź – Lyle stwierdził: „Jest tylko jedna różnica między Florentyną Kane a świętej pamięci burmistrzem Daleyem: pani Kane jest uczciwa."

Dziewiąty okręg Illinois przyznał rację Lyle'owi i wybrał Florentynę do Kongresu nieco wyższą tym razem większością głosów; ale w Waszyngtonie nie zobaczyła już piętnastu kolegów z Izby i trzech z Senatu. Wśród „poległych" znalazł się Bill Pearson.

Florentyna dzwoniła kilkakrotnie do Kalifornii do Billa Pearsona, aby go pocieszyć, ale nigdy nie udało się jej zastać go w domu. Zostawiała mu wiadomość na automatycznej sekretarce, ale Bill nie oddzwaniał. Powiedziała o tym Richardowi i Edwardowi, i obaj poradzili jej, aby natychmiast porozmawiała o tym z przywódcą większości parlamentarnej.

Kiedy Mark Chadwick wysłuchał jej relacji, był mocno poruszony. Powiedział, że zaraz skontaktuje się z Pearsonem i zadzwoni do niej jeszcze tego samego dnia. Dotrzymał słowa i przekazał Florentynie wiadomość, która ją zmroziła: Bill Pearson oświadczył, że nic mu nie wiadomo o sumie dwudziestu czterech tysięcy trzystu dolarów i nigdy nie rozmawiał z Florentyną o jakiejkolwiek łapówce. Pearson przypomniał Chadwickowi, że jeśli Florentyna otrzymała z jakiegokolwiek źródła taką sumę, to była prawnie zobligowana do zgłoszenia jej albo jako darowizny na kampanię wyborczą, albo jako dochodu. W jej dokumentach dotyczących kampanii nie figurowała taka suma, a zgodnie z przepisani Izby Reprezentantów nie było jej wolno przyjąć od kogokolwiek sumy przekraczającej siedemset pięćdziesiąt dolarów. Florentyna wyjaśniła przywódcy większości parlamentarnej, że Pearson prosił ją, aby nie zgłaszała nigdzie tych pieniędzy. Mark zapewnił, że jej wierzy, ale nie widzi, w jaki sposób mogłaby udowodnić, że Pearson kłamie. Było tajemnicą poliszynela, że od czasu swego drugiego rozwodu Pearson jest w finansowych tarapatach.

– Płacenie podwójnych alimentów, kiedy jest się bezrobotnym, może zdemoralizować nawet najprzyzwoitszego człowieka – zauważył Mark.

Florentyna zgodziła się zachować milczenie, dopóki Mark nie wybada Pearsona. Don Short zadzwonił w tygodniu, aby pogratulować jej zwycięstwa i przypomnieć, że kwestia kontraktu na dostawy dla marynarki wojennej w ramach programu budowy broni rakietowej będzie rozważana przez podkomisję w czwartek. Florentyna przygryzła wargę, kiedy Don Short powiedział następnie: „Cieszę się, że zrealizowałaś czek. Na pewno przydały ci się te pieniądze podczas kampanii".

Natychmiast zatelefonowała do przywódcy większości parlamentarnej, prosząc go, aby opóźnił głosowanie w związku z programem broni rakietowej do czasu wyjaśnienia udziału w aferze Billa Pearsona. Mark Chadwick wytłumaczył jej, że nie może spełnić tej prośby, gdyż w razie wstrzymania decyzji przyznanie na program funduszc zostałyby skierowane gdzie indziej. Choć sekretarzowi obrony Brownowi było obojętne, komu przypadnie kontrakt, ostrzegł, że dalsze wstrzymywanie decyzji wywoła ogromną wrzawę. W końcu Chadwick był zmuszony przypomnieć Florentynie jej własną mowę przeciwko kongresmanom blokującym kontrakty na dostawy dla wojska. Nawet nie próbowała oponować.

– Czy twoje śledztwo posuwa się do przodu?

– Tak. Wiemy już, że czek został zrealizowany w banku Riggs National na Pennsylvania Avenue.

– To mój bank i mój oddział – powiedziała Florentyna z niedowierzaniem.

– Przez kobietę około czterdziestki, w ciemnych okularach.

– A nie masz dla mnie jakiejś dobrej wiadomości?

– Mam – powiedział Mark. – Dyrektor oddziału uznał sumę za wystarczająco wysoką, aby odnotować numery banknotów na wypadek, gdyby wynikły jakieś kłopoty. Miał nosa, co? – Florentyna próbowała się uśmiechnąć. – Myślę, że masz teraz dwie możliwości: wyrąbać całą prawdę na czwartkowym posiedzeniu albo poczekać, aż wyjaśnię wszelkie niejasności. Dopóki jednak nie dotrę do sedna sprawy, nie mogę publicznie wymieniać nazwiska Billa Pearsona.

– Co według ciebie powinnam uczynić?

– Partia prawdopodobnie wolałaby, abyś milczała, ale ja wiem, co zrobiłbym na twoim miejscu.

– Dziękuję ci, Mark.

– Ludzie nie będą cię za to kochać. Ale przecież to jeszcze nigdy nie powstrzymało cię od działania.

Kiedy przewodniczący Podkomisji do Spraw Budżetu Obrony Thomas Lee uderzeniem młotka uciszył zebranych, Florentyna od paru minut siedziała już w swoim fotelu, robiąc notatki. Sprawa satelity radarowego znajdowała się na szóstym miejscu porządku obrad, a Florentyna nie zabierała głosu odnośnie do poprzednich pięciu kwestii. Kiedy spojrzała w kierunku stołu zajmowanego przez prasę, zobaczyła uśmiechnięte oblicze Dona Shorta.

– Sprawa numer sześć – powiedział przewodni-

czący, tłumiąc ziewanie; uważał, że kolejne punkty porządku dziennego za bardzo się przewlekają.
– Musimy się dziś zastanowić nad trzema firmami, które przedstawiły swoje oferty w sprawie programu broni rakietowej dla marynarki. Ostateczną decyzję podejmie Biuro Zaopatrzenia Departamentu Obrony, wpierw jednak chcieliby poznać naszą opinię. Kto z państwa zechce otworzyć dyskusję?

Florentyna podniosła rękę.

– Pani posłanka Kane.

– Nie jest dla mnie istotne, czy byłby to Boeing czy Grumman, ale w żadnym wypadku nie mogłabym zgodzić się na ofertę firmy Aerospace Plan.

Twarz zaskoczonego Dona Shorta stała się szara.

– Czy może pani powiedzieć komisji, dlaczego tak zdecydowanie jest pani przeciwko Aerospace Plan?

– Oczywiście, panie przewodniczący. Z powodu moich osobistych doświadczeń z tą firmą. Parę tygodni temu złożył mi wizytę pracownik Aerospace Plan i usiłował mnie przekonać, że jego firma powinna otrzymać ten kontrakt. Następnie próbował przekupić mnie czekiem na sumę dwudziestu czterech tysięcy trzystu dolarów, abym głosowała dziś za jego firmą. Ten człowiek jest na tej sali i bez wątpienia odpowie wkrótce przed sądem za swój czyn.

Kiedy przewodniczący komisji uciszył wreszcie zebranych, Florentyna opowiedziała, w jaki sposób doszedł do skutku bankiet promocyjny, i wymieniła nazwisko Dona Shorta jako tego, który wręczył jej czek. Odwróciła się, aby na niego spojrzeć, ale Short zdążył już się ulotnić. Florentyna kontynuowała składanie oświadczenia, unikając jednak wszelkich aluzji do osoby Billa Pearsona. Wciąż uważała, że jest to sprawa wewnętrzna jej partii, ale gdy kończyła swoją opowieść, nie mogła nie zauważyć, że dwaj inni członkowie komisji są równie bladzi jak przedtem Don Short.

– Wobec poważnych zarzutów zgłoszonych przez naszą koleżankę zamierzam odroczyć podjęcie decyzji w kwestii niniejszego punktu do czasu przeprowadzenia pełnego dochodzenia w tej sprawie – oznajmił przewodniczący Lee.

Florentyna podziękowała mu i natychmiast wyszła, udając się do swego biura. Szła korytarzem otoczona wianuszkiem reporterów, ale nie odpowiedziała na żadne z natarczywie zadawanych jej pytań.

Wieczorem zadzwoniła do Richarda, który ją ostrzegł, że najbliższe dni nie będą dla niej przyjemne.

– Ale dlaczego? Przecież powiedziałam tylko prawdę.

– Tak. Ale teraz jest cała masa ludzi w komisji, którzy walczą o przetrwanie i widzą w tobie jedynie swego przeciwnika, możesz więc zapomnieć o zasadach markiza Queensberry.

Kiedy następnego dnia rzuciła okiem na poranną prasę, zrozumiała, co Richard miał na myśli.

„Reprezentantka Kane oskarża Aerospace Plan o przekupstwo" – głosił jeden z nagłówków, inny znów wołał: „Rzecznik firmy twierdzi, że kongresmanka przyjęła pieniądze na kampanię". Kiedy Florentyna zorientowała się, że większość prasy pisze mniej więcej w tym samym tonie, wyskoczyła z łóżka, szybko się ubrała i bez śniadania pojechała autem prosto na Kapitol. W biurze przestudiowała gazety dokładniej: wszystkie bez wyjątku chciały wiedzieć, gdzie się podziało dwadzieścia cztery tysiące trzysta dolarów. Ja też – powiedziała głośno do siebie. Najmniej podobał się jej nagłówek w „Chicago Sun-Times": „Reprezentantka Kane oskarża Aerospace o dawanie łapówek. Czek zrealizowano". Prawda, ale wprowadzająca w błąd.

Richard zadzwonił, aby jej powiedzieć, że Edward wyjechał z Nowego Jorku i żeby nie rozmawiała z prasą, dopóki się z nim nie zobaczy. Zresztą i tak byłoby to niemożliwe, gdyż o dziesiątej zjawiło się dwóch wyższych rangą agentów FBI, aby ją przesłuchać.

W obecności Edwarda i przywódcy większości parlamentarnej Florentyna złożyła wyczerpujące zeznanie. Ludzie z FBI poprosili ją, aby nie informowała prasy, że w sprawę zamieszany jest Bill Pearson, dopóki nie zakończą własnego dochodzenia. I znów, acz niechętnie, Florentyna musiała się na to zgodzić.

W ciągu dnia niektórzy kongresmani pofatygowali się, aby złożyć jej gratulacje. Inni natomiast wyraźnie jej unikali.

W artykule wstępnym popołudniowego wydania „Chicago Tribune" domagano się odpowiedzi na pytanie, gdzie się podziały pieniądze. Dziennik uznał, że jego przykrym obowiązkiem jest przypomnieć czytelnikom, iż ojciec reprezentantki Kane został skazany w 1962 roku przez sąd w Chicago za przekupienie urzędnika państwowego. Florentyna oczyma wyobraźni widziała, jak Ralph Brooks dzwoni z biura prokuratora stanowego, aby przekazać gazecie wszystkie smakowite szczegóły tamtego skandalu.

Edward pomagał Florentynie trzymać nerwy na wodzy, a Richard przylatywał co wieczór z Nowego Jorku, aby dotrzymywać jej towarzystwa. Przez trzy dni sprawa nie schodziła ze szpalt gazet, a Ralph Brooks złożył oświadczenie następującej treści: „Aczkolwiek mam wiele podziwu dla pani Kane i wierzę w jej niewinność, to jednak uważam, że postąpiłaby mądrze, wycofując się z Kongresu do czasu zakończenia śledztwa przez FBI". Słowa te sprawiły, że tym mocniej postanowiła tego nie robić, zwłaszcza po telefonie od Marka Chadwicka, który powiedział jej, aby się nie poddawała, gdyż oddanie winowajcy w ręce sprawiedliwości jest tylko kwestią czasu.

Czwartego dnia, nie mając żadnych wieści od FBI, Florentyna była już na samym dnie zwątpienia, kiedy zadzwonił reporter z „Washington Post".

– Czy mogłaby pani skomentować oświadczenie kongresmana Buchanana w sprawie Aerogate?

– Czy on również jest przeciwko mnie? – zapytała spokojnie.

– Bynajmniej – odpowiedział głos w słuchawce. – Zacytuję pani jego słowa: „Znam reprezentantkę Kane od prawie pięciu lat jako swoją zagorzałą oponentkę, która nieraz doprowadzała mnie do rozpaczy, ale – jak mówi się u nas w Tennessee – musiałbym przepłynąć całą rzekę, od źródła do ujścia, aby znaleźć kogoś uczciwszego. Jeśli pani Kane nie jest osobą godną naszego zaufania, to nie widzę w żadnej z Izb choćby jednej uczciwej osoby".

Chwilę potem zadzwoniła do Boba Buchanana.

– Tylko nie myśl, że zmiękłem na starość – odgrażał się. – Jeden fałszywy ruch, a zmiażdżę cię. – Po raz pierwszy od wielu dni Florentyna się roześmiała.

Zimny grudniowy wiatr hulał wzdłuż wschodniej fasady budynku Kongresu, kiedy Florentyna wracała sama do Gmachu Longwortha po ostatnim tego dnia głosowaniu. Gazeciarz na rogu wykrzykiwał nagłówki wieczornych wydań. Nie mogła uchwycić sensu jego słów – coś o aresztowaniu gdzieś, kogoś. Pośpieszyła ku chłopcu, szukając w kieszeni monety, ale miała tylko banknot dwudziestodolarowy.

– Nie mogę pani z tego wydać – powiedział chłopiec.

– Nie szkodzi – odrzekła Florentyna, złapała gazetę i przeczytała główną wiadomość, najpierw szybko, potem już wolniej. *FBI aresztowało we Fresno w Kalifornii Billa Pearsona w związku ze skandalem Aerogate. W tylnym zderzaku jego Forda znaleziono siedemnaście tysięcy dolarów w gotówce. Pearsona przewieziono do najbliższego komisariatu policji, gdzie go przesłuchano, a następnie przedstawiono mu zarzut poważnej kradzieży oraz popełnienie trzech innych wykroczeń. Aresztowano również towarzyszącą mu młodą kobietę, która podejrzana jest o współudział.*

Florentyna podskoczyła kilka razy do góry na zaśnieżonym chodniku; w tym czasie chłopiec zdążył schować banknot i pobiegł na inny róg sprzedawać swoje gazety. Ostrzegano go zawsze przed tymi dziwakami z Kapitolińskiego Wzgórza.

– Gratuluję dobrej wiadomości. – Maître d'hôtel w „Jockey Club" był pierwszą z kilku osób, które tego wieczoru skomentowały wydarzenie. Richard przyleciał z Nowego Jorku, aby uczcić zwycięstwo Florentyny uroczystą kolacją. Kiedy zmierzała do sali wyłożonej orzechową boazerią, politycy i przedstawiciele waszyngtońskiej socjety podchodzili do niej, aby wyrazić radość z faktu, że prawda wyszła w końcu na jaw. Florentyna obdarzała wszystkich swym profesjonalnym uśmiechem, którego zdążyła się nauczyć w ciągu pięciu lat parania się polityką.

Następnego dnia chicagowskie dzienniki „Tribune" i „Sun-Times" z zachwytem pisały o zimnej krwi, jaką w krytycznej chwili wykazała się przedstawicielka ich okręgu. Florentyna uśmiechnęła się kwaśno, postanawiając, że w przyszłości będzie roztropniejsza. Biuro Ralpha Brooksa zachowało wymowne milczenie. Edward przysłał jej ogromny bukiet frezji, a William zatelegrafował z Harvardu: „DO ZOBACZENIA DZIŚ WIECZOREM JEŚLI NIE JESTEŚ TĄ KOBIETĄ ZATRZYMANĄ WE FRESNO W CELU PRZESŁUCHANIA". Annabel przyjechała do domu, jakby nieświadoma niedawnych kłopotów matki, aby zakomunikować rodzinie, że została przyjęta do Radcliffe. Dyrektorka jej szkoły zdradziła później Florentynie, że niewiele brakowało, a Annabel nie dostałaby się na uczelnię, i że z pewnością pomogło to, że pan Kane studiował na Harvardzie, a pani Kane ukończyła Radcliffe. Florentyna dziwiła się, że stała się tak sławna, iż nie ruszywszy palcem wpływa na przyszłość córki, i wyznała później Richardowi, jak bardzo jest rada, że życie Annabel jest bardziej ustabilizowane.

Richard zapytał córkę, jaki zamierza obrać główny kierunek studiów.

– Psychologię i socjologię – odparła Annabel bez wahania.

– Psychologia i socjologia to przedmioty zastępcze, pretekst do mówienia przez trzy lata o sobie – stwierdził Richard.

William, który był już na ostatnim roku w Harvardzie, robiąc mądrą minę przytaknął ojcu, po czym zapytał swego staruszka, czy mógłby podwyższyć mu kwartalną pensję do pięciuset dolarów.

Wkrótce do kalendarza Kongresu trafiła poprawka do projektu uchwały o ochronie zdrowia, proponująca wprowadzenie zakazu przerywania ciąży od szóstego tygodnia, i Florentyna zabrała głos po raz pierwszy od czasu Aerogate. Kiedy podniosła się ze swego miejsca, powitały ją przyjazne uśmiechy i krótkie oklaski po obu stronach sali. Florentyna stanęła zdecydowanie na stanowisku, że życie matki jest ważniejsze niż nie narodzone dziecko, zwracając uwagę na fakt, że wśród członków Kongresu jest tylko osiemnaście osób, które mogłyby ewentualnie zajść w ciążę. Bob Buchanan zabrał głos i nazwał czcigodną posłankę z Chicago kompletną ignorantką, gotową twierdzić, że na temat programu kosmicznego nie mogą wypowiadać się osoby, które choć raz nie okrążyły Księżyca, i przypomniał, że w Kongresie jest tylko jeden człowiek, któremu się to udało.

Florentyna włączyła się na powrót w wir codziennej pracy w Kongresie i sprawa Dona Shorta oraz jego pieniędzy wkrótce stała się dla niej odległą historią. Przeskoczyła jeszcze o dwa szczeble wyżej w Komisji Preliminarzowej, a kiedy się rozejrzała po twarzach zasiadających wokół stołu kongresmanów, odniosła wrażenie, jakby była tam od zawsze.

XXX

Wróciwszy do Chicago, Florentyna zauważyła, że demokraci nie kryją obaw, iż fakt, że w Białym Domu urzęduje Jimmy Carter, niekoniecznie daje im większe szanse w wyborach. Minęły czasy, kiedy urzędujący prezydent mógł być pewien, że wróci do Pokoju Owalnego, zabierając ze sobą w nagrodę tych ludzi ze swojej partii, którzy walczyli o mało opłacalne mandaty. Richard przypomniał Florentynie, że ostatnim prezydentem, który sprawował swój urząd przez dwie kadencje, był Eisenhower.

Republikanie również wzięli się ostro do pracy i po zapowiedzi Forda, że nie będzie kandydował, wyglądało na to, że ich głównymi faworytami będą George Bush i Ronald Reagan. W kuluarach Kongresu sugerowano otwarcie, że Edward Kennedy powinien zmierzyć się z Carterem.

Florentyna była pochłonięta swoją codzienną pracą w Kongresie i unikała angażowania się po którejkolwiek stronie, choć szefowie obu kampanii wyborczych zabiegali o jej względy, przez co otrzymywała zwiększoną porcję zaproszeń z Białego Domu. Zachowywała neutralność, gdyż według niej żaden z kandydatów nie nadawał się, by poprowadzić demokratów do walki wyborczej w 1980 roku.

Podczas gdy inni byli zajęci prowadzeniem kampanii, Florentyna starała się wpłynąć na prezydenta, aby był bardziej stanowczy wobec przywódców państw Paktu Warszawskiego, i domagała się większego zaangażowania Stanów Zjednoczonych w NATO. Jednakże rezultaty jej zabiegów były mizerne. Kiedy Jimmy Carter oznajmił zaskoczonemu audytorium, że dziwi go, iż Rosjanie nie dotrzymują słowa, zirytowana tym Florentyna powiedziała Janet, że prezydent mógł się tego dowiedzieć od każdego Polaka w Chicago.

Ale jej ostateczne „zerwanie" z prezydentem nastąpiło w momencie, gdy czwartego listopada 1979 roku rzekomi studenci zajęli amerykańską ambasadę w Teheranie i wzięli jako zakładników pięćdziesięciu trzech Amerykanów. Prezydent ograniczył się wówczas do wygłaszania sloganów o „duchowym odrodzeniu" i powtarzania, że ma związane ręce. Florentyna zaczęła atakować Biały Dom na wszelkie możliwe sposoby, domagając się od prezydenta, aby stanął w obronie Ameryki. Kiedy w końcu zdecydował o wysłaniu komandosów, misja zakończyła się fiaskiem i kompromitacją Stanów Zjednoczonych w oczach reszty świata.

Wkrótce po tym smutnym incydencie, przemawiając w Izbie Reprezentantów podczas debaty poświęconej sprawom obrony, Florentyna przestała na chwilę patrzeć w notatki i pozwoliła sobie na spontaniczną dygresję:

– Jak to możliwe, że kraj, którego energia, geniusz i oryginalność pozwala mu wysłać człowieka na Księżyc, nie jest w stanie przeprowadzić udanego desantu trzech helikopterów na pustyni? – Na chwilę zapomniała, że obrady Izby są od jakiegoś czasu rejestrowane przez telewizję, i w wieczornych biuletynach informacyjnych wszystkie trzy sieci telewizyjne nadały ten właśnie fragment jej mowy.

Nie musiała przypominać Richardowi, jak mądrze postąpił George Novak, sprzeciwiając się odnowieniu linii kredytowej banku Lestera dla szacha, a kiedy Rosjanie wkroczyli do Afganistanu, Richard odwołał wyjazd na wakacje, aby oglądać Olimpiadę w Moskwie.

W lipcu, na konwencji w Detroit, republikanie postawili na Ronalda Reagana i George'a Busha jako kandydata na stanowisko wiceprezydenta. Parę tygodni później demokraci zjechali do Nowego Jorku i potwierdzili swe poparcie dla kandydatury Jimmy'ego Cartera z jeszcze słabszym entuzjazmem niż kiedyś dla Adlaia Stevensona. Gdy pewien swego zwycięstwa Carter zjawił się w sali Madison Square Garden, nawet balony nie chciały opaść posłusznie spod sufitu.

Florentyna usiłowała nadal wypełniać sumiennie swoje obowiązki w Kongresie, żyjącym w niepewności, która z partii za kilka miesięcy będzie partią większościową. Forsowała swoje poprawki do projektu uchwały o budżecie obronnym i do Ustawy o Zmniejszeniu Papierowej Biurokracji. W miarę jak zbliżał się termin wyborów i odkąd republikanie na miejsce Stewarta Lyle'a wprowadzili młodego, energicznego menadżera, specjalistę od reklamy, Teda Simmonsa, zaczęła się obawiać, że jej szanse na ponowny wybór nie są wcale murowane.

Pilnowana przez Janet, Florentyna osiągnęła około osiemdziesięcioprocentowy wskaźnik uczestnictwa w głosowaniach, a to głównie dzięki temu, że w okresie ostatnich sześciu miesięcy przed wyborami godziła się przemawiać tylko w Waszyngtonie i Illinois.

Można było odnieść wrażenie, że Carter i Reagan są stałymi mieszkańcami Chicago, gdyż ciągle przylatywali do Illinois, by zaraz znów odlecieć, zupełnie jak dwie kukułki umieszczone w jednym zegarze. Autorzy sondaży twierdzili, że wyniki są zbyt zbliżone, aby można było powiedzieć, kto wygra, ale po obejrzeniu debaty telewizyjnej przeprowadzonej przez kandydatów w Cleveland na oczach, jak szacowano, stu milionów Amerykanów, Florentyna była innego zdania. Następnego dnia Bob Buchanan powiedział jej, że Reagan być może nie wygrał pojedynku, ale też go nie przegrał – a jest to duży sukces dla kandydata, który chce usunąć z Białego Domu urzędującego prezydenta.

W miarę przybliżania się dnia wyborów sprawa zakładników w Iranie nabierała zasadniczego znaczenia dla Amerykanów, którzy zaczęli już powątpiewać, czy Carter zdoła kiedykolwiek uporać się z nią. Zagadywani przechodnie, zwolennicy Florentyny, mówili, że pomogą jej wrócić do Kongresu, ale Cartera drugi raz już nie poprą. Richard twierdził, że wie, co ludzie czują, i przepowiadał Reaganowi łatwe zwycięstwo. Florentyna zgodziła się z nim i przez ostatnie tygodnie kampanii pracowała zupełnie tak, jakby była nie znaną nikomu kandydatką startującą w wyborach po raz pierwszy.

Nie pomagały jej w tych wysiłkach ulewne deszcze, które smagały ulice Chicago aż do dnia wyborów.

Kiedy podliczono wszystkie głosy, nawet Florentyna była zaskoczona przewagą, z jaką zwyciężył Reagan; na połach jego fraka republikanie gładko wjechali do Senatu i o mały włos nie zdobyli większości w Izbie Reprezentantów.

Wróciła do Kongresu z mniejszą już przewagą dwudziestu pięciu tysięcy głosów. Wylądowała na lotnisku w Waszyngtonie obolała, ale nie pokonana, na parę godzin przed powrotem zakładników.

Inauguracyjne przemówienie prezydenta pokrzepiło serca Amerykanów. Richard, ubrany w dzienny garnitur, słuchał mowy z wyraźną przyjemnością i bił mocno brawo po słowach, które w następnych latach nieraz miał cytować Florentynie.

Dużo mówi się o różnych grupach interesu, ale nas powinna dziś interesować pewna szczególna grupa, zbyt długo już zaniedbywana, obejmująca wszystkie segmenty społeczeństwa, wykraczająca poza podziały etniczne, rasowe czy polityczne. Stanowią ją kobiety i mężczyźni, którzy produkują dla nas żywność, patrolują nasze ulice, pracują w kopalniach i fabrykach, uczą nasze dzieci, prowadzą domowe gospodarstwa i leczą nas, gdy chorujemy. Ludzie wolnych zawodów, przemysłowcy, sklepikarze, urzędnicy, taksówkarze i kierowcy ciężarówek. Krótko mówiąc – my sami, naród, plemię, które nazywa siebie Amerykanami.

Gdy ucichł entuzjastyczny aplauz, prezydent pomachał ręką na pożegnanie tłumom zebranym przed główną trybuną i zaczął schodzić z podium.

470

Dwóch agentów ochrony poprowadziło go szpalerem utworzonym przez gwardię honorową.

Kiedy wraz z towarzyszącymi osobami znaleźli się u stóp schodów, prezydent i Pierwsza Dama wsiedli do limuzyny, nie zamierzając naśladować państwa Carterów, którzy do swojego nowego domu udali się pieszo Aleją Konstytucji. Gdy samochód ruszył wolno, jeden z agentów włączył swoją krótkofalówkę. „Kowboj wraca na ranczo" – przekazał krótko, a potem przez lornetkę obserwował limuzynę, dopóki nie wjechała w bramę wiodącą do Białego Domu.

Gdy w styczniu 1981 roku Florentyna wróciła do Kongresu, Waszyngton był już zupełnie innym miejscem. Republikanie nie musieli żebrać o poparcie dla każdej z podejmowanych przez siebie inicjatyw, gdyż wybrani reprezentanci narodu wiedzieli, że krajowi potrzebne są zmiany. Florentyna z wielką przyjemnością studiowała program przesłany przez Reagana na Kapitol i cieszyło ją, że znacznej jego części będzie mogła udzielić poparcia.

Tak bardzo pochłaniała ją praca nad poprawkami do budżetu Reagana i programu obrony, że dopiero Janet zwróciła jej uwagę na wiadomość w „Chicago Tribune", która mogła stać się zapowiedzią odejścia Florentyny z Izby Reprezentantów:

„Senator z Illinois, Nichols, oświadczył dziś rano, że nie będzie ubiegał się o ponowny wybór do Senatu w 1982 roku".

Florentyna siedziała przy swoim biurku, uzmysławiając sobie znaczenie tego oświadczenia, kiedy

471

zadzwonił redaktor naczelny chicagowskiego „Sun-Times" z pytaniem, czy zamierza kandydować do Senatu w 1982 roku. Florentyna pomyślała, że to zupełnie naturalne, iż prasa bierze tę ewentualność pod uwagę w przypadku osoby, która ma za sobą trzy i pół kadencji w Izbie Reprezentantów.

– Pomyśleć, że jeszcze tak niedawno – zakpiła – twój szacowny dziennik sugerował, abym zrzekła się mandatu.

– Pewien brytyjski premier powiedział kiedyś, Florentyno, że tydzień to bardzo długo w polityce. No więc, jaka jest twoja odpowiedź?

– Nigdy się nad tym nie zastanawiałam – powiedziała ze śmiechem.

– Nikt nie potraktuje poważnie takiego oświadczenia. Spróbuj jeszcze raz.

– Dlaczego tak mnie naciskasz, skoro mam cały rok na podjęcie decyzji?

– Czyżbyś jeszcze nie słyszała?

– O czym? – zapytała.

– Dziś rano prokurator stanowy oświadczył na konferencji prasowej w ratuszu, że zamierza zgłosić swoją kandydaturę.

„Ralph Brooks będzie kandydował do Senatu" – obwieszczały sążniste nagłówki dzienników w Illinois. Niektóre nadmieniały, że Florentyna nie zdecydowała się jeszcze, czy rzuci wyzwanie prokuratorowi stanowemu. Państwo Brooksowie znów spoglądali na Florentynę z łamów gazet. Ten cholernik jeszcze wyprzystojniał – mruknęła pod nosem. Edward zadzwonił z Nowego Jorku i powiedział, że powinna kandydować, ale radził jej odczekać, aż kampania reklamowa Brooksa wytraci impet.

– Mogłabyś ogłosić swoją decyzję tak, aby wyglądało na to, że podejmujesz ją pod naciskiem opinii publicznej.

– Kogo popierają wierni członkowie partii?

– Według moich szacunków czterdzieści do sześćdziesięciu procent opowie się za tobą, ale ponieważ nie jestem już w żadnych partyjnych komitetach, trudno mi powiedzieć coś pewnego. Do prawyborów jest jeszcze cały rok, więc nie musisz się spieszyć, zwłaszcza że Brooks wykonał swój ruch. Możesz spokojnie poczekać na właściwy moment.

– Dlaczego według ciebie Brooks zadeklarował się tak wcześnie?

– Myślę, że próbuje cię odstraszyć. Być może liczy, że wstrzymasz się z kandydowaniem do 1984 roku.

– Może to i dobry pomysł.

– Nie, nie sądzę. Pamiętaj, co przydarzyło się Johnowi Culverowi w Iowa. Postanowił czekać, myśląc, że będzie mu łatwiej, gdy konkurencja będzie słabsza. Zamiast niego wystartował więc jego najbliższy współpracownik, zdobył mandat i zasiada w Senacie do dziś.

– Zastanowię się jeszcze i dam ci znać.

W istocie Florentyna nie myślała przez następnych parę tygodni o niczym innym, gdyż wiedziała, że jeśli tym razem pokona Brooksa, to będzie załatwiony raz na zawsze. Nie wątpiła też, że jego ambicje wiążą się z gmachem stojącym o około szesnaście przecznic od Senatu. Za radą Janet prawie nigdy nie odmawiała występowania i przemawiania w większych miejscowościach w granicach stanu, z reguły odrzucając zaproszenia spoza Illinois.

– W ten sposób zorientujesz się, ile masz gruntu pod nogami – powiedziała Janet.

– Nie dawaj mi chwili wytchnienia, Janet.

– Nie obawiaj się. Za to mi przecież płacisz.

Przez prawie pół roku Florentyna latała do Chicago dwa razy w tygodniu i jej wskaźnik uczestnictwa w głosowaniach spadł do zaledwie sześćdziesięciu procent. Ralph Brooks miał nad nią tę przewagę, że nie musiał spędzać w Chicago czterech dni w tygodniu, a jego obecności w sądzie nie przeliczano na procenty. Na dodatek burmistrzem Chicago została rok wcześniej Jane Byrne i odzywały się głosy, że dwie kobiety na arenie politycznej Illinois to aż za wiele. Niemniej jednak Florentyna po objechaniu prawie całego stanu nabrała pewności, że Edward miał rację, oceniając jej szanse na pokonanie Ralpha Brooksa na sześćdziesiąt do czterdziestu. W istocie Florentyna uważała, że zwyciężenie Brooksa może okazać się trudniejsze niż wejście do Senatu, gdyż tradycyjnie wyniki wyborów odbywanych w środku prezydenckiej kadencji okazywały się niepomyślne dla partii aktualnie urzędującego prezydenta.

Jeden dzień Florentyna zarezerwowała w swoim terminarzu na spotkanie z weteranami wojny wietnamskiej. Wybrali Chicago na miejsce uroczystego zjazdu, a senatora Johna Towera z Teksasu i Florentynę zaprosili jako głównych mówców. Prasa chicagowska nie omieszkała podkreślić szacunku, z jakim odnoszą się do ich ulubienicy ludzie spoza Illinois. Pisano też, że sam fakt, iż weterani uznali Florentynę za godną wystąpienia obok przewodniczącego senackiej Komisji Służb Zbrojnych, jest wielkim wyróżnieniem.

Florentyna nie oszczędzała się w pracy. Udało jej się przeforsować poprawkę do Ustawy o Funduszu Nadzwyczajnym, znaną pod nazwą „Dobry Samarytanin", dzięki której ustawa stała się korzystniejsza dla firm zadających sobie trud likwidowania toksycznych odpadów produkcyjnych w sposób bezpieczny dla środowiska. Ku zdziwieniu Florentyny nawet Bob Buchanan poparł tę poprawkę.

Kiedy stała oparta o barierkę z tyłu sali posiedzeń, czekając na swoją kolej w głosowaniu nad poprawką, Bob powiedział jej, że ma nadzieję, iż będzie kandydować do Senatu.

– Mówisz tak tylko dlatego, że chciałbyś, abym stąd zniknęła.

Parsknął śmiechem.

– Byłoby to jakimś pocieszeniem, przyznaję, ale myślę, że i tak nie możesz tu już długo zostać, skoro twoim przeznaczeniem jest Biały Dom.

Florentyna spojrzała na niego zdumiona. Nawet nie odwrócił ku niej głowy, patrząc na szczelnie wypełnioną salę.

– Nie wątpię, że się tam dostaniesz. Dziękuję tylko Bogu, że nie dożyję dnia, w którym to nastąpi – dodał i odszedł, aby oddać głos na poprawkę Florentyny.

Będąc w Chicago, Florentyna unikała poruszania kwestii kandydowania do Senatu, choć najwyraźniej wszystkich to nurtowało. Edward przekonywał ją, że jeśli nie zdecyduje się kandydować teraz, to na następną okazję będzie może musiała czekać dwadzieścia lat, gdyż Ralph Brooks ma dopiero czterdzieści cztery lata i pokonanie go, gdy raz już zdobędzie ten mandat, będzie praktycznie niemożliwe.

– Zwłaszcza kiedy stanie się „charyzmatycznym Brooksem" – zażartowała. – Gdyby chodziło o mnie – ciągnęła dalej – komu chciałoby się czekać dwadzieścia lat?

– Haroldowi Stassenowi – odparł Edward.

Florentyna roześmiała się.

– Wszyscy wiemy, jak wspaniale się spisał. Będę musiała podjąć decyzję, zanim spotkam się z weteranami wojny w Wietnamie.

Florentyna spędzała z Richardem weekend w Cape Cod, a w sobotę wieczorem dołączył do nich Edward.

Do późnej nocy rozważali wszelkie możliwe sytuacje, wobec jakich może stanąć Florentyna, i skutki, jakie dla funkcjonowania Edwarda w radzie nadzorczej Grupy Barona mogłoby mieć podjęcie się przez niego kierowania kampanią wyborczą. Zanim w niedzielę nad ranem poszli wreszcie spać, doszli do pewnego wspólnego wniosku.

W Sali Międzynarodowej Hiltona kłębił się dwutysięczny tłum, a jedynymi kobietami – poza Florentyną – były kelnerki. Richard przyleciał z nią do Chicago i siedział teraz obok senatora Towera. Kiedy wstała, aby zabrać głos, dygotała z emocji. Zaczęła od zapewnienia weteranów, że pragnie silnej Ameryki, a następnie opowiedziała im, jak dumna była ze swego ojca, kiedy prezydent Truman odznaczył go Brązową Gwiazdą za służbę w pierwszej z niepopularnych w Ameryce wojen. Zachwyceni jej słowami weterani dali temu wyraz gwiżdżąc i uderzając dłońmi w blaty stołów. Przypomniała im o swoim zaangażowaniu w sprawę budowy systemu pocisków strategicznych M-X i determinacji, z jaką dąży to tego, aby Amerykanie nie musieli nikogo się obawiać, a już szczególnie Sowietów.

– Chcę, aby Moskwa zdawała sobie sprawę – powiedziała Florentyna – że choć w Kongresie jest może parę osób, które pragnęłyby osłabić pozycję Ameryki, to jednak nie należy do nich Florentyna Kane. – Weterani znów nagrodzili ją owacją. – Lansowana przez prezydenta Reagana polityka izolacjonizmu nie pomoże ani Polsce w jej obecnym kryzysie, ani żadnemu innemu państwu zagrożonemu atakiem Rosjan. W pewnym momencie będziemy musieli przyjąć zdecydowaną postawę, i to zanim Sowieci rozbiją obóz na granicy z Kanadą. – Nawet senator Tower przytaknął jej słowom. Florentyna poczekała, aż sala się uciszy, i mówiła dalej: – Wybrałam to swoje dzisiejsze spotkanie z ludźmi, których podziwia cała Ameryka, na złożenie oświadczenia, że dopóki są mężczyźni i kobiety gotowi służyć krajowi tak jak wy, dopóty mam nadzieję pozostawać w służbie publicznej dla kraju, i mając to na uwadze, zamierzam kandydować do Senatu.

Tylko nieliczni z obecnych słyszeli słowa „do senatu", gdyż na sali rozpętało się istne piekło. Każdy, kto mógł wstać, uczynił to, a ci, którzy nie mogli, walili pięściami w stoły. Florentyna zakończyła swoją przemowę słowami: – Jestem za Ameryką, która nie lęka się konfrontacji z żadnym agresorem. Równocześnie modlę się, abyście byli ostatnimi już weteranami wojny, jakich potrzebował ten kraj.

Usiadła, a wrzawa nie ustawała jeszcze przez parę minut, po czym senator Tower podziękował Florentynie za wygłoszenie jednej z najwspanialszych mów, jakie słyszał w życiu.

Edward przyleciał z Nowego Jorku, aby pokierować kampanią, a urzędująca w Waszyngtonie Janet była z nią w stałym kontakcie. Ze wszystkich stron napływały pieniądze; praca, jaką Florentyna wykonała, i wysiłek, jaki włożyła w urobienie swoich wyborców, zaczynały przynosić owoce. Na dwanaście tygodni przed prawyborami sondaże wykazywały niezmiennie przewagę Florentyny Kane w Illinois stosunkiem pięćdziesiąt osiem do czterdziestu dwóch.

Podczas całej kampanii ludzie Florentyny gotowi byli pracować dla niej po nocach, ale nawet oni nie mogli sprawić, by mogła przebywać w dwóch miejscach równocześnie. Ralph Brooks wytykał jej częstą nieobecność podczas głosowań w Kongresie i brak konkretnych osiągnięć w Izbie Reprezentantów. Część tych ataków trafiała na podatny grunt, sam zaś Ralph Brooks wykazywał energię dziesięciolatka. Mimo to nie czynił większych postępów, a przewaga Florentyny ustaliła się na poziomie pięćdziesiąt pięć do czterdziestu pięciu. Doszły ją słuchy, że w obozie Ralpha Brooksa zapanowało przygnębienie i zaczęły wysychać źródła jego funduszu kampanijnego.

Richard latał do Chicago na każdy weekend i oboje z Florentyną żyli wciąż na walizkach, często sypiając w domach ochotników wspomagających kampanię. Jeden z niestrudzonych młodych współpracowników Florentyny woził ją po całym stanie swoją błękitną chevette. Przed śniadaniem Florentyna ściskała dłonie robotników fabryk na przedmieściach, do południa uczestniczyła w spotkaniach z farmerami rolniczych miasteczek Illinois, ale jakoś znajdowała jeszcze czas, aby po południu spotkać się z gremiami stowarzyszeń bankierów czy redakcjami chicagowskich gazet, zanim wieczorem wygłosiła obowiązkowe przemówienie i podjęła kogoś kolacją w Baronie. Jakimś cudem udało jej się jednak nie opuścić w tym czasie ani jednego z comiesięcznych zebrań Funduszu Powierniczego Remagen.

Kiedy już coś jadła, na ogół były to śniadania z papierka i byle jakie obiadki. W nocy, nim padła na łóżko, zapisywała jeszcze w swoim czarnym notatniku z oślimi uszami, który miała zawsze pod ręką, zebrane w ciągu dnia informacje i liczby. Zasypiała, starając się przypomnieć sobie nazwiska, niezliczoną ilość nazwisk ludzi, którzy poczuliby się dotknięci, gdyby zapomniała, jaką rolę odegrali w jej kampanii. Richard wracał zawsze w niedzielę wieczorem do Nowego Jorku, równie skonany jak Florentyna. Ani razu się nie poskarżył, ani nie absorbował jej uwagi problemami banku Lestera czy Grupy Barona. Uśmiechnęła się do niego, gdy żegnali się po raz któryś w chłodną lutową noc na lotnisku: zauważyła, że włożył niebieskie skórkowe rękawiczki, które kupił dla swego ojca u Bloomingdale'a przed ponad dwudziestu laty.

– Została mi do zdarcia jeszcze jedna para, Jessie, zanim będę mógł zacząć rozglądać się za inną kobietą – powiedział uśmiechając się i odszedł.

Każdego ranka Florentyna wstawała z jeszcze silniejszym postanowieniem, że zdobędzie miejsce w Senacie. Jeśli coś ją smuciło, to tylko to, że tak mało ma teraz czasu dla Williama i Annabel. William, który zapuścił wąsy à la Fidel Castro, wyraźnie liczył na dyplom *summa cum laude*, natomiast Annabel każdego lata przywoziła do domu innego młodego człowieka.

Z doświadczenia Florentyna wiedziała, że podczas kampanii można zawsze spodziewać się gromu z jasnego nieba, ale nie przypuszczała, że oprócz tego spadnie jeszcze meteoryt. Minionego roku mieszkańcami Chicago wstrząsnęła cała seria brutalnych mordów dokonanych przez mężczyznę ochrzczonego przez prasę mianem „chicagowskiego rzeźnika". Po poderżnięciu ofierze gardła wycinał jej na czole serce, aby policja nie miała wątpliwości, kto jest sprawcą. Coraz częściej Florentyna i Ralph Brooks bywali sondowani w kwestii prawa i porządku. Nocą ulice Chicago były niemalże wyludnione z powodu tego groźnego, nieuchwytnego dla policji mordercy. Florentyna odetchnęła, gdy wreszcie ujęto go pewnej nocy na terenie Uniwersytetu Northwestern w chwili, gdy zaatakował studentkę.

Następnego dnia rano złożyła oświadczenie pełne uznania dla chicagowskiej policji i napisała osobiście do oficera, który dokonał aresztowania. Myślała, że na tym sprawa się zakończy – dopóki nie przeczytała porannej gazety: Ralph Brooks zapowiedział, że choćby miało go to kosztować miejsce w Senacie, będzie osobiście oskarżał w procesie „chicagowskiego rzeźnika". Nawet Florentyna musiała przyznać, że było to mistrzowskie pociągnięcie. Gazety w całym kraju zamieściły zdjęcia przystojnego prokuratora stanowego tuż obok fotografii groźnego bandyty.

Rozprawa zaczęła się na pięć tygodni przed pra-wyborami i Ralph Brooks dzień w dzień pojawiał się na pierwszych stronach gazet, domagając się ka-ry śmierci w tej sprawie, jak i we wszystkich innych o zabójstwo pierwszego stopnia, aby mieszkańcy Chicago mogli znów bezpiecznie chodzić nocą po ulicy. Florentyna składała kolejne oświadczenia dla prasy na temat kryzysu energetycznego, norm gło-śności lotnisk, dotacji dla producentów zboża, a na-wet ruchów wojsk sowieckich na granicy z Polską po wprowadzeniu tam stanu wojennego i uwięzie-niu przywódców „Solidarności". Ale nie udawało się jej wypchnąć prokuratora stanowego z pierw-szych stron dzienników. Na spotkaniu w redakcji „Tribune" Florentyna poskarżyła się żartem na-czelnemu, który wyraził z tego powodu żal, zwraca-jąc jej jednak uwagę, że to dzięki Brooksowi roz-chodzą się gazety. Siedząc w waszyngtońskim biu-rze, Florentyna miała poczucie bezsilności wobec ofensywy swego antagonisty.

W nadziei, że starcie takie pozwoli jej zabłysnąć, rzuciła Brooksowi wyzwanie, zapraszając go do pu-blicznej debaty. Lecz prokurator stanowy poinfor-mował prasę, że nie może podejmować tego rodza-ju konfrontacji w chwili, gdy spoczywa na nim tak poważny obowiązek względem społeczeństwa. „Je-śli z powodu tej decyzji ominie mnie okazja repre-zentowania mieszkańców Illinois, to trudno" – po-wtarzał nieustannie. Florentyna widziała, jak traci jeszcze jeden punkt na skali popularności.

W dniu ogłoszenia wyroku na „chicagowskiego rzeźnika" przewaga Brooksa wynosiła pięćdziesiąt dwa do czterdziestu ośmiu. Do prawyborów zosta-ły dwa tygodnie.

Florentyna planowała właśnie, że te ostatnie dwa tygodnie spędzi podróżując po stanie, kiedy spadł meteor.

We wtorek, następnego dnia po zakończeniu procesu, zadzwonił Richard z wiadomością, że koleżanka mieszkająca z ich córką powiadomiła go, iż Annabel nie wróciła w niedzielę wieczorem do Radcliffe i do tej pory nie dała znaku życia. Florentyna poleciała natychmiast do Nowego Jorku. Richard zawiadomił policję i wynajął prywatnego detektywa, aby odnalazł Annabel, a następnie odesłał Florentynę z powrotem do Chicago, zapewniany przez policję, że co roku zgłaszanych jest dwieście dwadzieścia tysięcy przypadków zaginięcia osób i tylko jeden ich procent kończy się jakimiś poważniejszymi komplikacjami, przy czym większość dotyczy dzieci poniżej piętnastego roku życia. Policyjna statystyka nie uspokoiła jednak Richarda.

Wróciwszy do Chicago, Florentyna żyła w zupełnym odrętwieniu, dzwoniąc co godzinę do Richarda, który wciąż nie miał dla niej żadnych wiadomości. Na tydzień przed prawyborami sondaże dawały jej zaledwie przewagę pięćdziesiąt jeden do czterdziestu dziewięciu i Edward usiłował zmusić ją do skoncentrowania się na kampanii wyborczej. Ciągle miała w uszach słowa Boba Buchanana: „Kongres jest marnym substytutem życia rodzinnego" i zaczęła myśleć o tym, co by było, gdyby... Kiedy minął ów fatalny tydzień, w którym – jak sądziła – więcej głosów utraciła, niż pozyskała, zadzwonił podekscytowany Richard z wiadomością, że Annabel się odnalazła i że cały czas była w Nowym Jorku.

– Dzięki Ci, Boże – powiedziała Florentyna, której do oczu napłynęły łzy wzruszenia. – Jak ona się czuje?

– Świetnie, wraca do sił w szpitalu Mount Sinai.

– Co się stało? – zapytała Florentyna z niepokojem.

– Usunęła ciążę.

Jeszcze tego przedpołudnia Florentyna poleciała do Nowego Jorku, aby być przy córce. W samolocie wydało jej się, że w siedzącym parę rzędów z tyłu mężczyźnie rozpoznaje jednego z działaczy swej partii; dziwnie się do niej uśmiechał. W szpitalu zorientowała się, iż Annabel nawet nie wie, że jej poszukiwano. Edward błagał Florentynę, aby wróciła do Chicago, gdyż środki przekazu cały czas dopytują się o nią. Choć udawało mu się dotąd trzymać prasę z dala od prywatnego życia Annabel, reporterom zaczęło wydawać się podejrzane, że Florentyna jest w Nowym Jorku zamiast w Chicago. Po raz pierwszy zignorowała radę Edwarda.

Ralph Brooks nie omieszkał zasugerować prasie, że wróciła do Nowego Jorku z powodu trudnej sytuacji Grupy Barona, która zawsze będzie dla niej sprawą najważniejszą. Naciskana przez Edwarda i wypychana przez Annabel, wróciła w poniedziałek wieczorem do Chicago, gdzie stwierdziła, że gazety w Illinois zgodnie piszą, iż wobec tak wyrównanych sił trudno przewidzieć wynik wyborów.

We wtorek rano przeczytała wiadomość, której ujawnienia najbardziej się obawiała: „Córka kandydatki usunęła ciążę". Dalej opisano wszystko w najdrobniejszych szczegółach, łącznie z łóżkiem Annabel.

– Pochyl głowę i módl się – tyle tylko mógł poradzić Edward, który pomagał jej przetrwać ten nerwowy dzień.

W dniu wyborów Florentyna wstała o szóstej i Edward obwoził ją po punktach wyborczych, starając się dotrzeć z nią w ciągu czternastu godzin do możliwie największej ich liczby. Przy każdym lokalu sympatycy partii wymachiwali biało-błękitnymi transparentami i rozdawali ulotki przedstawiające poglądy Florentyny na najważniejsze kwestie. Przed jednym z lokali jakaś kobieta zapytała Florentynę, co myśli o aborcji. Florentyna spojrzała na nią oburzona i powiedziała:

– Zapewniam panią, że nie zmieniłam na ten temat poglądów – zanim zdała sobie sprawę, że pytanie zostało zadane bez złych intencji. Jej współpracownicy niestrudzenie zabiegali o każdy głos, a Florentyna pracowała ciężko do chwili zamknięcia lokali wyborczych. Modliła się, aby udało jej się to, co udało się Carterowi w pojedynku z Fordem w 1976 roku. Wieczorem przyleciał Richard i przywiózł wiadomość, że Annabel jest już w Vassar i czuje się doskonale.

Wróciwszy do Barona, Florentyna zamknęła się z mężem w swoim apartamencie. Włączyli trzy telewizory nastawione na programy głównych sieci telewizyjnych, podających na bieżąco napływające z całego stanu wyniki, które miały zadecydować, kto – Florentyna czy Brooks – zmierzy się w listopadzie z kandydatem republikanów. O jedenastej Florentyna prowadziła dwoma punktami. O dwunastej o jeden punkt wysforował się Brooks. O drugiej Florentyna odzyskała prowadzenie różnicą niecałego punktu. O trzeciej zasnęła w ramionach Richarda. Gdy poznał wynik ostateczny, nie obudził jej, gdyż chciał, aby się wyspała.

Chwilę później sam przysnął, a kiedy się budził, ujrzał Florentynę stojącą z zaciśniętą pięścią przy oknie. Telewizja nieustannie przypominała wynik wyborów: Ralph Brooks wybrany na kandydata demokratów do Senatu większością siedmiu tysięcy stu osiemnastu głosów, co stanowi mniej niż pół procentu. Na ekranie pokazywano uśmiechniętego Brooksa, który machał ręką swoim zwolennikom.

Florentyna odwróciła się i raz jeszcze spojrzała na ekran. Nie patrzyła na triumfującego prokuratora stanowego, lecz na mężczyznę, który stał tuż za nim. Już wiedziała, skąd zna ten uśmiech.

Jej kariera polityczna została zastopowana. Florentyna znalazła się poza Kongresem i najwcześniej za dwa lata mogła spróbować wrócić do życia publicznego. Po kłopotach z Annabel zaczęła się zastanawiać, czy nie pora wracać do Grupy Barona i bardziej prywatnej egzystencji. Richard nie zgodził się z nią.

– Byłaby wielka szkoda, gdybyś zrezygnowała z kariery politycznej, poświęciwszy jej tyle czasu.

– I w tym chyba rzecz. Gdybym mniej zajmowała się sobą, a bardziej Annabel, być może nie przechodziłaby teraz kryzysu osobowości.

– Kryzysu osobowości! Nie dziwiłbym się, gdyby takie bzdury mówił mi jeden z jej profesorów socjologii – ale ty? Nie zauważyłem, aby William cierpiał kiedykolwiek na kryzys osobowości. Moja droga, Annabel miała romans i nie zachowała ostrożności: to wszystko. Gdyby każdego, kto pozwolił sobie na miłosną przygodę, uznać za nienormalnego, to niewielu zostałoby wśród nas normalnych. To, czego potrzeba jej teraz najbardziej, to traktowania jak osoby dorosłej.

Florentyna rzuciła wszystko i zabrała Annabel na Barbados. W czasie długich spacerów po plaży poznała szczegóły romansu, jaki jej córka miała ze studentem z Vassar. Florentyna wciąż nie mogła oswoić się z myślą, że do żeńskich uczelni chodzą teraz mężczyźni. Annabel nie chciała zdradzić nazwiska młodzieńca i usiłowała wytłumaczyć matce, że choć on wciąż jej się podoba, to jednak nie chciałaby spędzić z nim całego życia.

– Czy ty wyszłaś za pierwszego mężczyznę, z którym poszłaś do łóżka? – zapytała. Florentyna nie odpowiedziała jej od razu, ale potem opowiedziała o Scotcie Forbesie.

– A to łajdak – powiedziała Annabel, wysłuchawszy opowieści. – Miałaś szczęście, że złowiłaś tatusia u Bloomingdale'a.

– To nie było tak, Annabel. Jak twój ojciec wciąż mi przypomina, to on wpadł na mój trop.

Matka i córka od lat nie były sobie tak bliskie jak w tamtych dniach. Na drugi tydzień wakacji dołączyli do nich Richard z Williamem i przez dwa tygodnie razem przypiekali się na słońcu i przybierali na wadze.

Richard był zachwycony widząc, jak doskonale czują się w swoim towarzystwie Annabel i Florentyna, i wręcz wzruszony, kiedy córka zaczęła mówić o Williamie jako o swoim „wspaniałym bracie". Po południu Richard i Annabel grali z Williamem i Florentyną w golfa, regularnie dając im baty; wieczorami gawędzili wspólnie przy kolacji.

Kiedy wakacje dobiegły końca i wszystkim było smutno, że trzeba już wracać do domu, Florentyna przyznała, że nie bardzo ma ochotę rzucić się znów w wir polityki, na co Annabel powiedziała, że ostatnią rzeczą, jakiej pragnie, jest matka siedząca w domu i poświęcająca się gotowaniu.

Florentynie wydawało się dziwne, że w tym roku nie będzie prowadzić kampanii wyborczej. W czasie, kiedy rywalizowała z Brooksem o miejsce w Senacie, demokraci zadecydowali, że w Kongresie o miejsce po niej będzie się ubiegać Hugh Abbots, młody zdolny adwokat z Chicago. Niektórzy członkowie komisji przyznali, że wstrzymaliby się z decyzją, gdyby przypuszczali, że Brooks ma choćby najmniejszą szansę na uzyskanie nominacji na kandydata demokratów do Senatu.

Wielu wyborców prosiło Florentynę, aby startowała jako kandydatka niezależna, ale ona wiedziała, że partia nie zaaprobowałaby tego, zwłaszcza że za dwa lata demokraci będą szukać nowego kandydata do Senatu, gdyż drugi z senatorów z Illinois, David Rodgers, dawał ostatnio często do zrozumienia, że nie będzie ubiegał się o ponowny wybór w roku 1984.

Florentyna poleciała do Chicago, aby wystąpić kilka razy z poparciem dla Hugha Abbotsa, i ucieszyła się, gdy zdobył mandat, choć osiągnął to zaledwie większością trzech tysięcy dwustu dwudziestu trzech głosów.

Stanęła wobec faktu, że czekają ją teraz dwa lata życia poza nawiasem polityki, i wcale nie było jej lżej, gdy następnego dnia po wyborach przeczytała w „Chicago Tribune" nagłówek:

BROOKS BEZ TRUDU WYGRYWA WYŚCIG DO SENATU.

Przyszłość

1982-1995

XXXI

Po raz pierwszy William przyprowadził Joannę Cabot do swojego domu na święta Bożego Narodzenia. Florentyna czuła instynktownie, że młodzi się pobiorą, i to wcale nie dlatego, że ojciec dziewczyny jest dalekim krewnym Richarda. Joanna miała ciemne włosy, była szczupła, zgrabna i najwyraźniej zakochana w Williamie. William ze swej strony traktował ją z wielką atencją i nie ukrywał dumy z młodej damy, która cichutko trzymała się jego boku.

– Właściwie powinnam się była spodziewać, że twój syn, który kształcił się w Nowym Jorku, mieszkał w Waszyngtonie i Chicago, zawinie na powrót do Bostonu, aby znaleźć tu sobie żonę – droczyła się Florentyna.

– William jest także twoim synem – przypomniał jej Richard. – Ale skąd ta pewność, że ożeni się z Joanną?

Florentyna tylko się roześmiała.

– Wezmą ślub na wiosnę, w Bostonie.

Tu się pomyliła; nastąpiło to dopiero w lecie.

William był na ostatnim roku i po złożeniu egzaminu wstępnego na studia podyplomowe czekał teraz niecierpliwie na przyjęcie do Harvard Business School.

– Za moich czasów – powiedział Richard – nie myślało się o małżeństwie przed ukończeniem szkół i dorobieniem się czegoś.

– Ależ to nieprawda, Richard. Przerwałeś studia na Harvardzie, aby się ze mną ożenić, a potem przez parę tygodni byłeś na moim utrzymaniu.

– Nigdy mi o tym nie wspominałeś, tato – powiedział William.

– Twój ojciec ma coś, co w polityce określa się jako pamięć wybiórczą.

William, śmiejąc się, wyszedł z pokoju.

– Mimo to uważam...

– Oni się kochają, Richard. Czyżbyś był już taki stary, że nie potrafisz dostrzec rzeczy oczywistych?

– Nie, ale...

– Nie masz jeszcze pięćdziesiątki, a zachowujesz się jak wapniak. William ma prawie tyle samo lat co ty, kiedy się ze mną ożeniłeś. I co ty na to?

– Nic. Zachowujesz się jak wszyscy politycy: wciąż człowiekowi przerywasz.

Z początkiem nowego roku państwo Kane'owie udali się w gościnę do państwa Cabotów, a Richard z miejsca polubił Johna Cabota, ojca Joanny, i dziwił się, że mając tylu wspólnych z Cabotami przyjaciół, nigdy dotąd się z nimi nie spotkał. Joanna miała dwie siostrzyczki, które przez cały weekend biegały wokół Williama.

– Zmieniłem zdanie – powiedział Richard owej sobotniej nocy w łóżku. – Myślę, że William potrzebuje takiej właśnie dziewczyny jak Joanna.

Florentyna odparła na to z przesadnie środkowoeuropejskim akcentem:

– A gdyby Joanna była polską imigrantką sprzedającą rękawiczki u Bloomingdale'a?

Richard wziął ją w ramiona i powiedział:

– Poradziłbym mu, aby nie kupował trzech par rękawiczek, bo taniej będzie po prostu się z nią ożenić.

Przygotowania do ślubu wydały się Florentynie skomplikowane i absorbujące, zwłaszcza że pamiętała doskonale, jak prosta była uroczystość jej własnych zaślubin z Richardem i jak w San Francisco Bella z Claude'em męczyli się, aby wnieść na piętro swoje podwójne łóżko. Na szczęście pani Cabot życzyła sobie sama zająć się wszystkim, a kiedy tylko potrzebny był udział Kane'ów, Annabel z przyjemnością włączała się jako przedstawicielka rodziny.

Na początku stycznia Florentyna wróciła do Waszyngtonu, aby opróżnić swoje biuro. Koledzy zatrzymywali ją na chwilę pogawędki, zupełnie jakby nadal była członkinią Izby. Janet czekała na nią ze stosem listów, w których na ogół wyrażano żal, że Florentyna nie wróciła do Kongresu, i nadzieję, że za dwa lata znów będzie kandydować do Senatu.

Florentyna odpowiedziała na każdy list, nie przestając myśleć o tym, że w roku 1984 również może się jej coś nie powieść. Gdyby tak się stało, jej kariera polityczna zostałaby pogrzebana już na zawsze.

Opuściła stolicę i udała się do Nowego Jorku, gdzie odniosła wrażenie, że wszystkim zawadza. Richard i Edward doskonale radzili sobie z kierowaniem bankiem Lestera i Grupą Barona. Odkąd Richard wprowadził innowacje zasugerowane przez firmę McKinsey i S-ka, grupa uległa poważnym przeobrażeniom. Wciąż jeszcze zaskakiwał Florentynę widok nowości, jaką były restauracje „Baron Befsztyków", usytuowane zawsze na parterze hotelu, i pomyślała sobie, że chyba nigdy nie przyzwyczai się do bankomatów umieszczonych w hallu tuż przy wejściu do salonu fryzjerskiego. Kiedy zaszła do Gianniego, aby się dowiedzieć, jak idą interesy, był pewien, że przyszła kupić sobie nową suknię.

Florentyna nie pamiętała, aby czuła się kiedykolwiek tak rozkojarzona jak w ciągu tych pierwszych paru miesięcy, odkąd opuściła Waszyngton. Dwukrotnie podróżowała do Polski i głęboko współczuła swoim rodakom, przyglądając się zdewastowanemu krajowi; zadawała sobie pytanie, gdzie następnie uderzą Sowieci. Florentyna wykorzystała te podróże do spotkań z europejskimi przywódcami, którzy nieustannie podkreślali swoje zaniepokojenie z powodu coraz bardziej izolacjonistycznej polityki kolejnych amerykańskich prezydentów.

Kiedy wróciła do Ameryki, znów stanęła przed pytaniem, czy powinna ubiegać się ponownie o miejsce w Senacie. Janet, która nadal dla niej pracowała, zaczęła omawiać z Edwardem taktykę działania, przewidującą regularne wyjazdy Florentyny do Chicago; szefowa zgodziła się przemawiać w Illinois wszędzie, gdzie tylko ją ktoś zaprosi. Florentyna poczuła ulgę, gdy podczas wielkanocnej przerwy w pracach Kongresu senator Rodgers zadzwonił do niej i wyraził nadzieję, że w przyszłym roku będzie ubiegać się o miejsce po nim, dodając, że może liczyć na jego poparcie.

Przeglądając chicagowskie dzienniki, które co tydzień jej przysyłano, Florentyna nie mogła nie zauważyć, że Ralph Brooks ugruntowuje swoją pozycję w Senacie. Jakimś sposobem udało mu się wejść do prestiżowej Komisji Spraw Zagranicznych oraz Komisji Rolnictwa, tak ważnej dla farmerów z Illinois. Był również jedynym spośród nowo wybranych senatorów, oddelegowanym do Akcji Demokratów na Rzecz Reform Regulacyjnych.

Ale to tylko umocniło Florentynę w jej postanowieniu.

Ślub Williama i Joanny okazał się jednym z najszczęśliwszych momentów w jej życiu. Widok dwudziestodwuletniego syna stojącego we fraku u boku narzeczonej sprawił, że przypomniała sobie jego ojca z czasów, gdy mieszkali w San Francisco. Na lewym przegubie Williama zwisała luźno srebrna bransoleta. Florentyna uśmiechnęła się, zauważywszy małą bliznę na jego prawej dłoni. Joanna, choć przy Williamie wyglądała na nieśmiałą i skromną dziewczynę, zdążyła już oduczyć go pewnych ekscentrycznych nawyków, takich jak noszenie jaskrawych krawatów czy wąsów à la Fidel Castro, z których był taki dumny, zanim ją poznał. Babcia Kanc, jak teraz wszyscy nazywali Kate, przypominała jasnobłękitny krążownik prujący pełną parą pośród tłumu gości: jednych całowała, innym – nielicznym starszym od siebie biesiadnikom – pozwalała się całować. W wieku siedemdziesięciu sześciu lat wciąż była kobietą elegancką, a jej umysł nie zdradzał najmniejszych oznak starzenia się. Była również jedyną w rodzinie osobą, która mogła pozwolić sobie na pouczanie Annabel.

Po imponującym przyjęciu w domu rodziców Joanny w Beacon Hill – podczas którego do tańca przygrywała przez cztery godziny wiecznie młoda orkiestra Lestera Lanina – William i jego świeżo poślubiona żona odlecieli do Europy na miesiąc miodowy, a Richard i Florentyna wrócili do Nowego Jorku. Florentyna wiedziała, że już wkrótce będzie musiała zadecydować o kandydowaniu do Senatu, postanowiła więc zadzwonić do ustępującego senatora i poradzić się go, jak powinna sformułować swoje oświadczenie w tej sprawie.

Zatelefonowała do Davida Rodgersa do jego biura w Gmachu Dirksena. Wykręcając numer pomyślała, jakie to dziwne, że tak mało się teraz widują, choć jeszcze kilka miesięcy temu połowę życia spędzali oddaleni od siebie co najwyżej o kilkaset kroków. Nie zastała senatora w biurze, poprosiła więc, aby mu przekazano, że dzwoniła. Minęło kilka dni, w czasie których Rodgers się nie odzywał. W końcu zatelefonowała jego sekretarka i powiedziała, że terminarz spotkań pana senatora jest wypełniony do granic możliwości. Florentyna pomyślała, że to zupełnie nie w stylu Davida Rodgersa. Miała nadzieję, że tylko jej się wydaje, iż została spławiona – dopóki nie porozmawiała o tym z Edwardem.

– Mówi się, że Rodgers chce, aby miejsce po nim zajęła jego żona – powiedział.

– Betty Rodgers? Ale ona zawsze mówiła, że życie na świeczniku ją męczy. Nie sądzę, aby po przejściu Davida na emeryturę chciała pozostać w Radzie Miejskiej Chicago. To trwa już trzy lata. Być może nabrała apetytu na wyższe stanowisko.

– Sądzisz, że ona myśli o tym poważnie?

– Nie wiem, ale wystarczy wykonać parę telefonów, aby się przekonać.

Florentyna przekonała się nawet wcześniej niż Edward, kiedy zadzwonił jeden z jej byłych współpracowników z Chicago i poinformował ją, że w okręgu Cook mówi się już o Betty Rodgers jako o murowanej kandydatce.

Jeszcze tego samego dnia zatelefonował Edward z informacją, że komisja stanowa partii odbywa właśnie konwentykiel, na którym ma rozważyć kandydaturę Betty Rodgers, choć sondaże wykazują, że ponad osiemdziesiąt procent zarejestrowanych demokratów opowiada się za Florentyną jako następczynią Davida Rodgersa.

– Co gorsza – dodał Edward – senator Brooks otwarcie popiera Betty Rodgers.

– Kto by pomyślał – powiedziała Florentyna. – Jaki według ciebie powinien być mój następny ruch?

– W tej chwili chyba żaden. Masz spore poparcie w komisji i twoje szanse są duże, myślę więc, że lepiej zrobisz siedząc cicho. Rób swoje w Chicago i staraj się sprawiać wrażenie, że jesteś ponad to wszystko.

– A co będzie, jeśli wybiorą ją?

– Wtedy będziesz musiała wystartować jako kandydatka niezależna.

– Pokonanie machiny partyjnej jest prawie że niemożliwe, jak sam mi to powiedziałeś parę miesięcy temu.

– Ale Trumanowi się to udało.

Parę minut po zamknięciu zebrania Florentyna dowiedziała się, że stosunkiem głosów sześć do pięciu komisja postanowiła na mającym się odbyć pod koniec miesiąca plenarnym konwentyklu zaproponować Betty Rodgers jako oficjalną kandydatkę demokratów do Senatu. Zarówno David Rodgers, jak i Ralph Brooks głosowali przeciwko kandydaturze Florentyny.

Nie mogła uwierzyć, że sześciu ludzi może decydować w tak ważnej sprawie, i w ciągu najbliższego tygodnia odbyła dwie nieprzyjemne rozmowy, jedną z Davidem Rodgersem, a drugą z Ralphem Brooksem; obaj nakłaniali ją do rezygnacji z osobistych ambicji w imię partyjnej jedności.

– Hipokryzja zupełnie naturalna u demokraty – podsumował sprawę Richard.

Wielu sympatyków Florentyny namawiało ją, aby nie ustępowała, ale ona się wahała, zwłaszcza kiedy zadzwonił przewodniczący Partii Demokratycznej stanu Illinois z prośbą, aby – mając na względzie jedność partii – ogłosiła formalnie, że nie będzie tym razem kandydować. W końcu – zwrócił jej uwagę – Betty odbyłaby w Senacie tylko jedną sześcioletnią kadencję.

To by Ralphowi Brooksowi wystarczyło – pomyślała Florentyna. W ciągu następnych paru dni wysłuchała wielu rad, ale to Bob Buchanan podczas wizyty Florentyny w Waszyngtonie poradził jej, aby raz jeszcze przeczytała uważnie „Juliusza Cezara".

– Całą sztukę? – zapytała.

– Nie. Na twoim miejscu, moja droga, skoncentrowałbym się na Marku Antoniuszu.

Florentyna zatelefonowała do przywódcy stanowych demokratów, powiadamiając go, że chciałaby zjawić się na konwentyklu, by złożyć oświadczenie, że sama nie kandyduje, ale nie popiera też kandydatury Betty Rodgers.

Przewodniczący zgodził się chętnie na taki kompromis.

Zebranie odbyło się dziesięć dni później w siedzibie Centralnej Komisji Demokratów Illinois, mieszczącej się w hotelu Bismarck przy West Randolph Street. Kiedy Florentyna się tam zjawiła, sala była już szczelnie wypełniona. Z głośnego powitania, jakie jej zgotowano przy wejściu, wnioskowała, że zebranie może nie pójść tak gładko, jak to sobie zaplanowała komisja.

Florentyna zajęła wyznaczone jej miejsce na skraju drugiego rzędu krzeseł na podium. Przewodniczący siedział w środku pierwszego rzędu za długim stołem, mając po lewej i prawej stronie senatorów Rodgersa i Brooksa. Betty Rodgers siedziała obok męża i ani razu nie spojrzała na Florentynę. Pozostałe dwa miejsca w rzędzie zajmowali sekretarz i skarbnik. Przewodniczący powitał Florentynę uprzejmym skinieniem głowy. Reszta komisji siedziała w drugim rzędzie z Florentyną. Jeden z członków szepnął jej do ucha:

– Jak mogła się pani poddać tak bez walki?

O godzinie ósmej przewodniczący poprosił o zabranie głosu Davida Rodgersa. Senatora zawsze ceniono wysoko za jego pracę na rzecz okręgu, ale nawet najbliżsi pracownicy nie nazwaliby go dobrym mówcą. Zaczął od podziękowania zebranym za poparcie, jakiego udzielano mu w przeszłości, i wyraził nadzieję, że tę lojalność przeniosą teraz na jego żonę. Wygłosił chaotyczną przemowę podsumowującą jego dwudziestoczteroletnią pracę w Senacie, a kiedy usiadł, nagrodzono go brawami, które można by nazwać co najwyżej uprzejmymi.

Następnie przemówił przewodniczący, przedstawiając powody, dla których proponuje Betty Rodgers jako kandydatkę komisji.

– Wyborcy nie będą przynajmniej mieć trudności z zapamiętaniem nazwiska – roześmiał się. Zawtórowała mu jeszcze jedna albo dwie osoby na podium, ale dziwnie nieliczne na sali. Następnie przez dziesięć minut zachwalał najprzeróżniejsze cnoty Betty Rodgers i jej pracę w radzie miejskiej miasta Chicago. Przemawiał w zupełnej ciszy. Gdy usiadł, odezwały się skąpe oklaski. Odczekał chwilę, po czym bez entuzjazmu zapowiedział Florentynę.

Nie miała notatek, gdyż chciała, aby jej przemowa zabrzmiała naturalnie, choć ćwiczyła ją pracowicie przez ostatnie dziesięć dni. Richard chciał jej towarzyszyć, ale powiedziała mu, żeby się nie trudził, gdyż właściwie wszystko zostało już zdecydowane, zanim padnie pierwsze słowo. W rzeczywistości nie chciała, aby tam był, gdyż jego obecność sugerowałaby, że wszystko było z góry ukartowane.

Kiedy przewodniczący usiadł, Florentyna wyszła na środek sceny i stanęła tuż przed Ralphem Brooksem.

– Panie przewodniczący, przyjechałam dziś do Chicago, aby oświadczyć, że nie kandyduję do Senatu Stanów Zjednoczonych.

Przerwała na chwilę i rozległy się głosy pytające „dlaczego" i „kto pani w tym przeszkodził?"

Mówiła dalej, jakby nic nie słyszała.

– Miałam zaszczyt służenia stanowi Illinois przez osiem lat, jako jego przedstawicielka w Izbie

Reprezentantów i będę rada, mogąc nadal mu służyć w przyszłości. Zawsze byłam za partyjną jednością...

– Ale nie za partyjnymi machinacjami! – krzyknął ktoś z sali.

I tym razem Florentyna udała, że nie słyszy.

– ...dlatego chętnie udzielę poparcia kandydaturze demokratów – powiedziała, starając się, aby zabrzmiało to przekonywająco.

Powstała ogólna wrzawa, z której przebijały się wyraźnie okrzyki:

– Senator Kane! Senator Kane!

David Rodgers rzucił ostre spojrzenie Florentynie, która mówiła dalej :

– Moim sympatykom powiem tylko, że może przyjdzie jeszcze taki czas i miejsce, ale nie będzie to tu i teraz. Pamiętajmy więc jako mieszkańcy tego liczącego się stanu, że musimy pokonać republikanów, a nie siebie. Jeśli pani Rodgers zostanie senatorem, to jestem przekonana, że będzie służyć partii z taką samą sprawnością, jakiej przywykliśmy oczekiwać zawsze od jej męża. Jeśli mandat zdobędą republikanie, to przyrzekam uczynić wszystko, aby za sześć lat im go odebrać. Cokolwiek się stanie, komisja nominacyjna może liczyć na moje poparcie w roku wyborów prezydenckich, w których nasz stan zawsze odgrywa kluczową rolę.

Florentyna szybko wróciła na swoje miejsce w drugim rzędzie krzeseł przy nieustającym aplauzie swoich zwolenników.

Kiedy przewodniczący uciszył salę, co starał się osiągnąć możliwie jak najprędzej, poprosił o zabranie głosu przyszłą panią senator, Betty Rod-

501

gers. Dotąd Florentyna miała cały czas spuszczoną głowę, teraz jednak nie mogła opanować chęci przyjrzenia się swojej rywalce. Najwyraźniej Betty Rodgers nie była przygotowana na ewentualność spotkania się z opozycją i teraz nerwowo przekładała notatki. Przeczytała przemówienie z kartki prawie szeptem i choć tekst był przygotowany rzetelnie, pani Rodgers wygłosiła go tak fatalnie, że jej mąż mógł uchodzić przy niej za Cycerona. Florentynie zrobiło się smutno, czuła się zażenowana sytuacją i miała właściwie żal do komisji, że naraziła panią Rodgers na taką udrękę. Zadawała sobie pytanie, do czego jeszcze gotów byłby Ralph Brooks, aby tylko zagrodzić jej drogę do Senatu. Kiedy Betty Rodgers usiadła, trzęsąc się jak galareta, Florentyna po cichutku opuściła podium i wyszła bocznymi drzwiami z sali, aby nie być już dłużej przyczyną czyjegokolwiek zakłopotania. Zatrzymała taksówkę i kazała się zawieźć na lotnisko O'Hare.

– Robi się, pani Kane – rzucił ochoczo taksówkarz. – Mam nadzieję, że będzie pani znów kandydować do Senatu. Tym razem pani wygra.

– Nie, nie będę kandydować – powiedziała Florentyna po prostu. – Kandydatką demokratów będzie Betty Rodgers.

– Kto to jest? – zapytał taksówkarz.

– Żona senatora Rodgersa.

– Czy ona się zna na tej robocie? Bo jej mąż nie był orłem – powiedział taksówkarz lekko poirytowanym głosem i przez resztę drogi już się nie odzywał. Florentyna miała dzięki temu czas dojść do wniosku, że gdyby kiedyś chciała rzeczywiście dostać się do Senatu, to MUSIAŁABY startować jako kandydatka niezależna. Najbardziej obawiała się rozproszenia głosów między siebie i Betty Rodgers i ułatwienia w ten sposób zwycięstwa kandydatowi republikanów. Partia nigdy by jej nie wybaczyła, gdyby tak się właśnie stało. Oznaczałoby to koniec jej politycznej kariery. Brooks wygra tym razem tak czy owak. Miała do siebie żal, że nie pokonała go, kiedy była taka szansa.

Taksówka zatrzymała się przed budynkiem terminalu. Kiedy Florentyna płaciła kierowcy, powiedział jej:

– Ja nic z tego nie rozumiem, kochana pani. Moja żona uparcie twierdzi, że zostanie pani prezydentem. Nie potrafię sobie tego wyobrazić, bo nigdy nie głosowałbym na kobietę.

Florentyna roześmiała się.

– Nie chciałem pani urazić.

– Nic czuję się urażona – powiedziała Florentyna, podwajając napiwek.

Spojrzała na zegarek i skierowała się ku właściwej poczekalni dla odlatujących; miała jeszcze pół godziny. W stoisku z gazetami kupiła „Time'a" i „Newsweeka" z Bushem na okładkach obu pism: kampania przedwyborcza ruszyła. Florentyna spojrzała na monitor, aby sprawdzić numer wyjścia do samolotu lecącego do Nowego Jorku: „12C". To zabawne – pomyślała – ile inwencji musieli wykazać gospodarze lotniska O'Hare, by tylko nie napisać: „Wyjście numer trzynaście". Usiadła w czerwonym obrotowym fotelu z plastiku i zaczęła czytać szkic biograficzny poświęcony Bushowi. Była tak zatopiona w lekturze, że nie usłyszała zapowiedzi z głośnika. Wiadomość powtórzono:

– Pani Florentyna Kane proszona jest o podejście do najbliższego białego aparatu telefonicznego dla pasażerów.

Florentyna czytała dalej o dyrektorze z Zapata Oil Company, który zanim został wiceprezydentem, przeszedł przez Izbę Reprezentantów, Krajowy Komitet Republikański, CIA i Amerykańską Misję w Chinach. Pracownik linii TWA podszedł do niej i lekko dotknął jej ramienia. Florentyna podniosła głowę.

– To chyba do pani, pani Kane – powiedział, wskazując na głośnik. Florentyna wytężyła słuch.

– Tak, dziękuję. – Przeszła przez poczekalnię do najbliższego telefonu. W takich chwilach zawsze wyobrażała sobie, że któreś z dzieci miało wypadek, i nawet teraz musiała przypominać sobie samej, że przecież Annabel skończyła dwadzieścia jeden lat, a William jest żonatym mężczyzną. Podniosła słuchawkę.

Głos senatora Rodgersa brzmiał głośno i wyraźnie.

– Czy to ty, Florentyno?

– Tak, to ja.

– Dzięki Bogu, że cię wreszcie złapałem. Betty postanowiła nie kandydować. Obawia się, że kampania wyborcza byłaby dla niej zbyt stresująca. Czy mogłabyś wrócić tutaj, zanim nas rozerwą na strzępy?

– Ale po co? – poczuła w głowie zamęt.

– Nie słyszysz, co tu się dzieje? – zapytał niecierpliwie. Florentyna słyszała okrzyki: „Kane! Kane! Kane!" równie wyraźnie, jak głos Rodgersa.

– Chcą cię poprzeć jako oficjalnego kandydata partii i mówią, że nie wyjdą, dopóki tu nie wrócisz.

Florentyna zacisnęła dłoń w pięść.

– Nie jestem zainteresowana, David.

– Ależ Florentyno, myślałem, że...

– Chyba że otrzymam poparcie komisji, a ty osobiście wysuniesz moją kandydaturę.

– Będzie, jak chcesz, Florentyno. Betty zawsze uważała, że jesteś odpowiednią osobą na to stanowisko. Ale Ralph Brooks tak bardzo na nią naciskał...

– Ralph Brooks?

– Tak, ale Betty widzi teraz, że miał w tym swój własny interes. Więc, na miłość boską, Florentyno, wracaj tu.

– Już pędzę! – Florentyna pobiegła korytarzem ku postojowi taksówek. Natychmiast podjechał samochód.

– Dokąd teraz jedziemy?

Florentyna uśmiechnęła się.

– Tam, skąd przyjechaliśmy.

– Przypuszczam, że pani wie, dokąd pani zmierza, ale ja nie widzę powodu, dlaczego taki prosty facet jak ja miałby ufać politykom. Po prostu nie widzę.

Florentyna modliła się, aby kierowca nie mówił do niej podczas jazdy, gdyż chciała skupić myśli, ale on uraczył ją prawdziwą diatrybą: o żonie, którą powinien opuścić, o teściowej, która nie chciała go opuścić, o synu, który bierze narkotyki i nie pracuje, i o córce mieszkającej w Kalifornii w komunie prowadzonej przez jakąś religijną sektę.

– Co za pieprzony kraj... o, przepraszam panią – powiedział, podjeżdżając pod budynek. O Boże, jak wielką miała ochotę powiedzieć mu, żeby się zamknął. Zapłaciła mu po raz drugi tego wieczoru.

– Może jednak zagłosuję na panią, jeśli będzie pani kandydować na prezydenta – powiedział. Florentyna uśmiechnęła się. – Mógłbym popracować trochę nad swoimi pasażerami – mam ich co tydzień ze trzy setki.

Florentyna pokręciła głową. Człowiek ciągle się uczy – pomyślała.

Wchodząc do budynku próbowała zebrać myśli. Cała sala wstała z miejsc na jej widok i zgotowała jej szaloną owację. Jedni klaskali uniesionymi w górę dłońmi, inni stawali na krzesłach. Pierwszy powitał ją na podium senator Rodgers, następnie jego żona, która uśmiechała się do Florentyny z wyraźną ulgą.

Przewodniczący serdecznie uścisnął jej dłoń. Zniknął gdzieś natomiast senator Brooks; czasami Florentyna szczerze nienawidziła polityki. Odwróciła się ku sali, a wtedy aplauz jej zwolenników stał się jeszcze głośniejszy; czasami naprawdę kochała politykę.

Florentyna stanęła na środku sceny, ale minęło kolejnych pięć minut, zanim przewodniczący zdołał zapanować nad wrzawą. Kiedy sala całkiem ucichła, powiedziała tylko:

– Thomas Jefferson stwierdził kiedyś: „Wróciłem wcześniej, niż się tego spodziewałem". Z radością przyjmuję od was nominację na kandydatkę do Senatu Stanów Zjednoczonych.

Otoczona przez kłębiący się tłum, nie miała już tego wieczoru szans na wygłoszenie choćby jednego słowa do zebranych. Trochę po pół do pierwszej dowlokła się do swojego pokoju w chicagowskim Baronie. Podniosła od razu słuchawkę telefonu i zaczęła wykręcać numer dwieście dwanaście, zapomniawszy, że w Nowym Jorku jest już pół do drugiej.

– Kto mówi? – usłyszała zaspany głos.

– Marek Antoniusz.

– Kto?

– Przybywam pogrzebać Betty, a nie wychwalać ją.

– Czyś ty postradała rozum, Jessie?

– Nie, natomiast będę kandydować do Senatu z ramienia demokratów. – Florentyna wyjaśniła mu, jak do tego doszło.

– George Orwell przepowiedział, że tego roku wydarzy się wiele okropnych rzeczy, ale nie wspomniał o tym, że obudzisz mnie w środku nocy, aby mi oznajmić, że zamierzasz zostać senatorem

– Pomyślałam sobie, że chciałbyś dowiedzieć się o tym pierwszy.

– Może powinnaś zadzwonić do Edwarda?

– Tak uważasz? Przecież dopiero co przypomniałeś mi, że w Nowym Jorku jest już pół do drugiej.

– Wiem, ale dlaczego tylko ja miałbym być budzony w środku nocy po to, aby usłyszeć zniekształcony cytat z „Juliusza Cezara"?

Senator Rodgers dotrzymał słowa i wspierał Florentynę przez cały czas trwania kampanii. Po raz pierwszy od wielu lat była wolna od obowiązków w Waszyngtonie i całą swoją energię mogła poświęcić wyborom. Tym razem nie było gromów z jasnego nieba ani meteorytów, których nie byłaby zdolna powstrzymać, choć fakt, że przy jednej okazji Ralph Brooks poparł ją nader powściągliwie, a za drugim razem w zawoalowany sposób pochwalił jej republikańskiego rywala, raczej nie zwiększył jej szans.

Tego roku uwagę Amerykanów przykuwały przede wszystkim wybory prezydenckie. Największą niespodzianką był kandydat demokratów na ten urząd, człowiek znikąd, który dzięki programowi pod tytułem „Świeże podejście" pokonał w prawyborach Waltera Mondale'a i Edwarda Kennedy'ego. W czasie swej kampanii kandydat odwiedził Illinois aż sześciokrotnie, występując zawsze w towarzystwie Florentyny.

W dniu wyborów dzienniki w Chicago raz jeszcze stwierdziły, że szanse są tak wyrównane, iż trudno przewidzieć, kto zdobędzie miejsce w Senacie. Przewidywania nie sprawdziły się, a rację miał gadatliwy taksówkarz, gdyż o godzinie ósmej trzydzieści czasu środkowoamerykańskiego kandydat republikanów uznał się za pokonanego ogromną większością głosów. Specjaliści od sondaży usiłowali potem tłumaczyć swoje błędy w obliczeniach tym, iż wielu mężczyzn nie przyznawało się, że będą głosować na kobietę. Zresztą nie miało to już teraz żadnego znaczenia, telegram od prezydenta-elekta podsumowywał sprawę jednoznacznie:

WITAMY ZNÓW W WASZYNGTONIE, PANI SENATOR KANE.

XXXII

Rok 1985 miał być rokiem pogrzebów, w którym Florentynie dane było odczuć brzemię jej pięćdziesięciu jeden lat.

Gdy wróciła do Waszyngtonu, okazało się, że dostała apartament w Gmachu Russella, zaledwie sześćset jardów od jej dawnego biura kongresowego w Gmachu Longwortha. Przez kilka pierwszych dni, kiedy się tam urządzała, przyłapywała się na tym, że jedzie do garażu pod Gmachem Longwortha zamiast na parking na dziedzińcu Gmachu Russella. Nie mogła się też przyzwyczaić do tego, że tytułowano ją panią senator, zwłaszcza kiedy robił to Richard, w którego ustach brzmiało to prawie jak obelga.

– Można przyjąć, że twój status jest teraz wyższy, ale pensja wciąż tak samo niska. Nie mogę się doczekać, kiedy zostaniesz prezydentem – dodał. – Wtedy przynajmniej będziesz zarabiać nie mniej niż wiceprezesi naszego banku.

Pensja Florentyny może rzeczywiście nie wzrosła, ale za to zwiększyły się jej wydatki, gdy znów zgromadziła wokół siebie ekipę, jakiej pozazdrościłby jej niejeden senator. Nie miała wątpliwości

509

co do tego, że posiadanie silnego oparcia finansowego poza światem polityki jest ogromnym plusem. Powróciła większość jej dawnych współpracowników i dołączyli nowi ludzie, którzy nie mieli wątpliwości co do przyszłości Florentyny. Jej biuro w Gmachu Russella mieściło się w apartamencie numer czterysta czterdzieści. Dalsze cztery pokoje zajmowało czternaście osób personelu, na czele z nieugiętą Janet Brown, która w odczuciu Florentyny była zakochana w swojej pracy. Oprócz tego Florentyna miała cztery biura w miastach Illinois, każde z trzyosobową obsadą.

Okna jej nowego biura wychodziły na dziedziniec z fontanną i brukowanym parkingiem. Latem, w porze lunchu, zielona murawa będzie okupowana przez urzędników Senatu, a zimą przez tłumy wiewiórek.

Florentyna powiedziała Richardowi, że będzie wydawać z własnej kieszeni dwieście tysięcy dolarów ponad sumę, jaką otrzyma na prowadzenie biura, która to kwota – jak wyjaśniła mężowi – po części uzależniona jest od wielkości i liczby mieszkańców stanu reprezentowanego przez danego senatora. Richard uśmiechnął się i zakonotował sobie w pamięci, że dokładnie taką samą sumę musi przekazać Partii Republikańskiej.

Zaraz po tym, jak na drzwiach jej biura umieszczono pieczęć stanu Illinois, Florentyna otrzymała telegram. W prostych słowach stwierdzał smutny fakt: WINIFRED TREDGOLD ZMARŁA W CZWARTEK O JEDENASTEJ. Dopiero teraz Florentyna dowiedziała się, jak panna Tredgold miała na imię. Spojrzała na zegarek, odbyła dwie rozmowy zagraniczne, a następnie przywołała Janet, aby poinformować ją, gdzie będzie przez następnych czterdzieści osiem godzin. O pierwszej po południu leciała już concorde'em do Londynu, gdzie wylądowała po trzech godzinach i dwudziestu minutach, o dziewiątej dwadzieścia pięć. Kiedy wyszła z sali odpraw celnych, czekała na nią zamówiona limuzyna z szoferem, która szosą M4 zawiozła ją do hrabstwa Wiltshire. Florentyna zatrzymała się w hotelu Lansdowne Arms i do trzeciej nad ranem czytała „The Dean's December" Saula Bellowa, aby przystosować się do różnicy w czasie. Zanim zgasiła światło, zadzwoniła do Richarda.

– Skąd dzwonisz? – zapytał na wstępie.
– Z hoteliku w Calne w hrabstwie Wiltshire, w Anglii.
– A to dlaczego? Czyżby Senat wysłał cię z misją zbadania fenomenu angielskiego pubu?
– Nie, mój drogi. Zmarła panna Tredgold i przyjechałam na pogrzeb, który odbędzie się jutro.
– To smutna wiadomość – powiedział Richard. – Gdybyś mnie zawiadomiła, pojechałbym z tobą. Oboje wiele zawdzięczamy tej damie. – Florentyna uśmiechnęła się. – Kiedy wracasz?
– Jutro wieczorem, concorde'em.
– Śpij dobrze, Jessic, będę myślał o tobie i o pannie Tredgold.

Rano o pół do dziesiątej pokojówka przyniosła tacę ze śniadaniem: wędzone śledzie, grzanki z „Oksfordzkim Dżemem Pomarańczowym Coopera", kawę i londyńskiego „Timesa". Florentyna siedziała na łóżku, rozkoszując się każdą chwilą; w Waszyngtonie nigdy by sobie nie pozwoliła na taką rozpustę. Do pół do jedenastej czytała „Timesa" i wcale nie była zdziwiona dowiadując się, że

Brytyjczycy mają podobne kłopoty z inflacją i bezrobociem jak Amerykanie. Potem wstała i włożyła prosty, czarny kostium z dzianiny. Z biżuterii wzięła tylko zegareczek, który panna Tredgold podarowała jej na trzynaste urodziny.

Portier poinformował ją, że kościół znajduje się około mili od hotelu, a ponieważ ranek był jasny i rześki, postanowiła, że pójdzie tam pieszo. Ale portier zapomniał dodać, że droga wiedzie cały czas pod górę, a „około mili" okazało się „milą z okładem". Maszerując drogą myślała o tym, jak mało zażywa ostatnio ruchu mimo posiadania nowiutkiego „roweru" do suchej zaprawy, który sprowadziła do domu na Cape Cod. Zupełnie zlekceważyła też modę na jogging.

Kościółek w normandzkim stylu, okolony dębami i wiązami, stał przylepiony do zbocza wzgórza. Na tablicy ogłoszeń wisiał apel o zebranie dwudziestu pięciu tysięcy funtów na naprawę kościelnego dachu. Czerwona plamka na wykresie wskazywała, że zebrano dotąd ponad tysiąc funtów. Ku zaskoczeniu Florentyny w zakrystii czekał na nią kościelny, który zaprowadził ją do pierwszego rzędu ławek i wskazał miejsce obok władczo wyglądającej damy. Nie mogła być nikim innym jak tylko dyrektorką szkoły panny Tredgold.

Kościół był wypełniony bardziej, niż się tego spodziewała; stawił się też szkolny chór. Nabożeństwo było skromne, a mowa wygłoszona przez proboszcza potwierdziła przypuszczenia Florentyny, że panna Tredgold uczyła innych z takim samym oddaniem i rozsądnym podejściem, z jakim wpływała na życie jej samej. Słuchając tych słów, Florentyna starała się nie płakać – wiedziała, że panna Tredgold nie pochwaliłaby tego – ale kiedy zaczęto śpiewać ulubiony hymn guwernantki „Skała wieków", niemalże się poddała.

Po nabożeństwie całe zgromadzenie przesączyło się gęsiego przez normandzką kruchtę na przykościelny cmentarzyk, gdzie Florentyna przyglądała się, jak doczesne szczątki Winifred Tredgold znikają w ziemi. Dyrektorka szkoły, będąca wierną kopią panny Tredgold – Florentyna nie mogła uwierzyć, że takie kobiety wciąż istnieją – powiedziała jej, że zanim Florentyna wyjedzie, chciałaby jej coś pokazać w szkole. Po drodze Florentyna dowiedziała się, że panna Tredgold nigdy z nikim o niej nie rozmawiała – z wyjątkiem dwóch lub trzech najbliższych przyjaciółek – ale kiedy dyrektorka otworzyła drzwi sypialenki w znajdującym się na terenie szkoły domku, Florentyna nie potrafiła już dłużej powstrzymać łez. Przy łóżku stała fotografia pastora, ojca panny Tredgold, a koło niej, w sąsiedztwie starej Biblii, oprawione w srebrną wiktoriańską ramkę zdjęcie Florentyny jako absolwentki gimnazjum klasycznego. W szufladzie nocnego stolika znaleziono wszystkie listy, jakie Florentyna napisała do panny Tredgold w ciągu ostatnich trzydziestu lat; na stoliku leżał ostatni, nie otwarty.

– Czy wiedziała, że zostałam wybrana do Senatu? – zapytała Florentyna nieśmiało.

– O tak, cała szkoła modliła się za panią tego dnia. Wtedy też panna Tredgold po raz ostatni odczytała w kaplicy przeznaczoną na ten dzień naukę, a przed śmiercią prosiła mnie, abym pani napisała, że chyba jej ojciec miał rację, bo rzeczywiście uczyła kobietę mającą przed sobą wielką przyszłość. Moja droga, nie wolno płakać; jej wiara w Boga była tak niewzruszona, że umarła pogodzona całkowicie ze światem. Panna Tredgold prosiła mnie też, abym oddała pani jej Biblię i tę kopertę, którą może pani otworzyć dopiero po powrocie do domu. Zapisała ją pani w testamencie.

Żegnając się, Florentyna podziękowała dyrektorce za wszystko, dodając, że była wzruszona i zaskoczona, iż oczekiwał na nią kościelny, choć przecież nikt nie wiedział, czy przyjedzie.

– Nie powinnaś się dziwić, moje dziecko – powiedziała dyrektorka. – Ani przez chwilę nie wątpiłam, że przyjedziesz.

Wracała do Londynu, ściskając w ręku kopertę. Miała straszną ochotę ją otworzyć, jak mała dziewczynka, która zauważyła w przedpokoju paczkę, ale wie, że to prezent na jej urodziny, które są dopiero jutro. Poleciała concorde'em o szóstej trzydzieści wieczorem i wylądowała na lotnisku Dullesa o piątej trzydzieści po południu. Jeszcze tego samego wieczoru zasiadła przy swoim biurku w Gmachu Russella. Przyjrzała się kopercie z napisem „Florentyna Kane", po czym ostrożnie ją rozerwała. Wyjęła zawartość, cztery tysiące akcji Grupy Barona. Panna Tredgold umarła, prawdopodobnie nie wiedząc o tym, że „jest warta" ponad pół miliona dolarów. Florentyna wyjęła pióro i wypisała czek na dwadzieścia pięć tysięcy funtów z przeznaczeniem na nowy dach kościoła – dla uczczenia pamięci panny Winifred Tredgold, akcje natomiast wysłała do profesora Ferpozziego z prośbą, aby oddał je do dyspozycji Funduszu Remagen. Kiedy Richard usłyszał o całej tej historii, powiedział, że jego ojciec zrobił kiedyś coś podobnego, ale wówczas wystarczyło pięćset funtów. – Wygląda na to, że nawet Pan Bóg odczuł inflację – dodał.

Waszyngton przygotowywał się do wprowadzenia na urząd nowego prezydenta. Senator Kane otrzymała z tej okazji miejsce na trybunie, z której nowy szef władzy wykonawczej miał wygłosić swoją mowę. Słuchała z uwagą zarysu nowej amerykańskiej polityki na najbliższe cztery lata, nazywanej powszechnie Świeżym Podejściem.

– Jesteś coraz bliżej prezydenckiej mównicy – powiedział jej tego ranka przy śniadaniu Richard.

Florentyna przyglądała się swoim waszyngtońskim kolegom i przyjaciołom; czuła się teraz w stolicy jak u siebie w domu. Senator Ralph Brooks siedział przed nią w pierwszym rzędzie, jeszcze bliżej prezydenta. Nie odrywał wzroku od mówcy.

Florentyna weszła do Podkomisji Obrony przy Komisji Preliminarzowej oraz do Komisji do Spraw Środowiska i Robót Publicznych. Poproszono ją również, aby stanęła na czele Komisji do Spraw Drobnej Przedsiębiorczości. Jej dni znów miały za mało godzin, Janet i inni wopólpracownicy referowali jej bieżące sprawy w windzie, samochodzie, samolocie, w drodze na głosowanie, a nawet gdy pędziła z obrad jednej komisji na posiedzenie drugiej. Nie szczędziła sił, by wypełnić swój dzienny plan, i jej czternaścioro współpracowników zastanawiało się tylko, ile jeszcze spraw mogliby na nią zwalić, zanim się załamie. W Senacie bardzo szybko ugruntowała dobrą opinię, na jaką zapracowała sobie w Izbie Reprezentantów, zabierając głos tylko w sprawach, w których była dobrze zorientowana, a wtedy robiła to z przekonaniem i kierując się zdrowym rozsądkiem. Jak dawniej, nie wypowiadała się w kwestiach, w których nie uważała się za osobę kompetentną. Kilka razy głosowała wbrew swojej partii w sprawach dotyczących obrony i dwukrotnie w kwestii polityki energetycznej w związku z ostatnią wojną na Bliskim Wschodzie.

Jako jedyna kobieta-senator z ramienia Partii Demokratycznej otrzymywała zaproszenia na spotkania z całego kraju i inni senatorowie przekonali się szybko, że Florentyna Kane nie znalazła się w Senacie na pokaz, jako kobieta-demokrata, lecz że jest osobą, z którą będą zawsze musieli się liczyć.

Florentynę cieszyło, że często bywa zapraszana do sanktuarium, jakim jest biuro przywódcy partyjnej większości, gdzie dyskutuje się zarówno kwestie polityczne jak i wewnętrzne problemy partii.

Podczas swojej pierwszej sesji w Senacie Florentyna opowiedziała się za poprawką do projektu Ustawy o Drobnej Przedsiębiorczości, przewidującą znaczne ulgi podatkowe dla wytwórców eksportujących ponad trzydzieści pięć procent swojej produkcji. Od dawna uważała, że firmy nie próbujące sprzedawać swoich towarów na rynkach zagranicznych żyją podobnym złudzeniem własnej wielkości, jak robili to Anglicy w połowie dwudziestego wieku, i grozi im, jeśli się nie zmobilizują, wkroczenie w dwudziesty pierwszy wiek z takimi samymi problemami, z jakimi nie umieli sobie poradzić w latach osiemdziesiątych Brytyjczycy.

W ciągu pierwszych trzech miesięcy odpowiedziała na sześć tysięcy czterysta szesnaście listów, siedemdziesiąt dziewięć razy głosowała, osiem razy zabierała głos w Senacie, czternaście razy poza nim, czterdzieści trzy razy nie miała czasu zjeść lunchu.

– Nie muszę się martwić o figurę – powiedziała do Janet. – Ważę mniej, niż gdy miałam dwadzieścia cztery lata i otwierałam swój pierwszy sklep w San Francisco.

Druga śmierć była dla Florentyny nie mniejszym szokiem niż odejście panny Tredgold, gdyż dopiero co cała rodzina spędziła razem weekend na Cape Cod.

Pokojówka zameldowała kamerdynerowi, że choć stojący zegar wybił godzinę ósmą, pani Kate Kane nie zeszła na śniadanie.

– To znaczy, że nie żyje – powiedział kamerdyner.

W dniu, kiedy Kate Kane nie zjawiła się na śniadaniu, liczyła sobie siedemdziesiąt dziewięć lat. Cała rodzina zjechała, aby pochować członkinię szacownego rodu. Nabożeństwo odbyło się w Kościele Świętej Trójcy przy Copley Square i było nieporównywalne z mszą za duszę panny Tredgold, gdyż tym razem biskup przemawiał do zgromadzenia, które mogłoby przejść z Bostonu do San Francisco, idąc cały czas po swych własnych gruntach. Zjawili się wszyscy Kane'owie i Cabotowie, a także dwóch senatorów i jeden kongresman. Prawie wszyscy, którzy znali babcię Kane, a także wielu takich, którzy jej nie znali, zapełnili ławki za plecami Richarda i Florentyny.

Florentyna zerknęła na Williama i Joannę. Wyglądało na to, że za jakiś miesiąc Joanna będzie rodzić i Florentynie zrobiło się smutno na myśl, że Kate nie zdążyła zostać „prababcią Kane".

Po pogrzebie rodzina spędziła we własnym gronie smutny weekend w Czerwonym Domu na Beacon Hill. Florentyna nigdy nie zapomni, jak niestrudzenie Kate dążyła do pogodzenia swego męża z synem. Richard był teraz głową rodziny Kane'ów i Florentyna pomyślała, że do jego i tak już ogromnych obowiązków dojdą nowe. Wiedziała też, że nie będzie się uskarżał i nie da jej odczuć, że powinna choć trochę go odciążyć.

Na sposób typowy dla Kane'ów testament Kate był prosty i rozważny; gros majątku przypadło Richardowi i jego siostrom, Lucy i Virginii, spore zapisy uczyniła na rzecz Williama i Annabel. William miał otrzymać dwa miliony w dzień swoich trzydziestych urodzin. Natomiast Annabel miała żyć z procentów od zapisanych jej dwóch milionów do chwili ukończenia czterdziestego piątego roku życia albo do chwili urodzenia dwójki dzieci w legalnym związku. Babcia Kane w niczym nie zdawała się na przypadek.

W Waszyngtonie rozpoczęły się już rozgrywki przed wyborami międzykadencyjnymi. Florentyna była rada, że mając sześcioletni mandat, nie musi znów stawać przed wyborcami i będzie mogła zrobić coś konkretnego bez tej przypadającej co dwa lata przerwy na partyjne swary. Jednakże tak wielu kolegów prosiło ją, aby przemawiała w ich stanach, że chyba pracowała nie mniej niż kiedyś; jedyne zaproszenie, którego przyjęcia grzecznie odmówiła, nadeszło z Tennessee; wyjaśniła, że nie może wystąpić przeciwko Bobowi Buchananowi, który ubiegał się o mandat po raz ostatni.

Biała karteczka, którą co wieczór wręczała jej Louise, wypełniona była zawsze umówionymi spotkaniami na następny dzień, od świtu po zmierzch: 7.45 – śniadanie z zagranicznym ministrem obrony. 9.00 – narada z personelem. 9.30 – przesłuchanie w Podkomisji Obrony. 11.30 – wywiad dla „Chicago Tribune". 12.30 – lunch z sześcioma kolegami-senatorami w celu przedyskutowania kwestii budżetu. 14.00 – cotygodniowa audycja radiowa. 14.30 – fotografia na stopniach Kapitolu z drużyną Illinois Four-H'ers. 15.15 – odprawa dla personelu w związku z projektem ustawy o drobnej przedsiębiorczości. 17.30 – krótka wizyta członków Stowarzyszenia Generalnych Kontrahentów. 19.00 – koktajl w ambasadzie francuskiej. 20.00 – kolacja z Donaldem Grahamem z „Washington Post". 23.00 – zadzwonić do Richarda do Barona w Denver.

Swoje podróże do Illinois z racji funkcji senatorskich zdołała ograniczyć do dwóch razy w miesiącu. Co drugi piątek leciała liniami US Air do Providence, gdzie z lotniska odbierał ją Richard przybywający samochodem z Nowego Jorku, i potem szosą numer sześć jechali na Cape Cod, mając po drodze czas na opowiedzenie sobie, co porabiali w ciągu minionego tygodnia.

Richard i Florentyna spędzali wolne weekendy w domu na Cape Cod, który po śmierci Kate stał się ich rodzinnym gniazdem, gdyż Richard podarował Czerwony Dom Williamowi i Joannie.

W sobotnie ranki zazwyczaj leniuchowali, czytając gazety i czasopisma. Richard czasem grał na wiolonczeli, a Florentyna przeglądała papiery, które zabrała do domu z Waszyngtonu. Jeśli pozwalała na to pogoda, grali po południu w golfa, a wieczorami – niezależnie od pogody – w tryktraka. Florentyna niezmiennie wstawała od stolika uboższa o kilkaset dolarów, które Richard obiecywał wpłacić na fundusz Partii Republikańskiej – to znaczy, jeśli Florentyna zechce kiedyś spłacić swoje karciane długi. Florentyna powątpiewała w sens wspomagania republikanów w Massachusetts, ale Richard wspomniał, że popiera również pewnego republikańskiego gubernatora oraz senatora z Nowego Jorku.

Joanna dała wyraz swemu patriotyzmowi, wydając na świat syna w dniu urodzin Waszyngtona; dano mu na imię Richard. Nagle Florentyna została babką.

Magazyn „People" przestał pisać o niej jako o najelegantszej damie w Waszyngtonie i zaczął nazywać ją najprzystojniejszą babcią w Ameryce. Sprawiło to, że do redakcji napłynęła istna lawina listów protestacyjnych z dołączonymi fotografiami innych szykownych babć, dzięki czemu Florentyna stała się jeszcze popularniejsza.

Pogłoski, że Florentyna będzie liczącym się kandydatem na stanowisko wiceprezydenta w roku 1988, zaczęły się rozchodzić od momentu, gdy Stowarzyszenie Drobnej Przedsiębiorczości ogłosiło ją Obywatelką Roku Stanu Illinois, a w sondażu przeprowadzonym przez „Newsweek" została wybrana Kobietą Roku. Nagabywana w tej sprawie odpowiadała, że jest w Senacie dopiero od roku i że najważniejszą dla niej sprawą jest reprezentowanie swojego stanu w Kongresie, choć przyznawała, że coraz częściej bywa zapraszana do Białego Domu na narady z prezydentem. Po raz pierwszy to, że w Kongresie była jedyną kobietą reprezentującą partię większościową, zaczęło się obracać na jej korzyść.

Florentyna dowiedziała się o śmierci Boba Buchanana, kiedy zapytała kogoś, dlaczego flaga na Gmachu Russella jest opuszczona do połowy masztu. Pogrzeb odbywał się w środę, kiedy miała przedstawić w Senacie poprawkę do Ustawy o Publicznej Służbie Zdrowia, a następnie wygłosić odczyt poświęcony obronie na seminarium w Międzynarodowym Centrum Stypendystów im. Woodrowa Wilsona. Jedną sprawę odwołała, drugą przełożyła na później, i poleciała do Nashville w Tennessee.

Obecni byli obaj senatorowie z tego stanu i siedmiu innych kongresmanów. Stojąc obok swych kolegów, Florentyna oddała w milczeniu hołd zmarłemu. Kiedy czekali u wejścia do luterańskiej kaplicy, jeden z nich powiedział Florentynie, że Bob miał pięciu synów i córkę. Najmłodszy, Gerald, zginął w Wietnamie. Dzięki Bogu, że Richard był za stary, a William zbyt młody, aby wziąć udział w tej bezsensownej wojnie.

Steven, najstarszy z synów, poprowadził rodzinę do kaplicy. Wysoki i szczupły, o ciepłym, szczerym wejrzeniu, był wierną kopią Boba, i kiedy po nabożeństwie Florentyna z nim rozmawiała, stwierdziła, że syn posiada ten sam urok i bezpośredniość Południowca, które tak pociągały ją u jego ojca. Ogromnie się ucieszyła, kiedy usłysza-

521

ła, że Steven zamierza ubiegać się w Senacie o miejsce po ojcu w mających odbyć się wkrótce wyborach uzupełniających.

– Będę znów miała z kim się spierać – zażartowała.

– Ojciec czuł dla pani wielki podziw – powiedział Steven.

Florentyna była zupełnie zaskoczona, kiedy następnego dnia wszystkie ważniejsze dzienniki zamieściły jej fotografię i nazwały damą wielkiego serca. Na samym wierzchu wycinków prasowych przygotowanych dla Florentyny Janet położyła artykuł wstępny z „New York Timesa":

Kongresman Buchanan nie był dobrze znany wśród mieszkańców Nowego Jorku, ale wyrazem uznania dla jego pracy w Kongresie może być fakt, że na jego pogrzeb przyleciała do Tennessee senator Florentyna Kane. Tego rodzaju gest jest dziś w polityce rzadkością i wyjaśnia równocześnie, dlaczego senator Kane należy do grona tych osób, które cieszą się najwyższym uznaniem członków obu Izb.

W szybkim tempie Florentyna stawała się najbardziej „obleganym" politykiem w Waszyngtonie. Nawet prezydent przyznawał, że harmonogram jej zajęć jest tylko trochę mniej napięty niż jego własny. Lecz wśród zaproszeń, jakie nadeszły tego roku, było jedno, które przyjęła z uczuciem niemałej dumy. Uniwersytet Harvarda proponował jej, aby na wiosnę kandydowała do jego Rady Kuratorów i aby w czerwcu wygłosiła mowę podczas uroczystości wręczania dyplomów. Nawet Richard zarezerwował sobie na tę okazję wolny dzień w terminarzu.

Florentyna spojrzała na listę osób, które przed nią dostąpiły tego zaszczytu – od George'a Marshalla, który przedstawił swój plan przebudowy powojennej Europy, po Aleksandra Sołżenicyna, który potępił Zachód za jego dekadencję i brak wartości moralnych.

Florentyna spędziła wiele godzin nad przemówieniem, wiedząc, że środki przekazu zazwyczaj obszernie relacjonują te wystąpienia. Ćwiczyła codziennie poszczególne fragmenty przed lustrem, w łazience, a nawet – z pomocą Richarda – na polu golfowym. Sama napisała cały tekst, ale zaakceptowała wiele poprawek zasugerowanych przez Janet, Richarda i Edwarda.

W przeddzień wystąpienia w Harvardzie Florentyna miała telefon z domu aukcyjnego Sotheby. Wysłuchała kierownika działu i zgodziła się z jego sugestią. Kiedy ustalili cenę maksymalną, powiedział, że poinformuje ją o rezultacie zaraz po aukcji. Florentyna pomyślała, że to szczęśliwy zbieg okoliczności. Wieczorem poleciała do Bostonu, gdzie na lotnisku Logana oczekiwał na nią pełen entuzjazmu młody człowiek, który zawiózł ją do Cambridge i wysadził przed Klubem Profesorskim. Rektor Bok przywitał ją w hallu i pogratulował wyboru do Rady, a następnie przedstawił pozostałym kuratorom; wśród tej trzydziestki było dwóch noblistów – jeden w dziedzinie literatury, a drugi nauk ścisłych – dwóch byłych członków rządu, generał armii, sędzia, potentat naftowy i jeszcze dwóch rektorów uniwersytetów. Florentynę bawiło obserwowanie, jak niezwykle uprzejmi są wobec siebie kuratorzy Harvardu, i siłą rzeczy porównywała ich sposób bycia z zachowaniem członków typowej podkomisji w Izbie Reprezentantów.

Pokój gościnny, jaki oddano jej do dyspozycji, przypomniał Florentynie studenckie czasy; musiała dzwonić do Richarda z korytarza. Przebywał w Albany w związku z jakimiś kłopotami podatkowymi, których przyczyną był Jack Kemp, nowy gubernator stanu Nowy Jork, republikanin.

– Zdążę dojechać na lunch – obiecał. – Przy okazji: Dan Rather z CBS uznał za stosowne wspomnieć w wieczornych wiadomościach o twoim jutrzejszym przemówieniu. Jeśli więc nie chcesz, abym oglądał mecz Yankees na jedenastym kanale, to postaraj się, żeby było dobre.

– Niech pan lepiej uważa, żeby się nie spóźnić, panie Kane.

– A pani senator niech się postara, aby przemówienie było równie dobre jak to, które pani wygłosiła do weteranów wojny wietnamskiej, gdyż odbędę długą podróż, aby go wysłuchać.

– Jak ja mogłam się w panu zakochać, panie Kane?

– O ile dobrze pamiętam, stało się to w Roku Dobroci Dla Emigrantów i my, bostończycy, wykazaliśmy się jak zwykle społeczną postawą.

– To dlaczego trwało to nadal, gdy rok się skończył?

– Uznałem, że moim obowiązkiem jest spędzić z tobą resztę życia.

– Słuszna decyzja, panie Kane.

– Szkoda, że nie mogę być dziś z tobą, Jessie.

– Nie żałowałbyś, gdybyś widział, jaki pokój mi tu dali. Mam pojedyncze łóżko, musiałbyś więc spędzić noc na podłodze. Nie spóźnij się jutro, bo chcę, abyś wysłuchał tego przemówienia.

– Nie spóźnię się. Ale muszę ci powiedzieć, że

coś powoli idzie ci to przerabianie mnie na demo-kratę.

– Jutro znów się do tego zabiorę. Dobranoc pa-nu, panie Kane.

Następnego dnia rano śpiącego w Baronie w Albany Richarda obudził telefon. Był pewien, że to Florentyna chce podzielić się z nim jakimiś uwagami z pozycji senatora, ale okazało się, że dzwonią z New York Air, aby go zawiadomić, że z powodu jednodniowego strajku obsługi technicz-nej, który unieruchomił wszystkie linie lotnicze, nie wyleci tego dnia z Albany żaden samolot.

– Chryste Panie – powiedział w sposób dla sie-bie nietypowy, po czym wskoczył pod zimny prysznic, gdzie powtarzał inne jeszcze nie używa-ne dotąd przez siebie słowa. Wytarłszy się, próbo-wał się ubrać, usiłując równocześnie wykręcić numer recepcji. Upuścił telefon i musiał zaczy-nać od nowa.

– Proszę natychmiast wypożyczyć dla mnie sa-mochód i podstawić przy głównym wejściu – po-wiedział, odstawił telefon i skończył się ubierać. Następnie zadzwonił na uniwersytet Harvarda, ale nikt nie wiedział, gdzie w tej chwili może być pa-ni senator Kane. Zostawił wiadomość wyjaśniają-cą, co się stało, zbiegł na dół i, rezygnując ze śnia-dania, porwał kluczyki do forda executive.

Najpierw wlókł się z powodu rannego szczytu w ruchu ulicznym, potem pół godziny szukał zjaz-du na szosę numer dziewięćdziesiąt w kierunku wschodnim. Spojrzał na zegarek: wystarczy, jeśli utrzyma stałą prędkość sześćdziesięciu mil na go-dzinę, a będzie w Cambridge na czas, aby wysłu-chać przemówienia Florentyny o drugiej. Wiedział, jak bardzo jest ono dla niej ważne, i postanowił, że się nie spóźni.

Kilka ostatnich dni było koszmarem: kradzież w Cleveland, strajk pracowników kuchennych w San Francisco, areszt nałożony na hotel w Kapsztadzie, kłopoty z podatkiem od spadku po matce – a wszystko to akurat w chwili, gdy spada cena złota z powodu wojny domowej w Afryce Południowej. Richard usiłował nie myśleć o wszystkich tych kłopotach. Florentyna zauważała natychmiast, kiedy był zmęczony albo przejmował się czymś za bardzo, a on nie chciał, aby martwiła się niepotrzebnie sprawami, z którymi w końcu i tak się upora. Opuścił boczną szybę, aby wpuścić trochę świeżego powietrza.

Przez resztę weekendu nie będzie robił nic, tylko spał i grał na wiolonczeli; będzie to ich pierwsza wolna chwila od ponad miesiąca. Bez dzieci: William jest w Bostonie ze swoją własną rodziną, a Annabel w Meksyku, więc przez te dwa dni najpoważniejszą sprawą do rozważenia będzie to, czy zagrać w golfa, czy nie. Szkoda tylko, że czuje się tak zmęczony.

– Psiakrew – zaklął na głos. Zapomniał o różach, planował, że – jak zwykle – wyśle je Florentynie z lotniska.

Tuż przed lunchem Florentyna otrzymała dwie informacje. Człowiek od Sotheby'ego zatelefonował, aby jej powiedzieć, że wygrał dla niej licytację, a portier na uczelni przekazał wiadomość od Richarda. Pierwsza bardzo ją ucieszyła, a druga stropiła, choć Florentyna uśmiechnęła się na myśl, że Richard będzie się martwił, iż nie mógł wysłać jej róż. Dzięki Sotheby'emu miała dla niego coś, o czym marzył całe życie.

Ranek spędziła asystując w oficjalnej ceremonii wręczania dyplomów w Auli Trzechsetlecia. Widok ustawionych na murawie kamer, przygotowywanych przez trzy sieci telewizyjne do popołudniowej transmisji z uroczystości, wprawił ją w stan jeszcze większego napięcia; miała nadzieję, że nikt nie zauważył, iż prawie nie tknęła swego lunchu.

Za piętnaście druga kuratorzy wyszli na dziedziniec, gdzie zebrali się już dawni absolwenci uniwersytetu. Przypomniały jej się własne studenckie lata: Bella... Wendy... Scott... Edward... A teraz wróciła w te mury, tak jak to przepowiedział Edward – jako senator Kane. Zajęła miejsce na podwyższeniu przed Aulą Trzechsetlecia obok rektora Radcliffe, pani Horner, i spojrzała na karteczkę umieszczoną na sąsiednim krześle. „Pan Richard Kane, mąż pani senator Kane" – przeczytała. Uśmiechnęła się na myśl, że to mu się nie spodoba, i dopisała poniżej: „Co cię zatrzymało?". Musi pamiętać, aby położyć mu tę karteczkę na gzymsie kominka. Wiedziała, że jeśli Richard spóźni się na rozpoczęcie uroczystości, będzie musiał znaleźć sobie miejsce na murawie. Kiedy już ogłoszono nazwiska nowych kuratorów, przyznano stopnie honorowe i poinformowano o darowiznach na rzecz uczelni, głos zabrał rektor Harvardu, Bok. Słyszała, jak przedstawia ją zgromadzonym. Szukała Richarda wzrokiem w rzędach przed sobą tak daleko, jak tylko to było możliwe, ale nie udało jej się go wypatrzyć.

– Szanowna pani rektor Horner, dostojni goście, panie i panowie. Wielki to dla mnie zaszczyt móc przedstawić dziś państwu jedną z najwybitniejszych absolwentek Radcliffe, kobietę, która zawładnęła umysłami Amerykanów. Wielu z nas jest przekonanych, że Radcliffe będzie miało pewnego dnia dwóch prezydentów. – Siedemnaście tysięcy gości powitało te słowa burzliwą owacją. – Szanowni państwo, pani senator Florentyna Kane!

Wstając ze swego miejsca, Florentyna czuła suchość w gardle. W momencie, kiedy zerknęła w swoje notatki, zapaliły się silne reflektory ekipy telewizyjnej, oślepiając ją na krótką chwilę tak, że widziała przed sobą tylko zamazany obraz słuchaczy. Gorąco pragnęła, aby Richard był wśród nich.

– Panie rektorze Bok, pani rektor Horner. Staję dziś przed państwem jeszcze bardziej zdenerwowana niż w chwili, gdy przed trzydziestu trzema laty zjawiłam się po raz pierwszy w Radcliffe i przez dwa dni nie mogłam znaleźć sali jadalnej, gdyż bałam się o nią zapytać. – Wybuch śmiechu sprawił, że się rozluźniła. – Widzę tu dziś zarówno kobiety jak i mężczyzn, a jeśli dobrze pamiętam regulamin Radcliffe, mężczyznom wolno wchodzić do sypialni studentek tylko między godziną trzecią a piątą po południu i przez cały ten czas stopy ich powinny dotykać podłogi. Jeśli ta zasada obowiązuje do dziś, to muszę zapytać, jak ci biedacy mogą się kiedykolwiek wyspać?

Musiała odczekać chwilę, zanim śmiech ucichł i mogła mówić dalej.

– Ponad trzydzieści lat temu kształciłam się w tej wspaniałej uczelni i jeśli do czegokolwiek później w życiu aspirowałam, zawsze kierowałam się otrzymanymi tu wzorcami. Dążenie do doskonałości było niezmiennie głównym celem Harvardu i ufnością napawa mnie fakt, że w tym zmieniającym się ciągle świecie poziom osiągany przez waszych absolwentów i absolwentki jest jeszcze wyższy niż w moim pokoleniu. Starsi skłonni są twierdzić, że dzisiejsza młodzież nie dorównuje swoim ojcom. Przywodzi mi to na myśl słowa wyryte na wejściu do grobowca faraonów, które w tłumaczeniu brzmią tak: „Młodzi są leniwi i zajęci tylko sobą, dlatego przyczynią się do upadku świata w znanej nam postaci".

Absolwenci bili brawo, a rodzice śmiali się.

– Winston Churchill powiedział kiedyś: „Kiedy miałem szesnaście lat, myślałem, że moi rodzice nic nie wiedzą. Kiedy miałem lat dwadzieścia jeden, byłem zaskoczony, jak wiele się nauczyli w ciągu tych pięciu lat". – Rodzice bili brawo, a młodzi się uśmiechali. – Ameryka bywa nieraz postrzegana jako lądowy monolit i ogromny scentralizowany organizm gospodarczy. Ale nie jest ani jednym, ani drugim. Ameryka to dwieście czterdzieści milionów ludzi, tworzących bardziej zróżnicowaną, złożoną i fascynującą całość niż jakakolwiek inna nacja na Ziemi, i zazdroszczę tym z was, którzy zamierzają odegrać jakąś rolę w kształtowaniu przyszłości tego kraju, a żal mi tych, którzy tego nie pragną. Uniwersytet Harvarda słynie ze swych dokonań w dziedzinie medycyny, edukacji, prawa, religii i sztuki. Za tragedię naszych czasów trzeba uznać fakt, że tak mało młodych ludzi uważa politykę za godną i wartą zachodu profesję. Musimy zmienić atmosferę panującą w kuluarach władzy, aby najzdolniejsi przedstawiciele naszej młodzieży nie odrzucali, nawet się nad tym nie zastanowiwszy, kariery w życiu publicznym.

Nikt z nas nawet przez chwilę nie wątpił w uczciwość Waszyngtona, Adamsa, Jeffersona czy

Lincolna. Dlaczego nie mielibyśmy dziś wydać nowego pokolenia mężów stanu, które sprawi, że takie słowa jak „obowiązek", „duma" i „honor", użyte przez polityka, nie będą wywoływać sarkazmu ani pogardy?

Ten wspaniały uniwersytet wydał Johna Kennedy'ego, który powiedział kiedyś, odbierając honorowy stopień nadany mu przez uniwersytet Yale: „Teraz mam to, co najlepszego mogą zaoferować oba te światy: harwardzkie wykształcenie i yale'owski dyplom".

Kiedy śmiech ucichł, Florentyna ciągnęła dalej :

– Ja, panie prezydencie, mam coś, co jest najlepsze w całym świecie: radcliffowskie wykształcenie i radcliffowski dyplom.

Siedemnaście tysięcy osób powstało i upłynęło sporo czasu, zanim Florentyna mogła mówić dalej. Uśmiechnęła się na myśl, jak dumny byłby z niej teraz Richard, gdyż to on podsunął jej te słowa, kiedy siedzieli razem w wannie, a ona nie była pewna, czy wywołają odpowiednią reakcję.

– Jako młodzi Amerykanie możecie być dumni z dawnych osiągnięć kraju, ale niech będą one dla was tylko historią. Odrzucajcie zwietrzałe mity, przekraczajcie wciąż nowe bariery, rzucajcie wyzwanie przyszłości, aby pod koniec tego wieku ludzie mogli powiedzieć, że nasze dokonania dorównują temu, co dla sprawy wolności i społecznej sprawiedliwości dla wszystkich ludów na tej planecie uczynili Grecy, Rzymianie i Brytyjczycy. Życzę wam, aby nie było dla was przeszkód nie do pokonania, celów nie do osiągnięcia i abyście po szalonych zawirowaniach czasu mogli powtórzyć słowa Franklina D. Roosevelta: „Losy ludzkości toczą się jakimś dziwnym cyklem. Jedne pokolenia wiele otrzymują, od innych wiele się oczekuje, ale to pokolenie Amerykanów umówione jest na spotkanie z przeznaczeniem".

Raz jeszcze tłum na murawie zgotował Florentynie spontaniczną owację. Kiedy gwar przycichł, Florentyna powiedziała prawie szeptem:

– Koledzy-absolwenci, powiem wam coś; nudzą mnie cynicy, gardzę malkontentami i nie cierpię tych, którzy z mądrą miną deprecjonują osiągnięcia swego kraju, gdyż jestem przekonana, że to pokolenie naszej młodzieży, które wprowadzi Stany Zjednoczone w dwudziesty pierwszy wiek, również ma rendez-vous z przeznaczeniem. Ufam, że wielu takich młodych ludzi jest tu dzisiaj wśród nas.

Kiedy zajęła swoje miejsce, była jedyną siedzącą w tej chwili osobą. Nazajutrz gazety miały pisać, że nawet kamerzyści gwizdali na jej cześć. Florentyna spuściła głowę, pewna już, że zrobiła dobre wrażenie na tłumie, ale potrzebowała jeszcze ostatecznego potwierdzenia tego faktu przez Richarda. Przyszły jej na myśl słowa Marka Twaina: „Smutek wystarczy sam sobie, ale aby mieć prawdziwy pożytek z radości, musisz ją z kimś podzielić". Kiedy sprowadzano ją z podium, studenci wiwatowali na jej cześć i machali do niej rękami, ale oczy Florentyny wypatrywały tylko Richarda. Gdy przebijała się ku wyjściu z Dziedzińca Trzechsetlecia, zatrzymywały ją dziesiątki ludzi, ale ona myślami była zupełnie gdzie indziej.

Dosłyszała słowa „Kto jej to powie?", gdy usiłowała wysłuchać studenta, który wybierał się do Zimbabwe, aby uczyć tam angielskiego. Odwróciła się gwałtownie i ujrzała zatroskaną twarz Martiny Horner, prezydenta Radcliffe.

– Chodzi o Richarda, prawda? – zapytała szybko Florentyna.

– Przykro mi, ale tak. Miał wypadek samochodowy.

– Gdzie on jest?

– W szpitalu Newton-Wellesley, około dziesięciu mil stąd. Musi pani zaraz tam jechać.

– Czy stan jest poważny?

– Obawiam się, że tak.

Samochód policyjny z Florentyną ruszył szybko wzdłuż Massachusetts Turnpike do wylotu na Szosę Numer Szesnaście. Modliła się: „Boże, pozwól mu żyć, pozwól mu żyć".

Kiedy auto zatrzymało się przed głównym wejściem szpitala, wbiegła po schodach do środka. Czekał na nią lekarz.

– Nazywam się Nicholas Eyre, pani senator. Jestem naczelnym chirurgiem. Potrzebujemy pani zgody na operację.

– Dlaczego? Dlaczego musicie operować?

– Pani mąż odniósł ciężkie obrażenia głowy. To nasza jedyna szansa na uratowanie go.

– Czy mogę go zobaczyć?

– Tak, oczywiście. – Poprowadził ją szybko na oddział reanimacji, gdzie Richard leżał nieprzytomny pod plastikowym baldachimem, z rurką w nosie i z głową owiniętą w zaplamione krwią bandaże. Florentyna opadła na krzesło koło łóżka i patrzyła w podłogę, nie mogąc znieść widoku poranionego męża. Czy uszkodzenie mózgu okaże się odwracalne? Czy Richard wyjdzie z tego?

– Jak to się stało? – zapytała chirurga.

– Policja nie jest pewna, ale jakiś świadek powiedział, że pani mąż bez widocznej przyczyny zjechał na drugą stronę szosy i zderzył się z ciągnikiem. Nie stwierdzono w samochodzie żadnego mechanicznego defektu, należy więc przypuszczać, że zasnął przy kierownicy.

Florentyna zebrała się na odwagę i spojrzała znów na mężczyznę, którego kochała.

– Czy możemy operować, proszę pani?

– Tak – powiedziała słabym głosem, który jeszcze przed godziną porywał tysiące ludzi. Wyprowadzono ją na korytarz, gdzie została zupełnie sama. Podeszła pielęgniarka: potrzebny był jej podpis. Florentyna nabazgrała swoje nazwisko. Ile razy to dzisiaj robiła?

Siedziała samotnie na korytarzu, dziwna postać w eleganckiej sukni, skulona na drewnianym krzesełku. Przypomniała sobie, jak poznała Richarda u Bloomingdale'a myśląc, że jest zakochany w Maisie; jak kochali się pierwszy raz tuż po swojej pierwszej sprzeczce, jak uciekli i jak z pomocą Belli i Claude'a została panią Kane; narodziny Williama i Annabel; dwudziestodolarowy banknot, który zadecydował o jej spotkaniu z Giannim w San Francisco; powrót do Nowego Jorku, aby już jako wspólnicy prowadzić interesy Grupy Barona, a potem banku Lestera; jak dzięki Richardowi mogła robić karierę w Waszyngtonie; jak uśmiechała się, gdy grał dla niej na wiolonczeli; jak śmiał się, gdy przegrywał z nią w golfa. Chciała osiągnąć w życiu jak najwięcej z myślą o nim, jego zaś miłość do niej wyzbyta była jakiegokolwiek egoizmu. Richard musi przeżyć, aby mogła opiekować się nim i przywrócić mu zdrowie.

W chwilach niemocy człowiek zaczyna nagle mocniej wierzyć w Boga. Florentyna osunęła się na kolana i zaczęła się modlić o ocalenie męża.

Minęło wiele godzin, zanim wrócił do niej doktor Eyre. Florentyna podniosła na niego oczy pełne nadziei.

– Pani mąż zmarł kilka minut temu – oznajmił chirurg.

– Czy powiedział coś przed śmiercią? – zapytała Florentyna.

Naczelny chirurg wyglądał na zakłopotanego.

– Cokolwiek powiedział, chciałabym to usłyszeć, panie doktorze.

Chirurg wahał się.

– Jego ostatnie słowa, proszę pani, brzmiały: „Powiedzcie Jessie, że ją kocham".

Wdowa opuściła głowę i uklękła, aby się pomodlić.

W ciągu ostatnich miesięcy był to drugi pogrzeb członka rodziny Kane'ów w kościele Świętej Trójcy. William stał między dwiema ubranymi na czarno paniami Kane, słuchając słów biskupa, który przypominał im, że w śmierci jest życie.

Tego wieczoru Florentyna siedziała sama w swoim pokoju bez jakiejkolwiek chęci do życia. W hallu leżała paczka z napisem: „Ostrożnie. Sotheby Parke Bernet. Zawartość – jedna wiolonczela Stradivarius".

W poniedziałek William towarzyszył matce w drodze powrotnej do Waszyngtonu. Okładki magazynów informacyjnych w kiosku na lotnisku Logana krzyczały cytatami z przemówienia Florentyny. Nawet ich nie zauważyła.

William został przy matce w Baronie trzy dni, aż w końcu kazała mu wracać do żony. Całymi godzinami przesiadywała sama w pokoju pełnym wspomnień po Richardzie; jego wiolonczela, fotografie, a nawet nie dokończona partia tryktraka.

Zaczęła zjawiać się w Senacie późnym przedpołudniem. Janet nie udawało się nakłonić jej do zajęcia się korespondencją; Florentyna odpowiadała jedynie na setki listów i telegramów wyrażających żal po śmierci Richarda. Nie uczestniczyła w zebraniach komisji i zapominała o wyznaczonych spotkaniach z ludźmi, którzy przyjeżdżali z daleka, aby się z nią zobaczyć. Kiedyś zawiodła nawet, gdy przyszła jej kolej na przewodniczenie obradom Senatu nad sprawami obrony (senatorowie pełnili tę nudną powinność pod nieobecność wiceprzewodniczącego Senatu). Nawet jej najzagorzalsi sympatycy wątpili już, czy Florentyna kiedykolwiek odzyska swój dawny, ogromny entuzjazm dla polityki.

Upływały kolejne tygodnie, a potem miesiące, w czasie których Florentyna traciła jednego po drugim swych najlepszych współpracowników, obawiających się, że nie żywi ona już względem siebie takich ambicji, jakie oni wiązali kiedyś z jej osobą. Skargi wyborców, nieśmiałe w pierwszych miesiącach po śmierci Richarda, teraz przerodziły się w gniewne pomruki, ale Florentyna wciąż ograniczała się tylko do bezmyślnego wypełniania codziennych obowiązków. Senator Brooks zupełnie otwarcie zasugerował, aby dla dobra partii zrezygnowała z mandatu przed upływem kadencji i propagował ten pomysł w wypełnionych tytoniowym dymem chicagowskich przybytkach polityki. Nazwisko Florentyny coraz rzadziej pojawiało się na liście gości zapraszanych do Białego Domu i nie bywała już na koktajlach organizowanych przez małżonki panów Johna Shermana Coopera, Lloyda Dreegara czy George'a Rencharda.

Zarówno William jak i Edward jeździli regularnie do Waszyngtonu i starali się nakłonić ją, aby przestała rozmyślać o Richardzie i poszukała zapomnienia w pracy. Żadnemu z nich się to nie udało.

Święta Bożego Narodzenia spędziła w zaciszu swego domu w Bostonie. William i Annabel nie mogli się oswoić ze zmianą, która nastąpiła w tak krótkim czasie. Elegancka i błyskotliwa kiedyś dama stała się teraz apatyczna i niemrawa. Były to smutne dla wszystkich święta, poza tym, że dziesięciomiesięczny już mały Richard zaczął stawać, kiedy tylko miał się czego złapać. Gdy na Nowy Rok Florentyna wróciła do Waszyngtonu, nie było ani trochę lepiej i nawet Edward zaczął poważnie się martwić.

Janet Brown zwlekała cały rok, zanim powiedziała Florentynie, że zaproponowano jej posadę asystentki do spraw administracyjnych w sekretariacie senatora Harta.

– Musisz przyjąć tę ofertę, moja droga. Nic cię tu już nie czeka. Dotrwam do końca kadencji i przejdę na emeryturę.

Janet również usiłowała wpłynąć na swoją szefową, ale bez powodzenia.

Florentyna przejrzała pocztę, ledwie rzuciwszy okiem na list od Belli, która beształa ją za to, że nie przyjechała na ślub jej córki, i podpisała parę listów, które za nią napisano i których nie zechciała nawet przejrzeć. Spojrzała na zegarek, była szósta. Przed nią leżało zaproszenie na skromne przyjęcie od senatora Pryora. Wrzuciła błyszczącą, elegancką kartę do kosza, wzięła do ręki egzemplarz „Washington Post" i zdecydowała się na samotny spacer do domu. Kiedy żył Richard, ani razu nie zdarzyło jej się odczuć samotności.

Wyszła z Gmachu Russella, przeszła na drugą stronę Delaware Avenue i poszła na skrót trawnikiem Union Station Plaza. Wkrótce Waszyngton zapłonie kolorami jesieni – pomyślała. Minęła tryskającą fontannę i znalazła się na brukowanej dróżce, którą doszła do schodków prowadzących do New Jersey Avenue. Nie miała po co spieszyć się do domu, usiadła więc na ławce. Przypomniała sobie minę Richarda, kiedy Jake Thomas powitał go jako prezesa banku Lestera. Wyglądał rzeczywiście głupio, kiedy tak stał z dużym, czerwonym londyńskim autobusem pod pachą. Wspominanie takich drobnych wydarzeń z ich wspólnego życia sprawiało jej przyjemność; na więcej szczęścia już nie liczyła.

– To moja ławka.

Florentyna zamrugała powiekami i spojrzała w bok. Na drugim końcu ławki siedział mężczyzna w brudnych dżinsach i brązowej, rozpiętej koszuli z dziurawymi rękawami, który przyglądał jej się podejrzliwie. Parodniowy zarost nie pozwalał Florentynie określić jego wieku.

– Przepraszam, nie wiedziałam, że to pańska ławka.

– Moja, ławka Danny'ego, od trzynastu już lat – oznajmiła umorusana twarz. – Przedtem była Teda, a po mnie odziedziczy ją Matt.

– Matt? – powtórzyła Florentyna, nic nie rozumiejąc.

– No tak, Matt Żytko. Sypia za parkingiem numer szesnaście i czeka, aż umrę. – Włóczęga parsknął śmiechem. – Ale mogę panią zapewnić, że jeśli nie przestanie zaprawiać się bimbrem z żyta, to nigdy nie doczeka się tej ławki. Szanowna pani nie myśli tu siedzieć długo, prawda?

– Nie, nie miałam takiego zamiaru – powiedziała Florentyna.

– To dobrze – mruknął Danny.

– Co pan robi w ciągu dnia?

– O, różne rzeczy. Zawsze wiem, gdzie można dostać zupę z przykościelnej kuchni, a smaczne kąski, jakie wyrzucają szykowne restauracje, starczają człowiekowi na wiele dni. Wczoraj w „Monoklu" trafił mi się kawałek wybornego befsztyka. Dziś skosztuję chyba kuchni hotelu Baron.

Florentyna starała się nie okazać, co czuje.

– Nie pracuje pan?

– Kto by chciał zatrudnić Danny'ego? Nie mam roboty od piętnastu lat, od chwili, gdy poszedłem do cywila w latach siedemdziesiątych. Nikt nie chciał starego weterana. Powinienem był zginąć dla kraju w Wietnamie, tak byłoby wygodniej dla wszystkich.

– Ilu jest takich jak pan?

– W Waszyngtonie?

– Tak, w Waszyngtonie.

– Setki.

– Setki? – powtórzyła Florentyna z niedowierzaniem.

– W innych miastach jest gorzej. W Nowym Jorku, jak człowieka przyuważą, wsadzają zaraz do aresztu. Kiedy zamierza pani sobie pójść? – zapytał, spoglądając na nią podejrzliwie.

– Za chwilę. Czy mogę zapytać...

– Zadaje pani zbyt wiele pytań, teraz więc moja kolej. Czy może mi pani zostawić gazetę?

– „Washington Post"?

– Towar pierwsza klasa, no nie?

– Czytuje ją pan?

– Nie – roześmiał się. – Owijam się nią. Jest mi wtedy ciepło jak hamburgerowi, jeśli się nie wiercę.

Podała mu gazetę. Wstała i uśmiechnęła się do Danny'ego, zauważając dopiero w tym momencie, że ma on tylko jedną nogę.

– Nie znalazłaby pani luźnego dolara dla starego żołnierza?

Florentyna pogrzebała w torebce. Miała jedynie banknot dziesięciodolarowy i trzydzieści siedem centów. Wręczyła pieniądze Danny'emu.

Włóczęga nie wierzył własnym oczom.

– Starczy tego na niezłą wyżerkę dla mnie i dla Matta! – wykrzyknął. Zamilkł i zaczął przyglądać się Florentynie uważniej. – Ja wiem, kto pani jest – powiedział podejrzliwie. – Pani jest tą senatorką. Matt wciąż mi powtarza, że musi do pani pójść i wyjaśnić sobie z panią to i owo, to znaczy, na co pani wydaje rządowe pieniądze. Ale powiedziałem mu, co robią te miłe panienki w recepcji na widok takich facetów jak my: wzywają policję i rozpylają środek odkażający. Nawet nie każą się nam wpisać do księgi gości. Powiedziałem Mattowi, że szkoda na to jego cennego czasu.

Florentyna patrzyła na Danny'ego, który układał się wygodnie na ławce, okrywając się z wielką wprawą „Washington Post".

– Zresztą powiedziałem mu, że jest pani zbyt zajęta, aby zawracać sobie głowę takim jak on gościem, podobnie zresztą jak pozostałych dziewięćdziesięciu dziewięciu senatorów. – Odwrócił się plecami do czcigodnej pani senator ze stanu Illinois i leżał nieruchomo. Powiedziała „dobranoc" i zaczęła iść schodami ku ulicy, gdzie przed wejściem do podziemnego garażu natknęła się na policjanta.

– Zna pan tego mężczyznę na ławce?

– Tak, pani senator – powiedział policjant. – To Danny. Jednonogi Danny; mam nadzieję, że nie naprzykrzał się pani?

– Nie, nie – powiedziała Florentyna. – Czy on tu śpi co noc?

– Od dziesięciu lat, to znaczy odkąd jestem w policji. W chłodne noce przenosi się na kraty za Kapitolem. Jest raczej nieszkodliwy, w przeciwieństwie do niektórych z parkingu numer szesnaście.

Florentyna spędziła bezsenną noc, czasem tylko na chwilę zapadając w drzemkę: myślała o Jednonogim Dannym i setkach podobnych mu nieszczęśników.

Rano o siódmej trzydzieści była już w swoim biurze na Wzgórzu Kapitolińskim. Pierwszą osobą, jaka zjawiła się po niej – o pół do dziewiątej – była Janet, która oniemiała na widok Florentyny zatopionej w lekturze „The Modern Welfare Society" Arthura Querna. Florentyna podniosła głowę.

– Janet, przygotuj mi, proszę, aktualne dane dotyczące bezrobocia, z rozbiciem na stany i grupy etniczne. Chcę też mieć dane, z takim samym rozbiciem, odnośnie do liczby osób na zasiłku i jaki ich procent jest bez pracy od co najmniej dwóch lat. Następnie sprawdź, ile spośród nich służyło w armii. Sporządź listę wszystkich specjalistów... Janet, ty płaczesz?

– Tak, płaczę.

Florentyna wyszła zza biurka i objęła Janet.

– Było, minęło, kochana. Zapomnijmy o przeszłości i zabierzmy się znów do roboty.

XXXIII

Wystarczył jeden miesiąc, aby cały Kongres zauważył, że senator Kane znów zabrała się ostro do pracy. A kiedy zadzwonił do niej osobiście sam prezydent, Florentyna wiedziała już, że jej ataki na Świeże Podejście trafiają dokładnie tam, gdzie warto by coś zmienić.

– Florentyno, za półtora roku wybory, a ty rozwalasz mi całą kampanię opartą na Świeżym Podejściu. Czyżbyś chciała, aby republikanie wygrali następne wybory?

– Nie, oczywiście, że nie, ale realizując pańskie Świeże Podejście, panie prezydencie, przeznaczyliśmy w ciągu roku na opiekę społeczną tyle, ile na obronę wydaliśmy w ciągu sześciu tygodni. Czy wie pan, ilu ludzi w tym kraju nie stać na choćby jeden solidny posiłek w ciągu dnia?

– Owszem, Florentyno, wiem o tym...

– Czy wie pan, ilu ludzi w Ameryce śpi każdej nocy na ulicy? Nie w Indiach, nie w Afryce ani Azji. W Ameryce. A ilu spośród nich jest od dziesięciu lat bez pracy – nie od dziesięciu tygodni ani dziesięciu miesięcy, ale od dziesięciu lat, panie prezydencie?

– Florentyno, zawsze kiedy zwracasz się do mnie per panie prezydencie, wiem, że jestem w tarapatach. Czego ty ode mnie chcesz? Przecież zawsze należałaś do tych demokratów, którzy są za silnym programem obronnym.

– Nadal jestem za, ale w Ameryce jest parę milionów ludzi, którym byłoby to zupełnie obojętne, gdyby Sowieci urządzili sobie dzisiaj wojskową defiladę na Pennsylvania Avenue, gdyż uważają, że gorzej już im być nie może.

– Widzę, że stałaś się jastrzębiem w piórkach gołębicy, a takie oświadczenia jak to nadają się świetnie na prasowe nagłówki, ale powiedz mi, czego właściwie ode mnie oczekujesz?

– Niech pan powoła komisję, która zbada, jak wydawane są pieniądze przeznaczone na system ubezpieczeń społecznych. Trójka moich ludzi pracuje już nad tą kwestią i w możliwie najbliższym terminie na specjalnym przesłuchaniu w Senacie zamierzam ujawnić pewne budzące grozę przypadki nadużyć, jeśli idzie o te fundusze. Zapewniam pana, panie prezydencie, że włos zjeży się panu na głowie.

– Czyżbyś zapomniała, że jestem prawie łysy? – Florentyna roześmiała się. – Pomysł z komisją podoba mi się. – Prezydent zastanawiał się chwilę. – Mógłbym nawet wyjść z tą koncepcją na najbliższej konferencji prasowej.

– Dlaczego by nie, panie prezydencie? I niech pan powie też o człowieku, który od trzynastu lat śpi na ławce o rzut kamieniem od Białego Domu, podczas gdy pan śni słodko w sypialni Lincolna. O człowieku, który stracił nogę i nawet nie wie, że uprawniony jest do zasiłku w wysokości sześćdziesięciu trzech dolarów tygodniowo, wypłacanego przez Urząd do Spraw Weteranów. A nawet gdyby wiedział, to nie mógłby go odebrać, gdyż jego urząd znajduje się w Teksasie. Zresztą, gdyby nawet coś ich natchnęło i wysłaliby mu czek, to na jaki adres? Ławka w parku, koło Kapitolu?

– Jednonogi Danny – powiedział prezydent.

– Więc słyszał pan o Dannym?

– Kto o nim nie słyszał? W ciągu dwóch tygodni napisano o nim więcej niż o mnie przez ostatnie dwa lata. Zastanawiam się nawet, czy nie kazać sobie amputować nogi. Walczyłem za kraj w Korei, jak wiesz.

– I od tamtej chwili zdążył pan nieźle się o siebie zatroszczyć.

– Czy jeśli powołam prezydencką komisję do zbadania kwestii opieki socjalnej, udzielisz jej swojego poparcia?

– Oczywiście, panie prezydencie.

– I zaniechasz atakowania Teksasu?

– To tak pechowo się złożyło. Jeden z moich młodszych współpracowników odkrył, że Danny pochodzi z Teksasu, ale czy pan wie, panie prezydencie, że choć mamy tam problemy z nielegalną imigracją, to ponad dwadzieścia procent teksańczyków osiąga roczny dochód poniżej...

– Wiem, wiem, Florentyno, ale chyba zapomniałaś, że mój wiceprezydent pochodzi z Houston i odkąd Jednonogi Danny trafił na pierwsze strony gazet, nie ma chwili wytchnienia.

– Biedny, stary Pete – powiedziała Florentyna. – Będzie pierwszym wiceprezydentem, który musi troszczyć się nie tylko o to, kto następny zaprosi go na obiad.

– Nie powinnaś znęcać się nad Pete'em, on odgrywa swoją rolę.

– Chce pan powiedzieć: pozwala panu utrzymać równowagę sił wewnątrz partii, tak aby mógł pan pozostać w Białym Domu.

– Florentyno, jesteś złośliwą niewiastą, a ja cię uprzedzam, że zamierzam rozpocząć czwartkową konferencję prasową od oświadczenia, że wpadłem na wspaniały pomysł.

– Pan?

– Tak – powiedział prezydent. – Należy mi się jakaś nagroda za to, że zawsze biorę na siebie całe odium. No więc tak: to ja wpadłem na pomysł powołania prezydenckiej komisji do zbadania przypadków marnotrawienia funduszy przeznaczonych na cele socjalne – tu prezydent zawahał się chwilę – a pani senator Kane zgodziła się jej przewodniczyć. Czy to cię usatysfakcjonuje na pewien czas?

– Tak – powiedziała Florentyna – i postaram się ogłosić wyniki w przeciągu roku, tak aby zdążył pan przed wyborami powiedzieć wyborcom, w jaki to nowy i śmiały sposób zamierza pan wymieść pajęczyny przeszłości i wpuścić trochę Świeżego Podejścia.

– Florentyno!

– Przepraszam, panie prezydencie, nie mogłam sobie tego odmówić.

Janet nie bardzo wiedziała, jak Florentyna znajdzie czas na kierowanie tak ważną komisją. Już teraz w jej terminarzu zapisy mieściły się tylko wtedy, gdy robiono je maczkiem.

– Przez najbliższe pół roku muszę codziennie mieć do dyspozycji pełne trzy godziny wolnego czasu – powiedziała Florentyna.

– Oczywiście – odparła Janet. – Co myślisz o porze między drugą a piątą rano?

– Odpowiada mi. Ale nie jestem pewna, czy wtedy ktoś jeszcze zechce zasiadać w komisji – uśmiechnęła się Florentyna. – I będziemy musieli zatrudnić jeszcze parę osób.

Janet zapełniła już zwolnione w poprzednich miesiącach etaty. Zatrudniła nowego rzecznika prasowego, człowieka do pisania przemówień i dalszych czterech referentów prawnych, rekrutujących się spośród uzdolnionych absolwentów uczelni, którzy teraz dobijali się do drzwi biura Florentyny.

– Dziękujmy Bogu, że Grupę Barona stać na nadzwyczajne wydatki – dodała Janet.

Po złożeniu oświadczenia przez prezydenta Florentyna zabrała się do pracy. Jej komisja składała się z dwudziestu członków plus jedenaście osób zawodowego personelu pomocniczego. Samą komisję podzieliła w ten sposób, że jedną połowę stanowili ludzie wolnych zawodów, którzy nigdy nie byli zmuszeni żyć z zapomóg i dopóki sama ich o to nie poprosiła, specjalnie się nad tą kwestią nie zastanawiali, drugą natomiast ludzie aktualnie pobierający zapomogi bądź pozostający bez pracy.

Gładko ogolony Danny, ubrany w swój pierwszy w życiu garnitur, został pełnoetatowym doradcą Florentyny. Oryginalność tego pomysłu zaskoczyła Waszyngton. Prasa wciąż pisała o „Komisji z Parkowej Ławki", utworzonej przez senator Kane. Z relacji Danny'ego druga połowa komisji mogła się zorientować, jak głęboko zakorzeniony jest ten problem i jak wiele nadużyć trzeba usunąć, aby ci naprawdę potrzebujący otrzymali godziwe zabezpieczenie.

Wśród osób przesłuchiwanych przez komisję znalazł się Matt Żytko, który spał teraz na ławce zwolnionej przez Danny'ego, oraz Charlie Wendon, sprytny więzień z zakładu w Leavenworth, wypuszczony warunkowo za poręczeniem Florentyny, który opowiedział komisji, w jaki sposób udawało mu się wyłudzać tysiąc dolarów zasiłku tygodniowo, zanim został aresztowany. Człowiek ten posługiwał się tyloma nazwiskami, że sam już nie wiedział, jak się naprawdę nazywa; w pewnym momencie miał na utrzymaniu siedemnaście żon, czterdzieścioro i jedno dziecko i dziewiętnaścioro rodziców, z tym że wszyscy oni istnieli tylko w komputerze ogólnokrajowego systemu opieki społecznej. Florentyna myślała, że przesadza, dopóki nie powiedział komisji, w jaki sposób można wprowadzić do komputera jako bezrobotnego prezydenta Stanów Zjednoczonych, zamieszkałego wraz z dwójką dzieci i starą matką pod numerem 1600, Pennsylvania Avenue, Waszyngton, D.C. Wendon potwierdził również to, czego Florentyna się obawiała – że jest on tylko płotką w porównaniu ze zorganizowanymi przestępczymi syndykatami, dla których wyłudzanie za pośrednictwem podstawionych ludzi pięćdziesięciu tysięcy dolarów tygodniowo to dziecinnie prosta sprawa.

Dowiedziała się potem, że prawdziwe nazwisko Danny'ego było w komputerze i ktoś inny przez trzynaście lat inkasował należne mu zasiłki. Nie upłynęło wiele czasu, zanim stwierdzono, że Matt Żytko i kilku spośród jego kolegów z parkingu numer szesnaście również figurowali w komputerze, choć nigdy nie oglądali ani centa z tych pieniędzy.

Florentyna dowiodła, że ponad milion osób uprawnionych do pomocy socjalnej nigdy jej nie otrzymało, a równocześnie pieniądze te trafiały gdzie indziej. Doszła do wniosku, że nie ma potrzeby zwracania się do Kongresu o dodatkowe środki, trzeba natomiast stworzyć system zabezpieczeń, gwarantujący, że wypłacane rocznie ponad dziesięć miliardów dolarów trafi do właściwych rąk. Wielu spośród tych, którzy potrzebują pomocy, nie umie po prostu czytać. Ludzie ci, otrzymawszy z urzędu długie formularze do wypełnienia, już tam więcej nie wrócili. Ich nazwiska stały się łatwym źródłem dochodów nawet dla drobnych oszustów. Kiedy dziesięć miesięcy później Florentyna przekazała prezydentowi swój raport, skierował on do szybkiego rozpatrzenia przez Kongres projekt nowych przepisów zabezpieczających. Zapowiedział także przedstawienie jeszcze przed wyborami programu reformy opieki socjalnej. Prasa była zachwycona, kiedy Florentynie udało się wprowadzić do komputera rejestrującego bezrobotnych nazwisko i adres prezydenta; karykaturzyści – od MacNelly'ego po Petersa – mieli używanie, a FBI w całym kraju dokonało licznych aresztowań oszustów żerujących na systemie opieki społecznej.

Prasa chwaliła prezydenta za podjętą inicjatywę, a „Washington Post" napisał, że senator Kane w ciągu jednego roku uczyniła dla najbardziej potrzebujących więcej, niż kiedyś Nowy Ład i Wielkie Społeczeństwo razem wzięte. To było naprawdę Świeże Podejście, pisały gazety; Florentynę trochę to śmieszyło. Rozeszły się pogłoski, że po wyborach zastąpi Pete'a Parkina na stanowisku wiceprezydenta. W poniedziałek trafiła po raz pierwszy na okładkę „Newsweeka", przez której całą szerokość biegły słowa: „Kobieta po raz pierwszy wiceprezydentem USA?" Florentyna była zbyt wytrawnym politykiem, aby dać się zwieść prasowym spekulacjom. Wiedziała, że kiedy nadejdzie owa chwila, prezydent zatrzyma przy sobie Parkina dla zachowania równowagi sił w łonie partii i zapewnienia sobie poparcia Południa. Choć ma dla niej wiele podziwu, prezydent chce zostać w Białym Domu na kolejne cztery lata.

I znów największym problemem w życiu Florentyny stała się konieczność wybierania: które sprawy i którzy ludzie zasługują, by poświęcić im swój czas i uwagę? Wśród senatorów zabiegających o jej poparcie w kampanii przedwyborczej znalazł się Ralph Brooks. Brooks, który nigdy nie omieszkał nazywać siebie senatorem-seniorem stanu Illinois, został niedawno mianowany przewodniczącym Senackiej Komisji do Spraw Energii i Zasobów Naturalnych, dzięki czemu był stale obiektem zainteresowania opinii publicznej. Chwalono go za sposób, w jaki radził sobie z naftowymi potentatami i przedstawicielami wielkiego biznesu. Florentyna domyślała się, że prywatnie nigdy się o niej pochlebnie nie wyraża, ale kiedy otrzymała tego konkretne dowody, pomyślała, że nie ma to dla niej żadnego znaczenia. Była jednak zaskoczona, gdy zaproponował jej wspólne wystąpienie w telewizyjnej reklamie promującej partię, mówiąc o tym, jak dobrze się im współpracuje, i podkreślając, jakie to ważne, że oboje senatorowie z Illinois są demokratami. Naciskana przez przewodniczącego partii z Chicago, zgodziła się, choć przez cały okres zasiadania w Kongresie nigdy nie rozmawiała ze swoim kolegą-senatorem częściej niż dwa-trzy razy w miesiącu. Miała nadzieję, że jej poparcie załagodzi dzielące ich różnice. Nie załagodziło. Dwa lata później, kiedy ubiegała się o ponowny wybór do Senatu, jego pomoc okazała się nader problematyczna.

W miarę przybliżania się daty wyborów coraz więcej senatorów pragnących zachować swój mandat zwracało się do Florentyny o wystąpienia na ich rzecz. W okresie ostatnich sześciu miesięcy 1988 roku rzadko spędzała weekendy w domu; nawet prezydent zaprosił ją do udziału w kilku swoich przedwyborczych spotkaniach. Był zachwycony reakcją, jaką wywołał w społeczeństwie raport komisji senator Kane w kwestii opieki społecznej i zgodził się spełnić jedyną prośbę, z jaką Florentyna kiedykolwiek się do niego zwróciła, choć wiedział, że Pete Parkin i Ralph Brooks będą wściekli, kiedy się o tym dowiedzą.

Od śmierci Richarda Florentyna prawie nie udzielała się towarzysko, ale od czasu do czasu spędzała wspólny weekend z Williamem, Joanną i swoim trzyletnim wnuczkiem Richardem w Czerwonym Domu w Beacon Hill. Annabel zaś, jeśli tylko udawało się jej wykroić wolny weekend, aby pojechać na Cape Cod, zawsze dołączała do matki.

Edward, który był teraz prezesem rady nadzorczej Grupy Barona i wiceprezesem banku Lestera, przynajmniej raz w tygodniu meldował się u Florentyny z aktualnymi wynikami finansowymi, z których nawet Richard byłby dumny. Kiedy odwiedzał ją na Cape Cod, grali w golfa, z tym że w przeciwieństwie do partii rozgrywanych z Richardem, te z Edwardem kończyły się zawsze wygraną Florentyny. Wygrane sumy przekazywała na

549

fundusz miejscowego klubu republikanów dla uczczenia pamięci męża. Skarbnik Grand Old Party księgował je jako wpłaty od anonimowego darczyńcy, gdyż wyborcy Florentyny mogliby nie zrozumieć pobudek tej zmiany barw.

Edward nie ukrywał przed Florentyną uczuć, jakie do niej żywił, a raz nawet nieśmiało się jej oświadczył. Florentyna pocałowała swego najbliższego przyjaciela delikatnie w policzek.

– Nigdy więcej nie wyjdę za mąż – powiedziała – ale jeśli wygrasz kiedyś ze mną w golfa, rozważę jeszcze raz twoją propozycję. – Edward wziął sobie trenera, ale wciąż nie mógł pokonać Florentyny.

Kiedy prasa zwiedziała się, że senator Kane ma być głównym mówcą podczas konwencji demokratów w Detroit, natychmiast zaczęto pisać o niej jako o ewentualnym kandydacie na urząd prezydenta w 1992 roku. Edwarda bardzo podekscytowały te spekulacje, ale Florentyna zwróciła mu uwagę, że w ciągu ostatnich sześciu miesięcy brano już pod uwagę czterdziestu trzech innych kandydatów. Jak to przewidywał prezydent, Pete Parkin był rozwścieczony propozycją, aby główną mowę wygłosiła Florentyna, ale uspokoił się, kiedy zrozumiał, że prezydent nie zamierza skreślić go ze swej listy. Utwierdziło to tylko Florentynę w przekonaniu, że wiceprezydent byłby jej najgroźniejszym rywalem, gdyby rzeczywiście zdecydowała się kandydować za cztery lata.

Prezydent i wiceprezydent otrzymali ponowne nominacje na kandydatów w trakcie niemrawej konwencji, podczas której tylko garstka oponentów i wiernych synów Partii Demokratycznej starała się nie dopuścić, aby delegaci posnęli. Florentyna z rozrzewnieniem wspominała gorętsze konwencje, na przykład awanturę, jaka wybuchła w czasie zjazdu republikanów w 1976 roku, kiedy to Nelson Rockefeller wyrwał z podłogi w sali kongresowej w Kansas City gniazdko telefonu.

Przemówienie Florentyny delegaci przyjęli owacją o parę tylko decybeli cichszą od tej, jaką nagrodzili mowę akceptacyjną prezydenta, co sprawiło, że ostatniego dnia pojawiły się plakietki z napisem: „Kane na prezydenta w 1992". Tylko w Ameryce możliwe było przygotowanie przez noc dziesięciu tysięcy agitacyjnych plakietek – pomyślała Florentyna i wzięła sobie jedną dla małego Richarda. Jej własna kampania wyborcza rozpoczęła się, zanim sama zdążyła ruszyć palcem.

W ciągu ostatnich dni przed wyborami Florentyna odwiedziła prawie tyle samo mniej ważnych stanów, co sam prezydent, i prasa sugerowała, że jej niezachwiana lojalność mogła mieć pewien wpływ na skromne zwycięstwo demokratów. Ralph Brooks wrócił do Senatu dzięki trochę tylko wyższej przewadze głosów. Przypomniało to Florentynie, że za niecałe dwa lata to jej przypadnie ubieganie się o ponowny wybór.

Kiedy zaczęła się pierwsza sesja Kongresu sto pierwszej kadencji, koledzy z obu izb otwarcie dawali Florentynie do zrozumienia, że może liczyć na ich poparcie, gdyby zdecydowała się kandydować na urząd prezydenta. Zdawała sobie sprawę, że prawdopodobnie to samo mówili Pete'owi Parkinowi, niemniej zawsze pamiętała, aby jeszcze tego samego dnia podziękować każdemu odręcznym listem.

Najtrudniejszym zadaniem przed nowymi wyborami do Senatu było przeprowadzenie przez obie izby projektu nowej ustawy o opiece społecznej i to właśnie pochłaniało większość czasu Florentyny. Osobiście patronowała siedmiu poprawkom, które w zasadzie nakładały na rząd federalny obowiązek wzięcia na siebie kosztów wprowadzenia w skali całego kraju zasady minimalnego dochodu oraz dokonania poważnej przebudowy systemu zabezpieczeń socjalnych. Mnóstwo czasu zabierało jej przekonywanie, namawianie, kuszenie i niemalże przekupywanie kolegów, zanim projekt przekształcił się w prawo. Stała tuż za prezydentem, kiedy podpisywał nową ustawę w Rozarium. Poszły w ruch kamery i trzaskały aparaty fotoreporterów tłoczących się za barierką. Było to największe osiągnięcie w całej karierze politycznej Florentyny. Prezydent wygłosił pochlebne dla siebie oświadczenie, po czym wstał, aby uścisnąć rękę pani senator.

– Oto dama, której zawdzięczamy Ustawę Kane – powiedział i szepnął Florentynie do ucha: – Dobrze, że wice jest w Południowej Ameryce, bo by mi tego nie darował.

Prasa i opinia publiczna zgodnie chwaliły Florentynę za zręczność i determinację, z jaką przeprowadziła projekt ustawy przez Kongres, a „New York Times" napisał, że nawet gdyby nie odniosła już więcej sukcesów w swojej politycznej karierze, to przecież dzięki niej zaistnieje w amerykańskim prawodawstwie ustawa, która wytrzyma próbę czasu. Nowe prawo gwarantowało, że nikt, kto naprawdę potrzebuje pomocy, nie zostanie jej pozbawiony, natomiast naciągacze żerujący na systemie opieki socjalnej powędrują za kratki.

Kiedy w końcu przestano się tą sprawą entuzjazmować, Janet zwróciła Florentynie uwagę, że teraz, gdy do wyborów zostało już tylko dziewięć miesięcy, powinna więcej czasu spędzać w Illinois. Prawie wszyscy liczący się członkowie partii ofiarowali jej swoją pomoc, gdy zaczęła ubiegać się o ponowny wybór do Senatu, ale to prezydent udzielił jej największego poparcia, nie żałując swego czasu i przyciągając swoją osobą ogromne tłumy podczas konwencji demokratów w Chicago. Kiedy razem wchodzili schodami na podium przy dźwiękach „Znów nastały szczęśliwe dni", szepnął jej do ucha:

– Teraz zemszczę się za wycisk, jaki dawałaś mi przez ostatnie pięć lat.

Prezydent opisał Florentynę jako kobietę, która przysparzała mu więcej kłopotów niż żona, a teraz, jak słyszy, chciałaby spać w jego łóżku w Białym Domu. Kiedy śmiech ucichł, dodał:

– A gdyby postanowiła ubiegać się o ten wysoki urząd, to powiem wam, że nikt nie służyłby Ameryce lepiej od niej.

Następnego dnia prasa sugerowała, że oświadczenie to było wymierzone bezpośrednio w Pete'a Parkina i gdyby Florentyna zdecydowała się kandydować, miałaby poparcie prezydenta. Prezydent sprzeciwił się takiej interpretacji swoich słów, ale od tej chwili Florentyna znalazła się w niewygodnej pozycji faworyta w wyborach w 1992 roku. Kiedy napłynęły wyniki rywalizacji o senackie mandaty, nawet ona była zaskoczona ogromem swego zwycięstwa, i to w sytuacji, gdy większość senatorów-demokratów utraciła swe mocne pozycje w niekorzystnych z reguły dla Białego Domu wyborach odbywających się w połowie prezydenckiej kadencji. Przytłaczające zwycięstwo Florentyny utwierdziło demokratów w przekonaniu, że mają w swych szeregach nie tylko postać sztandarową, ale kogoś o wiele cenniejszego: polityka, który wygrywa.

W tygodniu, w którym zainaugurowana została pierwsza sesja sto drugiej kadencji Kongresu, na okładce tygodnika „Time" ukazała się fotografia Florentyny. Drobiazgowo odnotowano takie szczegóły z jej życia, jak rola Joanny D'Arc w Gimnazjum Klasycznym i Stypendium Woolsonowskie przyznane na studia w Radcliffe. Wyjaśniono nawet, dlaczego nieżyjący już mąż nazywał ją Jessie. Stała się najlepiej znaną kobietą w Ameryce. „Ta urocza pięćdziesięcioszcioletnia kobieta – pisał „Time" w podsumowaniu – jest nie tylko inteligentna, ale i dowcipna. Lecz kiedy jej dłoń zaciska się w pięść, strzeżcie się, bo wtedy jest to pięść boksera wagi ciężkiej."

W czasie nowej sesji Florentyna próbowała wypełniać swe normalne senatorskie obowiązki, ale wszyscy – koledzy, przyjaciele i prasa – dopytywali się wciąż, kiedy wypowie się oficjalnie, czy zamierza kandydować do Białego Domu. Usiłowała skierować ich uwagę ku czemu innemu, angażując się w ważne sprawy bieżące. Kiedy Quebec otrzymał lewicowy rząd, poleciała do Kanady na sondażowe rozmowy z Brytyjską Kolumbią, Saskatchewan i Manitobą w kwestii ewentualnego ich sfederalizowania ze Stanami Zjednoczonymi. Prasa śledziła jej poczynania i kiedy Florentyna wróciła do Waszyngtonu, środki przekazu nie nazywały jej już politykiem, lecz pierwszą amerykańską kobietą – mężem stanu.

Pete Parkin informował już, kogo mógł, i każdego, kto chciał go słuchać, że ma zamiar kandydować, i spodziewano się wkrótce oficjalnego oświadczenia w tej sprawie. Wiceprezydent był starszy od Florentyny o pięć lat, a ona wiedziała, że to jest dla niego ostatnia szansa, by usłyszeć „Niech żyje nam nasz szef". Przypomniała sobie, co powiedziała jej Margaret Thatcher, kiedy została premierem: „Jedyna różnica między przywódcą partii mężczyzną a przywódcą kobietą polega na tym, że jeśli kobieta przegra, to mężczyźni nie dadzą jej drugi raz spróbować".

Florentyna nie miała wątpliwości, co poradziłby jej Bob Buchanan, gdyby żył: Poczytaj sobie „Juliusza Cezara", moja droga, ale tym razem zwróć uwagę na Brutusa, a nie na Marka Antoniusza.

Spędziła z Edwardem spokojny weekend na Cape Cod. Rozgrywając jeszcze jedną partię golfa, którą Edward przegrał, rozmawiali o przełomie w zawodowej karierze pewnej kobiety, rozważając możliwość klęski, ale i powodzenia.

Zanim Edward wyruszył z powrotem do Nowego Jorku, a Florentyna do Waszyngtonu, ostateczna decyzja została podjęta.

XXXIV

– ...i z tą myślą zgłaszam swoją kandydaturę na urząd prezydenta Stanów Zjednoczonych.

Florentyna spoglądała na wypełniający Senacką Salę Zebrań tłum złożony z trzystu pięćdziesięciu osób, które zmieściły się na powierzchni obliczonej – według zarządcy senackiego gmachu – najwyżej na trzysta osób. Kamerzyści telewizji i fotoreporterzy musieli się mocno gimnastykować, aby nie mieć w polu swych obiektywów czyjejś głowy. Florentyna stała podczas długotrwałej owacji, jaka nastąpiła po złożeniu przez nią oświadczenia. Kiedy gwar w końcu ucichł, Edward zbliżył się do baterii mikrofonów ustawionych na podium.

– Szanowni państwo – powiedział. – Jestem pewien, że kandydatka z przyjemnością odpowie teraz na państwa pytania.

Połowa obecnych na sali zaczęła mówić równocześnie i Edward skinął głową ku mężczyźnie w trzecim rzędzie, dając mu znak, że może zadać pierwsze pytanie.

– Albert Hunt z „Wall Street Journal" – przedstawił się dziennikarz. – Pani senator, kto według pani będzie najtrudniejszym dla pani przeciwnikiem?

– Kandydat republikanów – odpowiedziała bez wahania. Po sali rozeszła się fala śmiechu, tu i ówdzie klaskano. Edward uśmiechnął się i poprosił o następne pytanie.

– Pani senator, czy w rzeczywistości nie jest to zagrywka mająca umożliwić pani kandydowanie u boku Pete'a Parkina?

– Nie, urząd wiceprezydenta mnie nie interesuje – odparła Florentyna. – W najlepszym razie jest to dla polityka okres wyczekiwania w nadziei na otrzymanie właściwej posady. W najgorszym – tu przytoczę słowa Nelsona Rockefellera: „Nie warto zostać numerem dwa – chyba że kogoś interesuje odbycie czteroletniego pogłębionego seminarium z dziedziny nauk politycznych i uczestniczenie w mnóstwie uroczystych pogrzebów". Ja nie mam ochoty ani na jedno, ani na drugie.

– Czy sądzi pani, że Ameryka jest przygotowana na prezydenta-kobietę?

– Tak, inaczej nie ubiegałabym się o ten urząd, ale będę mogła panu powiedzieć coś więcej na ten temat trzeciego listopada.

– Czy myśli pani, że republikanie mogliby również wysunąć kandydaturę kobiety?

– Nie, nie są dosyć odważni, aby zdecydować się na tak śmiałe posunięcie. Zrobią to dopiero przy następnych wyborach, kiedy zobaczą, że demokratom pomysł ten przyniósł sukces.

– Czy na pewno ma pani wystarczające doświadczenie, aby objąć ten urząd?

– Byłam żoną, matką, prezesem potężnej korporacji, członkiem Izby Reprezentantów przez osiem lat i Senatu przez siedem. W służbie publicznej, jaką dla siebie wybrałam, prezydentura jest najwyższą pozycją. Więc owszem, uważam, że mam kwalifikacje do tej funkcji.

– Czy uważa pani, że sukces, jakim było dla pani doprowadzenie do uchwalenia Ustawy o Opiece Społecznej, przysporzy pani głosów ubogiej ludności i czarnych?

– Mam nadzieję, że ta ustawa zaskarbi mi poparcie wszystkich warstw społeczeństwa. Moją główną intencją, jeśli idzie o tę ustawę, było sprawienie, aby zarówno ci, którzy łożą na opiekę społeczną, jak i ci, którzy z niej korzystają, mieli przeświadczenie, że postanowienia ustawy oparte są na słusznych i humanitarnych podstawach, godnych nowoczesnego społeczeństwa.

– Czy po sowieckiej inwazji na Jugosławię pani rząd przyjąłby twardszą linię wobec Kremla?

– Po Węgrzech, Czechosłowacji, Afganistanie, Polsce, a teraz Jugosławii, fakt naruszenia w tych dniach przez Sowietów granic Pakistanu utwierdza mnie w żywionym od dawna przekonaniu, że musimy pilnie strzec bezpieczeństwa kraju. Musimy pamiętać, że to, iż w przeszłości dwa największe na kuli ziemskiej oceany chroniły nas skutecznie przed wrogiem, nie gwarantuje nam bezpieczeństwa na przyszłość.

– Prezydent nazwał panią jastrzębiem w piórach gołębicy.

– Nie wiem, czy jest to uwaga na temat moich strojów, czy mojej aparycji, ale wydaje mi się, że połączenie tych dwóch ptaków przypomina nieco amerykańskiego orła.

– Czy sądzi pani, że możemy zachować nasze

specjalne stosunki z Europą po wynikach niedawnych wyborów we Francji i Wielkiej Brytanii?

– Decyzja Francuzów o powrocie do rządów gaullistowskich i fakt głosowania Brytyjczyków za rządem labourzystowskim nie budzi we mnie poważniejszych obaw. Jacques Chirac i Roy Hattersley dowiedli w przeszłości, że są przyjaciółmi Ameryki, i nie widzę powodu, dlaczego w przyszłości miałoby być inaczej.

– Czy spodziewa się pani poparcia Ralpha Brooksa podczas swej kampanii wyborczej?

Było to pierwsze pytanie, które zaskoczyło Florentynę.

– Może powinniście państwo sami go o to zapytać. Choć naturalnie mam nadzieję, że moja decyzja o kandydowaniu ucieszy senatora Brooksa. – Nic więcej nie przychodziło jej do głowy.

– Pani senator, czy aprobuje pani obecny system prawyborów?

– Nie. Choć nie jestem za prawyborami ogólnokrajowymi, to obecny system uważam za archaiczny. Sądzę, że Ameryka wynalazła metodę wybierania prezydenta, która bardziej odpowiada potrzebom środków przekazu niż wymogom nowoczesnego rządzenia. Sposób ten uprzywilejowuje też kandydatów-dyletantów. Dziś większą szansę zostania prezydentem ma ktoś, kto jest czasowo bez pracy i dostał po babci kilkumilionowy spadek. Wtedy może przez cztery lata jeździć po kraju, zaskarbiając sobie względy delegatów, gdy w tym czasie ludzie bardziej predestynowani do tego urzędu zajęci są wykonywaniem pracy pochłaniającej cały ich czas. Gdybym została prezydentem, zadbałabym o skierowanie do Kongresu projektu takiej ustawy wyborczej, która nie pozbawiałaby nikogo możliwości kandydowania z powodu braku środków czy czasu. Musimy przywrócić zasadę, że każdy, kto urodził się w tym kraju, pragnie służyć krajowi na tym urzędzie i posiada odpowiednie po temu kwalifikacje, nie może zostać zdyskwalifikowany, zanim jeszcze rozpoczną się wybory.

Pytania zadawano ze wszystkich stron sali i upłynęła z górą godzina, zanim padło ostatnie.

– Pani senator, czy jeśli zostanie pani prezydentem, to – jak Waszyngton – nigdy pani nie skłamie, czy – jak Nixon – będzie pani mieć swoją własną definicję prawdy?

– Nie mogę przyrzec, że nigdy nie skłamię. Wszyscy kłamiemy; czasami, aby ochronić przyjaciela albo członka rodziny; a gdybym została prezydentem, może skłamałabym, aby ochronić mój kraj. Czasem kłamiemy, gdyż nie chcemy, aby nas na czymś przyłapano. Mogę państwa tylko zapewnić, że jestem jedyną kobietą w Ameryce, która nigdy nie potrafiła skłamać na temat swego wieku. – Śmiech ucichł i Florentyna mówiła dalej: – Chciałabym zakończyć tę konferencję prasową stwierdzeniem, że, niezależnie od końcowego rezultatu mojej dzisiejszej decyzji, pragnę podziękować z tego miejsca Ameryce za to, że będąc córką emigranta, mogę się ubiegać o najwyższy urząd w tym kraju. Nie sądzę, aby w jakimkolwiek innym państwie na świecie taka ambicja miała szansę realizacji.

Życie Florentyny zaczęło się odmieniać z chwilą, gdy wyszła z sali; czterech agentów Secret Service otoczyło kandydatkę, a ich szef torował jej przejście w tłumie.

Florentyna uśmiechnęła się, kiedy Brad Staimes przedstawił się i wyjaśnił, że przez cały czas trwania kampanii, dzień i noc, będzie jej wciąż towarzyszyć czterech agentów ochrony zmieniających się co osiem godzin. Florentyna zauważyła, że wśród tej czwórki są dwie kobiety, bardzo przypominające budową i wyglądem ją samą. Podziękowała Staimesowi; ale nigdy nie zdołała przyzwyczaić się do tego, że odwróciwszy głowę zawsze widzi któregoś z agentów. W tłumie sympatyków wyróżniali się tym, że nosili w uchu słuchawki, i Florentynie przypomniała się historia pewnej starszej pani, która była obecna na mityngu z Nixonem w 1972 roku. Pod koniec przemówienia kandydata podeszła do jednego z jego współpracowników i powiedziała mu, że zdecydowanie będzie głosować za ponownym wyborem Nixona, ponieważ rozumie on ludzi, którzy, podobnie jak ona, mają kłopoty ze słuchem.

Po konferencji prasowej Edward poprowadził w biurze Florentyny zebranie, na którym omówiono z grubsza strategię kampanii wyborczej. Wiceprezydent ogłosił już nieco wcześniej zamiar kandydowania, także paru innych kandydatów rzuciło na ring swoje rękawice, ale prasa zdążyła zadecydować, że właściwy pojedynek odbędzie się pomiędzy Florentyną Kane a Pete'em Parkinem.

Edward zorganizował wspaniały zespół ankieterów, specjalistów od finansów i doradców politycznych, wspomaganych przez doświadczonych współpracowników Florentyny w Waszyngtonie, którym wciąż przewodziła Janet Brown.

Najpierw przedstawił w zarysie plan kampanii, dzień po dniu, od pierwszych prawyborów w New

Hampshire, a potem w Kalifornii, aż do samej konwencji demokratów w Detroit. Florentyna chciała zorganizować konwencję w Chicago, ale wiceprezydent sprzeciwił się temu pomysłowi; nie miał zamiaru walczyć z Florentyną na jej własnym boisku. Przypomniał demokratom, że wybór Chicago i zamieszki, jakie potem tam wybuchły, były jedyną przyczyną, dla której Humphrey przegrał z Nixonem w 1968 roku.

Florentyna pogodziła się już z myślą, że prawie niemożliwe będzie pokonanie wiceprezydenta w południowych stanach, dlatego tak istotne było dla niej wyjście z mocnej pozycji do rozgrywek w Nowej Anglii i na Środkowym Zachodzie. Zgodziła się, że przez najbliższe trzy miesiące siedemdziesiąt pięć procent energii powinna poświęcić kampanii, i przez kilka godzin jej ludzie zarzucali ją pomysłami, jak najlepiej wykorzystać ten czas. Ustalono również, że regularnie będzie odwiedzać te większe miasta, gdzie miały odbyć się trzy pierwsze prawybory i że jeśli wypadnie dobrze w New Hampshire, tradycyjnym bastionie konserwatyzmu, wtedy odpowiednio zaplanują dalszą strategię.

Pomiędzy częstymi wypadami do New Hampshire, Vermont i Massachusetts Florentyna starała się możliwie pilnie wykonywać swoje obowiązki w Senacie. Edward wynajął dla niej sześcioosobowego odrzutowego leara z dwoma pilotami, którzy przez całą dobę byli w pogotowiu, tak aby mogła wylecieć z Waszyngtonu w każdej chwili. We wszystkich trzech stanach, w których miały odbyć się prawybory, działały prężne sztaby wyborcze, tak więc gdziekolwiek Florentyna spojrzała, wszędzie widziała plakaty i nalepki na zderzakach samochodów z napisem „Kane na prezydenta"; było ich nie mniej niż tych lansujących Pete'a Parkina.

Mając już tylko siedem tygodni do pierwszych prawyborów, Florentyna coraz więcej czasu poświęcała zabieganiu o względy stu czterdziestu siedmiu tysięcy zarejestrowanych w Illinois demokratów. Edward nie spodziewał się więcej niż trzydziestu procent tych głosów, ale uważał, że to wystarczy do wygrania prawyborów i przekonania wątpiących, że Florentyna jest poważną kandydatką. Przed dotarciem do południowych stanów musi zapewnić sobie poparcie jak największej liczby delegatów. Pożądane byłoby, jeśli to możliwe, przekroczenie magicznej liczby tysiąca sześciuset sześćdziesięciu sześciu głosów, zanim znajdzie się na konwencji demokratów w Detroit.

Pierwsze zapowiedzi były pomyślne. Prywatny specjalista Florentyny od sondaży, Kevin Palumbo, zapewnił ją, że idzie łeb w łeb z wiceprezydentem, a Instytut Gallupa i agencja Harrisa wydawały się potwierdzać ten pogląd. Tylko siedem procent wyborców stwierdziło, że w żadnym wypadku nie będą głosować na kobietę, ale Florentyna wiedziała, co znaczy siedem procent, jeśli szanse rywali są wyrównane.

Harmonogram Florentyny przewidywał krótkie postoje w stu pięćdziesięciu spośród dwustu pięćdziesięciu miasteczek New Hampshire. Choć każdy dzień był jak zwariowany, Florentynie coraz bardziej podobała się Nowa Anglia z jej drewnianymi domami, czerstwo wyglądającymi farmerami i surową urodą zimowego pejzażu Granitowego Stanu. Dała sygnał do rozpoczęcia wyścigu psich zaprzęgów w Franconia i odwiedziła najdalej na północ wysuniętą osadę na granicy z Kanadą. Nauczyła się szanować wnikliwe opinie redaktorów miejscowych gazetek, z których wielu zajmowało przed emeryturą wysokie stanowiska w pismach o ogólnokrajowym zasięgu czy w agencjach informacyjnych. Postanowiła unikać poruszania drażliwej kwestii podatków, kiedy się dowiedziała, jak zaciekle mieszkańcy New Hampshire bronią swego prawa do niewyrażania zgody na wprowadzenie stanowego podatku od dochodów, dzięki czemu mogą przyciągnąć do swego stanu najwięcej zarabiających przedstawicieli wolnych zawodów z sąsiedniego Massachusetts.

Florentyna niejeden raz dziękowała losowi, że nie żyje już William Loeb, wydawca prasowy, którego ohydne manipulacje za pomocą manchesterskiego „Przywódcy związkowego" wystarczyły, by wykończyć jej poprzedników, Edmunda Muskiego i George'a Busha. Było powszechnie wiadomo, że Loeb nie znosił kobiet w polityce.

Edward donosił jej, że do kwatery głównej w Chicago napływają wciąż pieniądze, a we wszystkich stanach jak grzyby po deszczu rosną nowe biura pod szyldem „Kane na prezydenta". Niektóre miały więcej ochotników do pracy, niż były w stanie zatrudnić; entuzjazm tych ludzi sprawił, że tysiące salonów i garaży w całej Ameryce zamieniło się w tymczasowe siedziby komitetów wyborczych.

W ostatnim tygodniu przed pierwszymi prawyborami Florentyna udzieliła wywiadów Barbarze Walters, Danowi Ratherowi i Frankowi Reynoldsowi i wystąpiła w porannych serwisach informacyjnych trzech głównych sieci telewizyjnych. Jak stwierdził Andy Miller, sekretarz prasowy Florentyny, wywiad z Barbarą Walters obejrzało pięćdziesiąt dwa miliony telewidzów i gdyby Florentyna chciała uścisnąć rękę tylu ludziom w takim tempie, jak to robiła w New Hampshire, zabrałoby jej to ponad pięćset lat. Niemniej miejscowi szefowie jej kampanii dopilnowali, aby odwiedziła niemal wszystkie domy dla starych ludzi w tym stanie.

Florentyna musiała przemierzać ulice miast New Hampshire, ściskać dłonie robotników papierni w Berlin, jak również odrobinę podchmielonych Weteranów Wojen Zamorskich i kombatantów Legionu Amerykańskiego, którzy mieli swoje placówki w najmniejszych nawet miasteczkach. Zrozumiała, że korzystniej jest agitować wśród narciarzy stojących w kolejkach do wyciągów w mniej popularnych górach niż w słynnych stacjach zimowych, gdzie często bywalcami są nie głosujący mieszkańcy Nowego Jorku czy Massachusetts.

Wiedziała, że gdyby przegrała w tym maleńkim okręgu na północnym skraju Stanów Zjednoczonych, jej kandydatura przestałaby budzić zaufanie wyborców.

Kiedy Florentyna przylatywała do jakiegoś nowego miasta, Edward już tam na nią czekał i nie dawał jej wytchnąć, dopóki nie wsiadła z powrotem do samolotu.

Edward powiedział jej, że powinni dziękować Opatrzności za zaciekawienie, jakie budzi kobieta kandydująca na urząd prezydenta. Jego idąca przodem ekipa nigdy nie musiała się obawiać, że w sali, gdzie ma przemawiać Florentyna, więcej będzie roślin w donicach niż mieszkańców Granitowego Stanu.

Pete Parkin, który szczęśliwym dla siebie trafem nie bywał zbyt często zajęty jako oficjalny żałobnik, dowiódł przy okazji, że wiceprezydent nie ma poza tym nic specjalnego do roboty; spędzał w New Hampshire więcej czasu niż Florentyna. W przeddzień prawyborów Edward mógł się pochwalić, że ludzie z ekipy Florentyny dotarli – czy to za pośrednictwem telefonu, listu, czy osobiście – do stu dwudziestu pięciu tysięcy spośród stu czterdziestu siedmiu tysięcy zarejestrowanych demokratów; ale, dodał, widocznie Pete Parkin uczynił podobnie, gdyż wielu z tych ludzi zachowało rezerwę, a niektórzy nawet okazywali niechęć wobec kandydatury senator Kane.

W ostatnim dniu kampanii w New Hampshire Florentyna przemawiała na mityngu w Manchester, w którym wzięło udział ponad trzy tysiące ludzi. Kiedy Janet powiedziała jej, że nazajutrz będzie miała za sobą dwa procent całej kampanii wyborczej, Florentyna odpowiedziała: „Albo sto procent klęski". Nieco po północy udała się do swego pokoju w motelu, odprowadzana przez ekipy telewizyjne sieci CBS, NBC, ABC i Cable News oraz czworo agentów Secret Service; wszyscy ci ludzie byli przekonani, że Florentyna zwycięży.

Dzień wyborów przywitał mieszkańców New Hampshire śnieżną zamiecią i lodowatym wichrem. Florentyna cały dzień jeździła od jednego punktu wyborczego do drugiego, dziękując swym sympatykom za poparcie; spoczęła dopiero w chwili, gdy zamknięty został ostatni z lokali. O dziewiątej jedenaście stacja CBS jako pierwsza poinformowała, że frekwencję ocenia się na czterdzieści siedem procent, co Dan Rather uznał za wskaźnik wysoki, zważywszy na pogodę. Rozkład głosów według pierwszych szacunków potwierdzał to, co przewidywały sondaże: Florentyna i Pete Parkin szli łeb w łeb. Do przodu wysuwało się to jedno, to drugie z kandydatów, ale nigdy więcej niż o kilka punktów. Florentyna siedziała w swoim motelowym pokoju razem z Edwardem, Janet, najbliższymi współpracownikami i dwoma agentami Secret Service, śledząc napływające ostateczne wyniki.

– Nawet gdyby się umówili, różnica nie mogłaby być mniejsza – powiedziała Jessica Savitch, która pierwsza podała wyniki: – Senator Kane trzydzieści jeden procent głosów, wiceprezydent Parkin trzydzieści, senator Bill Bradley szesnaście; resztą głosów podzieliła się pozostała piątka kandydatów, którzy – sądzę – nie muszą już zawracać sobie głowy rezerwowaniem hotelu na następne prawybory – dodała spikerka.

Florentynie przypomniały się słowa ojca: „Jeśli rezultaty prawyborów w New Hampshire okażą się zadowalające..."

Do Massachusetts pojechała popierana przez sześciu delegatów; Pete Parkin miał ich pięciu. Prasa o zasięgu ogólnokrajowym pisała, że nie ma zwycięzcy, jest za to pięcioro przegranych. Tylko troje kandydatów zjawiło się w Massachusetts i Florentyna wyzbyła się już właściwie obaw, że jako kobieta nie może być poważnym rywalem.

W Massachusetts miała dwa tygodnie na przeciągnięcie na swoją stronę możliwie największej liczby spośród stu jedenastu delegatów i rytm jej pracy prawie się nie zmienił. Codziennie wypełniała przygotowany przez Edwarda program, który zapewniał jej spotkanie z tak wieloma wyborcami, jak to tylko było możliwe, i trafienie do porannych bądź wieczornych wiadomości.

Florentyna pozowała do zdjęć z dziećmi, przywódcami związkowymi i włoskimi restauratorami: jadła małże, włoskie linguini, portugalski słodki chleb i żurawiny; podróżowała metrem, promem do Nantucket i autobusem linii Alameda autostradą Massachusetts Turnpike; biegała dla zdrowia po plażach, wędrowała po górach Berkshires i robiła zakupy w bostońskim Quincy Market, a wszystko po to, aby dowieść, że ma nie mniej energii niż mężczyzna. Kurując swoje obolałe ciało w gorącej kąpieli pomyślała, że gdyby ojciec pozostał w Rosji, jej droga do urzędu prezydenta ZSRR nie byłaby z pewnością mozolniejsza.

W Massachusetts Florentyna po raz drugi pokonała Pete'a Parkina; zdobyła głosy czterdziestu siedmiu delegatów, podczas gdy za wiceprezydentem opowiedziało się trzydziestu dziewięciu. Tego samego dnia w Vermont uzyskała poparcie ośmiu spośród dwunastu delegatów tego stanu. Dotychczasowe osiągnięcia Florentyny sprawiły, że – jak twierdzili spece od sondaży – na pytanie: „Czy kobieta może wygrać wybory prezydenckie?" coraz więcej ludzi odpowiadało „tak". Ale nawet ona była rozbawiona czytając, że pięć procent głosujących nie wiedziało, iż senator Kane jest kobietą. Prasa pisała już, że następnym ważnym sprawdzianem będzie dla kandydatów Południe, przy czym prawybory na Florydzie, w Georgii i Alabamie miały odbyć się tego samego dnia. Jeśli tam utrzyma swoją pozycję, to ma duże szanse, gdyż rozgrywka między demokratami zawęziła się teraz do pojedynku między nią a wiceprezydentem. Bill Bradley, który uzyskał zaledwie jedenaście procent głosów w Massachusetts, wypadł już z gry z powodu braku funduszy, choć w kilku stanach jego nazwisko nadal figurowało na listach i nikt nie wątpił, że w przyszłości może on mieć poważne szanse. Bradley, senator z New Jersey, był dla Florentyny od samego początku najbardziej pożądanym partnerem w wyborczych zmaganiach i figurował już na jej liście kandydatów na stanowisko wiceprezydenta.

Kiedy podliczono głosy na Florydzie, nikogo nie zdziwiło, że za wiceprezydentem opowiedziało się sześćdziesięciu dwóch na stu delegatów; Parkin powtórzył ten sukces w Georgii, zwyciężając stosunkiem głosów czterdzieści do dwudziestu trzech, a potem w Alabamie, gdzie zdobył głosy dwudziestu ośmiu spośród czterdziestu pięciu delegatów; ale nie zanosiło się na to, żeby wiceprezydent – jak to obiecał był prasie – „spuścił pięknej damie lanie, kiedy tylko postawi ona swoją śliczną stópkę w południowych stanach". Parkin coraz wyraźniej zamierzał pokonać Florentynę jako rzecznik interesów armii, ale lansowana przez niego idea ustanowienia tak zwanej „linii Fort Gringo" wzdłuż granicy z Meksykiem zaczęła odbijać się rykoszetem, przysparzając mu przeciwników w stanach południowozachodnich, gdzie uważał się za niepokonanego.

Edward ze swoją ekipą wyprzedzał zawsze Florentynę o kilka prawyborów, przenosząc się stale z jednego końca kraju w drugi; kiedy jej odrzutowiec lear lądował w kolejnym stanie, Florentyna dziękowała Opatrzności, że nie musi liczyć się z kosztami. Jej energia była niespożyta; to nie ona, lecz wiceprezydent pod koniec każdego dnia wyglądał na zmęczonego, mówił chrapliwym głosem i jąkał się. Oboje kandydaci musieli uwzględnić w swym rozkładzie jazdy wypad do San Juan i kiedy w połowie marca odbyły się prawybory w Portoryko, dwudziestu pięciu delegatów na czterdziestu jeden poparło Florentynę. Dwa dni później wróciła do swego rodzinnego stanu, na prawybory w Illinois, idąc ze swymi stu sześćdziesięcioma czterema głosami w trop za Parkinem, który miał ich sto dziewięćdziesiąt cztery.

Życie dosłownie zamarło w Wietrznym Mieście, gdy jego mieszkańcy fetowali swoją najukochańszą córkę, oddając jej wszystkie sto siedemdziesiąt dziewięć głosów delegatów stanu Illinois, dzięki czemu objęła znów prowadzenie trzystu czterdziestoma trzema głosami. Kiedy jednak ruszyli dalej, do stanów Nowy Jork, Connecticut, Wisconsin i Pensylwania, wiceprezydent stale uszczuplał przewagę Florentyny, i kiedy zawitali do Teksasu, prowadziła już tylko sześciuset pięćdziesięcioma pięcioma głosami przy jego pięciuset dziewięćdziesięciu i jednym.

Nikt się nie zdziwił, kiedy Pete Parkin zgarnął sto procent głosów w swoim rodzinnym stanie; Teksas nie miał swojego prezydenta od czasu Lyndona Bainesa Johnsona, a męska połowa jego mieszkańców uważała, że choć J.R.Ewing[1] z „Dallas" nie był może bez wad, to jednak słusznie uważał, iż miejsce kobiety jest w domu. Wiceprezydent opuszczał swoje ranczo pod Houston, mając nad Florentyną przewagę osiemdziesięciu ośmiu głosów.

Podróżując po kraju w nieustannym, kolosalnym napięciu, kandydaci nieraz mieli okazję się

[1] Główna postać telewizyjnego serialu „Dallas" (przyp. tłum.).

przekonać, że jakaś mimochodem rzucona uwaga czy nieprzemyślana opinia może następnego dnia trafić na czołówki gazet. Pierwszy popełnił gafę Pete Parkin, myląc Peru z Paragwajem, a fotoreporterzy szaleli ze szczęścia, mogąc go uwiecznić, kiedy swoim mercedesem z szoferem sunie dostojnie ulicami żyjącego z produkcji samochodów miasta Flint. Florentyna też nie uniknęła wpadek. W Alabamie, na pytanie, czy rozważa możliwość dobrania sobie czarnego kandydata na wiceprezydenta, odpowiedziała:

– Oczywiście, już to rozważyłam. – Musiała potem składać wciąż nowe oświadczenia, aby przekonać prasę, że nie wciągnęła jeszcze na swoją listę żadnego z przywódców czarnych Amerykanów.

Jednakże największy błąd popełniła w Wirginii. Na wydziale prawa Uniwersytetu Stanowego wygłosiła odczyt na temat systemu zwolnień warunkowych i zmian, jakie chciałaby wprowadzić, jeśli zostanie prezydentem. Przemówienie to napisał dla niej i opracował merytorycznie jeden z jej waszyngtońskich współpracowników, który pracował z nią, kiedy jeszcze była w Izbie Reprezentantów. Przeczytała tekst uważnie poprzedniego wieczoru, wprowadzając tylko parę drobnych zmian i podziwiając zręczność, z jaką został napisany. Wygłosiła swoją mowę w sali wypełnionej po brzegi przez studentów prawa, którzy przyjęli ją entuzjastycznie. Kiedy wieczorem udawała się na spotkanie w Klubie Rotarian Charlottesville, aby porozmawiać o kłopotach hodowców bydła, nie myślała już o tamtym wystąpieniu – do chwili, gdy następnego dnia podczas śniadania w „Zajeździe Pod Niedźwiedziem" wzięła do ręki miejscową gazetę.

Richmondzki „News-Leader" opublikował artykuł, którego wątek podchwyciła natychmiast prasa o zasięgu ogólnokrajowym. Jakiś miejscowy dziennikarz, relacjonując największą sensację, jaka trafiła mu się w dotychczasowej karierze, pisał, że przemówienie Florentyny było dlatego tak wspaniałe, że napisał je jeden z najbardziej zaufanych współpracowników pani senator Kane, Allen Clarence, który zanim zatrudnił się u niej, został skazany na pół roku więzienia i rok nadzoru sądowego. Nieliczne tylko gazety wspomniały, że chodziło o prowadzenie samochodu po spożyciu alkoholu i bez prawa jazdy, oraz, że po wniesieniu apelacji Clarence został zwolniony po trzech miesiącach. Na pytania prasy, co zrobi z Clarence'em, odpowiedziała krótko: „Nic".

Edward powiedział jej, że musi natychmiast go wylać, nawet jeśli miałoby to być niesprawiedliwe, gdyż ta część prasy, która jest jej przeciwna – nie mówiąc już o Parkinie – używa sobie na niej, trąbiąc wokoło, że jeden z jej najbardziej zaufanych ludzi jest byłym kryminalistą. „Domyślacie się, kto będzie zarządzał więzieniami w tym kraju, jeśli ta kobieta zostanie prezydentem?" – powtarzał Parkin przy każdej okazji. W końcu Clarence odszedł z własnej woli, ale szkoda została już wyrządzona. Zanim kandydaci dotarli do Kalifornii, Pete Parkin zwiększył swoją przewagę, mając za sobą dziewięciuset dziewięćdziesięciu jeden delegatów, podczas gdy za Florentyną opowiedziało się ośmiuset osiemdziesięciu trzech.

Kiedy Florentyna przyleciała do San Francisco, na lotnisku czekała na nią Bella. Przybyło jej może trzydzieści lat, ale nie ubyło ani funta wagi.

Obok niej stał Claude oraz potężnej tuszy syn i szczuplutka córka. Gdy tylko Bella ujrzała Florentynę, zaczęła ku niej biec, ale drogę zastąpili jej krzepcy agenci Secret Service. Kandydatka wyratowała ją z opresji serdecznym uściskiem.

– Jak żyję, nie widziałem takiej kobity – powiedział jeden z agentów. – Mogłaby kopniakiem pomóc wystartować jumbo-jetowi. Setki ludzi stały na obrzeżu płyty lotniska, skandując: „Prezydent Kane!!!", i Florentyna, w towarzystwie Belli, podeszła do wiwatującego tłumu. Zaraz wystrzelił ku niej las rąk, co zawsze podnosiło ją na duchu. Plakaty głosiły, że „Kalifornia głosuje na Kane", i po raz pierwszy zdarzyło się, że większość w tłumie stanowili mężczyźni. Kiedy odwróciła się, aby ruszyć z powrotem do terminalu, zobaczyła wymalowany czerwoną farbą napis na całą ścianę: „Czy chcesz mieć za prezydenta jakąś cholerną Polaczkę?", a poniżej, białą farbą, słowo „Tak".

Bella, będąca teraz dyrektorką jednej z największych szkół w Kalifornii, została również – po tym, jak Florentyna zdobyła miejsce w Senacie – przewodniczącą Komitetu Demokratów w swoim mieście.

– Byłam pewna, że będziesz kiedyś kandydować na prezydenta, więc pomyślałam sobie, że warto zadbać, abyś miała za sobą San Francisco.

Bella rzeczywiście zadbała o to, przy pomocy tysiąca tak zwanych ochotników, którzy pukali do wszystkich drzwi w mieście. Rozdwojona jaźń Kalifornii – konserwatywne południe i liberalna północ – nastręczała pewne trudności centrystycznemu kandydatowi, jakim chciała być Florentyna. Lecz zręczność, wrażliwość na ludzką krzywdę i inteligencja pomogły jej przeciągnąć na swoją stronę część nawet najbardziej zatwardziałych lewicowców z okręgu Marin i wyznawców idei Johna Bircha z okręgu Orange. Pod względem frekwencji lepsze od San Francisco było tylko Chicago. Florentyna żałowała, że nie ma pięćdziesięciu jeden takich Belli, gdyż głosowanie w San Francisco przyniosło jej aż sześćdziesiąt dziewięć procent wszystkich głosów, jakie uzyskała w Kalifornii. To dzięki Belli mogła przyjechać na konwencję do Detroit, mając za sobą o stu dwudziestu ośmiu delegatów więcej niż Parkin.

Podczas uroczystej kolacji Bella ostrzegła Florentynę, że najwięcej kłopotu mogą jej przyczynić nie ci, którzy mówią: „Nigdy nie będę głosować na kobietę", lecz ci, którzy uważają, że „ona ma za dużo pieniędzy".

– Ciągle ta sama stara śpiewka. Ale niewiele już na to mogę poradzić – powiedziała Florentyna. – Wszystkie swoje akcje Grupy Barona przekazałam na cele fundacji.

– Rzecz w tym, że nikt nie wie, czym zajmuje się ta fundacja. Rozumiem, że pomaga w jakiś sposób dzieciom, ale ilu dzieciom i jakie sumy wchodzą w grę?

– W ubiegłym roku fundacja wydała ponad trzy miliony dolarów na pomoc dla trzech tysięcy stu dwanaściorga dzieci ze społecznie upośledzonych środowisk imigracyjnych. Ponadto czterysta dwoje wybitnie uzdolnionych młodych ludzi otrzymało stypendium Remagen, pozwalające im studiować na amerykańskich uniwersytetach; jeden beneficjant fundacji uzyskał następnie stypendium imienia Cecila Rhodesa i wkrótce pojedzie na studia do Oksfordu.

– Nie wiedziałam o tym – powiedziała Bella – ale ciągle słyszę, że Pete Parkin ufundował maleńką biblioteczkę dla Uniwersytetu Teksaskiego w Austin. Zadbał, aby stała się ona równie dobrze znana, jak Biblioteka Widenera na Harvardzie.

– Co więc według ciebie powinna zrobić Florentyna? – zapytał Edward.

– Może warto byłoby, aby profesor Ferpozzi zorganizował własną konferencję prasową? Jest człowiekiem, który potrafi zwrócić na siebie publiczną uwagę. Wszyscy dowiedzą się wtedy, że Florentyna Kane troszczy się o innych i dowodzi tego, wydając na nich swoje własne pieniądze.

Następnego dnia Edward zajęty był umieszczaniem artykułów w wybranych publikacjach i organizowaniem konferencji prasowych. W rezultacie ukazały się krótkie materiały w większości czasopism i dzienników, ale magazyn „People" dał na okładkę zdjęcie Florentyny z Albertem Schmidtem, stypendystą fundacji Remagen i laureatem stypendium Rhodesa. Kiedy się okazało, że Albert jest niemieckim emigrantem, którego dziadkowie uciekli z Europy, zdoławszy przedtem zbiec z obozu, David Hartman przeprowadził z nim następnego dnia wywiad w programie „Dzień dobry, Ameryko", po którym pisało się i mówiło o Albercie chyba więcej niż o Florentynie.

Wracając tego weekendu do Waszyngtonu, Florentyna dowiedziała się, że gubernator Colorado, którego nigdy nie uważała ani za swego przyjaciela, ani za politycznego sojusznika, niespodziewanie poparł ją podczas odbywającego się w Boulder sympozjum na temat energii słonecznej. Stosunek tej kobiety do przemysłu i ochrony środowiska, oznajmił uczestnikom, rokuje bogatym w surowce południowym stanom duże nadzieje na przyszłość.

Ten dzień zakończył się jeszcze milszym akcentem, kiedy dalekopisy Reutera wystukały wiadomość, że Departament Opieki Socjalnej opublikował pierwsze sprawozdanie od czasu wejścia w życie Ustawy Kane. Wynikało z niego, że odkąd Florentyna poddała rewizji system ubezpieczeń socjalnych, więcej osób ubywało z rejestru otrzymujących zasiłki, niż zgłaszało się nowych, chętnych do ich pobierania.

Kwestia finansowania kampanii wciąż nastręczała pewne problemy, gdyż nawet najzagorzalsi zwolennicy Florentyny zakładali, że stać ją na regulowanie wszystkich rachunków. Pete Parkin, wspierany przez naftowych potentatów z Marvinem Snyderem z Blade Oil na czele, nigdy nie miał takich kłopotów. Ale przez kilka następnych dni na adres biura Florentyny napływały datki na kampanię i depesze z wyrazami poparcia i życzeniami sukcesu.

Wpływowi dziennikarze w Londynie, Paryżu, Bonn i Tokio zaczęli zapewniać swoich czytelników, że jeśli Ameryka pragnie mieć prezydenta cieszącego się w świecie uznaniem i zaufaniem, to wybór między Florentyną Kane a hodowcą bydła z Teksasu wydaje się oczywisty.

Florentyna z przyjemnością czytała takie artykuły, lecz Edward zwrócił jej uwagę, że ani ich czytelnicy, ani autorzy nie mają najmniejszego wpływu na machinę wyborczą w Ameryce, choć po raz pierwszy odniósł wrażenie, że zostawili Parkina w tyle. Nie omieszkał jednak zauważyć, że po dotychczasowych prawyborach i konwentyklach na trzy tysiące trzysta trzydziestu jeden delegatów ponad czterystu nadal było niezdecydowanych. Wytrawni znawcy polityki oceniali, że dwustu z nich przejdzie na stronę Florentyny. Zanosiło się na najmniej zróżnicowany wynik konwencji od czasu pojedynku między Reaganem a Fordem.

Z prawyborów w Kalifornii Florentyna wróciła do Waszyngtonu z jeszcze jedną walizką brudnej odzieży. Wiedziała, że będzie musiała kusić, mamić i znieważać tych czterystu niezdecydowanych delegatów. W ciągu następnych czterech tygodni rozmawiała osobiście z trzystu osiemdziesięcioma z nich, z niektórymi po trzy, cztery razy. Z reguły najmniej przystępne były kobiety, choć uwaga, jaką im poświęcano, najwyraźniej sprawiała im wielką przyjemność, zwłaszcza że wiedziały, iż za miesiąc nikt nie zechce nawet do nich zadzwonić.

Edward zainstalował terminal komputerowy, aby Florentyna miała stały dostęp do danych w swojej kwaterze głównej. Komputer zawierał informacje o wszystkich czterystu dwunastu wciąż niezdecydowanych delegatach, łącznie z ich krótkimi życiorysami i numerem hotelowego pokoju w Detroit. Zaraz po przybyciu do miasta konwencji Edward zamierzał przystąpić do realizacji swego ostatecznego planu.

Przez pięć dni następnego tygodnia Florentyna starała się być zawsze w pobliżu telewizora. Republikanie zebrali się w Cow Palace w San Francisco, gdzie kłócili się o to, kto ma im przewodzić, jako że żaden z kandydatów nie zdołał porwać wyborców podczas prawyborów.

Wybór Russella Warnera nie był dla Florentyny zaskoczeniem. Swoją kampanię prezydencką prowadził odkąd tylko został gubernatorem Ohio. Kiedy prasa zaczęła pisać o nim jako o dobrym gubernatorze, który ma zły rok, przypomniało to Florentynie, że jej głównym zadaniem będzie pokonanie Parkina. Nie po raz pierwszy pomyślała sobie, że łatwiej przyjdzie jej wygrać ze sztandarową postacią republikanów niż z opozycją w łonie jej własnej partii.

Przedwyborczy weekend spędziła z Edwardem i rodziną na Cape Cod. Mimo wyczerpania zdołała wygrać partię golfa z Edwardem, który wydał się jej jeszcze bardziej zmęczony niż ona sama. Była rada, że Grupą Barona kierują teraz nowi, młodzi menedżerzy, do których dołączył William.

Florentyna i Edward polecieli w poniedziałek rano do Detroit, gdzie zajęli na cele kampanii kolejnego Barona. Hotel mieli wkrótce zapełnić współpracownicy Florentyny, jej sympatycy, prasa i stu dwudziestu czterech spośród owych niezdecydowanych delegatów.

W tę noc z niedzieli na poniedziałek, mówiąc dobranoc Edwardowi, a potem agentom i agentkom Secret Service, których zaczęła już traktować prawie jak członków rodziny, Florentyna wiedziała, że następne cztery dni będą najważniejszym okresem w całej jej politycznej karierze.

XXXV

Kiedy Jack Germond z „Baltimore Sun" zapytał Florentynę w samolocie, kiedy zaczęła pracować nad swoją mową nominacyjną, odpowiedziała:
– W dniu moich jedenastych urodzin.

Podczas przelotu z Nowego Jorku na lotnisko Metro w Detroit Florentyna przejrzała przemówienie przygotowane zawczasu na wypadek, gdyby otrzymała nominację już po wstępnym głosowaniu. Edward nic przewidywał sukcesu po pierwszym podliczeniu głosów, ale Florentyna uznała, że powinna być przygotowana na każdą ewentualność.

Jej doradcy byli zdania, że wynik będzie znany raczej dopiero po drugim, a nawet trzccim głosowaniu, a do tego momentu senator Bradley uwolni głosy swoich własnych stu osiemdziesięciu dziewięciu delegatów.

W minionym tygodniu sporządziła listę czterech osób, które zasługiwały według niej na to, aby kandydować u jej boku na stanowisko wiceprezydenta. Bill Bradley nadal był na pierwszym miejscu i Florentyna uważała go za swego oczywistego następcę w Białym Domu, ale brała również pod uwagę Sama Nunna, Gary'ego Harta i Davida Pryora.

Rozmyślania Florentyny przerwało lądowanie samolotu, a kiedy wyjrzała przez okno, zobaczyła, że oczekuje na nią spory tłum podekscytowanych ludzi. Ciekawa była, ilu z nich będzie tu również nazajutrz, aby powitać Pete'a Parkina. Sprawdziła fryzurę w lusterku puderniczki; kilka siwych pasemek biegło przez jej ciemne włosy, ale nie zamierzała ich ukrywać; uśmiechnęła się, przypomniawszy sobie, że w ciągu ostatnich trzydziestu lat włosy Pete'a Parkina nie zmieniły swej barwy ani odrobinę. Florentyna miała na sobie prosty kostium z lnu, a jedyną cenną ozdobą był osiołek z diamentów, symbol demokratów.

Odpięła pasy i wstała, schylając głowę pod schowkami na podręczny bagaż. Stanęła między rzędami foteli, a kiedy się odwróciła, by ruszyć ku wyjściu, pasażerowie samolotu zgotowali jej owację. Nagle uzmysłowiła sobie, że jeśli nie uzyska nominacji, nigdy więcej już ich wszystkich razem nie zobaczy. Uścisnęła ręce wszystkich po kolei przedstawicieli prasy, z których część towarzyszyła jej od pięciu miesięcy. Członek załogi otworzył drzwi kabiny i Florentyna stanęła na schodkach, mrużąc oczy w lipcowym słońcu. Tłum krzyczał: „Jest!, Jest!", kiedy schodziła po stopniach prosto ku powiewającym transparentom: zawsze uważała, że bezpośredni kontakt z wyborcami podładowuje jej baterie. Gdy stanęła na płycie lotniska, została znów otoczona przez agentów Secret Service, obawiających się tłumu, nad którym mogliby nie zapanować. Kiedy była sama, przychodziło jej czasem do głowy, że ktoś mógłby ją zabić, ale nigdy nie myślała o tym, będąc pośród tłumu. Ściskała wyciągnięte dłonie i starała się przywitać z możliwie największą liczbą ludzi, dopóki Edward nie odprowadził jej do oczekującej kawalkady samochodów.

Sznur dziesięciu nowych małych fordów przypomniał jej, że Detroit nareszcie uporało się z kryzysem energetycznym. Gdyby Pete Parkin popełnił błąd i kazał się wozić po tym mieście mercedesem, zostałaby kandydatką demokratów, zanim w Alabamie oddano by jakikolwiek głos. Do dwóch pierwszych aut wsiedli agenci Secret Service, w drugim jechała Florentyna z Edwardem, który usiadł z przodu koło szofera. Osobisty lekarz Florentyny był w czwartym samochodzie, a reszta personelu w pozostałych sześciu „mocnych karzełkach", jak nazwano nowy typ małego forda. Za nimi podążał autobus z przedstawicielami prasy, a po bokach kolumny, w pewnych odstępach, policjanci na motocyklach.

Samochód prowadzący ruszył najpierw bardzo wolno, aby Florentyna mogła machać tłumom, ale gdy tylko znaleźli się na szosie do Detroit, jechali już ze stałą prędkością pięćdziesięciu mil na godzinę.

Florentyna pozwoliła sobie na dwadzieścia minut relaksu na tylnym siedzeniu samochodu, kiedy kawalkada wjechała w obszar Nowego Centrum, gdzie zjechała z szosy w Woodward Avenue. Potem wozy skręciły na południe ku rzece i zwolniły do pięciu mil na godzinę, aby tłumy zgromadzone wzdłuż ulic mogły zobaczyć senator Kane. Komitet organizacyjny rozdał sto tysięcy ulotek podających dokładną trasę przejazdu Florentyny w dniu jej przybycia do Detroit, toteż sympatycy witali ją owacyjnie aż do samego Barona, usytuowanego po wschodniej stronie Renaissance Center, na nabrzeżu rzeki Detroit. Ochrona błagała ją, aby zmieniła trasę, ale Florentyna nie chciała o tym nawet słyszeć.

Dziesiątki fotoreporterów i ekip telewizyjnych czekały w pogotowiu na przyjazd Florentyny; kiedy wyszła z samochodu i zaczęła wchodzić po schodach wiodących do Barona, nagle, od fleszów i lamp łukowych, zrobiło się jasno jak w dzień. Gdy znalazła się w hallu, agenci ochrony zawieźli ją natychmiast na dwudzieste trzecie piętro, w całości pozostawione do jej dyspozycji. Szybko zlustrowała Apartament George'a Novaka, aby się upewnić, czy wszystko jest jak trzeba. Wiedziała bowiem, że przez najbliższe cztery dni będzie to jej więzienie. Wyjdzie z niego albo aby przyjąć nominację Partii Demokratycznej, albo żeby wyrazić swe poparcie dla Pete'a Parkina.

Zainstalowano całą baterię telefonów, aby Florentyna mogła pozostawać w kontakcie z czterystu dwunastoma wahającymi się wciąż delegatami. Tego wieczoru przed kolacją zdążyła porozmawiać z trzydziestoma ośmioma z nich, a potem do drugiej w nocy siedziała nad listą i notkami biograficznymi tych, którzy w opinii jej współpracowników nadal nie byli zdecydowani.

Następnego dnia dziennik „Detroit Free Press" pełen był fotosów z przybycia Florentyny do Detroit, ale ona wiedziała, że równie entuzjastycznie relacjonowany będzie nazajutrz przyjazd Pete'a Parkina. Dobre przynajmniej to, że prezydent postanowił zachować neutralność, nie udzielając poparcia żadnemu z kandydatów. Prasa zdążyła już uznać ten fakt za moralne zwycięstwo Florentyny.

Odłożyła gazety i włączyła kanał telewizji wewnętrznej, aby zobaczyć, co się dzieje w hali konwencji. W porze lunchu śledziła też programy trzech głównych stacji, na wypadek gdyby któraś podała jakąś sensacyjną wiadomość nie znaną dwóm pozostałym. Florentyna wiedziała, że prasa natychmiast chciałaby znać jej reakcję.

W ciągu dnia trzydziestu jeden spośród chwiejnych wciąż delegatów doprowadzono na dwudzieste trzecie piętro, aby mogli poznać Florentynę osobiście. Podawano im kawę, mrożoną herbatę i koktajle. Ona sama pozostała przy mrożonej herbacie, aby nie upić się przed jedenastą.

Obserwowała w milczeniu, jak Pete Parkin wysiada z Air Force Two na lotnisku w Detroit. Jeden z jej ludzi powiedział Florentynie, że witał go mniejszy tłum, niż ją poprzedniego dnia, ale inny stwierdził, że tłum był większy. Zakonotowała sobie w pamięci, który współpracownik ocenił, że tłum Parkina był większy, i postanowiła w przyszłości uważniej wysłuchiwać jego opinii.

Pete Parkin wygłosił krótką mowę ze specjalnie wzniesionego na płycie lotniska podium; w słońcu połyskiwał emblemat wiceprezydenta Stanów Zjednoczonych. Parkin oznajmił, że z przyjemnością przybywa do miasta, które śmiało może nazwać stolicą światowego przemysłu motoryzacyjnego.

– Wiem, co mówię – dodał. – Całe życie jeździłem fordem. – Florentyna uśmiechnęła się do siebie.

Po dwóch dniach „aresztu domowego" Florentyna tak mocno uskarżała się na swe uwięzienie, że w środę rano agenci ochrony zwieźli ją na dół windą towarową, aby mogła przespacerować się wzdłuż rzeki, zaczerpnąć świeżego powietrza i popatrzeć na sylwetkę znajdującego się na drugim brzegu miasta Windsor w Ontario. Zdążyła zrobić zaledwie parę kroków, a już wyrośli jak spod ziemi jej sympatycy, pragnący dotknąć dłoni swojej kandydatki.

Gdy wróciła, Edward miał dla niej dobrą wiadomość: pięciu niezdecydowanych delegatów postanowiło poprzeć ją w pierwszym głosowaniu. Ustalił, że Florentynie brak już tylko siedemdziesięciu trzech głosów do magicznej liczby tysiąca sześciuset sześćdziesięciu sześciu. Na monitorze obserwowała, co się dzieje na podium w hali konwencji. Czarnoskóra dyrektorka administracyjna jakiejś szkoły w Delaware wynosiła pod niebiosa zalety Florentyny, a kiedy wymieniła jej nazwisko, w hali wyrosły nagle błękitne plakaty z napisem: „Kane na prezydenta". Niedługo potem w równej obfitości pokazały się plakaty w kolorze czerwonym, wołające: „Parkin na prezydenta". Przemierzała apartament tam i z powrotem do pół do drugiej, zdążywszy w tym czasie obejrzeć w telewizji czterdziestu trzech dalszych delegatów i rozmówić się przez telefon z pięćdziesięcioma ośmioma.

Drugi dzień konwencji przeznaczony był na składanie deklaracji programowych odnośnie do polityki, finansów, opieki socjalnej i obrony oraz na przemówienie programowe senatora Pryora. Delegaci powtarzali wciąż, że niezależnie od tego, kto z dwojga wspaniałych kandydatów otrzyma partyjną nominację, to i tak demokraci pokonają w listopadzie republikanów; ale większość delegatów na sali pogrążona była w rozmowie, nie zważając na osoby na podium, które być może ustalały już skład przyszłego demokratycznego gabinetu.

Florentyna oderwała się od dyskusji nad kwestią opieki socjalnej, aby wypić drinka z dwoma wciąż niezdecydowanymi delegatami z Newady. Wiedziała, że ich następnym rozmówcą będzie prawdopodobnie Parkin, który również obieca im nową autostradę, szpital, uniwersytet – zależnie od tego, jaki panowie wymyślili sobie pretekst, aby złożyć wizytę obu kandydatom. Niemniej jednak jutro będą musieli opowiedzieć się za jednym z nich. Powiedziała Edwardowi, żeby kazał postawić na środku pokoju płot.

– Po co? – zapytał.

– Aby wahający się wciąż delegaci mogli usiąść sobie na nim okrakiem.

Przez cały dzień napływały meldunki na temat kolejnych ruchów Pete'a Parkina, na ogół identycznych z tymi, które wykonywała Florentyna, jeśli nie liczyć tego, że on zainstalował się w hotelu Westin w Renaissance Center. Ponieważ żadne z nich nie mogło pojawić się osobiście na ringu, rytm ich dnia pozostawał nie zmieniony: rozmowy z delegatami, telefony, oświadczenia dla prasy, spotkania z partyjnymi oficjelami, a w końcu łóżko, ale na krótki tylko sen.

W czwartek o szóstej rano Florentyna była już ubrana i szybko udała się z asystą do hali konwencji. Kiedy znaleźli się w Joe Louis Arena, pokazano jej, którędy będzie musiała przejść, aby wygłosić przemówienie, jeśli uzyska nominację. Wyszła na podium i stanęła przed baterią mikrofonów, mając przed sobą dwadzieścia jeden tysięcy pustych krzeseł. Wysokie podłużne tablice wystrzelające z ziemi obwieszczały dumnie nazwy wszystkich stanów – od Alabamy po Wyoming. Zapamiętała sobie, gdzie będzie siedzieć delegacja z Illinois, aby móc jej pomachać ręką, wchodząc do hali.

Jakiś przedsiębiorczy fotoreporter, który spędził noc pod fotelem w hali, zaczął ją fotografować, ale agenci Secret Service z wprawą wyprowadzili go zaraz na zewnątrz. Florentyna uśmiechała się, patrząc w górę, gdzie pod sufitem dwadzieścia tysięcy czerwonych, białych i niebieskich balоników czekało już, aby opaść na zwycięzcę. Przeczytała gdzieś, że pięćdziesięciu studentów przez cały tydzień napełniało je powietrzem za pomocą pompek do roweru.

– Pani senator, czy jest pani gotowa do próby mikrofonu? – zapytał skądś bezosobowy głos.

– Rodacy! Amerykanie! Ten dzień to najwspanialszy moment w moim życiu i zamierzam...

– Doskonale, pani senator. Słychać panią głośno i wyraźnie – powiedział główny elektryk, przechodząc między pustymi krzesłami. Pete Parkin miał przejść podobną próbę o siódmej.

Florentyna została odwieziona z powrotem do hotelu, gdzie zjadła śniadanie razem z najbliższymi współpracownikami, którzy byli podenerwowani i śmiali się ze swoich najsłabszych nawet żartów, milkli jednak, gdy mówiła Florentyna. Patrzyli, jak Pete Parkin odbywa swój codzienny bieg po zdrowie na użytek ekip telewizyjnych; zanosili się histerycznym śmiechem widząc, jak facet w wiatrówce z napisem NBC, z minikamerą na ramieniu, po raz trzeci mija ledwie zipiącego wiceprezydenta, aby zrobić lepsze ujęcie.

Oddawanie głosów miało się rozpocząć wieczorem o dziewiątej. Edward zainstalował pięćdziesiąt bezpośrednich połączeń telefonicznych z obecnymi na konwencji przewodniczącymi Partii Demokratycznej w poszczególnych stanach, aby móc natychmiast porozumieć się z nimi, gdyby zaszło coś nieoczekiwanego. Florentyna siedziała za biurkiem z dwoma tylko telefonami, ale przez naciśnięcie jednego guzika mogła się łączyć z każdą z owych pięćdziesięciu linii. Gdy hala powoli się zapełniała, sprawdzono jeszcze raz wszystkie linie, po czym Edward ogłosił, że wszystko gra, i jedyne, co mogli teraz zrobić, to wykorzystać każdą wolną minutę, jaka im pozostała, na kontaktowanie się z jeszcze paroma delegatami. W ciągu trzech dni Florentyna rozmawiała osobiście lub przez telefon z trzystu dziewięćdziesięcioma dwoma z nich.

O siódmej hala Joe Louis Arena była wypełniona prawie po brzegi, choć do chwili ogłoszenia nazwisk kandydatów do nominacji pozostała jeszcze godzina. Ci, którzy przyjechali do Detroit z daleka, nie chcieli stracić ani minuty z tego pasjonującego widowiska.

O siódmej trzydzieści partyjni oficjele zaczęli zajmować miejsca na scenie i obserwującej ich Florentynie przypomniała się konwencja w Chicago, przy której pomagała jako ochotniczka, i gdzie po raz pierwszy spotkała Johna Keneddy'ego. Wiedziała więc, że kazano im zjawić się o ściśle wyznaczonej porze; im później kazano człowiekowi przyjść, tym wyższa była widocznie jego ranga. Minęło czterdzieści lat i teraz ona miała nadzieję, że zostanie poproszona jako ostatnia.

Największą owację zgotowano tego wieczoru senatorowi Billowi Bradleyowi, który zapowiedział już, że przemówi do uczestników konwencji, jeśli pierwsze głosowanie nie wyłoni zwycięzcy. O siódmej czterdzieści pięć spiker Izby Reprezentantów, Marty Lynch, wstał i próbował zapanować nad tłumem, ale nie słyszał nawet siebie samego pośród jazgotu klaksonów, bębnów, trąbek i okrzyków: „Kane!" i „Parkin!", wznoszonych przez zagłuszających się nawzajem zwolenników jednego i drugiego kandydata. Kiedy w końcu zapanował jako taki porządek, przewodniczący partii przedstawił zebranym panią Bess Gardner, która miała odnotowywać głosy, choć wszyscy wiedzieli, że wyniki zostaną wyświetlone na ogromnym ekranie telewizyjnym nad jej głową, zanim ona sama zdąży je potwierdzić.

O ósmej przewodniczący uderzył drewnianym młotkiem w stół; niektórzy widzieli, jak młotek opada, ale nikt nie słyszał odgłosu uderzenia. Jeszcze dwadzieścia minut utrzymywał się ten zgiełk, gdyż osoba przewodniczącego nie wywarła na delegatach żadnego wrażenia. Wreszcie dwadzieścia trzy minuty po ósmej dał się słyszeć głos Marty'ego Lyncha, który poprosił Richa Daleya, burmistrza Chicago, o umieszczenie nazwiska senator Kane na liście kandydatów do nominacji; upłynęło znów dziesięć minut, zanim burmistrz mógł wygłosić swoją mowę. Florentyna i jej ludzie słuchali w milczeniu niezwykle barwnego opisu dokonań kandydatki na publicznej niwie. Równie uważnie Florentyna przysłuchiwała się, gdy senator Ralph Brooks zgłaszał do nominacji Pete'a Parkina. W porównaniu z owacją, jaką zgotowali delegaci obu kandydatom, orkiestra symfoniczna zabrzmiałaby jak blaszany gwizdek. Nominacje dla Billa Bradleya i zwyczajnej przy takich okazjach garstki innych „ukochanych synów" zajęły już mniej czasu.

O dziewiątej przewodniczący obrzucił spojrzeniem halę i wezwał delegatów Alabamy do głosowania. Florentyna wpatrywała się w ekran jak więzień w ławę przysięgłych – chciała znać werdykt, zanim zostanie ogłoszony. Spocony przewodniczący delegacji z Alabamy wziął do ręki mikrofon i zawołał:

– Wspaniały stan Alabama, serce Południa, oddaje dwadzieścia osiem głosów na wiceprezydenta Parkina i siedemnaście głosów na senator Kane. – Choć od czterech miesięcy, ściślej od 11 marca, wszyscy wiedzieli, jak będzie głosować Alabama, to jednak plakaty z nazwiskiem Parkina rozpoczęły szalony taniec i upłynęło dwanaście minut, zanim przewodniczący mógł wezwać do głosowania Alaskę.

– Alaska, czterdziesty dziewiąty stan Unii, oddaje siedem głosów na senator Kane, czterdziestego drugiego prezydenta Stanów Zjednoczonych Ameryki, trzy głosy na Pete'a Parkina i jeden na senatora Bradleya. – Teraz przyszła kolej na zwolenników Florentyny: zgotowali swojej kandydatce długą i burzliwą owację, choć Parkin prowadził jeszcze przez pół godziny, do chwili, gdy Kalifornia zadeklarowała dwieście czternaście głosów na senator Kane, dziewięćdziesiąt dwa na Parkina.

– Niech cię Bóg pobłogosławi, Bello! – powiedziała Florentyna, ale chwilę potem wiceprezydent znów wyszedł na prowadzenie z pomocą Florydy, Georgii i Idaho. Kiedy przyszła kolej na Illinois, zebrani w hali konwencji wstrzymali oddech.

Pani Kalamich, która witała Florentynę pamiętnego wieczoru w Chicago przed dwudziestu laty, przypadło w udziale, jako wiceprzewodniczącej Partii Demokratycznej w Illinois, ogłoszenie werdyktu delegatów tego stanu.

– Panie przewodniczący, ten dzień to najszczęśliwsza chwila w moim życiu – Florentyna uśmiechnęła się na te słowa – gdyż mogę zakomunikować państwu, że wielki stan Illinois z dumą oddaje wszystkie głosy na swoją ukochaną córkę i pierwszego prezydenta Stanów Zjednoczonych-kobietę, senator Florentynę Kane. – Zwolennicy pani senator zupełnie oszaleli, kiedy Florentyna znów objęła prowadzenie, ale ona wiedziała, że jej rywal wywoła podobną reakcję, kiedy przyjdzie kolej na Teksas; i rzeczywiście, Parkin ponownie wysunął się na czoło stosunkiem tysiąca czterystu czterdziestu głosów do tysiąca trzystu siedemdziesięciu jeden oddanych na Florentynę, kiedy swój werdykt ogłosił jego rodzinny stan. Bill Bradley uzyskał w tym czasie poparcie dziewięćdziesięciu siedmiu delegatów i mógł już mieć pewność, że zdobędzie dosyć głosów, aby niemożliwe było wyłonienie zdecydowanego zwycięzcy w pierwszej rundzie.

Podczas gdy przewodniczący wzywał kolejne stany do głosowania, monitory komputerów wyświetlały już informację, że nie będzie zwycięzcy po pierwszym głosowaniu, ale dopiero o dziesiątej dwadzieścia siedem Tom Brokaw ogłosił wyniki pierwszej rundy: senator Kane tysiąc pięćset dwadzieścia dwa głosy, wiceprezydent Parkin tysiąc czterysta osiemdziesiąt, senator Bradley sto osiemdziesiąt dziewięć, „umiłowani synowie” sto czterdzieści głosów.

Przewodniczący oznajmił delegatom, że teraz przemówi do nich senator Bradley. Minęło jedenaście minut, zanim mógł to uczynić. Florentyna rozmawiała z Bradleyem przez telefon codziennie przez cały czas trwania konwencji, ale nie uległa pokusie zaproponowania mu, aby kandydował u jej boku na stanowisko wiceprezydenta, gdyż wyglądałoby to na chęć przekupienia go, a nie na świadomy wybór odpowiedniego kandydata na jej następcę.

W końcu starszy rangą senator stanu New Jersey był gotów do zabrania głosu.

– Drodzy koledzy z Partii Demokratycznej – zaczął. – Dziękuję wam za poparcie, jakiego mi udzieliliście w roku wyborów, ale nadszedł czas, bym wycofał się ze współzawodnictwa o prezydencki fotel, tak aby moi delegaci mogli rozporządzić swoimi głosami zgodnie z sumieniem. – W hali zapadła prawie zupełna cisza. Przez kilka minut Bradley mówił o tym, jakiego człowieka widziałby chętnie w Białym Domu, ale nie poparł otwarcie żadnego z kandydatów. Zakończył słowami: – Pragnę gorąco, abyście wybrali na przywódcę naszego kraju odpowiednią po temu osobę. – Owacja trwała jeszcze przez parę minut, nawet kiedy Bradley wrócił już na swoje miejsce.

W tym czasie większość osób siedzących w apartamencie numer dwa tysiące czterysta w hotelu Baron miała już dokładnie obgryzione paznokcie; tylko Florentyna robiła wrażenie zupełnie spokojnej, choć Edward zauważył, że zaciska pięść. Zabrał się znów ostro do pracy nad zieloną częścią komputerowego wydruku, zawierającą tylko nazwiska delegatów Bradleya, ale jedyne, co mógł zrobić teraz, gdy wszyscy byli w hali konwencji, to telefonować do przewodniczących komitetów stanowych i zagrzewać ich do pracy. Telefony nie przestawały dzwonić; wyglądało na to, że delegaci, którzy popierali Bradleya, też podzielili się na dwie równe części. Niektórzy z nich chcieli nawet głosować na Bradleya w drugiej rundzie, na wypadek, gdyby konwencja utknęła w martwym punkcie i trzeba było powrócić do jego kandydatury.

Drugie głosowanie zaczęło się o jedenastej dwadzieścia jeden, przy czym Alabama, Alaska i Arizona głosowały bez zmian. Balotowanie przeciągało się w czasie, od stanu do stanu, aż w końcu dwadzieścia trzy minuty po północy zarejestrowano głosy z Wyoming. Druga runda także nie dała rozstrzygnięcia i przyniosła jedną tylko istotną zmianę: Pete Parkin objął prowadzenie niewielką przewagą głosów: tysiąc sześćset dwadzieścia dziewięć przeciwko tysiąc sześciuset czterem oddanym na Florentynę, przy czym dziewięćdziesięciu ośmiu delegatów bądź nie zaangażowało się po żadnej stronie, bądź pozostało wiernych senatorowi Bradleyowi.

O dwunastej trzydzieści siedem przewodniczący powiedział:

– Na dziś dosyć. Do ponownego głosowania przystąpimy jutro o siódmej wieczorem.

– A dlaczego nie z samego rana? – zapytał jeden z młodych, niewyspanych współpracowników Florentyny, opuszczając halę.

– Jak zauważyła szefowa – powiedziała Janet – wybory przeprowadza się teraz na użytek telewizji, a jutrzejszy ranek nie byłby porą największej oglądalności.

– Czyżby od telewizji miało zależeć, którego kandydata wybierzemy? – zapytał młody człowiek.

Oboje wybuchnęli śmiechem. Dwadzieścia cztery godziny później wciąż niewyspany młodzieniec zadał to samo pytanie – ale wtedy nie było im już do śmiechu.

Wymęczeni delegaci powlekli się do swoich hoteli, pamiętając o tym, że przy trzecim głosowaniu większość stanów zwalnia swoich delegatów z przyjętych zobowiązań, co oznacza, że będą mogli teraz głosować, jak im się spodoba. Edward i jego zespół nie bardzo wiedzieli, od czego zacząć, ale wzięli do rąk komputerowe wydruki i już po raz trzeci tej nocy przejrzeli całą listę delegatów – od Alabamy po Wyoming, mając nadzieję, że do ósmej rano zdążą opracować plan działania odnośnie do wszystkich stanów.

Florentyna prawie nie zmrużyła oka tej nocy i dziesięć po szóstej rano weszła w szlafroku do salonu w swoim apartamencie, gdzie zastała Edwarda ślęczącego nad listami.

– Będziesz mi potrzebna o ósmej – powiedział, nie patrząc na nią.

– Dzień dobry – powiedziała i pocałowała go w czoło.

– Dzień dobry.

Florentyna przeciągnęła się i ziewnęła.

– Co ma być o ósmej?

– Przez cały dzień będziemy rozmawiać ze zwolennikami Bradleya i delegatami niezdecydowanymi, „przerabiając" trzydziestu w ciągu godziny. Chcę, abyś do piątej po południu zdążyła porozmawiać z co najmniej stu pięćdziesięcioma. Będziemy łączyć się za pośrednictwem sześciu aparatów tak, że w każdej chwili co najmniej dwie osoby będą czekać w kolejce na rozmowę z tobą.

– Czy ósma to nie za wcześnie? – zapytała Florentyna.

– Nie – odpowiedział Edward. – Ale delegatom z Zachodniego Wybrzeża pozwolę spać do lunchu.

Florentyna wróciła do swego pokoju, raz jeszcze uświadamiając sobie, ile wysiłku włożył Edward w jej kampanię wyborczą, i przypomniała sobie słowa Richarda, który powiedział jej kiedyś, że ma szczęście być uwielbianą przez dwóch mężczyzn.

O ósmej zabrała się do pracy, mając pod ręką dużą szklankę soku pomarańczowego. Z każdą godziną mijającego ranka ekipa Florentyny nabierała coraz większego przekonania, że wieczorem już pierwsze głosowanie zapewni jej większość. W pokoju zaczęła się roztaczać aura zwycięstwa.

Za dwadzieścia jedenasta zadzwonił Bill Bradley, aby powiedzieć Florentynie, że jeśli jego delegaci jeszcze raz doprowadzą do impasu, ma zamiar zarekomendować im głosowanie na nią. Florentyna podziękowała mu.

O jedenastej dwadzieścia siedem Edward znów podał Florentynie słuchawkę. Tym razem nie był to telefon od sympatyka.

– Tu Pete Parkin. Myślę, że powinniśmy pomówić. Czy mogę zjawić się u ciebie natychmiast?

Florentyna miała ochotę odpowiedzieć: „jestem zbyt zajęta", ale powiedziała tylko: „tak".

– Będę za chwilę.

– Czego też może chcieć? – spytał Edward, gdy Florentyna oddawała mu słuchawkę.

– Nie mam pojęcia, ale niewiele mamy czasu, aby coś wydedukować.

Pete Parkin wjechał na piętro windą towarową razem z dwoma agentami Secret Service i szefem swojej kampanii wyborczej.

Po wymianie sztucznych serdeczności – rywale nie rozmawiali ze sobą od sześciu miesięcy – i gdy kawa znalazła się już na stole, pozostawiono ich sam na sam. Siedzieli naprzeciw siebie w wygodnych fotelach. Równie dobrze mogli rozmawiać o pogodzie zamiast o tym, które z nich ma rządzić całym Zachodem. Teksańczyk przystąpił od razu do rzeczy.

– Jestem gotów zawrzeć z tobą układ, Florentyno.

– Słucham.

– Jeśli się wycofasz, zaproponuję ci stanowisko wiceprezydenta.

– Chyba żar...

– Posłuchaj mnie, Florentyno – powiedział Parkin, unosząc w górę swoją potężną dłoń, jak u policjanta kierującego ruchem ulicznym. – Jeśli przyjmiesz moją ofertę, a ja zostanę wybrany, to pozostanę na tym stanowisku tylko przez jedną kadencję, a w 1996 roku zapewnię ci pełne poparcie Białego Domu w twoich staraniach o tę posadę. Jesteś młodsza ode mnie o pięć lat i nie widzę powodu, dlaczego nie miałabyś odbyć dwóch pełnych kadencji.

Przez ostatnie pół godziny rozważała najróżniejsze powody, dla których jej rywal mógł chcieć się z nią zobaczyć, ale na taką ewentualność nie była przygotowana.

– Jeśli nie przyjmiesz mojej propozycji, a ja dziś wieczorem wygram, numerem dwa zostanie Ralph Brooks, który zadeklarował już chęć kandydowania.

– Zadzwonię do ciebie przed drugą – tyle tylko odpowiedziała mu Florentyna.

Zaledwie Parkin wyszedł ze swoim współpracownikiem, Florentyna zaczęła rozważać jego propozycję z Edwardem i Janet, którzy zgodnie uważali, że osiągnąwszy już tyle, nie można się teraz nagle poddać.

– Kto wie, co będzie za cztery lata? – argumentował Edward. – Możesz się znaleźć w takiej samej sytuacji jak Humphrey, który nie mógł dojść do siebie po Johnsonie; a zresztą teraz potrzebny jest nam już tylko impas, by delegaci Bradleya pozwolili nam zwyciężyć w czwartym głosowaniu.

– Jestem pewna, że Parkin ma tego świadomość – powiedziała Janet.

Florentyna siedziała w milczeniu, słuchając swoich licznych doradców, a potem poprosiła, aby zostawiono ją samą.

Zadzwoniła do Pete'a Parkina o pierwszej czterdzieści trzy i grzecznie odrzuciła jego propozycję, wyjaśniając, że jest pewna, iż wieczorem wygra w pierwszym głosowaniu. Nic na to nie odpowiedział.

O drugiej prasa wiedziała już o potajemnym spotkaniu i telefony w apartamencie dwa tysiące czterysta urywały się, gdyż wszyscy chcieli wiedzieć, co się wydarzyło. Edward pilnował, aby Florentyna koncentrowała się na delegatach, a ona z każdą rozmową utwierdzała się coraz bardziej w przekonaniu, że ruch Pete'a Parkina był raczej wynikiem desperacji niż pewności siebie.

– Zagrał swoją ostatnią kartą – powiedziała Janet z pogardliwym uśmieszkiem.

O szóstej całe towarzystwo w apartamencie dwa tysiące czterysta znów zasiadło przed telewizorem: nie można już było rozmawiać z delegatami; wszyscy znajdowali się w hali konwencji. Bateria telefonów Edwarda wciąż dawała mu dostęp do przewodniczących wszystkich komitetów stanowych i raporty, jakie od nich otrzymywał, wskazywały na to, że zgodnie z jego przewidywaniami przez cały dzień zdobywali jeszcze nowe głosy.

Właśnie w chwili, gdy Florentyna odprężyła się i po raz pierwszy poczuła grunt pod nogami, spadła bomba. Edward podawał jej akurat kolejną filiżankę mrożonej herbaty, kiedy CBS zaanonsowała na ekranie „Wiadomość z ostatniej chwili" i kamera skierowała się na Dana Rathera, który zaledwie na piętnaście minut przed rozpoczęciem głosowania oznajmił zaskoczonej publiczności, że za chwilę będzie rozmawiać z wiceprezydentem Parkinem o powodzie jego sekretnego spotkania z senator Kane. Kamera przesunęła się teraz na rumianą twarz potężnego teksańczyka i Florentyna z przerażeniem zauważyła, że idący na żywo program wyświetlany jest na wielkim ekranie w hali konwencji. Przypomniała sobie, że Komisja Regulaminowa zadecydowała, że wszystko, co może dotyczyć delegatów, ma prawo ukazać się na tym ekranie: miało to zapobiec krążeniu wśród uczestników konwencji pogłosek na temat tego, co naprawdę dzieje się na zewnątrz, aby nie powtórzyła się historia z dobieraniem sobie przez rywali współkandydata przewidzianego na stanowisko wiceprezydenta, jaka miała miejsce w 1980 roku, gdy o nominację swojej partii walczyli Ford i Reagan. Po raz pierwszy od czterech dni w hali konwencji zamilkły wszystkie głosy.

Kamera skierowała się z powrotem na spikera CBS.

– Panie wiceprezydencie, wiemy, że spotkał się pan dzisiaj z senator Kane. Czy może nam pan powiedzieć, dlaczego poprosił pan o to spotkanie?

– Oczywiście, Dan, raz dlatego, że leży mi na sercu jedność naszej partii, a dwa, że zależy mi na pokonaniu republikanów.

Florentyna i jej współpracownicy oniemieli. Wyobrażała sobie, jak delegaci chłoną każde słowo Parkina, a ona może tylko biernie się temu przysłuchiwać.

– Czy wolno zapytać, o czym państwo rozmawiali?

– Zapytałem senator Kane, czy byłaby skłonna przyjąć stanowisko wiceprezydenta i współtworzyć ekipę demokratów, która byłaby nie do pokonania.

– Jak przyjęła pańską propozycję?

– Senator Kane powiedziała, że musi ją przemyśleć. Wiesz, Dan, jestem pewien, że razem załatwilibyśmy republikanów.

– Zapytaj go teraz, jaka była moja ostateczna odpowiedź – powiedziała Florentyna, ale nic z tego: kamery skierowały się już na lekko oszalałą halę konwencji gotową do pierwszego głosowania. Edward zadzwonił do CBS i zażądał takiego samego czasu na ekranie dla Florentyny. Dan Rather zgodził się natychmiast przeprowadzić wywiad z senator Kane, ale Florentyna wiedziała, że jest już za późno. Komisja ustaliła, że z chwilą rozpoczęcia głosowania na ekranie mogą ukazywać się jedynie jego wyniki. Oczywiście przed następną konwencją trzeba będzie zrewidować ten przepis, ale w tej chwili przychodziła Florentynie na myśl jedynie opinia, jaką wyraziła na temat telewizji panna Tredgold: „Zbyt wiele podejmuje się przed kamerą pochopnych decyzji, których się potem żałuje".

Przewodniczący walnął młotkiem w stół i wezwał Alabamę do rozpoczęcia głosowania; Stan Kamelii tym razem oddał na Parkina dwa głosy więcej. Kiedy Florentyna straciła jednego delegata z Alaski i dwóch z Arizony, wiedziała już, że jedyną dla niej szansą jest teraz ponowny impas, który da jej czas na przedstawienie w telewizji własnej wersji spotkania z Parkinem przed następnym głosowaniem. Widziała, jak traci głosy, tu jeden, tam kilka, ale kiedy się okazało, że Illinois trzyma się mocno, pomyślała, że wszystko jeszcze możliwe. Edward i cała ekipa nie przestawali pracować przy telefonach.

I wtedy otrzymała drugi cios.

Edward dostał telefoniczną wiadomość od jednego z szefów kampanii obecnych w hali konwencji, że ludzie Parkina rozpuścili pogłoskę, iż Florentyna przyjęła jego propozycję. Wiedział, że Florentyna nie zdołałaby nigdy udowodnić, że źródłem rewelacji był sam Parkin, ani nie miałaby dość czasu, aby zadać jej kłam. Jednakże Edward się nie poddawał. Kiedy przyszła kolej Zachodniej Wirginii, Parkin potrzebował już tylko dwudziestu pięciu głosów, aby znaleźć się po drugiej stronie rzeki. Dostał dwadzieścia jeden, tak więc od przedostatniego stanu, Wisconsin, potrzebował jeszcze czterech. Florentyna była przekonana, że wszyscy trzej delegaci z Wyoming, ostatniego stanu w kolejce do głosowania, pozostaną jej wierni.

– Wielki stan Wisconsin w poczuciu swej odpowiedzialności – w hali znów zapanowała kompletna cisza – i przedkładając partyjną jedność nad względy osobiste delegatów, oddaje wszystkie jedenaście głosów na przyszłego prezydenta Stanów Zjednoczonych Pete'a Parkina.

Delegaci dosłownie oszaleli. W apartamencie numer dwa tysiące czterysta wynik przyjęto w milczącym osłupieniu.

Florentyna została pokonana za pomocą taniego, ale sprytnego chwytu. Jego genialność polegała na tym, że gdyby zaprzeczyła wszystkiemu i ujawniła prawdziwe zachowanie Parkina, demokraci mogliby przegrać bitwę o Biały Dom, a ona sama stałaby się kozłem ofiarnym.

Pół godziny później Pete Parkin przybył do hali Joe Louis Arena, witany głośnymi okrzykami i piosenką „Wróciły znów radosne dni". Przez dwanaście minut machał ręką delegatom, a gdy wreszcie zdołał uciszyć halę, powiedział:

– Mam nadzieję, że jutro wieczorem stanę na tym podium obok najwspanialszej damy Ameryki i zaprezentuję krajowi ekipę, która spuści republikańskim słoniom takie lanie, że długo je będą pamiętać.

Raz jeszcze delegaci głośnym rykiem wyrazili swoją aprobatę. Personel Florentyny zaczął stopniowo wymykać się do swoich pokoi. Godzinę później została sama z Edwardem.

– Mam się zgodzić?

– Nie masz wyboru. Jeśli odmówisz, a demokraci przegrają, zwalą winę na ciebie.

– A gdybym powiedziała prawdę?

– Zrozumiano by cię opacznie; mówiono by, że nie umiesz przegrywać, choć przeciwnik przyszedł do ciebie z gałązką oliwną. I pamiętaj, że prezydent Ford przepowiedział dziesięć lat temu, że pierwsza kobieta, która zostanie prezydentem, będzie musiała wpierw być wiceprezydentem, aby Amerykanie mogli oswoić się z taką możliwością.

– Może masz rację – powiedziała rozgoryczona Florentyna – ale gdyby tu był Richard Nixon, zadzwoniłby do Pete'a Parkina, aby mu pogratulować numeru o wiele większego, niż on wyciął Muskie'emu i Humphreyowi. – Ziewnęła. – Idę spać. Do rana podejmę decyzję.

O ósmej trzydzieści Pete Parkin przysłał emisariusza z pytaniem, co Florentyna postanowiła. Odparła, że musi jeszcze raz porozmawiać z nim w cztery oczy.

Tym razem Parkin zjawił się w towarzystwie trzech ekip telewizyjnych i tylu reporterów, ilu tylko zdołało zdobyć czerwone przepustki dla prasy. Kiedy zostali sami, Florentyna z trudem panowała nad sobą, choć wcześniej postanowiła, że nie będzie czynić mu wyrzutów. Zapytała tylko, czy rzeczywiście zamierza poprzestać na jednej kadencji.

– Tak – odpowiedział, patrząc jej prosto w oczy.

– A przy następnych wyborach udzielisz mi pełnego poparcia?

– Daję ci na to słowo – powiedział.

– Na tych warunkach zgadzam się zostać wiceprezydentem.

Kiedy Parkin wyszedł, Edward, który słyszał cała rozmowę, powiedział: – Wszyscy dobrze wiemy, ile jest warte jego słowo.

Kiedy wieczorem tego dnia znalazła się w hali konwencji, przywitał ją huragan okrzyków. Pete Parkin podniósł jej rękę w górę, a delegaci raz jeszcze zgotowali Florentynie gorącą owację. Tylko Ralph Brooks miał ponurą minę.

Florentyna czuła, że jej przemówienie jako kandydatki na urząd wiceprezydenta jest wyraźnie poniżej jej możliwości; niemniej nagrodzono ją brawami. Ale najhuczniejszą owację zgotowano tego wieczoru Pete'owi Parkinowi, kiedy wygłosił przemówienie do delegatów; w końcu przedstawiono go im jako ich nowego bohatera, człowieka, który wniósł do partii ducha prawdziwej jedności.

Po budzącej niesmak konferencji prasowej z kandydatem demokratów na prezydenta, który ciągle mówił o „wspaniałej damie z Illinois", następnego dnia rano Florentyna poleciała do Bostonu i schroniła się w swym domu na Cape Cod.

Kiedy się żegnali, Parkin na oczach prasy pocałował ją w policzek. Poczuła się jak prostytutka, która wzięła pieniądze, ale nie ma ochoty pójść z facetem do łóżka.

XXXVI

Korzystając z tego, że kampania wyborcza miała rozpocząć się dopiero po Święcie Pracy, Florentyna wróciła do Waszyngtonu, aby nadrobić zaległości w swych senatorskich obowiązkach. Znalazła nawet czas, by wpaść do Chicago.

Codziennie rozmawiała przez telefon z Pete'em Parkinem, który był nadzwyczaj przyjacielski i zgodny, gdy trzeba było uwzględnić jej własne zajęcia. Umówili się na spotkanie w jego biurze w Białym Domu, aby przedyskutować ostateczny plan kampanii. Przed tym spotkaniem Florentyna usiłowała się wywiązać z wszelkich innych zobowiązań, by przez ostatnich dziewięć tygodni móc skoncentrować się wyłącznie na kampanii.

Drugiego września Florentyna zjawiła się w towarzystwie Edwarda i Janet w zachodnim skrzydle Białego Domu, gdzie przywitał ją Ralph Brooks, który widocznie nadal był prawą ręką kandydata na prezydenta. Postanowiła, że wobec bliskich już wyborów nie dopuści do powstania jakichkolwiek tarć między nią a Brooksem, zwłaszcza że wiedziała, iż Brooks sam ma nadzieję kandydować w przyszłości na stanowisko wiceprezydenta. Z części recepcyjnej Białego Domu senator Brooks zaprowadził ich do biura Pete'a Parkina. Po raz pierwszy Florentyna zobaczyła pokój o żółtych ścianach, ze sztukaterią barwy kości słoniowej, który za parę tygodni być może sama będzie zajmować, i była zaskoczona jego przytulnością. Na mahoniowym biurku Parkina stały świeże kwiaty, a ściany zawieszone były olejnymi obrazami Remingtona. Parkin zakochany jest w amerykańskim Zachodzie – pomyślała. Przez wychodzące na południe okna wpadały promienie późnoletniego słońca.

Pete Parkin poderwał się zza biurka i przywitał ją z nieco przesadną wylewnością. Potem wszyscy zasiedli wokół stołu na środku pokoju.

– Sądzę, że znacie państwo Ralpha – powiedział Pete Parkin z uśmiechem zdradzającym pewne zakłopotanie. – Opracował plan strategiczny kampanii, który z pewnością zrobi na was wrażenie.

Ralph Brooks rozwinął przed nimi na stole dużą mapę Stanów Zjednoczonych.

– Myślę, że przede wszystkim warto pamiętać o jednym: aby zdobyć Biały Dom, musimy uzyskać dwieście siedemdziesiąt głosów kolegium elektorskiego. Aczkolwiek ważną i miłą sercu rzeczą jest pozyskiwanie głosów wyborców, to jak wiadomo, przyszłego prezydenta wybierze kolegium elektorów. Dlatego kolorem czarnym zaznaczyłem te stany, w których mamy najmniejsze szanse na zwycięstwo, a białym te, gdzie tradycyjnie demokraci czują się pewnie. Zostają nam w ten sposób najważniejsze dla nas stany oznaczone kolorem czerwonym, które dysponują w sumie stu siedemdziesięciu jeden głosami kolegium wyborczego.

Myślę, że Pete i Florentyna powinni odwiedzić wszystkie czerwone stany co najmniej raz, przy czym Pete winien skupić cała swą energię na Południu, Florentyna zaś większość czasu powinna spędzić na Północy. Jedynie Kalifornia dysponująca aż czterdziestoma pięcioma głosami będzie wymagać regularnych wizyt was obojga. W ciągu sześćdziesięciu dwóch dni, jakie pozostały do wyborów, każdą wolną minutę musimy poświęcić stanom, gdzie mamy rzeczywiste szanse na zwycięstwo, odwiedzając jedynie dla formalności te marginalne regiony, w których odnieśliśmy miażdżące zwycięstwo w roku 1964. Jeśli idzie o nasze własne „białe" stany, to musimy odwiedzić je wszystkie choć raz, aby nie posądzano nas o zbytnią pewność siebie. Uważam, że w Ohio nie mamy żadnych szans, gdyż jest to rodzinny stan Russella Warnera, ale nie możemy pozwolić, aby republikanie uznali, że Floryda jest ich tylko dlatego, że współkandydat Warnera był kiedyś senatorem-seniorem w tym stanie. Opracowałem też dla was harmonogram dzienny, począwszy od przyszłego poniedziałku – ciągnął dalej, wręczając Parkinowi i Florentynie oddzielne arkusze papieru – i myślę, że powinniście kontaktować się ze sobą co najmniej dwukrotnie w ciągu dnia, o ósmej rano i jedenastej w nocy, zawsze czasu środkowoamerykańskiego.

Ralph Brooks przygotował się do spotkania nadzwyczaj starannie i Florentyna rozumiała teraz, dlaczego Parkin tak bardzo na nim polega. Przez następną godzinę Brooks odpowiadał na pytania związane z jego planem i uzgodniono podstawowe zasady prowadzenia kampanii. O dwunastej trzydzieści wiceprezydent i Florentyna przeszli do północnego portyku Białego Domu, aby spotkać się z prasą. Ralph Brooks służył danymi w każdej prawie kwestii: prasa – uprzedził ich – jest podzielona jak wszyscy. Sto pięćdziesiąt dzienników mających dwadzieścia dwa miliony czytelników popierało demokratów, a sto czterdzieści dwa z dwudziestu jeden milionami siedmiuset tysiącami czytelników udzielało poparcia republikanom. Jeśli sobie życzą – dodał – może służyć danymi odnośnie do każdej gazety w całym kraju.

Florentyna spojrzała na Skwer Lafayette'a za oknem, na którym roiło się od spacerujących i posilających się w porze lunchu urzędników. Jeśli zostanie wybrana, rzadko kiedy będzie mogła znów odwiedzać waszyngtońskie parki i miejsca pamięci. W każdym razie bez eskorty. Kiedy już prasa zadała wszystkie zwyczajne przy takich okazjach pytania i otrzymała zwyczajne w takich razach odpowiedzi, Parkin zaprowadził ją z powrotem do swego biura. Na stole konferencyjnym czekał na nich lunch przyniesiony przez jego filipińskich kamerdynerów. Florentyna wróciła ze spotkania znacznie spokojniejsza o dalszy rozwój sytuacji, zwłaszcza że wiceprezydent dwukrotnie napomknął w obecności Brooksa o ich wcześniejszej umowie co do roku 1996. Niemniej Florentyna uważała, że upłynie jeszcze sporo czasu, zanim nabierze do Parkina prawdziwego zaufania.

Siódmego września poleciała do Chicago, aby rozpocząć przypadającą na nią części kampanii, ale zauważyła, że chociaż prasa z trudem nadąża za napiętym programem, jaki ona sama sobie narzuciła, to jednak brak jej już impetu, z jakim prowadziła swoje wcześniejsze kampanie.

Plan strategiczny Brooksa przebiegał gładko przez pierwsze dni, podczas których Florentyna podróżowała po Illinois, Massachusetts i New Hampshire. Nie było żadnych niespodzianek, dopóki nie dotarła do stanu Nowy Jork, gdzie na lotnisku w Albany czekała na nią cała chmara dziennikarzy. Chcieli wiedzieć, co myśli o stosunku Parkina do meksykańskich Chicanos. Florentyna przyznała, że nie wie, co mają na myśli, wyjaśnili więc, że Parkin powiedział, iż na swoim ranczu nigdy nie miał kłopotów z Chicanos; traktuje ich jak własne dzieci. Obrońcy praw obywatelskich w całym kraju byli oburzeni jego słowami, ale jedyna odpowiedź, jaka przyszła teraz Florentynie do głowy, brzmiała:

– Jestem pewna, że wypowiedź kandydata zrozumiano opacznie albo wyjęto jego słowa z kontekstu.

Russell Warner, kandydat republikanów, powiedział, że nie ma tu żadnej niejasności: Pete Parkin jest po prostu i zwyczajnie rasistą. Florentyna stale zbijała tego rodzaju oświadczenia, choć podejrzewała, że jest w nich sporo prawdy. Zarówno Florentyna, jak i Pete Parkin musieli zboczyć z ustalonej trasy, by udać się do Alabamy na pogrzeb Ralpha Abernathy'ego. Ralph Brooks wygłosił opinię, że śmierć ta jest bardzo na czasie. Kiedy Florentyna to usłyszała, niewiele brakowało, a zwymyślałaby go w obecności prasy.

Florentyna przemierzyła jeszcze Pensylwanię, Zachodnią Wirginię i Wirginię, zanim udała się do Kalifornii, gdzie dołączył do niej Edward. Bella i Claude zaprosili ich do restauracji w Chinatown. Restaurator dał im stolik w niszy w rogu sali, gdzie nikt nie mógł ich widzieć, a co ważniejsze, słyszeć, ale ta chwila relaksu trwała tylko parę godzin, gdyż Florentyna musiała lecieć dalej, do Los Angeles.

Prasę zaczęły już nudzić jałowe spory Parkina i Warnera, którzy unikali poruszania rzeczywistych problemów, i kiedy obaj kandydaci wystąpili razem w telewizyjnej debacie w Pittsburgu, zapanowała powszechnie opinia, że obaj przegrali oraz że jedyną w tej kampanii postacią prawdziwie prezydenckiego formatu okazała się pani senator Kane. Wielu dziennikarzy wyrażało głęboki żal, że senator Kane związała swe nazwisko z kandydaturą Pete'a Parkina.

– Napiszę, jak do tego doszło, w swoich wspomnieniach – powiedziała do Edwarda. – Ale kogo to będzie wtedy interesować?

– Prawdę mówiąc, nikogo – odpowiedział Edward. – Ilu Amerykanów umiałoby podać nazwisko wiceprezydenta z czasów Harry'ego Trumana?

Następnego dnia Pete Parkin poleciał do Los Angeles, aby wziąć udział w jednym z nielicznych wspólnych wystąpień z Florentyną. Wyjechała mu na spotkanie na lotnisko. Wysiadł z Air Force Two, trzymając w ręku numer wychodzącego w Missouri „Nieustraszonego Demokraty", jedynego dziennika, który w tytule napisał: „Parkin wygrywa telewizyjną debatę". Florentyna nie mogła wyjść z podziwu dla łatwości, z jaką ten nosorożec potrafi udawać subtelną łanię. Kalifornia miała być ostatnim etapem przed powrotem kandydatów do własnych stanów; na zakończenie wystąpili w amfiteatrze Rose Bowl. Parkin i Florentyna znaleźli się pośród gwiazd, z których połowa wyszła na scenę, by zrobić sobie za darmo reklamę, gwarantowaną niezależnie od tego, który z kandydatów zjawiał się w ich mieście. Większą część czasu Florentyna spędzała rozdając autografy w towarzystwie Dustina Hoffmana, Ala Pacino i Jane Fondy. Nie wiedziała, co odpowiedzieć dziewczynie, która zobaczywszy jej podpis, zapytała:

– W jakim filmie ostatnio pani zagrała?

Następnego dnia rano wróciła samolotem do Chicago, a Pete Parkin poleciał do Teksasu. Gdy jej boeing 707 wylądował w Wietrznym Mieście, przywitał ją ponad trzydziestotysięczny tłum, największy, jaki kiedykolwiek napotkał na trasie swej kampanii wyborczej którykolwiek z kandydatów.

Rankiem w dniu wyborów oddała swój głos w szkole podstawowej w dziewiątym okręgu w obecności tradycyjnej grupki reporterów głównych sieci telewizyjnych i agencji prasowych. Uśmiechała się do kamer i aparatów, wiedząc, że jeśli demokraci przegrają, nim minie tydzień, nikt nie będzie już o niej pamiętał. Dzień upłynął jej na kursowaniu między siedzibą Komisji, punktami wyborczymi i studiem telewizyjnym; do swojego apartamentu w chicagowskim Baronie dobiła parę minut po zamknięciu lokali wyborczych.

Po raz pierwszy od pięciu miesięcy Florentyna pozwoliła sobie na luksus naprawdę długiej gorącej kąpieli, a ubierając się, nie musiała myśleć o tym, z kim spędzi ten wieczór. Potem dołączyli do niej: William, Joanna, Annabel i Richard, który w wieku sześciu lat mógł obejrzeć pierwsze w swym życiu wybory. Edward zjawił się tuż po pół do jedenastej i po raz pierwszy w życiu zobaczył

Florentynę bez pantofli, ze stopami opartymi na stole.

– Panna Tredgold byłaby zgorszona.

– Panna Tredgold nie musiała nigdy prowadzić siedmiomiesięcznej kampanii wyborczej bez jednej chwili wytchnienia – odparła Florentyna.

Przy stole zastawionym jedzeniem, wśród rodziny i przyjaciół, Florentyna śledziła wyniki napływające ze Wschodniego Wybrzeża. Z chwilą, gdy demokraci wygrali w New Hampshire, a republikanie w Massachusetts, wszyscy zrozumieli, że czeka ich długa noc. Florentyna cieszyła się, że w tym dniu w całym kraju nie pada. Pamiętała, co powiedział jej Theodore H. White: w dniu wyborów do godziny piątej po południu Ameryka głosuje zawsze na republikanów. Po piątej wracający z pracy mężczyźni i kobiety zastanawiają się, czy warto wstąpić do lokalu wyborczego; jeśli postanowią, że warto – i tylko wówczas – Ameryka opowie się za demokratami. Wyglądało na to, że wielu wstąpiło, ale czy w wystarczającej liczbie? Przed północą demokraci wygrali w Illinois i Teksasie, ale przegrali w Ohio i Pensylwanii, a kiedy wyłączono maszyny do głosowania w Kalifornii, trzy godziny po stanie Nowy Jork, Ameryka wciąż jeszcze nie miała nowego prezydenta. Prywatne sondaże prowadzone przed lokalami wyborczymi wykazywały jedynie, że największy ze stanów nie szalał za żadnym z kandydatów.

W Apartamencie George'a Novaka w chicagowskim Baronie jedni jedli, inni pili, a jeszcze inni spali. Ale Florentyna nie zmrużyła oka ani na chwilę i doczekała momentu, gdy dwie minuty po pół do trzeciej stacja CBS ogłosiła wynik, na który czekała: w Kalifornii wygrali demokraci stosunkiem głosów 50,2 do 49,8, z marginalną przewagą trzystu trzydziestu dwóch tysięcy głosów dającą zwycięstwo Parkinowi. Florentyna podniosła słuchawkę stojącego obok jej łóżka telefonu.

– Dzwonisz do prezydenta-elekta, aby mu pogratulować? – zapytał Edward.

– Nie – odpowiedziała Florentyna. – Do Belli, aby jej podziękować, że wygrała dla niego wybory.

XXXVII

Florentyna spędziła następnych kilka dni na Cape Cod, oddając się wyłącznie wypoczynkowi. Kiedy budziła się o szóstej rano, jedynym jej zajęciem było oczekiwanie na poranną prasę. Bardzo się ucieszyła, gdy w środę dołączył do niej Edward, ale nie mogła przywyknąć do tego, że zwracał się do niej czule per pani wiceprezydent.

Pete Parkin zdążył już zwołać na swym teksaskim ranczo konferencję prasową, by oznajmić, że skład gabinetu ogłosi dopiero po Nowym Roku. Czternastego listopada Florentyna wróciła do Waszyngtonu na pożegnalną sesję Kongresu i przygotowywała się do przeprowadzki z Gmachu Russella do Białego Domu. Choć Senat i sprawy Illinois pochłaniały cały jej czas, to jednak dziwiło ją, że z prezydentem-elektem rozmawiała tylko dwa albo trzy razy w tygodniu, i to przez telefon. Dwa tygodnie po Święcie Dziękczynienia Kongres zawiesił swoją działalność i Florentyna wróciła na Cape Cod, by spędzić Boże Narodzenie z wnuczkiem, który uparcie nazywał ją babcią-prezydentem.

– Jeszcze musisz z tym poczekać – odpowiadała.

Dziewiątego stycznia prezydent przybył do Waszyngtonu i odbył konferencję prasową, podczas której podał skład swego gabinetu. Choć nie konsultował z Florentyną nowych nominacji, to przecież obyło się bez wielkich niespodzianek: Charles Selover został sekretarzem obrony i ta nominacja nie budziła niczyich sprzeciwów. Paul Rowe zachował stanowisko szefa C.I.A., Pierre Levale został prokuratorem generalnym, a Michael Brewer doradcą do spraw bezpieczeństwa narodowego. Florentynę zaskoczyła dopiero nominacja na stanowisko sekretarza stanu. Nie wierzyła własnym uszom, gdy Parkin oznajmił:

– Chicago ma powód do dumy, dając nam nie tylko nowego wiceprezydenta, ale i sekretarza stanu.

W przeddzień zaprzysiężenia nowego prezydenta rzeczy osobiste Florentyny, które miała w Baronie, były już spakowane i gotowe do wyekspediowania do jej oficjalnej rezydencji przy Observatory Circle. Wielki dom w stylu wiktoriańskim wydawał się groteskowo duży jak na potrzeby jednej rodziny. Podczas uroczystości bliscy Florentyny zajmowali krzesła w rzędzie za żoną i córkami Pete'a Parkina, natomiast ona sama siedziała obok prezydenta, a Ralph Brooks tuż za jego plecami. Kiedy wstała, by złożyć ślubowanie, myślała tylko o tym, jaka to szkoda, że nie ma koło niej Richarda, który szepnąłby jej, że jest coraz bliżej celu. Zerkając kątem oka na Pete'a Parkina, pomyślała sobie, że Richard głosowałby nadal na republikanów.

Sędzia Sądu Najwyższego William Rehnquist uśmiechał się do niej ciepło, gdy powtarzała za nim słowa ślubowania, obejmując urząd wiceprezydenta:

– Ślubuję uroczyście, że będę wspierać i bronić Konstytucji Stanów Zjednoczonych Ameryki przed wszelkim wrogiem, tak zewnętrznym jak i wewnętrznym...

– Ślubuję uroczyście, że będę wspierać i bronić Konstytucji Stanów Zjednoczonych Ameryki przed wszelkim wrogiem, tak zewnętrznym jak i wewnętrznym...

Słowa Florentyny zabrzmiały czysto i pewnie, być może dlatego, że nauczyła się tekstu przysięgi na pamięć. Annabel mrugnęła do niej porozumiewawczo, gdy Florentyna wróciła na swoje miejsce pośród ogłuszającego aplauzu.

Kiedy sędzia Sądu Najwyższego odebrał przysięgę od prezydenta, wysłuchała inauguracyjnej przemowy nowego szefa państwa, której Parkin nawet nie raczył z nią skonsultować, pokazując jej jedynie ostateczną wersję tekstu w przeddzień jego wygłoszenia. Raz jeszcze nazwał ją najwspanialszą damą w kraju.

Po uroczystości Parkin, Brooks i Florentyna udali się na wspólny lunch z przywódcami kongresowymi na Kapitolu. Koledzy Florentyny z Senatu zgotowali jej gorące przyjęcie, gdy zajęła miejsce na podwyższeniu. Po lunchu wsiedli do limuzyn, aby przejechać wzdłuż Pennsylvania Avenue, na której miała się odbyć defilada z okazji inauguracji. Siedząc na zabezpieczonej ze wszystkich stron trybunie przed Białym Domem, Florentyna patrzyła na przesuwające się przed jej oczyma platformy na kołach, maszerujące orkiestry i przeróżne postaci reprezentujące wszystkie pięćdziesiąt jeden stanów. Wstała i biła brawo, kiedy pozdrawiali ją farmerzy z Illinois. Potem, pokazawszy się na chwilę na wszystkich po kolei balach z okazji inauguracji nowej prezydentury, spędziła pierwszą noc w swojej oficjalnej rezydencji; uświadomiła sobie wtedy, że im bliżej jest szczytu, tym bardziej czuje się osamotniona.

Następnego dnia rano prezydent zwołał pierwsze posiedzenie gabinetu. Tym razem Ralph Brooks siedział po jego prawej ręce. Nowy rząd, wyraźnie zmęczony po siedmiu balach inauguracyjnych, zebrał się w Sali Gabinetowej. Florentyna siedziała na przeciwległym końcu długiego owalnego stołu, w otoczeniu osób, z którymi w przeszłości rzadko kiedy się zgadzała. Pomyślała, że czekają ją cztery lata zmagań z tymi ludźmi, zanim, być może, los pozwoli jej utworzyć swój własny gabinet. Ciekawa była, ilu spośród nich wie o jej układzie z Parkinem.

Gdy tylko urządziła się w swoim skrzydle Białego Domu, mianowała Janet kierowniczką swojego prywatnego sekretariatu, a wiele stanowisk zwolnionych przez personel Parkina również obsadziła swoją starą ekipą z kampanii wyborczej i z Senatu.

Bardzo szybko się zorientowała, jak cenne byłyby dla niej niektóre osoby ze specjalnymi kwalifikacjami spośród odziedziczonego po Parkinie personelu, które niestety kolejno ją opuszczały, skuszone przez prezydenta wysokimi stanowiskami. W ciągu trzech miesięcy Parkin ogołocił jej biuro z najbardziej wartościowych pracowników, wyciągając rękę nawet po osoby z kręgu jej najbliższych doradców.

Florentyna starała się nie pokazać po sobie, jak bardzo ją rozgniewało, gdy prezydent zaproponował Janet stanowisko podsekretarza w Departamencie Zdrowia i Opieki Społecznej.

Janet nie wahała się ani przez moment: w odręcznie napisanym liście podziękowała mu za ten wielki zaszczyt, ale wyjaśniła szczegółowo, dlaczego może brać pod uwagę jedynie współpracę z panią wiceprezydent.

– Jeśli ty możesz czekać cztery lata, to ja też – powiedziała Florentynie.

Florentyna niejednokrotnie czytała, że życie wiceprezydenta – jak mawiał John Nance Garner – „nie jest warte kubła ciepłych pomyj", ale nawet ona była zaskoczona widząc, jak niewiele ma pracy w porównaniu ze swymi obowiązkami w Kongresie. Kiedy była senatorem, dostawała więcej listów. Wyglądało na to, że wszyscy piszą albo do prezydenta, albo do swojego przedstawiciela w Kongresie. Nawet zwykli ludzie zorientowali się, że wiceprezydent nie ma żadnej władzy. Przyjemność sprawiało Florentynie przewodniczenie obradom Senatu nad ważnymi kwestiami, gdyż dzięki temu była w kontakcie z kolegami, którzy za cztery lata znów mogli okazać się jej pomocni. Dbali o to, by wiedziała, o czym szepcze się w kuluarach Kongresu i o czym mówi w salach obrad Izby Reprezentantów i Senatu. Wielu senatorów za jej pośrednictwem przekazywało swe uwagi prezydentowi, ale z czasem zaczęła się zastanawiać, kogo ona mogłaby użyć w tym samym celu, gdyż minęło już wiele tygodni, a prezydent nie raczył skonsultować się z nią ani razu w żadnej istotniejszej kwestii.

W pierwszym roku swojej wiceprezydentury Florentyna odbyła podróże z misją dobrej woli do Brazylii i Japonii, wzięła udział w pogrzebach Willy'ego Brandta w Berlinie i Edwarda Heatha w Londynie, dokonała osobistej inspekcji trzech obszarów dotkniętych klęskami żywiołowymi i kierowała tyloma zadaniami specjalnymi, że wydawało jej się, iż mogłaby napisać własny podręcznik na temat funkcjonowania rządu.

Pierwszy rok się dłużył; drugi wlókł się jeszcze bardziej. Jedynym godnym uwagi wydarzeniem było dla niej reprezentowanie amerykańskiego rządu podczas koronacji króla Karola III w opactwie Westminster po abdykacji królowej Elżbiety II w 1994 roku. Florentyna zatrzymała się wraz z ambasadorem Johnem Sawyerem w Winfield House, świadoma podobieństwa pełnionych przez nich ról, których forma przerastała treść. Toczyła nie kończące się rozmowy o tym, jak świat jest rządzony, albo co prezydent zamierza uczynić w takich kwestiach, jak na przykład gromadzenie się wojsk sowieckich na granicy z Pakistanem. Większość swych informacji czerpała z „Washington Post" i zazdrościła Ralphowi Brooksowi, który jako sekretarz stanu tkwił w samym środku tych spraw. Choć starała się być zawsze na bieżąco z tym, co się dzieje w świecie, po raz drugi w całym swym życiu czuła się znudzona. Z utęsknieniem czekała na rok 1996, obawiając się, że lata wiceprezydentury nie dadzą jej wiele satysfakcji.

Kiedy Air Force Two wylądował w bazie Andrews, Florentyna wróciła do pracy i resztę tygodnia spędziła na przeglądaniu korespondencji dotyczącej spraw rządowych i CIA, jaka uzbierała się podczas jej nieobecności. Przez weekend wypoczywała, mimo informacji stacji CBS, że dolar spadł w wyniku napiętej sytuacji międzynarodowej. Rosjanie nadal gromadzili wojska na granicy z Pakistanem, który to fakt prezydent określił podczas konferencji prasowej jako „nieistotny". Rosjanie, zapewniał dziennikarzy, ani myślą przekraczać granic państw, które mają traktaty obronne ze Stanami Zjednoczonymi.

W następnym tygodniu panika jakby zelżała, a dolar wrócił do zdrowia.

– Dzięki kosmetycznemu zabiegowi zastosowanemu przez Rosjan – powiedziała Florentyna do Janet. – Maklerzy z różnych stron świata donoszą, że Bank Moskiewski sprzedaje złoto, tak samo jak to robił przed sowiecką inwazją na Afganistan. Bankierzy nie powinni postrzegać historii z perspektywy jednego tygodnia.

Choć paru polityków i dziennikarzy skontaktowało się z Florentyną, by wyrazić swoje obawy, mogła ich jedynie uspokajać, obserwując wypadki z daleka. Miała nawet zamiar poprosić prezydenta o rozmowę, ale w piątek wieczorem większość Amerykanów spieszyła już do swoich domów z nadzieją na spokojny weekend w przekonaniu, że bezpośrednie zagrożenie minęło. Tego piątkowego wieczoru Florentyna pozostała w swoim biurze w Zachodnim Skrzydle i czytała depesze od ambasadorów i agentów z indyjskiego subkontynentu. Z każdą kolejną depeszą coraz mniej podzielała spokój prezydenta. Ponieważ niewiele mogła zrobić, starannie poukładała wszystkie papiery, włożyła je do specjalnej czerwonej teczki i gotowała się do wyjścia. Spojrzała na zegarek. Było dwie minuty po pół do siódmej. Edward przyleciał z Nowego Jorku i była z nim umówiona na kolację o pół do ósmej. Bawiła się myślą, że oto pani wiceprezydent sama porządkuje swoje papiery, gdy do gabinetu wpadła Janet.

– Wywiad doniósł właśnie, że Rosjanie ogłosili mobilizację – powiedziała.

– Gdzie jest prezydent? – zapytała Florentyna w pierwszym odruchu.

– Nie mam pojęcia. Widziałam jakieś trzy godziny temu, jak opuszcza helikopterem Biały Dom.

Florentyna otworzyła na powrót teczkę i przyglądała się depeszom, podczas gdy Janet czekała nadal przed jej biurkiem.

– No tak, ale kto może wiedzieć?

– Na pewno Ralph Brooks – powiedziała Janet.

– Połącz mnie z nim.

Janet poszła do swojego biura, a Florentyna znów zaczęła przeglądać doniesienia. Przebiegła oczyma zasadnicze punkty poruszone przez amerykańskiego ambasadora w Islamabadzie, po czym raz jeszcze przeczytała ocenę sytuacji przedstawioną przez generała Pierce'a Dixona, przewodniczącego Kolegium Połączonych Sztabów.

Istniały bezsporne dowody na to, że Rosjanie mają w tej chwili na granicy afgańsko-pakistańskiej dziesięć dywizji, a od kilku dni ich siły stale rosną. Wiadomo było, że połowa sowieckiej floty z Pacyfiku płynie w kierunku Karaczi, podczas gdy dwie grupy operacyjne prowadzą „manewry" na Oceanie Indyjskim. Generał Dixon zalecił wzmożenie obserwacji wywiadowczych, kiedy potwierdzona została wiadomość, że wieczorem tego dnia na lotnisku wojskowym w Kabulu wylądowało pięćdziesiąt migów-25 i Su-7. Florentyna spojrzała na zegarek: było dziewięć po siódmej.

– Gdzie ten cholernik się podziewa? – powiedziała głośno. Zabzyczał telefon na jej biurku.

– Pan sekretarz stanu na linii – powiedziała Janet. Florentyna czekała kilka sekund.

– Czym mogę ci służyć? – zapytał Ralph Brooks; sprawiał wrażenie, jakby Florentyna w czymś mu przeszkodziła.

– Gdzie jest prezydent? – zapytała po raz trzeci.

– W tej chwili jest na pokładzie Air Force One – powiedział Brooks bez wahania.

– Nie kłam, Ralph. Nawet przez telefon widać, że kłamiesz. Powiedz mi zaraz, gdzie jest prezydent.

– W drodze do Kalifornii.

– Skoro wiadomo nam o ruchach Sowietów i ogłoszony został alert dla wywiadu, to dlaczego nie powiadomiono prezydenta, aby wracał?

– Powiadomiliśmy go, ale musi lądować dla nabrania paliwa.

– Dobrze wiesz, że Air Force One nie musi uzupełniać paliwa na takich dystansach.

– On nie leci Air Force One.

– Co to do diabła ma znaczyć? – W słuchawce zapadło milczenie. – Lepiej zrobisz, grając ze mną w otwarte karty, Ralph, choćby dla ratowania własnej skóry.

Znów zapadła cisza.

– Kiedy wybuchł kryzys, prezydent leciał właśnie do Kalifornii odwiedzić przyjaciela.

– Nie wierzę – powiedziała Florentyna. – Kim on myśli, że jest? Prezydentem Francji?

– Panuję w pełni nad sytuacją – powiedział Brooks, ignorując jej uwagę. – Jego samolot wyląduje za parę minut na lotnisku w Kolorado. Prezydent przesiądzie się natychmiast do myśliwca F-15 i za dwie godziny będzie w Waszyngtonie.

– W jakiego typu samolocie znajduje się w tej chwili? – zapytała Florentyna.

– Jest to prywatny boeing 737 Marvina Snydera, właściciela Blade Oil.

– Czy z tego samolotu prezydent może się włączyć do sieci Krajowego Systemu Dowodzenia? – zapytała Florentyna. Odpowiedziało jej milczenie. – Czy słyszałeś, co powiedziałam? – rzuciła ostro.

– Tak – powiedział Ralph. – Problem w tym, że samolot ten nie ma bezpiecznego systemu łączności.

– Czy chcesz przez to powiedzieć, że w ciągu najbliższych dwóch godzin do rozmowy między prezydentem a przewodniczącym Kolegium Połączonych Sztabów może się włączyć jakiś krótkofalowiec-amator?

– Tak – przyznał Ralph.

– Zobaczymy się w Pokoju Sytuacyjnym – powiedziała Florentyna, odkładając ze złością słuchawkę.

Prawie biegiem wypadła ze swego biura. Dwóch zaskoczonych agentów Secret Service pospieszyło za nią, gdy ruszyła w dół wąskimi schodami, mijając po drodze niewielkie portrety poprzednich prezydentów. Na dole spojrzał jej w oczy Waszyngton, zanim skręciła w szeroki korytarz prowadzący do Pokoju Sytuacyjnego. Strażnik zdążył już otworzyć dla niej drzwi do sekretariatu. Przeszła przez pokój pełen bzyczących teleksów i hałaśliwych maszyn do pisania; inny wartownik otworzył przed nią dębowe drzwi do Pokoju Sytuacyjnego. Weszła do środka; ochroniarze z Secret Service pozostali na zewnątrz.

Ralph Brooks siedział w fotelu prezydenta, wydając rozkazy grupce wojskowych. Cztery spośród dziewięciu foteli ustawionych wokół stołu zajmującego prawie cały pokój były już zajęte. Na prawo od Brooksa zajmował miejsce sekretarz obrony Charles Selover, a po jego prawicy szef CIA Paul Rowe. Naprzeciw nich siedział przewodniczący Komitetu Połączonych Sztabów generał Dixon oraz doradca do spraw bezpieczeństwa narodowego Michael Brewer. Drzwi na końcu korytarza, prowadzące do centrum łączności, były szeroko otwarte.

Brooks odwrócił się do Florentyny energicznym ruchem. Po raz pierwszy widziała go bez marynarki i z rozpiętym kołnierzykiem.

– Nie ma paniki – powiedział. – Panuję nad sytuacją. Jestem pewien, że Rosjanie nie wykonają żadnego ruchu do czasu powrotu prezydenta.

– Nie sądzę, aby to właśnie było ich zamiarem – powiedziała Florentyna. – Dopóki prezydent, z niezrozumiałych powodów, jest nieobecny, musimy być przygotowani, że zrobią to, co będzie im odpowiadać.

– Ale to już nie twoje zmartwienie, Florentyno. Prezydent mnie powierzył te sprawy.

– Wręcz przeciwnie: to jest moje zmartwienie – powiedziała Florentyna stanowczo, odmawiając zajęcia miejsca. – Pod nieobecność prezydenta na mnie spoczywa odpowiedzialność za sprawy wojskowe.

– Posłuchaj, Florentyno. Ja prowadzę ten interes i proszę, byś się nie wtrącała. – Delikatny szmer rozmów wśród personelu nagle ucichł; Brooks wpatrywał się w nią gniewnie. Florentyna podniosła słuchawkę najbliżej stojącego telefonu.

– Proszę dać na wizję pana prokuratora generalnego.

– Tak jest, pani prezydent – powiedziała telefonistka.

Parę sekund później na jednym z sześciu monitorów wmontowanych w dębową boazerię ukazała się twarz Pierre'a Levale'a.

– Dobry wieczór, Pierre. Tu Florentyna Kane. Prowadzimy w tej chwili wzmożoną obserwację wywiadowczą, a z przyczyn, których nie chcę teraz roztrząsać, prezydent jest niedysponowany. Czy możesz wyjaśnić panu sekretarzowi stanu, na kogo w takich sytuacjach przechodzi władza wykonawcza?

Obecni w pokoju zastygli w bezruchu, wpatrując się w zatroskaną twarz na ekranie monitora. Zmarszczki na obliczu Pierre'a Levale'a nigdy nie były tak wyraźne. Wszyscy wiedzieli, że swoją nominację zawdzięcza Parkinowi, ale już wcześniej dawał do zrozumienia, że rządy prawa są dla niego ważniejsze niż władza prezydenta.

– Konstytucja nie zawsze rozstrzyga jasno tego rodzaju kwestie – zaczął – a od czasu sporu kompetencyjnego między Bushem i Haigiem, wynikłego po zamachu na Ronalda Reagana, sprawa jest jeszcze mniej jasna. Ale w mojej opinii pod nieobecność prezydenta cała władza przechodzi na wiceprezydenta i taką opinię przedstawiłbym Senatowi, gdyby mnie o nią poproszono.

– Dziękuję, Pierre – powiedziała Florentyna, wpatrując się wciąż w ekran. – Bądź łaskaw wyrazić tę opinię na piśmie i dopilnuj, aby jeden egzemplarz znalazł się niezwłocznie na biurku prezydenta.

Prokurator generalny zniknął z ekranu.

– Skoro już sobie to wyjaśniliśmy, Ralph, zorientuj mnie krótko w sytuacji.

Brooks z ociąganiem zwolnił fotel prezydenta, a jeden z oficerów sztabowych otworzył pokrywkę małej tablicy rozdzielczej pod kontaktem przy drzwiach. Nacisnął guzik i beżowa zasłona na ścianie za fotelem prezydenta rozsunęła się. Spod sufitu opadła wielka plansza z mapą świata.

Kiedy rozbłysły na niej różnokolorowe światełka, sekretarz obrony Charles Selover podniósł się ze swego fotela.

– Światełka wskazują wszystkie rozpoznane pozycje sił nieprzyjaciela – powiedział, gdy Florentyna odwróciła się twarzą do mapy. – Czerwone oznaczają okręty podwodne, zielone samoloty, a niebieskie dywizje.

– Spojrzawszy na tę mapę, nawet student pierwszego roku z West Point odgadłby natychmiast, co zamierzają Rosjanie – powiedziała Florentyna, patrząc na mnóstwo czerwonych światełek na Oceanie Indyjskim, zielonych na lotnisku w Kabulu i błękitnych wzdłuż granicy afgańsko-pakistańskiej.

Paul Rowe potwierdził, że Rosjanie od paru dni koncentrują swe wojska na granicy z Pakistanem, a przed niecałą godziną nadeszła depesza od znajdującego się na tyłach przeciwnika agenta CIA, który sugeruje, że Sowieci zamierzają przekroczyć granicę o dziesiątej czasu wschodnioamerykańskiego. Wręczył Florentynie pakiet odszyfrowanych depesz i odpowiedział na wszystkie pytania, jakie nasuwały jej się w trakcie czytania.

– Prezydent powiedział mi – oznajmił z emfazą Brooks, kiedy Florentyna przeczytała ostatnią depeszę – że według niego Pakistan to nie Polska i Rosjanie nie ośmieliliby się wychynąć poza afgańską granicę.

– Wkrótce się przekonamy, czy jest to opinia uzasadniona – odparła Florentyna.

– Prezydent – dodał Brooks – w ostatnich dniach pozostawał w kontakcie z Moskwą, podobnie jak premier angielski, prezydent Francji i niemiecki kanclerz. Wygląda na to, że wszyscy oni zgadzają się z jego oceną.

– Od tamtej pory sytuacja zmieniła się radykalnie – powiedziała Florentyna ostro. – To oczywiste, że będę musiała sama porozmawiać z sowieckim prezydentem.

Brooks raz jeszcze się zawahał.

– Natychmiast – dodała Florentyna.

Brooks podniósł słuchawkę telefonu. Wszyscy czekali na połączenie z Kremlem. Florentyna nigdy jeszcze nie rozmawiała z prezydentem Romanowem i czuła, jak bije jej serce. Wiedziała, że jej głos będzie analizowany w celu wyłowienia najdrobniejszego nawet wahania; to samo będą robić Amerykanie z głosem przywódcy sowieckiego. Podobno stosowanie tej metody pozwalało Rosjanom nie liczyć się zupełnie z Jimmym Carterem.

Parę minut później Romanow był na linii.

– Dzień dobry, pani Kane – powiedział, pomijając jej tytuł. Jego głos brzmiał wyraźnie, jak gdyby Rosjanin znajdował się w sąsiednim pokoju. Po czterech latach spędzonych przy dworze Świętego Jakuba sowiecki prezydent mówił doskonałą angielszczyzną z prawie niedostrzegalnym obcym akcentem.

– Czy wolno zapytać, gdzie jest pan prezydent Parkin? – Florentyna poczuła suchość w ustach. Jej rozmówca ciągnął dalej, nie czekając na odpowiedź.

– Niewątpliwie w Kalifornii, ze swoją damą. – Florentyna nie zdziwiła się wcale, że sowiecki prezydent wie o ruchach Parkina więcej niż ona sama. Było teraz dla niej jasne, dlaczego Rosjanie postanowili przekroczyć granicę z Pakistanem o dziesiątej.

– Zgadza się – powiedziała Florentyna. – A ponieważ będzie nieuchwytny jeszcze przez co najmniej dwie godziny, będzie pan musiał mieć do czynienia ze mną. Dlatego pragnę pana zapewnić, panie prezydencie, że pod nieobecność prezydenta Parkina przejmuję wszystkie jego uprawnienia. – Czuła, jak krople potu występują jej na czoło, ale powstrzymała się przed otarciem go.

– Rozumiem – powiedział prezydent, który był kiedyś szefem KGB. – Czy mogę w takim razie zapytać, jaki jest cel naszej rozmowy?

– Niech pan się nie zgrywa, panie prezydencie. Ostrzegam, że jeśli choć jeden rosyjski żołnierz przekroczy granicę Pakistanu, Ameryka zareaguje natychmiast.

– Postąpiłaby pani bardzo odważnie, pani Kane – powiedział.

– Najwyraźniej nie rozumie pan, panie prezydencie, jak działa amerykański system polityczny. Nie wymaga on od nikogo „odwagi". Będąc wiceprezydentem, jestem jedyną osobą w Ameryce, która nie ma nic do stracenia, a wszystko do wygrania. – Tym razem cisza zapadła na drugim końcu linii. Florentyna poczuła się pewniej. Mogła już bez przeszkód mówić dalej. – Jeśli nie zawróci pan na południe swojej floty, nie wycofa znad granicy z Pakistanem dziesięciu dywizji i nie każe swoim migom-25 i Su-7 odlecieć z powrotem do Moskwy, nie zawaham się zaatakować was na lądzie, morzu i w powietrzu. Czy pan mnie dobrze zrozumiał?

Połączenie zostało przerwane.

Florentyna obróciła się na fotelu ku swemu audytorium.

Po pokoju znowu rozszedł się szmer rozmów prowadzonych przez wojskowych, którzy podobne sytuacje przeżywali jedynie podczas „gier wojennych", a teraz, wraz z Florentyną, mieli się wkrótce dowiedzieć, czy ich umiejętności, doświadczenie i wiedza zostaną poddane próbie.

Ralph Brooks zasłonił dłonią słuchawkę telefonu i oznajmił, że prezydent wylądował właśnie w Kolorado i chce rozmawiać z Florentyną. Podniosła słuchawkę czerwonego aparatu, stojącego tuż pod jej bokiem.

– Florentyna? Czy to ty? – odezwał się głos z rozwlekłym teksaskim akcentem.

– Tak, to ja, panie prezydencie.

– Posłuchaj, moja droga. Ralph przedstawił mi

627

sytuację i już do was wracam. Nie rób nic pochopnie i dopilnuj, by prasa nie dowiedziała się o mojej nieobecności.

– Dobrze, panie prezydencie. – Telefon wyłączył się.

– Generale Dixon – zwróciła się Florentyna do szefa sztabu, nawet nie spojrzawszy na Brooksa.

– Słucham, pani prezydent – powiedział generał z czterema gwiazdkami, który dotąd nie zabierał głosu.

– Jak szybko możemy zmobilizować siły odwetowe na tym obszarze? – zapytała.

– W ciągu godziny mogę wysłać w kierunku celów w Rosji dziesięć eskadr myśliwców F-11 z naszych baz w Europie. Flota śródziemnomorska jest prawie w stałym kontakcie z Rosjanami, ale być może powinniśmy przesunąć ją bliżej Oceanu Indyjskiego.

– Ile czasu zajęłoby dotarcie na Ocean Indyjski?

– Dwa do czterech dni, pani prezydent.

– Proszę więc wydać stosowny rozkaz, panie generale. I postarać się dotrzeć tam w dwa dni.

– Tak jest, pani prezydent – powtórzył generał Dixon, po czym opuścił Pokój Sytuacyjny, udając się do Pokoju Operacyjnego.

Florentyna nie musiała czekać długo na następny raport, który ukazał się na monitorze. Była to wiadomość, której najbardziej się obawiała: rosyjska flota uparcie podąża w kierunku Karaczi, a pod Salabadem i Asadabadonem na granicy afgańsko-pakistańskiej koncentrują się kolejne sowieckie dywizje.

– Proszę mnie połączyć z prezydentem Pakistanu.

Miała go na linii już po chwili.

– Gdzie jest prezydent Parkin? – brzmiało pierwsze pytanie.

„Ty też?" – miała ochotę zapytać, ale odpowiedziała tylko:

– Jest w drodze z Camp David, będzie w Waszyngtonie lada moment. – Zorientowała go pokrótce w krokach, jakie przedsięwzięła, i jasno oświadczyła, jak daleko gotowa jest się posunąć.

– Bogu niech będą dzięki, że znalazł się jeden prawdziwy mężczyzna – powiedział Murbaze Bhutto.

– Proszę się nie rozłączać, a my będziemy informować pana na bieżąco, panie prezydencie – powiedziała Florentyna, pozostawiając komplement bez komentarza.

– Czy mam połączyć się jeszcze raz z sowieckim prezydentem? – zapytał Ralph Brooks.

– Nie – powiedziała Florentyna. – Proszę natomiast połączyć mnie z premierem Wielkiej Brytanii, prezydentem Francji i kanclerzem Niemiec.

Spojrzała na zegarek: była siódma trzydzieści pięć. W ciągu dwudziestu minut odbyła rozmowy z wszystkimi trzema przywódcami. Brytyjczycy zaakceptowali jej plan, Francuzi wyrazili się o nim sceptycznie, ale gotowi byli współdziałać, natomiast Niemcy odmówili współpracy.

Następną informacją, jaką otrzymała Florentyna, była wiadomość, że rosyjskie migi-25 na wojskowym lotnisku w Kabulu przygotowują się do startu.

Natychmiast rozkazała generałowi Dixonowi, by postawił wszystkie siły w stan pogotowia. Brooks chciał zaprotestować, ale w tym momencie obecni w pokoju złożyli już swe kariery w ręce kobiety. Wielu z nich bacznie ją obserwowało, zauważając, że Florentyna nie okazuje zdenerwowania.

Generał Dixon wrócił do Pokoju Sytuacyjnego.

– Pani prezydent, samoloty F-11 są gotowe do startu, Szósta Flota całą naprzód zmierza w kierunku Oceanu Indyjskiego, a brygada spadochronowa może dokonać desantu na Landi Kotal na granicy z Pakistanem w ciągu sześciu najbliższych godzin.

– Dobrze – powiedziała Florentyna cicho. Teleks wystukiwał wiadomość, że Rosjanie nadal prą do przodu na wszystkich frontach.

– Czy nie uważasz, że powinniśmy jeszcze raz skontaktować się z Romanowem, zanim będzie za późno? – zapytał Brooks. Florentyna zauważyła, że drżą mu ręce.

– Dlaczego mielibyśmy się z nim kontaktować? Nie mam nic do dodania. Jeśli teraz zawrócimy, to potem będzie już na pewno za późno – powiedziała spokojnie.

– Ale musimy spróbować wynegocjować jakiś kompromis, bo inaczej jutro prezydent wyjdzie na osła – powiedział Brooks, stojąc nad Florentyną.

– Dlaczego? – zapytała.

– Ponieważ w końcu będziesz musiała ustąpić.

Florentyna nie odpowiedziała, obróciła się tylko na swym fotelu twarzą do generała Dixona, który stał koło niej.

– W ciągu godziny będziemy na obszarze powietrznym Sowietów.

– W porządku – powiedziała Florentyna.

Ralph Brooks podniósł słuchawkę dzwoniącego tuż przy nim telefonu. Generał Dixon wrócił do Pokoju Operacyjnego.

– Prezydent wyląduje za chwilę w bazie lotniczej Andrews. Będzie tu w ciągu dwudziestu minut – oznajmił Brooks Florentynie. – Porozmawiaj z Rosjanami i każ im wstrzymać ruchy do chwili jego powrotu.

– Nie – powiedziała Florentyna. – Jeśli Rosjanie teraz nie zawrócą, możesz być pewien, że roztrąbią na cały świat, gdzie prezydent był w chwili, gdy przekraczali granice Pakistanu. Zresztą jestem pewna, że zawrócą.

– Jesteś szalona! – zawołał, zrywając się z fotela.

– Chyba nigdy nie byłam bardziej normalna.

– Czy myślisz, że naród amerykański będzie ci wdzięczny za to, że wciągnęłaś nas w wojnę z powodu Pakistanu? – zapytał Brooks.

– Tu nie chodzi o Pakistan – powiedziała Florentyna. – Potem przyjdzie kolej na Indie, a następnie na Niemcy, Francję, Wielką Brytanię, a w końcu Kanadę. A ty będziesz wciąż szukał wymówek, byle tylko uniknąć konfrontacji, nawet wtedy, gdy Rosjanie będą już maszerować na Constitution Avenue.

– Wobec takiej twojej postawy umywam ręce – oświadczył Brooks.

– I niewątpliwie przejdziesz również do historii – jako ostatni człowiek, który uczynił ten haniebny gest.

– Oświadczę prezydentowi, że sprzeciwiłaś się moim rozkazom i przejęłaś kontrolę – zareplikował Ralph, coraz bardziej podnosząc głos.

Florentyna spojrzała w górę na przystojnego mężczyznę, którego twarz zrobiła się czerwona. –

Ralph, jeśli masz się posikać ze strachu, zrób to lepiej w pokoju dziecinnym, a nie w Pokoju Sytuacyjnym.

Brooks wypadł z pokoju rozwścieczony.

– Zostało jeszcze dwadzieścia siedem minut, a nie widać, aby Sowieci zamierzali się zatrzymać – szepnął jej do ucha Dixon. Teleksem nadeszła wiadomość, że pięćdziesiąt migów-25 i Su-7 właśnie startuje i że w ciągu dwudziestu czterech minut znajdą się one w przestrzeni powietrznej Pakistanu.

Generał Dixon znów stanął za plecami Florentyny.

– Jeszcze dwadzieścia trzy minuty, pani prezydent.

– Jak pana samopoczucie, panie generale? – Florentyna starała się, by jej głos nie zdradzał napięcia.

– Lepsze niż wtedy, gdy jako porucznik wkraczałem do Berlina, pani prezydent.

Florentyna poprosiła majora sztabowego, aby sprawdził, jakie wiadomości podają trzy główne sieci telewizyjne. Rozumiała teraz, co czuł Kennedy w czasie kryzysu kubańskiego. Major nacisnął jakieś guziczki przed sobą. CBS dawała film rysunkowy, NBC mecz koszykówki, a ABC jakiś stary film z Ronaldem Reaganem. Raz jeszcze przejrzała informacje na małym monitorze, ale nie było tam niczego nowego. Teraz pozostawało jej tylko modlić się, by zdążyła dowieść, że się nie omyliła. Sączyła kawę z filiżanki, którą postawiono jej pod ręką. Kawa miała gorzki smak. Florentyna odsuwała ją właśnie na bok, gdy do pokoju wpadł prezydent Parkin, a za nim Ralph Brooks. Prezydent miał na sobie koszulę z rozpiętym kołnierzykiem, sportową marynarkę i spodnie w kratkę.

– Co się tu dzieje do diabła? – zawołał na powitanie. Florentyna podniosła się z prezydenckiego fotela i w tym momencie podszedł do niej generał Dixon.

– Jeszcze dwadzieścia minut, pani prezydent.

– Objaśnij mnie krótko, Florentyno – zażądał Parkin, zajmując swój fotel. Usiadła po jego prawej stronie i zreferowała mu po kolei, co przedsięwzięła do chwili jego przybycia.

– Niemądra kobieto! – zawołał, gdy skończyła. – Dlaczego nie posłuchałaś Ralpha? On by nas nie wpakował w taką historię.

– Doskonale wiem, co zrobiłby sekretarz stanu w tych samych okolicznościach – powiedziała Florentyna chłodno.

– Generale Dixon – powiedział prezydent, odwracając się do Florentyny plecami. – Jaka jest w tej chwili dokładnie pozycja pańskich sił? – Generał krótko zdał mu relację. Zmieniające się szybko mapy na ekranie za jego plecami pokazywały najnowsze pozycje Rosjan.

– Za szesnaście minut myśliwce F-11 będą nad terytorium wroga.

– Proszę mnie połączyć z prezydentem Pakistanu – powiedział Parkin, uderzając dłonią w blat stojącego przed nim stołu.

– On cały czas jest na linii – powiedziała Florentyna spokojnie.

Prezydent złapał za telefon i pochylony nad stołem zaczął mówić poufałym tonem.

– Przykro mi, że tak to wypadło, ale nie mam wyboru i muszę odwołać rozkaz pani wiceprezydent. Nie zrozumiała ona w pełni implikacji swoich decyzji. Nie chciałbym jednak, aby pan sądził, że was opuszczamy. Zapewniam pana, że natychmiast będziemy negocjować pokojowe wycofanie obcych wojsk z pańskiego terytorium.

– Na Allaha, nie możecie nas teraz tak zostawić – powiedział prezydent Bhutto.

– Musimy działać zgodnie z najlepszym interesem nas wszystkich – odparł Parkin.

– Tak jak zrobiliście to w przypadku Afganistanu.

Parkin zignorował ten komentarz i odłożył bezceremonialnie słuchawkę.

– Panie generale.

– Słucham, panie prezydencie – powiedział Dixon, wystąpiwszy do przodu.

– Ile zostało mi czasu?

Generał spojrzał na niewielki zegar cyfrowy zawieszony pod sufitem naprzeciw niego. – Jedenaście minut i osiemnaście sekund – powiedział.

– Proszę mnie posłuchać, i to uważnie. Pani wiceprezydent pod moją nieobecność powzięła zbyt daleko idące decyzje i teraz muszę znaleźć jakieś wyjście, abyśmy się wszyscy nie zbłaźnili. Jestem pewien, że zgadza się pan ze mną, generale.

– Jak pan rozkaże, panie prezydencie, ale osobiście trzymałbym się dotychczasowego kursu.

– Prócz względów natury wojskowej są jeszcze inne, ważniejsze. Dlatego chciałbym, aby pan...

W drugim końcu pokoju jakiś pułkownik wydał z siebie dziki okrzyk. Nawet prezydent zamilkł na moment.

– Co się tam dzieje? – zawołał.

Pułkownik stanął na baczność.

– Rosyjska flota zawróciła i płynie teraz na południe – powiedział, czytając depeszę.

Prezydentowi odebrało mowę. Pułkownik czytał dalej:

– Migi-25 i Su-7 lecą na północny zachód w kierunku Moskwy. – Rozległy się brawa, zagłuszając resztę komunikatu pułkownika. W całym pomieszczeniu terkotały teleksy potwierdzające te wiadomości.

– Panie generale – powiedział Parkin, zwracając się do przewodniczącego Komitetu Połączonych Sztabów – wygraliśmy. – Dziś jest dzień triumfu pana i Ameryki. – Zawahał się chwilę, po czym dodał: – I chcę, by pan wiedział, że jestem dumny, iż udało mi się przeprowadzić kraj szczęśliwie przez ten niebezpieczny moment.

Nikt w Pokoju Sytuacyjnym się nie roześmiał, a Brooks dodał szybko:

– Proszę przyjąć nasze gratulacje, panie prezydencie. – Wszyscy zaczęli znów bić brawo, a kilka osób podeszło, by pogratulować Florentynie.

– Generale, niech pan zawraca swoich chłopców do kraju. Spisali się fantastycznie. Moje gratulacje, to była wspaniała robota.

– Dziękuję, panie prezydencie – powiedział generał Dixon. – Ale uważam, że pochwały należą się...

Prezydent odwrócił się do Ralpha Brooksa i powiedział:

– Trzeba uczcić ten dzień, Ralph. Będziemy go wszyscy pamiętać do końca życia. Dzień, w którym pokazaliśmy światu, że z Ameryką nie ma żartów.

Florentyna stała teraz w kącie pokoju, zupełnie jakby nie miała nic wspólnego z tym, co się tam wydarzyło. Wobec tego, że prezydent nadal ignorował jej obecność, po paru minutach wyszła z pokoju. Wróciła do swojego biura na pierwszym piętrze, odłożyła na półkę czerwoną teczkę i, zatrzasnąwszy ze złością drzwi szafy, udała się do domu. Nic dziwnego, że Richard nie głosował nigdy na demokratów – pomyślała.

– Jakiś pan czeka na panią od pół do ósmej – powiedział jej na powitanie kamerdyner, gdy wróciła do domu przy Observatory Circle.

– O Boże – powiedziała Florentyna głośno i pobiegła przez salon, gdzie na sofie przed kominkiem leżał z zamkniętymi oczyma Edward. Pocałowała go w czoło, a on natychmiast się obudził.

– Ach, to ty. Jestem pewien, że byłaś zajęta ratowaniem świata przed śmiertelnym zagrożeniem.

– Coś w tym rodzaju – powiedziała Florentyna i przemierzając pokój tam i z powrotem, opowiedziała Edwardowi dokładnie, co wydarzyło się tego wieczoru w Białym Domu. Edward nigdy jeszcze nie widział jej tak rozgniewanej.

– No cóż, jedno można zapisać Parkinowi na plus – powiedział Edward, kiedy Florentyna skończyła swoją relację. – Jest konsekwentny.

– Nie będzie taki pojutrze.

– Co chcesz przez to powiedzieć?

– Właśnie to. Ponieważ zamierzam zwołać z rana konferencję prasową, by opowiedzieć dokładnie, jak było. Mierzi mnie i mam już dosyć jego pokrętnego i nieodpowiedzialnego zachowania, i wiem, że większość ludzi, którzy byli obecni dzisiejszego wieczoru w Pokoju Sytuacyjnym, potwierdzi to wszystko, co ci opowiedziałam.

– Byłoby to działanie pochopne i nieodpowiedzialne – powiedział Edward, wpatrując się w ogień na kominku.

– Dlaczego? – zapytała Florentyna, zdziwiona.

– Ponieważ Ameryka miałaby wtedy prezydenta-kukłę. Ty byłabyś przez chwilę bohaterką, ale wkrótce wszyscy by cię znienawidzili.

– Ale... – zaczęła Florentyna.

– Nie ma żadnego „ale". Tym razem będziesz musiała poskromić swoją dumę, ograniczając się do wykorzystania wydarzeń dzisiejszego wieczoru dla przypomnienia Parkinowi o waszej umowie, że nie będzie się ubiegał o ponowny wybór.

– I pozwolić, by mu się upiekło?

– By upiekło się AMERYCE – powiedział Edward z naciskiem.

Florentyna nie przestała przemierzać pokoju tam i z powrotem i przez kilka minut się nie odzywała.

– Masz rację – powiedziała w końcu. – Nie pomyślałam o konsekwencjach. Dziękuję ci.

– Zachowałbym się podobnie, gdybym znalazł się w podobnej sytuacji.

Florentyna roześmiała się.

– No dobrze – powiedziała, przestając w końcu spacerować. – Zjedzmy coś. Z pewnością umierasz z głodu.

– Nie, nie – powiedział Edward, spoglądając na zegarek. – Choć muszę pani powiedzieć, pani prezydent, że pierwszy raz w życiu zdarzyło mi się czekać trzy i pół godziny na dziewczynę, z którą umówiłem się na kolację.

Wczesnym rankiem następnego dnia zadzwonił do Florentyny prezydent.

– Wykonałaś wczoraj wspaniałą robotę, Florentyno, i doceniam sposób, w jaki przeprowadziłaś pierwszą część operacji.

– Szkoda, że pan tego nie okazał wczoraj, panie prezydencie – powiedziała, z trudem opanowując złość.

– Zamierzam wygłosić dziś o ósmej wieczorem orędzie do narodu – powiedział Parkin, ignorując uwagę Florentyny. – Nie jest to właściwy moment, aby powiedzieć ludziom, że nie będę się ubiegał o drugą kadencję, ale gdy przyjdzie na to pora, będę pamiętał o twojej lojalności.

– Dziękuję panu, panie prezydencie – tyle tylko była w stanie mu powiedzieć.

Tego wieczoru prezydent przemówił do narodu za pośrednictwem trzech sieci telewizyjnych. Wspominając tylko mimochodem o Florentynie, pozostawił słuchaczy w przekonaniu, że miał pełną kontrolę nad wszystkimi operacjami w chwili, gdy Rosjanie postanowili zawrócić swe okręty i samoloty.

Jeden czy dwa dzienniki o zasięgu ogólnokrajowym sugerowały, że to pani wiceprezydent prowadziła negocjacje z rosyjskim przywódcą, ale ponieważ Florentyna była nieosiągalna dla prasy, wersja Parkina przeszła prawie bez zastrzeżeń.

Dwa dni później Florentyna została oddelegowana do Paryża na pogrzeb Giscarda d'Estaing. Kiedy wróciła do Waszyngtonu, cały kraj pasjonował się finałem rozgrywek baseballowych, a Parkin był bohaterem narodowym.

Kiedy do pierwszych prawyborów zostało już tylko osiem miesięcy, Florentyna oznajmiła Edwardowi, że czas zacząć przygotowania do wyborów prezydenckich w 1996 roku. Mając to na względzie, przyjmowała zaproszenia z całego kraju i w ciągu tego roku przemówiła do wyborców w trzydziestu pięciu stanach. Z radością konstatowała, że gdziekolwiek się pojawia, ludzie uważają za oczywiste, że to ona zostanie następnym prezydentem. Jej stosunki z Pete'em Parkinem były nadal serdeczne, ale musiała mu przypominać, że nadszedł czas, aby ogłosił, że nie zamierza drugi raz kandydować, tak by ona mogła oficjalnie rozpocząć swoją kampanię wyborczą.

Gdy w pewien lipcowy poniedziałek wróciła do Waszyngtonu z Nebraski, gdzie przemawiała do wyborców, znalazła na biurku wiadomość od prezydenta, że w najbliższy czwartek wyjawi on narodowi swoje w tym względzie zamierzenia. Edward rozpoczął już prace nad zarysem planu strategicznego kampanii, tak aby w chwili, gdy prezydent ogłosi, że nie zamierza ponownie kandydować, można było ruszyć pełną parą z kampanią Florentyny.

– Wybrał odpowiedni moment, pani wiceprezydent – powiedział Edward. – Do kampanii mamy jeszcze czternaście miesięcy, poza tym wystarczy, jeśli swoją kandydaturę zgłosisz przed pierwszym października.

W ten czwartkowy wieczór Florentyna czekała sama w swoim biurze na oświadczenie prezydenta. Trzy sieci telewizyjne transmitowały jego wystąpienie i wszystkie wspomniały o pogłosce, że liczący sobie sześćdziesiąt pięć lat Parkin nie zamierza ubiegać się o drugą kadencję. Florentyna czekała niecierpliwie, patrząc w ekran; kamera prześliznęła się z fasady Białego Domu na okno Pokoju

Owalnego, gdzie za biurkiem siedział prezydent Parkin.

– Amerykanie! Rodacy! – zaczął. – Zawsze uważałem, że powinienem informować was o swoich planach, aby uniknąć w ten sposób spekulacji na temat mojej przyszłości, tego, czy za czternaście miesięcy będę ponownie kandydował na ten zaszczytny urząd. – Florentyna uśmiechnęła się. – Dlatego korzystając z tej okazji, pragnę wyjawić wam w sposób jednoznaczny swoje intencje, gdyż chciałbym uniknąć angażowania się w partyjną politykę do końca kadencji. – Florentyna omal nie podskoczyła na swoim fotelu z radości, że prezydent, mówiąc językiem prasy, „zajął uczciwe stanowisko". Parkin mówił dalej: – Zadaniem prezydenta zasiadającego w Białym Domu jest służyć narodowi, dlatego pragnę oświadczyć, że choć w przyszłych wyborach będę kandydował na ten urząd, prowadzenie kampanii wyborczej pozostawię swoim oponentom z Partii Republikańskiej, nie przerywając – w interesie wszystkich Amerykanów – ani na chwilę swej pracy w Białym Domu. Mam nadzieję, że zaszczycicie mnie przywilejem służenia wam przez kolejne cztery lata. Niech was Bóg błogosławi.

Florentynie na moment odebrało mowę. W końcu złapała za stojący obok telefon i wykręciła numer gabinetu prezydenta. Odezwał się kobiecy głos.

– Muszę natychmiast zobaczyć się z prezydentem. Zaraz tam będę. – Rzuciła słuchawkę i podążyła w kierunku Pokoju Owalnego.

Osobista sekretarka prezydenta powitała ją przy drzwiach.

– Prezydent ma w tej chwili konferencję, ale myślę, że lada moment będzie wolny.

Florentyna przemierzała korytarz tam i z powrotem przez trzydzieści siedem minut, zanim wreszcie wpuszczono ją do prezydenta.

– Pete Parkin! – zaatakowała prezydenta, jeszcze zanim zdążyły zamknąć się za nią drzwi. – Jesteś kłamcą i oszustem!

– Chwileczkę, Florentyno, ja muszę mieć wzgląd na dobro kraju...

– Dobry Boże, przez wzgląd na Pete'a Parkina, który nie potrafi dotrzymać umowy, ratuj ten kraj. No cóż, jedno mogę ci powiedzieć: nie mam ochoty ubiegać się u twego boku o ponowny wybór na stanowisko wiceprezydenta.

– Żałuję bardzo – powiedział prezydent, siadając w swoim fotelu i notując coś w leżącym przed nim notesie – choć nie powiem, aby miało to dla mnie jakieś znaczenie.

– Co chcesz przez to powiedzieć? – zapytała.

– Nie zamierzałem cię prosić, abyś drugi raz ze mną startowała do wyborów, ale odmawiając, ułatwiłaś mi bardzo sytuację. Partia zrozumie teraz, dlaczego musiałem rozejrzeć się za kimś innym.

– Gdybym stanęła do rywalizacji z tobą, przegrałbyś.

– Nie, Florentyno, przegralibyśmy oboje, a republikanie zwyciężyliby może również w Senacie i w Izbie. A ty na pewno nie stałabyś się przez to najpopularniejszą damą w mieście.

– Nie poprę cię w Chicago. A nikt jeszcze nie został prezydentem, nie mając za sobą Illinois; mieszkańcy tego stanu nigdy ci tego nie wybaczą.

– Może wybaczą, jeśli na miejsce jednego senatora z ich stanu wezmę sobie drugiego.

Florentyna zmartwiała.

– Nie odważysz się – powiedziała.

– Jeśli wezmę Ralpha Brooksa, przekonasz się, że mój wybór jest trafny. Do podobnego wniosku dojdą mieszkańcy Illinois, kiedy powiem, że widzę go jako swego oczywistego następcę za pięć lat.

Florentyna wyszła bez słowa. Była chyba jedyną osobą na świecie, która trzasnęła drzwiami Pokoju Owalnego.

XXXVIII

Kiedy w najbliższą sobotę na polu golfowym na Cape Cod Florentyna szczegółowo zrelacjonowała Edwardowi rozmowę z Parkinem, przyznał, że nie jest specjalnie zaskoczony tą wiadomością.

– Nie jest może udanym prezydentem, ale makiawelskie sztuczki zna lepiej niż Nixon i Johnson razem wzięci.

– Powinnam była cię posłuchać, kiedy ostrzegałeś mnie przed nim w Detroit.

– Jak to wyraził się kiedyś twój ojciec o Henrym Osborne'ie? „Kto raz był kanalią, zawsze nią pozostanie".

Wiał lekki wietrzyk i Florentyna podrzuciła w górę kilka ździebełek trawy, aby określić jego kierunek. Usatysfakcjonowana, wyjęła z torby golfowej piłeczkę, ustawiła ją i wybiła daleko. Ku jej zaskoczeniu wiatr zniósł piłeczkę nieco w prawo, w jakieś krzaki.

– Chyba nieprawidłowo oceniła pani siłę wiatru, pani prezydent – zauważył Edward. – Wygląda na to, że nadszedł dzień, w którym cię pokonam, Florentyno. – Posłał piłkę w sam środek toru, ale dwadzieścia jardów bliżej niż Florentyna.

– Jest źle, ale nie aż tak źle, jak myślisz – odparła ze śmiechem i, wyprowadziwszy najpierw piłeczkę z nierównego terenu, z dużej odległości ulokowała ją w dołku.

– Jak za najlepszych czasów – powiedział Edward, kiedy zabierali się do wybicia piłeczek w kierunku następnego dołka. Zapytał ją o plany na przyszłość.

– Parkin ma rację: nie mogę wywołać awantury, gdyż przysłużyłabym się republikanom; postanowiłam więc spojrzeć realistycznie na swoją przyszłość.

– Co przez to rozumiesz?

– Wytrwam jakoś tych czternaście miesięcy na stanowisku wiceprezydenta, a potem chciałabym wrócić do Nowego Jorku i stanąć na czele rady nadzorczej Grupy Barona. Podróżując po świecie, miałam okazję przyjrzeć się firmie z zupełnie wyjątkowego punktu widzenia i myślę, że uda mi się zrealizować całkiem nowe pomysły, które pozwolą nam zdystansować konkurencję.

– Wygląda na to, że czekają nas ciekawe przeżycia – powiedział Edward uśmiechając się, kiedy dołączył do Florentyny i szli razem ku drugiej łączce. Starał się skoncentrować na grze, podczas gdy Florentyna mówiła dalej.

– Chciałabym też wejść do rady nadzorczej banku Lestera. Richard zawsze chciał, abym poznała od środka mechanizm funkcjonowania banku. Ciągle mi powtarzał, że płaci swoim dyrektorom więcej, niż zarabia prezydent Stanów Zjednoczonych.

– W tej sprawie musisz poradzić się Williama, nie mnie.

– Dlaczego? – zapytała Florentyna.

– Ponieważ pierwszego stycznia obejmuje stanowisko przewodniczącego rady nadzorczej. Wie o bankowości więcej, niż ja dowiem się do końca życia. Odziedziczył po Richardzie instynkt rasowego finansisty. Pozostanę w radzie jeszcze parę lat, ale uważam, że bank nie mógłby się znaleźć w lepszych rękach.

– Czy William nie jest za młody?

– Jest w tym samym wieku co ty, gdy zostałaś prezesem rady nadzorczej Grupy Barona – powiedział Edward.

– No cóż, będziemy mieć w rodzinie przynajmniej jednego człowieka na wysokim stanowisku – powiedziała Florentyna, nie trafiwszy do dołka z odległości dwóch stóp.

– Mamy po jednym dołku, pani wice. – Edward zaznaczył wynik w swojej karcie i przyglądał się odcinkowi długości dwustu dziesięciu jardów ze skrętem. – Wiem już, jak zamierzasz spędzać połowę wolnego czasu. A masz jakiś pomysł na drugą połowę?

– Tak. Od śmierci profesora Ferpozziego Fundusz Powierniczy Remagen pozbawiony jest kierownictwa. Postanowiłam, że sama nim pokieruję. Wiesz może, jaki jest w tej chwili stan konta funduszu?

– Nie, ale wystarczy zadzwonić, by się dowiedzieć – powiedział Edward, starając się skoncentrować na wybijaniu piłeczki.

– Zaoszczędzę ci dwadzieścia pięć centów – powiedziała Florentyna. – Dwadzieścia dziewięć milionów dolarów, które dają prawie cztery miliony dochodu rocznie. Czas już, Edwardzie, zabrać się do budowy pierwszego Uniwersytetu Remagen, zapewniającego stypendia dla dzieci imigrantów w pierwszym pokoleniu.

– I proszę pamiętać, pani prezydent, dla dzieci szczególnie uzdolnionych, niezależnie od pochodzenia – powiedział Edward, ustawiając sobie piłeczkę.

– Zaczynasz mówić zupełnie jak Richard – zaśmiała się.

Edward wybił piłeczkę.

– Szkoda, że nie gram jak on – dodał, obserwując, jak biała kulka szybuje wysoko i daleko, a potem trafia w drzewo.

Florentyna nawet chyba tego nie zauważyła. Kiedy jej piłeczka wylądowała na samym środku toru, każde pomaszerowało w inną stronę. Mogli kontynuować rozmowę dopiero, kiedy dotarli do łączki. Florentyna mówiła o tym, gdzie ma stanąć uniwersytet, ilu powinien przyjąć studentów w pierwszym roku oraz kto powinien zostać pierwszym rektorem. W ten sposób przegrała na trzecim i czwartym torze. Postanowiła się skupić na grze, ale musiała mocno się napocić, by wyrównać wynik przed dotarciem do dziewiątego pólka.

– Z rozkoszą oddam dziś twoje sto dolarów na fundusz Partii Republikańskiej – powiedziała. – Nic nie sprawiłoby mi większej radości niż widok Parkina i Brooksa rozłożonych na obie łopatki. – Westchnęła, kiepsko wybiwszy piłeczkę kijkiem z żelazną główką w kierunku dziesiątego dołka.

– Daleko ci jeszcze do pokonania mnie – powiedział Edward.

Florentyna nie słuchała go.

– Jakże bezowocnie upływają mi lata w państwowej służbie – stwierdziła.

– Nie zgadzam się z tobą – powiedział Edward, nie przerywając przymiarek do wybicia piłeczki. – Sześć lat w Kongresie, dalszych osiem w Senacie, a wreszcie pierwsza kobieta-wiceprezydent. I podejrzewam, że historia odnotuje w końcu twoją rolę w uchronieniu Pakistanu przed inwazją z o wiele większą skrupulatnością, niż uznał to za konieczne Parkin. Nawet jeśli osiągnęłaś mniej, niż miałaś nadzieję, to przetarłaś drogę dla następnej kobiety, która zechce wspiąć się na sam szczyt. Nawiasem mówiąc, uważam, że gdybyś stanęła do najbliższych wyborów jako kandydatka demokratów, wygrałabyś z łatwością.

– Sondaże opinii publicznej wydają się mówić to samo. – Florentyna usiłowała się skoncentrować, ale uderzyła piłeczkę nieco z boku. – Psiakrew – zaklęła, patrząc jak piłeczka znika w zagajniku.

– Nie jest pani dziś w szczytowej formie, pani prezydent – stwierdził Edward. Zaliczył jeszcze dziesiąty i jedenasty dołek, ale zepsuł dwunasty i trzynasty zbyt nerwowymi uderzeniami kija.

– Myślę, że powinniśmy wybudować hotel w Moskwie – powiedziała Florentyna, kiedy dotarli do czternastej łączki. – Było to zawsze największą ambicją mojego ojca. Czy mówiłam ci już, że minister turystyki Michaił Żukowlew od dawna mnie do tego namawia? W przyszłym miesiącu muszę jechać do Moskwy z tą okropną wizytą kulturalną, będę więc mogła bardziej szczegółowo przedyskutować z nim tę sprawę. Dzięki Bogu jest jeszcze balet teatru Bolszoj, barszcz i kawior. Przynajmniej, jak dotąd, nie próbowali podłożyć mi do łóżka żadnego przystojnego młodego Rosjanina.

– Bo wiedzą o naszym golfowym układzie – zaśmiał się Edward.

Podzielili się dołkami czternastym i piętnastym, a potem Edward wygrał szesnasty.

– Za chwilę się przekonamy, jak radzisz sobie w sytuacjach kryzysowych – powiedziała Florentyna.

Edward przegrał szesnasty dołek, nie trafiając z odległości zaledwie trzech stóp, i mecz miał się rozstrzygnąć przy ostatnim dołku. Florentyna prowadziła swoją piłeczkę dobrze, ale Edward, dzięki szczęśliwemu wybiciu z krawędzi niewielkiego wzgórka, znalazł się ze swoją zaledwie o kilka jardów od niej. Po drugim wybiciu był już o niecałe dwadzieścia jardów od łączki i z trudem powstrzymywał się od uśmieszku, kiedy razem szli środkiem toru.

– Przed tobą jeszcze daleka droga, Edwardzie – odezwała się Florentyna, posyłając swoją piłeczkę prosto w przeszkodę z piaskiem.

Edward roześmiał się.

– Muszę ci przypomnieć, że umiem świetnie posługiwać się kijem do wybijania z piasku i putterem – ciągnęła Florentyna i dowiodła tego, lokując piłeczkę zaledwie cztery stopy od dołka.

Edward krótkim uderzeniem przemieścił piłeczkę z dwudziestu jardów do sześciu stóp od dołka.

– To może być twoja ostatnia szansa w życiu – powiedziała Florentyna.

Dzierżąc mocno kij golfowy, Edward trącił lekko piłeczkę i patrzył, jak zakołysała się na krawędzi dołka, zanim do niego wpadła. Podrzucił kij wysoko w górę i zawołał:

– Ju-huuu!!!

– Jeszcze nie wygrałeś – skwitowała Florentyna – ale z pewnością nigdy już nie będziesz tak bliski zwycięstwa. – Odzyskała pewność siebie, studiując linię między piłeczką a dołkiem. Jeśli ulokuje piłkę w dziurze, będzie remis i po strachu.

– Mam nadzieję, że te helikoptery cię nie rozpraszają – zatroszczył się Edward.

– Jeśli coś albo ktoś mnie rozprasza, to ty. Jeszcze się nie ciesz. Skoro od tego uderzenia zależy całe moje dalsze życie, to zapewniam cię, że nie sfuszeruję. Właściwie – powiedziała, cofając się o jeden krok – dlaczego nie miałabym poczekać, aż odlecą?

Florentyna spoglądała w niebo i czekała, aż cztery helikoptery przelecą nad nimi i oddalą się. Dudniący hałas silników stawał się coraz głośniejszy.

– Musiałeś posunąć się aż do tego, aby wygrać, Edwardzie? – zapytała, kiedy jeden z helikopterów zaczął się zniżać.

– Co tu się u licha dzieje? – spytał Edward z niepokojem.

– Nie mam pojęcia – odrzekła Florentyna. – Ale przypuszczam, że zaraz się dowiemy.

Spódnica owinęła jej się wokół nóg, gdy jeden z helikopterów wylądował kilka jardów od osiemnastej łączki. Łopaty wirnika obracały się jeszcze, kiedy z maszyny wyskoczył jakiś pułkownik i pobiegł ku Florentynie. Po nim wysiadł jeszcze drugi oficer z czarną walizeczką w ręku i stanął koło helikoptera. Florentyna i Edward patrzyli na pułkownika, który stanął na baczność i zasalutował.

– Pani prezydent – powiedział. – Prezydent nie żyje.

Florentyna zaciskała pięść, podczas gdy agenci Secret Service rozstawiali się wokół osiemnastego dołka. Raz jeszcze zerknęła ku czarnej walizeczce pozwalającej na odpalenie broni jądrowej, za którą ponosiła teraz wyłączną odpowiedzialność; spust, którego – miała nadzieję – nigdy nie będzie zmuszona nacisnąć. Dopiero po raz drugi w życiu odczuła, co znaczy ciężar prawdziwej odpowiedzialności.

– Jak to się stało? – zapytała spokojnie.

Pułkownik mówił dalej dobitnym głosem.

– Prezydent wrócił z porannej przebieżki i udał się do swych pokoi, aby wziąć prysznic i przebrać się do śniadania. Minęło ponad dwadzieścia minut, zanim doszliśmy do wniosku, że mogło się wydarzyć coś niedobrego, wysłano mnie więc, abym sprawdził, ale było już za późno. Lekarz powiedział, że musiał nastąpić rozległy zawał. Prezydent miał w ciągu ostatniego roku dwa lekkie ataki serca, ale w obu przypadkach udało się nam ukryć to przed prasą.

– Ile osób wie, że prezydent nie żyje?

– Trzy osoby z jego personelu, lekarz osobisty, żona i generalny prokurator, którego natychmiast powiadomiłem. To on polecił mi odnaleźć panią i dopilnować, aby została pani zaprzysiężona tak szybko, jak to tylko będzie możliwe. Następnie mam pani prezydent towarzyszyć w drodze do Białego Domu, gdzie prokurator generalny czeka, by podać do wiadomości szczegóły śmierci prezydenta. Prokurator generalny ma nadzieję, że zaakceptuje pani ten tok postępowania.

– Dziękuję, panie pułkowniku. A teraz musimy szybko udać się do mego domu.

Florentyna w towarzystwie Edwarda, pułkownika, oficera z czarną walizeczką i czterech agentów Secret Service weszła na pokład wojskowego helikoptera. Maszyna wzniosła się w powietrze i Florentyna spojrzała w dół na łączkę, gdzie leżała jej piłeczka, malejący biały punkcik, zaledwie cztery stopy od dołka. Parę minut później helikopter wylądował na trawniku przed jej domem na Cape Cod, podczas gdy trzy pozostałe czuwały zawieszone w górze.

Florentyna wprowadziła wszystkich do livingroomu, gdzie mały Richard bawił się z ojcem i biskupem O'Reillym, który przyleciał do nich na weekend.

– Dlaczego helikoptery krążą nad domem, babciu? – zapytał Richard.

Florentyna wyjaśniła wnuczkowi, co się wydarzyło. William i Joanna wstali z foteli, nie bardzo wiedząc, co powiedzieć.

– Co dalej, panie pułkowniku? – zapytała Florentyna.

– Będzie nam potrzebna Biblia – powiedział pułkownik – na którą złoży pani przysięgę.

Florentyna podeszła do biurka w rogu pokoju i z górnej szuflady wyjęła Biblię panny Tredgold. Trudniej było ze znalezieniem tekstu prezydenckiej przysięgi. Edward pomyślał, że może znajduje się on w książce Theodore'a White'a „The Making of the President:1972", która – o ile pamięta – powinna być w bibliotece. Była.

Pułkownik zatelefonował do prokuratora generalnego, by się upewnić, czy mają właściwy tekst. Potem Pierre Levale porozmawiał z biskupem O'Reillym i wytłumaczył mu, jak powinno odbyć się zaprzysiężenie.

W living-roomie swego domu na Cape Cod, w otoczeniu członków rodziny, Florentyna Kane stanęła do przysięgi, mając za świadków pułkownika Maxa Perkinsa i Edwarda Winchestera. Wzięła Biblię do prawej ręki i powtarzała słowa za biskupem O'Reillym.

– Ja, Florentyna Kane, uroczyście przysięgam, że będę sumiennie pełnić urząd prezydenta Stanów Zjednoczonych Ameryki i z największą troską będę strzec oraz bronić Konstytucji Stanów Zjednoczonych, tak mi dopomóż Bóg.

W ten sposób Florentyna Kane została czterdziestym trzecim prezydentem Stanów Zjednoczonych Ameryki.

William jako pierwszy pogratulował matce, a potem próbowali to uczynić naraz wszyscy obecni w pokoju.

– Chyba powinniśmy już wyruszyć do Waszyngtonu, pani prezydent – zasugerował parę minut później pułkownik.

– Oczywiście. – Florentyna odwróciła się ku staremu kapłanowi swojej rodziny. – Dziękuję, ekscelencjo – powiedziała. Ale biskup nie odpowiedział. Po raz pierwszy w życiu małemu Irlandczykowi zabrakło słów. – Wkrótce będzie mi biskup potrzebny do innego rodzaju ceremonii.

– Jaką ceremonię masz na myśli, drogie dziecko?

– Kiedy tylko trafi się nam wolny weekend, ja i Edward zamierzamy się pobrać. – Edward wyglądał na bardziej zaskoczonego i zachwyconego niż w chwili, gdy usłyszał, że Florentyna została prezydentem. – Zbyt późno sobie przypomniałam, że w decydującej rozgrywce nieoddanie strzału do dołka daje automatycznie zwycięstwo przeciwnikowi.

Kiedy Edward wziął ją w ramiona, powiedziała:

– Kochany, będę potrzebować twej mądrości i sił, ale nade wszystko twej miłości.

– Ma ją pani stale od czterdziestu prawie lat, pani wice... chciałem powiedzieć...

Wszyscy wybuchnęli śmiechem.

– Chyba powinniśmy już ruszać, pani prezydent – ponaglał pułkownik. Florentyna skinęła głową, że się z nim zgadza. Wtedy odezwał się telefon. Edward podszedł do biurka i podniósł słuchawkę.

– Dzwoni Ralph Brooks. Mówi, że ma do ciebie pilną sprawę.

– Przeproś pana sekretarza stanu, Edwardzie, i powiedz mu, że w tej chwili jestem zajęta i żeby był uprzejmy stawić się u mnie w Białym Domu.

Edward uśmiechał się, patrząc jak czterdziesty trzeci prezydent Stanów Zjednoczonych Ameryki zmierza w kierunku drzwi. Towarzyszący Florentynie pułkownik nacisnął guzik swojej krótkofalówki i powiedział cicho:

– Baronowa wraca do zamku. Kontrakt został podpisany.

Spis treści